Das Buch

Verläuft die Geschichte – gesetzt, sie verläuft überhaupt – in der Form von Prozessen, sei es als »Zyklus« oder als »Strom«, als »Entwicklung« und »Fortschritt«? Haben geschichtliche Bewegungen ein Ziel? Wie verhält es sich in ihnen mit der Freiheit der Handelnden, der Ereignishaftigkeit und der Eigendynamik, dem »Sachzwang« umfassender Abläufe? Gibt es Prozesse, die weder für diejenigen, aus deren Handlungen sie resultieren, noch für andere zu steuern sind? Gibt es Gesetzmäßigkeiten in der Geschichte?
Die Prozeß-Kategorie hat heute Konjunktur. Sie scheint sich in der Betrachtung von Gesellschaft und Natur überall aufzudrängen. Auch der Historiker ist es gewohnt, mit prozessualen Vorstellungen und Begriffen umzugehen. Offenbar sind sie nützliche Instrumente, um im unübersichtlichen Fluß des Geschehens Konturen zu entdecken, Zusammenhänge herzustellen, Kräfte und Tendenzen zu erkennen. Aber mit diesen Möglichkeiten ergeben sich zugleich Risiken, eine Überschätzung etwa von Zwangsläufigkeit oder gar Determination.
Dieses Symposion liefert Beiträge zu einer Theorie historischer Prozesse. Historiker und Philosophen diskutieren mit Vertretern anderer Disziplinen den vielschichtigen Problemkomplex im Rückblick auf frühere Geschichtsbetrachtung, in der Analyse einzelner historischer Prozesse und Prozeßtypen und im Blick auf die Verwendung der Prozeß-Kategorie in anderen Wissenschaften.

Studiengruppe »Theorie der Geschichte«
Werner-Reimers-Stiftung, Bad Homburg

Beiträge zur Historik
Band 2

Historische Prozesse

Herausgegeben von Karl-Georg Faber
und Christian Meier

Deutscher
Taschenbuch
Verlag

Als Band 1 dieser Reihe ist erschienen:
Objektivität und Parteilichkeit in der Geschichtswissenschaft
Herausgegeben von Reinhart Koselleck,
Wolfgang J. Mommsen und Jörn Rüsen (4281).

Originalausgabe
Juli 1978

Umschlaggestaltung: Celestino Piatti
Gesamtherstellung: C. H. Beck'sche Buchdruckerei,
Nördlingen
Printed in Germany · ISBN 3-423-04304-0

Inhalt

Vorwort 7

Fragen und Thesen zu einer Theorie historischer Prozesse
von CHRISTIAN MEIER, Bochum 11

Erster Teil
Auffassungen historischer Prozesse in der Tradition historischen Denkens

Prozeß und Ereignis in der griechischen Historiographie des 5. Jahrhunderts und vorher
von CHRISTIAN MEIER 69

Vasari und die Folgen
Die Geschichte der Kunst als Prozeß?
von HANS BELTING, Heidelberg 98

Die klassisch-humanistische Zyklentheorie und ihre Anfechtung durch das Fortschrittsbewußtsein der französischen Frühaufklärung
von JOCHEN SCHLOBACH, Saarbrücken 127

Geschichte als Prozeß im Denken von Alexis de Tocqueville
von RUDOLF VON THADDEN, Göttingen 143

Zur Analytik des Geschichtsprozesses bei Marx
von HELMUT FLEISCHER, Darmstadt 157

Die Uhr, der die Stunde schlägt
Geschichte als Prozeß der Kultur bei Jacob Burckhardt
von JÖRN RÜSEN, Bochum 186

Zweiter Teil
Analyse und Auffassung einzelner historischer Prozesse und Prozeßtypen in der heutigen Wissenschaft

Autonomprozessuale Zusammenhänge in der Vorgeschichte der griechischen Demokratie
von CHRISTIAN MEIER 221

Der Hochimperialismus als historischer Prozeß
Eine Fallstudie zum Sinn der Verwendung des Prozeßbegriffs in der Geschichtswissenschaft
von WOLFGANG J. MOMMSEN, London 248

Revolution als Prozeß
von HELMUT BERDING, Gießen 266
Historischer Prozeß und Restaurationsproblem
von ROBERT A. KANN, Wien 290
Zum Problem historischer Krisen
von RUDOLF VIERHAUS, Göttingen 313
Kompensation
Überlegungen zu einer Verlaufsfigur geschichtlicher Prozesse
von ODO MARQUARD, Gießen 330

Dritter Teil
Das Prozeß-Problem in anderen Wissenschaften
Zum juristischen Prozeßbegriff
von HELMUT COING, Frankfurt a. M. 365
Der naturwissenschaftliche Prozeßbegriff
von ERHARD SCHEIBE, Göttingen 374
Geschichte als Prozeß und die Theorie sozio-kultureller Evolution
von NIKLAS LUHMANN, Bielefeld 413
Soziologische Betrachtungen zum historischen Prozeß
von SHMUEL N. EISENSTADT, Jerusalem 441
Der Prozeßbegriff in der Sozialwissenschaft
von BRUNO FRITSCH, Zürich 460

Personenregister 466
Sachregister 468

Vorwort

Die Studiengruppe »Theorie der Geschichte« der Werner-Reimers-Stiftung legt hier Referate vor, die auf ihrer zweiten Tagungsfolge (Herbst 1975/Herbst 1976) gehalten worden sind. Sie sind zumeist auf Grund der Diskussionen überarbeitet worden. Ein längerer Diskussionsbeitrag kam nachträglich hinzu.

Das Thema lautete ursprünglich »Geschichte als Prozeß«. Während der Arbeit wurde uns die Mißverständlichkeit dieser singularischen Formulierung immer stärker bewußt. Daher wurde die Überschrift in »Historische Prozesse« abgeändert.

Die Prozeß-Kategorie spielt in der Historie wie auf anderen Gebieten der Betrachtung von politischem und gesellschaftlichem, wirtschaftlichem und kulturellem Geschehen seit geraumer Zeit eine bedeutende Rolle. Sie ist schon in den Begriffen »Entwicklung«, »Fortschritt«, »Gang der Dinge«, ja in »Geschichte« selbst, neuerdings in »Eigendynamik« und »Sachzwang« enthalten und bestimmt, auch ohne daß diese oder ähnliche Begriffe respective Metaphern gebraucht würden, weitgehend die Anschauung verschiedenster Vorgänge, ganzer Epochen, ja zum Teil der Weltgeschichte insgesamt.

Im weiten Sinn meinen »Prozeß« und seine älteren Äquivalente nichts anderes als »Ablauf«. Der Ausdruck »historische Prozesse« zielt zumeist darauf. Aber unvermeidlich schwingt im Verständnis dieser Worte auch eine engere Bedeutung mit, die eines besonderen, mehr oder weniger eigenständigen Handlungszusammenhangs, einer Entwicklung oder eines Sachzwangs. So ist in der Prozeß-Kategorie die Annahme einer Gerichtetheit und Zwangsläufigkeit des Geschehens, der objektiven Kraft einer nicht oder kaum zu steuernden Bewegung, im äußersten Fall von Determination und Teleologie angelegt. Prozessuale Auffassungsweise tendiert jedenfalls dazu, den Spielraum des Handelns und des Sich-Ereignens gering zu veranschlagen. Ihre Aktualität und Konjunktur hängen offensichtlich damit zusammen, daß angesichts »verlängerter Interdependenzketten« und »verringerter Einflußdifferentiale« (Norbert Elias) die politisch-gesellschaftliche Wirklichkeit verstärkt durch sich selbst überlassene, mit eigener Kraft verlaufende Prozesse bestimmt zu sein scheint. Hinzu kommt die Erfahrung umfassenden prozessualen Wandels und der Summe »fremder Mächte«, welche aus den Nebenwirkungen alltäglichen Handelns resultieren.

Prozesse im Sinne eines eigendynamischen Zusammenhangs

sind in der Vergangenheit wie in der Gegenwart – wenn auch in verschiedener Weise und in verschiedenem Umfang – zu beobachten. Insofern gehören sie zum Gegenstandsbereich des Historikers, spielen in diesem sogar eine bedeutende Rolle, auch wenn nicht primär sie es sind, die unter dem Ausdruck »historische Prozesse« verstanden werden.

Eigenartigerweise gibt es in der Geschichtswissenschaft kaum eine Reflexion auf den Gebrauch, das Erkenntnispotential und die Gefahren der Prozeß-Kategorie. Auch die Geschichtsphilosophie hat eher mit ihr gearbeitet, als daß sie sie wirklich bedacht hätte. Die Problematik, die sich hier auftut, wird offenbar unterschätzt. Dabei kann es kaum strittig sein, daß diese Kategorie ein wichtiges Instrument historischer Arbeit ist, das es verdient, geschärft und zugleich bewußter (das heißt vermutlich auch: vorsichtiger) gehandhabt zu werden.

Daher schien es uns angezeigt, die historischen Prozesse und die prozessuale Auffassungsweise zum Gegenstand eines interdisziplinären Kolloquiums zu machen. Es waren sowohl das Erkenntnispotential, das der Begriff enthält, zu bestimmen wie die Grenzen abzustecken, die seinem sinnvollen Gebrauch gesetzt, schließlich die Risiken aufzuweisen, die mit ihm verknüpft sind. Denn beim Thema Prozeß geht es immer zugleich um die Möglichkeiten des Handelns und Sich-Ereignens, wie die Betrachtung des Sachzwangs auch die Spielräume der Freiheit deutlich machen sollte. Zu allererst war ein anspruchsvoller, spezifischer Prozeß-Begriff zu umreißen, angesichts dessen Erkenntnisgehalt und Gedankenlosigkeit, Verführung oder Ideologie in der Verwendung von Wort und Kategorie Prozeß unterschieden werden können.

Das Interesse der Studiengruppe konzentrierte sich einerseits auf den Gebrauch der Prozeß-Kategorie (im weiten Sinne des Wortes) innerhalb der historischen Anschauung früherer Epochen. Andererseits wurden Fallstudien über einzelne Prozesse (im engeren Sinne des Wortes) sowie Betrachtungen von Prozeßtypen vorgelegt. Endlich wurde über den Prozeßbegriff in anderen Disziplinen, nämlich in der Jurisprudenz, der Naturwissenschaft, der Soziologie und der Nationalökonomie referiert.

Anders als beim ersten Thema der Studiengruppe, »Objektivität und Parteilichkeit«, das an eine lange Tradition geschichtstheoretischer Reflexion anknüpfen konnte, war hier der ganze Umfang der Problematik nicht von vornherein deutlich. Wer über Prozesse nachdenkt, so zeigte sich, gerät in einen. So wurde uns zum Beispiel erst im Laufe der Arbeit bewußt, daß die Behandlung der Prozeß-Kategorie auf eine Theorie der Handlungskonnexe und -konstellationen hinausläuft. So wurde das Problem, wie man die komplexen *historischen Prozesse* (im weiten, üblichen Sinne des Wortes) aufschließen kann, beiseitegelassen. Das Verhältnis von Struktur und Prozeß wurde kaum berührt, die Frage der Erzählbarkeit und Darstellung der Prozesse nicht ausdrücklich gestellt. Die geschichtsphilosophische Dimension der Auffassung von Geschichte als einem einzigen Prozeß oder als »Prozeß der Prozesse« mußte fast ganz ausgespart werden.

Immerhin sollten die vorliegenden Beiträge deutlich machen, welch ungemein wichtige, weitgreifende, aufschlußreiche Problematik, welch vielfältige Implikationen und welch fruchtbares Instrumentarium mit den historischen Prozessen und der prozessualen Auffassungsweise (im weiten und im spezifischen Sinne) gegeben sind. Es ist zu hoffen, daß damit wenigstens Schneisen in eine komplexe Materie geschlagen sind; daß daraus ein Ansporn für weitere ergiebige Arbeit erwächst.

Die Studiengruppe ist den Herren verpflichtet, die ihre Arbeit als Gäste durch Referate und Diskussionsbeiträge stark gefördert haben. Sie ist der Werner-Reimers-Stiftung dankbar dafür, daß sie uns großzügig die Möglichkeit zu interdisziplinären Kolloquien eröffnete. Herrn Professor Konrad Müller und seinen Mitarbeiterinnen und Mitarbeitern, besonders Frau Gertrud Söntgen, gilt unser Dank für die wundervolle Gastfreundschaft, mit der sie uns in Bad Homburg aufnahmen, sowie für zahlreiche Hilfsdienste. Herrn Dr. Wilfried Nippel ist für die Anfertigung der Protokolle und des Registers zu danken.

Karl-Georg Faber
Christian Meier

Christian Meier

Fragen und Thesen zu einer Theorie historischer Prozesse

1. Was heißt »Das ist ein Prozeß«?

Mit der Prozeß-Kategorie werden innerhalb der sozialen Welt bestimmte Handlungszusammenhänge wahrgenommen. Oft sind es freilich nicht die ganzen Handlungen, sondern nur bestimmte Teile ihrer Wirkungen, die in den Konnex eines Prozesses eingehen. Der Teil einer Handlung, der an einem Prozeß mitwirkt, soll hier Impuls[1] heißen. Er muß nicht intendiert sein, stellt vielmehr oft nur eine nicht beabsichtigte, wenn nicht gar eine den Absichten der Handelnden entgegengesetzte »Nebenwirkung«[2] dar. Die Impulse werden durch die Prozeß-Kategorie dem Sinnganzen eines einheitlichen umfassenden Vorgangs eingeordnet bzw. unterworfen.

Der Anwendungsbereich des Wortes Prozeß ist außerordentlich groß. Kurzfristige wie langfristige Vorgänge, solche, die sich in einem einzelnen Menschen, und solche, die sich unter mehreren, vielen, ja in der ganzen Menschheit vollziehen, werden als Prozesse verstanden. Man rechnet mit Prozessen der Integration und der Desintegration, des Aufstiegs, des Niedergangs, mit »prozessualen Revolutionen« wie der Industrialisierung oder der Dekolonisation[3]. Wirtschaftliche Konjunkturen, sozialhistorische Zusammenhänge, die Polarisierung zwischen Parteien können ebenso wie religiöse Bewegungen, das Funktionieren eines Regierungssystems, die Geschichte einer Entdeckung oder der Ablauf einer Panik mit dieser Kategorie erfaßt werden. Solche Vorgänge können leichter oder schwerer verständlich sein; um ihren inneren Zusammenhang mag es höchst verschieden stehen. Bei all dem ist unverkennbar, daß die Prozeß-Kategorie heute Konjunktur hat.

[1] Von »Impulsen« spricht in vergleichbarem Zusammenhang auch Johann Gustav Droysen, *Historik*. Hrsg. von R. Hübner, München-Berlin 1937, S. 97f.

[2] Haupt- und Nebenwirkungen unterscheidet man bekanntlich von den Intentionen her. In dem, was sie bewirkt, kann die Nebenwirkung also durchaus wichtiger als die intendierte Hauptwirkung sein, auch für den Handelnden selbst.

[3] Theodor Schieder, *Revolution und Geschichte*. Freiburg i. Br. 1973, S. 23.

Entsprechend der Weite des Wortgebrauchs und seiner Konjunktur ist es sehr schwierig, näher einzugrenzen, was in der Alltagssprache – und dazu gehört mangels genauerer Festlegung auch der Wortgebrauch in der Historie, der Sozial-, ja der Naturwissenschaft[4] – mit Prozeß gemeint wird. Das wichtigste und vermutlich auch schon das einzige gemeinsame Merkmal scheint zu sein, daß eine unübersehbar große Zahl von Impulsen einen irgendwie zusammenhängenden, einheitlichen Vorgang auszumachen scheint[5]. Dessen Einheit gewinnen wir daraus, daß wir von irgendeinem Ende zu irgendwelchen Anfängen einen Bogen spannen. Häufig präparieren wir dabei aus einer Unsumme von in sehr verschiedene Richtung zielenden Handlungen und Wirkungen innerhalb eines irgendwie abgegrenzten Kreises von Menschen – etwa der geistigen Führungsschicht einer Nation – diejenigen Impulse gleichsam heraus, die direkt oder indirekt an einem bestimmten Vorgang – etwa einem Meinungsbildungsprozeß – beteiligt sind. Man sieht dann nur oder jedenfalls vornehmlich diesen Vorgang (der möglicherweise erst von seinem Ergebnis her eine Einheit gewinnt). Jedenfalls gehört es zu unserer Vorstellung vom Prozeß, daß er in irgendeiner Weise gerichtet ist.

An einem Prozeß brauchen, wie gesagt, nicht viele Menschen beteiligt zu sein. So sprechen wir von einem Lernprozeß, den ein Einzelner durchmacht, wenn wir meinen, er habe nicht in einem Akt der Einsicht oder des Aha-Erlebnisses, sondern auf Grund einer langen Reihe neben- und nacheinander erfolgender Einwirkungen (Erlebnisse, Erfahrungen, Enttäuschungen etc.) endlich etwas in sein Wissen aufgenommen.

Es ist, damit wir einen Prozeß feststellen zu können meinen, auch nicht erforderlich, daß er sich zeitlich absolut lang hinzieht. Er muß nur eben so lang währen, daß eine ungemein große Zahl von Impulsen sich auswirken kann. Willensbildung kann sich in Stunden abspielen: daß wir sie als Prozeß auffassen können, setzt lediglich voraus, daß wir eben die große Summe der nach-, neben- und aufeinander wirkenden, zuletzt in einem Entschluß resultierenden Impulse an ihr wahrnehmen.

[4] Vgl. Erhard Scheibe, unten S. 374f. Das Wort ist kaum in Registern zu finden. Wo es in Buchtiteln begegnet, ist es zumeist in unspezifischem Sinn gebraucht.

[5] Vgl. Maurice Mandelbaum, *The problem of historical knowledge*. New York 1938, S. 274: »The grand sweep of events which we call the historical process is made up of an indefinitely large number of components (which do not form a completely interrelated set).«

Weiterhin muß ein Handlungszusammenhang, den wir als Prozeß auffassen, nicht auf Veränderung gerichtet sein. Er kann ebensogut im einfachen Funktionieren oder in der Reproduktion eines Systems bestehen. Arnold Gehlen beschreibt zum Beispiel Institutionen als Prozesse[6]. Arthur F. Bentley spricht vom »process of government«[7]. Sozialisierungsprozesse führen zur stets neuen Wiederherstellung und Bekräftigung etwa von kulturellen Orientierungen (verändern freilich zugleich die Einzelnen, stellen also – in je verschiedenem Rahmen – sowohl Veränderungs- wie Bewahrungsprozesse dar, um von den möglichen Veränderungen der Sozialisationsweisen und -inhalte abzusehen).

Die Richtung des Prozesses muß auch keineswegs von vornherein feststehen. Im allgemeinen Wortgebrauch genügt es, daß wir sie im Ergebnis feststellen (zu) können (meinen).

Insbesondere muß die Richtung des Prozesses nicht zielbezogen sein. Hier ist an das Beispiel der in der biologischen Evolution beobachteten Prozesse zu erinnern, die in aller Regel zwar unumkehrbar sind, aber keine vorgegebene Zielsetzung oder Zweckbestimmung haben. In der besonderen Form der Orthoevolution kennt man sogar Phylogenesen, die konsequent und geradlinig einer ausschließlich von natürlichen Evolutionsfaktoren kontrollierten Tendenz folgen. Ursache dafür ist ein »Automatismus, der sich aus einer Kombination von Irreversibilität und fortlaufender Abnahme der evolutiven Bandbreite ergibt«. Die Ausrichtung wird streckenweise durch Orthoselektion (andauernden unveränderten Selektionsdruck) gefördert. Sie ist im ganzen dadurch bestimmt, daß ein Merkmal oder Merkmalskomplex innerhalb der Stammeslinie fortlaufend ausgebaut wird, und zwar mit gleichsinniger Grundtendenz[8].

Die Auffassung eines Vorgangs als Prozeß enthält eine bestimmte, keineswegs notwendige Deutung von Geschehnissen im Sinne eben der relativen Einebnung unendlich vieler Impulse in die Einheit eines Sinnganzen. Die Willensbildung etwa in einer Debatte des römischen Senats kann man einfach auf das überzeu-

[6] *Studien zur Anthropologie und Soziologie.* Neuwied-Berlin 1963, S. 196ff.

[7] *The process of government.* Chicago 1908.

[8] Vgl. Heinrich K. Erben, *Die Entwicklung der Lebewesen. Spielregeln der Evolution.* München-Zürich 1975, S. 219ff., 229ff., 467. Übrigens führt besonders schnelles Fortschreiten (das in starker Spezialisierung in Hinsicht auf die Umweltbedingungen besteht) oft zu besonderer Gefährdung der Gattung. Dazu, daß der Geschichtsbegriff in Naturwissenschaft und Historie in vielem der gleiche ist: Hermann Lübbe, *Geschichtsbegriff und Geschichtsinteresse. Analytik und Pragmatik der Historie.* Basel-Stuttgart 1977, S. 90ff., 283ff.

gende Votum eines einzelnen, auf den Sieg einer Gruppe zurückführen oder darauf, daß verschiedene Kräfte einen Kompromiß fanden. Sieht man in ihr dagegen den Prozeß, so löst sich etwa die Wirkung jenes überzeugenden Votums auf in eine Menge von Impulsen der Vorbereitung, der Mobilisierung von Anhängern, der Macht einzelner Argumente oder rhetorischer Kniffe, der Interdependenz zwischen Rede und Resonanz, der allmählichen Herausbildung eines suggestiven Klimas der Zustimmung etc. Denn ohne daß dies jeweils ausgeführt würde, liegt es so doch im Sinne der Kategorie. Man kommt auf diese Weise fraglos oft dichter an den umfassenden Zusammenhang der Verursachung heran, zumal wenn es sich um relativ geringe Einflußdifferentiale handelt[9]. Man wird der Summe der Beteiligten und der Mitwirkung auch derer besser gerecht, die scheinbar bloß rezipieren, folgen, mitmachen, geführt werden oder abhängig sind[10].

Um ein weiteres Beispiel zu nennen: Den Vorgang der Einigung des deutschen Reiches unter Preußen kann man wesentlich auf Bismarck und die Macht, über die er verfügte, zurückführen. Apperzipiert man ihn mit Hilfe der Prozeß-Kategorie, so löst man das Wirken des großen Staatsmannes in die Summe der Impulse auf, die im Laufe der Zeit von ihm in das Ganze des Wirkungskonnexes eingingen und diesen immer neu in die gewollte Richtung lenkten[11]. Auch hierbei käme die Vielfalt der wie auch immer mitbeteiligten »Faktoren« stärker ins Blickfeld.

Jedenfalls bleibt es wesentlich eine Sache der Perspektive, ob man einen Vorgang eher auf einzelne herausgehobene Handlun-

[9] Vgl. ein – beliebig aus der Presse, Frankfurter Allgemeine vom 12. 11. 76, gegriffenes – Zitat: »Jetzt, da sich der – offenbar weitgehend sich selbst überlassene – Prozeß der Entscheidung über die Person ... deutlich in Richtung des ... bewegt ...«

[10] Hubert Treiber, *Programmentwicklung als politischer Prozeß*. Zeitschrift für Politik 24 (1977), setzt sich zum Beispiel gegen das Verständnis Max Webers ab, wonach die Politiker entscheiden, die Bürokratie ausführt, und zeigt, daß die Programmentwicklung sich vielmehr auf mehreren Stufen als iterativer Prozeß gegenseitiger Beeinflussung vollzieht. Vgl. auch die dort zitierte Äußerung F. W. Scharpfs, Politik sei ein Prozeß, »in dem lösungsbedürftige Probleme artikuliert, politische Ziele formuliert, alternative Handlungsmöglichkeiten entwickelt und schließlich als verbindliche Festlegung gewählt werden«.

[11] Anders kann es mit der Auslösung von Prozessen stehen: wenn es etwa Anwar al Sadat beim Kriege von 1973 darum gegangen wäre, vor allem den Stein vereinter internationaler Bemühungen um eine Zurückdrängung Israels und um Frieden ins Rollen zu bringen. Dann wäre dieser Prozeß von ihm ausgegangen. In dessen Ablauf hingegen ist seine Rolle wesentlich beschränkter. Dieser Ablauf ist gerade dadurch bestimmt und erfolgversprechend, daß er von ihm selbst relativ unabhängig ist.

gen zurückführt, die Antriebe also gleichsam in wenigen Kernen eines politischen Feldes sucht (das heißt praktisch: zusammenfaßt, auch zeitlich zumeist zum Punktuellen hin verkürzt) oder ob man in ihm eher das Neben- und Nacheinander relativ sehr vieler Impulse sieht[12]. Übrigens schließen sich die beiden Perspektiven keineswegs aus. Man kann sich dazu genötigt sehen, bei verschiedenen Gelegenheiten bald diese, bald jene zu vernachlässigen, um bei anderer Gelegenheit zur je anderen überzuwechseln. Gleichwohl sind die Perspektiven auseinanderzuhalten. Die Wendungen »Ich habe erkannt« und »Ich habe einen Lernprozeß durchgemacht« können zwar nicht nur auf den gleichen Effekt zielen, sondern auch den gleichen Vorgang meinen; aber die Formulierung zeigt schon, daß man ihn grundverschieden sieht, sowohl was den »Prozeß« wie was das – horribile dictu – »System« angeht, das sich in ihm befindet[13].

Wenn die Prozeß-Kategorie heute Konjunktur hat, so bedeutet dies, daß sie auf immer mehr Gegenstände angewandt wird. Sie dringt in Bereiche vor, in denen vorher andere Arten der Wahrnehmung bestimmend waren. Mit ihrer Hilfe werden selbst solche Gegebenheiten, die vorher als über lange Zeit statisch angesehen wurden – wie die Institutionen –, als dynamische, wenn auch in sich kreisende Bewegungen erkannt. Exemplarisch dafür ist die Geschichte der Naturwissenschaften, in der immer mehr, was als zeitlose Struktur gegolten hatte, als Prozeß erkannt wurde und wird[14]. Es ist wohl auch keine Frage, daß die Vorstel-

[12] Ein anderes Problem der Perspektive zeigt Erben, *Entwicklung der Lebewesen*, S. 179f.: Für den Genetiker erscheinen Mutationen stets als zufällig und unregelmäßig (ereignishaft), der Phylogenetiker entdeckt dagegen (in den großen Abläufen) Gesetz- oder mindestens Regelmäßigkeiten.

[13] Zu der dahinterstehenden Auffassung etwa Norbert Elias, *Was ist Soziologie?* München 1970, S. 127: »Der Mensch ist ständig in Bewegung; er durchläuft nicht nur einen Prozeß, er *ist* ein Prozeß.« Von anderen Voraussetzungen her weist Bertolt Brecht, *Das moderne Theater ist das epische Theater. Anmerkungen zur Oper ›Aufstieg und Fall der Stadt Mahagonny‹* (etwa 1930). Gesammelte Werke 17, Frankfurt a.M. 1967, S. 1010, der dramatischen Form des Theaters den »Menschen als Fixum«, der epischen den »Menschen als Prozeß« zu. Dort bestimme das Denken das Sein, hier das gesellschaftliche Sein das Denken.

[14] Erhard Scheibe, unten S. 388ff. Vgl. Hannah Arendt, *Fragwürdige Traditionsbestände im politischen Denken der Gegenwart.* Frankfurt a.M. (1957), S. 81f. Reinhart Koselleck, *Wozu noch Historie?* Historische Zeitschrift 212 (1971), S. 15, der von der Notwendigkeit der »Entsubstantialisierung« von Begriffen wie Staat, Volk, Klasse, Jahrhundert, Rasse, Persönlichkeit spricht. Es seien »statt fixierter Größen die intersubjektiven Zusammenhänge als solche zu thematisieren, und zwar in ihrer zeitlichen Erstreckung. Korrelationen, die an sich beweglich sind, lassen sich aber nur funktional beschreiben, mit hypothetisch einzubringenden

lung sozialer Prozesse heute – sofern überhaupt von einem anderen Bereich – am ehesten von den Naturwissenschaften her bestimmt ist. (Eine andere Frage ist, wieweit bei der ursprünglichen Übertragung auf historische und gesellschaftliche Tatbestände der naturwissenschaftliche und wieweit der juristische Prozeßbegriff Pate gestanden haben. In der Geschichtsphilosophie des 18. und 19. Jahrhunderts hat der juristische Begriff eine bedeutende Rolle gespielt[15]. Zur gleichen Zeit wurde aber auch der naturwissenschaftliche Prozeßbegriff aktuell. Die Frage ist, soweit ich sehe, noch nie untersucht worden.)

Das Vordringen aber und Vorwalten der Prozeß-Kategorie bei der Betrachtung historischer und gesellschaftlicher, aber auch etwa psychischer Phänomene hängt eng mit der Weise zusammen, in der sich diese uns heute darbieten. Das Schwinden der Einflußdifferentiale, die ungeheure Verlängerung der Interdependenzketten, die zunehmende wechselseitige Abhängigkeit (Reziprozität und Multipolarität) in den gesellschaftlichen Beziehungen wirken darauf hin, daß immer mehr als unendliche Folge von Impulsen vor sich geht, also in Figurationen, über die sich von den Beteiligten nicht verfügen läßt[16]. Die Entscheidungschancen nehmen, aufs Ganze gesehen, ab. Ein gutes Beispiel dafür ist die Unmöglichkeit von Friedensverträgen. Henry Kissinger zog daraus für den Nahen Osten die Konsequenz, einen großangelegten diplomatischen Prozeß zu inszenieren, der sich über viele Stufen dem Ziel annähern und schließlich wohl eher zu seiner Erreichung beitragen als zu ihm führen sollte: »We must build confidence; conceive a negotiating dynamic. We must set in motion small agreements. We must proceed step by step.« »What's important is the process itself – to keep negotiations going, to prevent them from freezing.« Das einzige, was die Großmacht Amerika tun konnte (und nur zeitweise erreichte),

Konstanten, die ihrerseits wieder in anderen funktionalen Zuordnungen als Variable zu interpretieren sind.« Vgl. zum Wandel als Wesen der Sprache: Eugenio Coseriu, *Synchronie, Diachronie und Geschichte.* München 1974, bes. S. 91.

[15] Hier geht es um den Prozeß, zu dem die Weltgeschichte wurde, als das aufsteigende Bürgertum ihn gegen das Ancien Régime anstrengte; zu dem die Behauptung, daß die Geschichte ein Prozeß sei, sich schließlich verdichtete. Vgl. Reinhart Koselleck, *Kritik und Krise.* Freiburg-München 1959, S. 6ff; ders., Artikel ›Geschichte‹ in: *Geschichtliche Grundbegriffe,* hrsg. von O. Brunner, W. Conze, R. Koselleck, Bd. 2, Stuttgart 1975, S. 666ff.; Odo Marquard, *Idealismus und Theodizee.* In: ders., *Schwierigkeiten mit der Geschichtsphilosophie.* Frankfurt a.M. 1973, S. 52ff.

[16] Elias, *Was ist Soziologie,* S. 70ff.; vgl. S. 100f.

war, »to remain in control of the diplomatic process«. Denn es fehlte ihr an der Überlegenheit und den notwendigen Druckmitteln, und zwar primär wohl aus innenpolitischen Gründen (so daß die hemmende Wirkung der Balance zwischen den Großmächten sich gar nicht auszuwirken brauchte)[17].

Auf andere Weise führt die Verschränkung der Interdependenzen und mangelnde Zusammenfaßbarkeit der Macht dazu, daß Prozesse zunehmend Platz greifen, wo früher regiert wurde oder wo nach unseren Erwartungen neuerdings regiert werden müßte. Nicht zuletzt darin besteht ja die Unregierbarkeit unserer Staaten. Gewicht und Reichweiten sehr vieler Entscheidungen werden dadurch begrenzt, daß zu vieles einfach vorgegeben wird durch die besondere Art von Prozessen, der man den treffenden Titel Sachzwänge verliehen hat. So kommt es denn auch, daß Entscheidungen und Ereignisse sich bei einigermaßen distanzierter Betrachtung leicht einebnen in den Zusammenhang langfristiger Abläufe. Hier wären die Beobachtungen einzubringen, die Raymond Aron über die »dépersonnalisation des événements« angestellt hat[18].

Innerhalb des gesamten Geschehens und vor allem des Veränderungsgeschehens der letzten Jahrzehnte und Jahrhunderte sind Prozesse im Sinne »aggregierter Vorgänge«, die sich aus Handlungen »massenhaften, durchschnittlichen, allmählichen und repetitiven Charakters« aufbauen[19], immer wichtiger geworden, langfristige Bewegungen zumal, etwa der Prozeß der Industrialisierung mit seinen vielfältigen Teil- und Folgeprozessen. Reinhart Koselleck spricht von einer »Prozessualisierung«, die die Historie im 18. Jahrhundert erfahren habe[20].

Immer mehr beobachtet man auch den besonderen Handlungszusammenhang der »Eigengesetzlichkeit«. Ein gutes Beispiel dafür bietet ein Interview des österreichischen Bundeskanzlers Bruno Kreisky. Nach seiner Meinung haben – um den Bericht der Frankfurter Allgemeinen vom 12. 3. 76 zu zitieren – »die Auseinandersetzungen um den Führungsanspruch Moskaus innerhalb der großen kommunistischen Parteien Westeuro-

[17] Edward R. F. Sheehan, *How Kissinger did it: step by step in the Middle East.* In: Foreign policy 22/25 (1976/77) S. 16, 43f., 52.

[18] *Dimensions de la conscience historique.* Paris 1961, S. 182ff.

[19] Friedrich H. Tenbruck, *Die Soziologie vor der Geschichte.* In: *Soziologie und Sozialgeschichte.* Sonderheft 16 (1972) der Kölner Zeitschrift für Soziologie und Sozialpsychologie, hrsg. v. P. Ch. Ludz, S. 43.

[20] Koselleck, Artikel ›Geschichte‹ in: *Geschichtliche Grundbegriffe.*

pas eine Entwicklung in Gang gebracht ..., die heute bereits ihre Eigengesetzlichkeit entfalte und sich von der sowjetischen Parteiführung weder kontrollieren noch stoppen lasse«. Irgendetwas also, was stärker ist als die mächtige Parteiführung der KPdSU, scheint die Beteiligten irgendwohin zu treiben. Die genaue Richtung, in die »die Dynamik innerhalb der kommunistischen Parteien« zielt, ist aber nach Kreisky noch nicht abzusehen. Der Prozeß habe »erst begonnen, sein wirklicher Charakter lasse sich noch nicht eindeutig feststellen«. Der Wortgebrauch Kreiskys (bzw. des referierenden Journalisten) entspricht fraglos dem allgemeinen Verständnis. In der Sache geht es darum, daß die verschiedenen beteiligten Kräfte nach Meinung des Kanzlers derart in Schwung geraten sind, das heißt von Interessen, Meinungen, Handlungen derart angetrieben sind und sich gegenseitig antreiben, daß daraus eine Bewegung entsteht, die insgesamt stärker ist, als daß sie zum Gegenstand politischer Verfügungen werden könnte. Die Differenz zwischen den Handlungen auch der mächtigsten Einzel- und Gruppensubjekte und dieser Bewegung ist so groß, daß das Ganze wie von selbst abläuft, wohin auch immer. Die Beteiligten, die es in Gang halten, sind ihm unterworfen. Ihre eigenen Aktionen, Reaktionen und Anschlußreaktionen greifen so machtvoll und intensiv – sich multiplizierend und potenzierend – ineinander, daß das daraus resultierende Geschehen sich verselbständigt, eigene Kraft entfaltet und in den Beteiligten so viel Dynamik hervorruft, daß sie, was sie auch wollen, nur immer zur allgemeinen Bewegung beitragen können; wie in einem dichten Menschengewühl der Einzelne, was er auch tut, genötigt ist, agierend und reagierend das Ganze irgendwo hinzudrängen. So erwächst eine eigenständige Kraft, die denen, aus deren Wirken sie resultiert, gegenübertritt.

Man kann darüber streiten, ob solche Bewegung eine Richtung haben muß (und diese nicht höchstens nachträglich gewinnen kann, falls bestimmte Faktoren dahin drängen, daß die entfaltete Schwungkraft sich schließlich in bestimmter Weise konzentriert)[21]. Bemerkenswert ist hier jedenfalls nicht die Richtung des

[21] Hermann Haken beschreibt die Vorgänge im Laser wie folgt: »Einzelne, nach der Anregung schwingende Atome senden ... kurze Lichtwellenzüge aus. Treffen diese auf andere angeregte Atome, so schwingen die Atome im Takt der Lichtquelle mit und verlängern sie. Bestimmte Wellenzüge lassen sich dabei leichter verlängern, andere weniger leicht. Zwischen den verschiedenen Wellen setzt so ein Konkurrenzkampf ums ›Überleben‹ ein. Hat eine Welle die Oberhand gewonnen, so geraten unweigerlich alle Atome in deren Sog.« Frankfurter Allgemeine vom

Geschehens, sondern der besonders intensive, kumulative, mitreißende Wirkungszusammenhang. Das ist die andere Erfahrung, auf die der Satz »Das ist ein Prozeß« zielt: die der unkontrollierten, im ganzen weder Anordnungen oder Beschlüssen noch bloßer Kontingenz ausgesetzten, heftigen eigenständigen Gewalt des Geschehens. Gemeinsam ist den beiden Erfahrungen, daß es sich um etwas handelt, das so, wie man es sieht, weit über die einzelnen Beteiligten oder – was etwa den Lernprozeß angeht – über einzelne Willensakte hinausgeht. Wahrscheinlich kommt noch etwas anderes hinzu: seien die Wege, wie im vorliegenden Beispiel, auch noch so verschlungen, man ist eben versucht, darin eine Richtung zu finden. Das drückt sich in den Bildern des Stroms und der Bewegung aus.

Die ersten Beobachtungen dieser Art sind wohl während der Französischen Revolution gemacht worden. Camille Desmoulins sprach vom »torrent révolutionnaire«, Georg Forster von der »Lava der Revolution«, Robespierre von der »tempête révolutionnaire« oder gleichbedeutend der »marche de la révolution«. Nach seinen Worten trieben die Verbrechen der Tyrannei und die Fortschritte der Freiheit sich gegenseitig an zu einer »réaction continuelle dont la violence progressive a opéré en peu d'années l'ouvrage de plusieurs siècles«[22]. Beim Studium der Revolution fühlt Georg Büchner sich 1833 »wie zernichtet unter dem gräßlichen Fatalismus der Geschichte«. Er findet »in den menschlichen Verhältnissen eine unabwendbare Gewalt, allen und keinem verliehen. Der Einzelne nur Schaum auf der Welle, die Größe ein bloßer Zufall, die Herrschaft des Genies ein Puppenspiel, ein lächerliches Ringen gegen ein ehernes Gesetz, es zu erkennen das Höchste, es zu beherrschen unmöglich«. Er meint offenbar, es seien gar nicht die Menschen, die dies Getriebe in Gang halten, sondern nur irgendein ungewisser Teil von ihnen, denn schließlich fragt er: »Was ist das, was in uns lügt, mordet, stiehlt?« Er spricht von einer »entsetzlichen Gleichheit« in der Menschennatur, die es offenbar bedingt, daß die Menschen – modern gesprochen – zu bloßen Funktionen des Geschehens werden[23].

17. 11. 77. Damit sei nicht gesagt, daß das Modell auf den Eurokommunismus anwendbar ist, wohl aber bei dieser Gelegenheit auf die in diesem Zusammenhang interessante Studienrichtung der Synergetik hingewiesen.

[22] Hannah Arendt, *Über die Revolution*. München 1968, S. 59ff.

[23] Brief an die Braut, November 1833 (?). Vgl. im Brief an die Familie, Februar 1834: Es liegt »in niemands Gewalt ..., kein Dummkopf oder kein Verbrecher zu

Eine andere Form der Wahrnehmung von Prozessen bezieht sich auf langgestreckte Abläufe, die sich aus Wirkungen und sehr oft Nebenwirkungen alltäglicher Handlungen speisen. Sie begegnet seit Vico und der schottischen Sozialphilosophie, findet sich in berühmten Beispielen etwa bei Kant und Tocqueville und vielen anderen[24].

Eine besonders eindrucksvolle Schilderung findet sich in Karl Marx' *Grundrissen.* Dort heißt es zur Warenzirkulation: »So sehr nun das Ganze dieser Bewegung als gesellschaftlicher Prozeß erscheint und so sehr die einzelnen Momente dieser Bewegung vom bewußten Willen und besondern Zwecken der Individuen ausgehn, so sehr erscheint die Totalität des Prozesses als ein objektiver Zusammenhang, der naturwüchsig entsteht; zwar aus dem Aufeinanderwirken der bewußten Individuen hervorgeht, aber weder in ihrem Bewußtsein liegt noch als Ganzes unter sie subsumiert wird. Ihr eignes Aufeinanderstoßen produziert eine über ihnen stehende *fremde* gesellschaftliche Macht; ihre Wechselwirkung als von ihnen unabhängigen Prozeß und Gewalt.«[25] Diese Beschreibung paßt sowohl auf die Reproduktion eines Systems wie auf Wandlungsvorgänge. In beiden Fällen haben wir es nach Marx mit Prozessen zu tun, einmal mit einem, in dem die

werden – weil wir durch gleiche Umstände wohl alle gleich würden und weil die Umstände außer uns liegen«.

[24] Vgl. Hans Medick, *Naturzustand und Naturgeschichte der bürgerlichen Gesellschaft.* Göttingen 1973; Friedrich A. von Hayek, *Freiburger Studien.* Tübingen 1969, S. 97ff., 126ff., 156, 232ff.; Immanuel Kant, *Idee zu einer allgemeinen Geschichte in weltbürgerlicher Absicht.* Werke, Bd. 11, hrsg. von W. Weischedel, Frankfurt a.M. 1954, S. 33ff. Ähnlich formuliert dann Johann Gustav Droysen, *Historik*, S. 179; vgl. S. 155; *Texte zur Geschichtstheorie.* Hrsg. von W. Birtsch und J. Rüsen. Göttingen 1972, S. 35f.; Alexis de Tocqueville, *Über die Demokratie in Amerika.* München 1976, S. 6ff. Ferner R. von Thadden, unten S. 143ff.

[25] *Grundrisse der Kritik der politischen Ökonomie. 1857–58.* 2. Aufl. Berlin 1974, S. 111. Vgl. schon *Die Deutsche Ideologie.* Die Frühschriften. Hrsg. von S. Landshut, Stuttgart 1964, bes. S. 361ff.; Helmut Fleischer, *Marxismus und Geschichte.* 3. Aufl. Frankfurt a.M. 1970, S. 39f. Die Naturwüchsigkeit entsteht daraus, daß »die Individuen nur ihr besonderes, für sie nicht mit ihren gemeinschaftlichen Interessen zusammenfallendes suchen« (Frühschriften, S. 360). Übrigens geht es Marx nicht so sehr um die genaueren Zusammenhänge und Mechanismen der von ihm anvisierten Prozesse, sondern um die Tatsache, daß es eine zwar selbsterzeugte, aber fremde Gewalt ist, die den Individuen in diesen Prozessen entgegentritt. Er spricht mehr von der Machtlosigkeit der Subjekte angesichts der Totalität des von ihnen »naturwüchsig« angerichteten Geschehens als von dessen Eigendynamik. Dies war zunächst sein eigentliches Problem; gegenüber dem, was er die deutsche Ideologie nannte. Daher ist ihm auch die Scheidung zwischen Reproduktions- und Wandlungsprozessen in diesem Zusammenhang nicht so wichtig. Vgl. im ganzen H. Fleischer, unten S. 157ff.

Voraussetzungen eines Systems nicht nur »Bedingungen seines Entstehens«, sondern zugleich auch »Resultate seines Daseins« sind, zum anderen mit einem, in dem die »fremde Gewalt... eine eigentümliche, vom Wollen und Laufen der Menschen unabhängige, ja dies Wollen und Laufen erst dirigierende Reihenfolge von Phasen und Entwicklungsstufen durchläuft«[26].

In unserer Zeit hat am intensivsten wohl Norbert Elias über Prozesse und prozessuale Zusammenhänge nachgedacht. Er hat einerseits den »Prozeß der Zivilisation« im ganzen wie in vielen seiner Teile untersucht und es in diesem Zusammenhang als das »Problem der historischen Prozesse« bezeichnet, wie es zu verstehen sei, »daß alle diese Prozesse aus nichts bestehen als aus Aktionen einzelner Menschen und daß dennoch in ihnen Institutionen und Formationen entstehen, die so, wie sie tatsächlich wurden, von keinem einzelnen Individuum beabsichtigt oder geplant waren«[27]. Elias spricht von der »Interdependenz der Menschen« als einer »Ordnung von ganz spezifischer Art, einer Ordnung, die zwingender und stärker ist als Wille und Vernunft der einzelnen Menschen, die sie bilden«. Sie sei »weder ›rational‹ – wenn man unter ›rational‹ versteht: entstanden ... aus der zweckgerichteten Überlegung einzelner Menschen –, noch ›irrational‹ – wenn man unter ›irrational‹ versteht: entstanden auf unbegreifliche Weise«[28].

Diese »Eigengesetzlichkeit der gesellschaftlichen Verflechtungserscheinungen«, die ihm die Entwicklung der Zivilisation als zwangsläufig erscheinen ließ, fand Elias andererseits in den verschiedensten Handlungskonnexen der Gesellschaft wieder. Seine Soziologie dreht sich vor allem um die von Individuen gebildeten »Figurationen« und die Prozesse, die sich darin abspielen. Der »Übergang zum wissenschaftlichen Denken« in der Soziologie scheint ihm damit zusammenzuhängen, »daß man

[26] *Grundrisse,* S. 364: »Es geht nicht nur von Voraussetzungen aus, um zu werden, sondern ist selbst vorausgesetzt, und von sich ausgehend schafft [es] die Voraussetzungen seiner Erhaltung und Wachstums selbst«. *Frühschriften,* S. 362.

[27] *Über den Prozeß der Zivilisation. Soziogenetische und psychogenetische Untersuchungen.* Bd. 1, 2. Aufl. Bern-München 1969, S. LXXIX. Vgl. *Was ist Soziologie,* S. 182. Das gleiche Problem stellte sich schon der schottischen Sozialphilosophie. Vgl. etwa Adam Ferguson, *An essay on the history of civic society.* Edinburgh 1767, S. 187: »Every step and every movement of the multitude, even in what are termed enlightened ages, are made with equal blindness to the future; and nations stumble upon establishments which are indeed the result of human action but not the execution of any human design«. Vgl. Hayek, *Freiburger Studien,* ebd.

[28] *Über den Prozeß der Zivilisation,* Bd. 2, S. 314; vgl. *Was ist Soziologie,* S. 182.

einen Ereignisbereich, den man zuvor unreflektiert als Mannigfaltigkeit von Handlungen, Absichten und Zwecken einzelner Lebewesen erlebt hat, nun gleichsam aus größerer Distanz als einen relativ autonomen, relativ ungesteuerten und unpersönlichen Geschehenszusammenhang eigener Art erkennt«[29]. Statt »Aktionsbegriffen« seien »Funktionsbegriffe« zu gewinnen. Elias spricht auch vom »sich zum Teil selbst regulierenden Wandel einer sich zum Teil selbst organisierenden und selbst reproduzierenden Figuration interdependenter Menschen in einer bestimmten Richtung«[30]. An diesen Figurationen und Prozessen sind die Individuen nicht als »homines clausi« beteiligt – wie etwa die Rede vom Gegenüber von Individuum und Gesellschaft das nahelegt –, sondern sie verwandeln sich mit den Figurationen, die sie bilden[31]: in der prozessualen Betrachtungsweise lösen sie sich also gleichsam in die Zusammenhänge, in denen sie denken und agieren, auf, in das also, was in ihnen jeweils handelt und vom Geschehen betroffen ist. Wie weit das gehen kann und darf, ist eine andere Frage.

Es mag hier zunächst auf sich beruhen, ob Elias nicht zu einseitig auf Zwangsläufigkeiten einer »Entwicklung« und auf »autonome Zusammenhänge« fixiert war und dabei die Einheit der geschichtlichen Abläufe überschätzt, andere Formen von Handlungskonnexen übersehen hat. Festzuhalten bleibt jedenfalls, daß eine ganze Reihe von Zusammenhängen auf diese Weise angemessen erfaßt werden kann. In einer Prozeßtheorie können, wie Elias schreibt, Erklärungen gegeben werden, die nicht einen Teil eines komplexen Geschehens zur Ursache eines anderen machen[32]. Anders gesagt: Das Problem der Priorität von Ei oder Henne erübrigt sich, sobald man auf den Prozeß gekommen ist, durch den Ei und Henne (sowie Hahn) in allmählicher Evolution gleichzeitig entstanden sind.

Die autonomen Geschehenszusammenhänge, die Elias herausarbeitete, bilden heute die wichtigste Problematik auf dem Feld der Prozesse. Ihre Behandlung stößt aber auf mannigfache Wi-

[29] *Was ist Soziologie,* S. 58f.; vgl. S. 35, 145. Ein gutes Beispiel ist die S. 28f. behandelte Dynamik der Freund-Feind-Konstellation.

[30] Ebd., S. 59, 161; vgl. ders., *Die höfische Gesellschaft. Untersuchungen zur Soziologie des Königtums und der höfischen Aristokratie mit einer Einleitung: Soziologie und Geschichtswissenschaft.* Neuwied-Berlin 1969, S. 320f.

[31] *Über den Prozeß der Zivilisation,* Bd. 1, S. Lff.; vgl. *Was ist Soziologie,* S. 82.

[32] *Über den Prozeß der Zivilisation,* Bd. 1, S. LXIX, Bd. 2, S. 39; vgl. *Was ist Soziologie,* S. 180.

derstände. Denn vielen widerstrebt der Gedanke, »die Gesellschaft, die sie selbst mit anderen bilden, als einen Funktionszusammenhang zu erkennen, der eine relative Autonomie gegenüber den Absichten und Zielen der sie bildenden Menschen besitzt«[33]. Es ist schon schwer genug, die Kontingenz ereignishaften Geschehens, die Heteronomie der Zwecke[34], zu verstehen. Vor allem aber sind die alte Anschauung und Einschätzung von Politik und die neue von Gesellschaftsplanung[35] der Annahme »autonomer Prozesse« im Wege. Politik, auch Innenpolitik galt zwar seit alters als Bereich, in dem Kontingenz waltet. Aber innerhalb der damit gezogenen Grenzen scheint hier doch zu geschehen, was die Gesellschaft unter sich austrägt, beziehungsweise die in ihr je siegreiche Gruppe oder Meinung oder auch ein Machthaber festlegt. Die Gesellschaften scheinen gerade kraft ihrer staatlichen Instanzen Herren ihrer Dinge zu sein, soweit sich diese politisieren lassen. Mit der Übertragung des technischen Planungsmodells in die Politik ist diese Auffassung stark zugespitzt worden (obwohl gerade die Macht der Planung den Bereich der Kontingenz stark ausweitet)[36].

Aus diesen und anderen Schwierigkeiten ist es wohl auch zu erklären, daß die seit Vico und der schottischen Sozialphilosophie gemachten Entdeckungen prozessualer Zusammenhänge immer wieder verdrängt worden sind: wenn jemand solche Zusammenhänge beobachtet und beschreibt, begegnet zwar immer wieder das gleiche Vokabular, aber, soweit ich sehen kann, nie ein Hinweis auf Vorgänger, sondern eher ein stets neues Staunen über diese eigenartigen Erscheinungen, wie wenn sie gerade erst entdeckt worden wären.

Der Überblick über den Wortgebrauch ergibt eine erste These: In der Rede vom Prozeß lassen sich sehr deutlich zwei Kerne unterscheiden:

Einerseits ist diese Kategorie ein Mittel, um Abläufe ganz unabhängig von ihrer Verursachung, von der Art der Verquikkung der an ihnen Beteiligten zur Einheit eines Sinnganzen zusammenzufassen. Dazu zählen dann auch höchst kontingente Ereignisreihen und bloße Additionen von Impulsen, etwa gewisse demographische Prozesse.

[33] *Was ist Soziologie*, S. 58, 61f., 145, 161, 163.

[34] Wilhelm Wundt, *Grundriß der Psychologie*. 7. Aufl. Leipzig 1905, S. 404f. *Völkerpsychologie*, Bd. 10: Kultur und Geschichte. Leipzig 1920, S. 325ff. u.ö.

[35] Vgl. dazu statt vieler Arnold Gehlen, *Einblicke*. Frankfurt a.M. 1975, S. 47.

[36] Lübbe, *Geschichtsbegriff*, bes. S. 266f.

Andererseits zielt sie auf besonders strukturierte Arten von Handlungs- und Wirkungszusammenhängen, in die Menschen geraten können (wie immer diese nun auch genauer zu bestimmen sind und in welchen verschiedenen Formen sie auftreten mögen). Am eindeutigsten ist noch die negative Formulierung, daß diese Geschehenskomplexe unkontrollierbar und für die Beteiligten nicht verfügbar sind, und dies nicht in der Form des Ereignisses (das auch nicht verfügbar ist, aber immerhin den Beteiligten den Austrag der Entscheidung in die Mitte legt), sondern in der einer über alle hingehenden eigenständigen Gewalt.

Diese Unterscheidung scheint mir sehr wichtig zu sein. Denn es besteht eine Tendenz, das eine mit dem anderen zu kontaminieren. Mit der Vorstellung historischer Abläufe ist ohnehin die Versuchung gegeben, diese teleologisch zu kämmen. Dabei kann sich dann leicht die Assoziation der »Eigenständigkeit« einschmuggeln, die dem Prozeß in seiner zweiten Bedeutung eignet, so daß der betreffende Ablauf als zwangsläufig erscheint. Das gilt für vergangene wie für gegenwärtige Prozesse. Die Unterscheidung zwischen den beiden Bedeutungen ist auch deswegen geboten, weil nur so berücksichtigt werden kann, daß wir es hier mit zwei sehr verschiedenen Problemen zu tun haben, die in verschiedene, wenn auch sich überschneidende Gebiete gehören und darin zu behandeln sind, und zwar auch und gerade, sofern es die Historie mit Prozessen zu tun hat.

Denn die Problematik der *historischen Prozesse* stellt sich eben von der prozessualen Auffassungsweise der Geschichtswissenschaft wie von bestimmten Geschehenskonnexen in ihrem Gegenstandsbereich her. Weil aber solche Konnexe häufig nur Elemente in noch umfassenderen Zusammenhängen bilden, wird sich daran anschließend ein dritter Kern in diesem Problemkreis auftun: die Wirklichkeit der vielfältig aus prozessualen und anderen Geschehenskonnexen erwachsenden umfassenden Prozesse. Vornehmlich darauf zielt der Ausdruck »historische Prozesse«. Denkt man dabei doch zunächst und vor allem an langfristige, sehr komplex zusammengesetzte Abläufe. An diesen Abläufen hat man – entgegen Elias' Meinung[37] – nicht unbedingt etwas erkannt, wenn man »in der Fülle von Details die Einheitlichkeit der Entwicklungsrichtung« ausmacht, »die darin zum Ausdruck kommt«[38]. Setzt man so an, so hat man vielmehr »Ablauf« und

[37] *Was ist Soziologie*, S. 67; vgl. S. 154.

[38] Zum Problem einer solchen »Einheitlichkeit der Richtung« vgl. die hochin-

»Eigengesetzlichkeit« schon wieder in eins gesetzt. Es geht darum, analytische Werkzeuge in die Hand zu bekommen, um historische Prozesse nach den unter Umständen sehr verschiedenen in ihnen wirksamen Handlungskonnexen aufzuschlüsseln.

Zunächst: Wie sind die prozessualen Handlungs- und Wirkungskonnexe zu bestimmen, zu identifizieren, aufzuschließen und zu erklären? Dabei muß zugleich deutlich werden, zu welcher Klasse von gesellschaftlichen Zusammenhängen sie gehören.

2. Der prozessuale Handlungskonnex

Die Klasse gesellschaftlicher Zusammenhänge, zu denen der Prozeß im Sinne eines bestimmt strukturierten Geschehens gehört, möchte ich die der *Handlungskonnexe* nennen. Es sind verschiedene Arten, in denen menschliche Handlungen und/oder davon ausgehende Impulse in einen Zusammenhang geraten.

Welche Wirkungen eine Handlung hat und in welchen Zusammenhängen sie eine Rolle spielt, wird wesentlich durch die Konstellationen bestimmt, unter denen sie sich vollzieht[39]. Ebendie Konstellationen und nur sie entscheiden etwa darüber, welche *Nebenwirkungen* sie erzielt und damit, welcher Abstand zwischen den Intentionen und dem, was sie in der Summe bewirken, besteht. Wenn X in seinem Rechtsstreit gegen Y die Richter besticht, kann dies ein völlig vereinzeltes Ereignis sein, das außerhalb des Bereichs weniger Individuen und Familien keinerlei Wirkungen nach sich zieht. Wird die Sache ruchbar, beschäftigt sie die Öffentlichkeit, so kann sie zu einem Politikum werden, also im größeren Zusammenhang des politischen Bühnengeschehens einen wichtigen Platz einnehmen und Folgen etwa für prominente Herren, Parteien, Wahlen haben, eine Gerichtsreform oder gar einen Umsturz provozieren, je nachdem, mit welchen anderen Gegebenheiten sie nun »ereignishaft« zusammentrifft und wo sie in der Kontingenz des Bühnengeschehens virulent wird. Schließlich kann solch eine Bestechung aber auch – und zwar gleichgültig, ob sie ruchbar und zum Politikum wird oder

teressanten Erörterungen von Knut Borchardt, *Trend, Zyklus, Strukturbrüche, Zufälle: Was bestimmt die deutsche Wirtschaftsgeschichte des 20. Jahrhunderts?* Vierteljahrschrift für Sozial- und Wirtschaftsgeschichte 64 (1977), S. 145 ff.

[39] Vgl. Elias, *Was ist Soziologie*, S. 161.

nicht – im Zusammenhang des Um-sich-Greifens von Korruption stehen, durch Vorbildwirkung und/oder als weiteres Glied in einer Kette, in der Korruption allmählich üblich und erwartbar wird (und ablehnende Haltungen zur Resignation genötigt werden). Ist diese Kette dicht und breit genug, und das heißt natürlich auch: ist sie in entsprechende Verhältnisse eingebettet, so kann irgendwann die Summe einzelner Bestechungsakte »umschlagen« in einen eigendynamischen Vorgang. Dabei ist denkbar, daß Korruption die Form der Institution annimmt, sich also in eine Ordnung einlagert (die sie freilich eben dadurch modifiziert). Sie kann ebensogut einen auf die Auflösung des bestehenden politischen oder gesellschaftlichen Systems gerichteten Prozeß antreiben, je nach den weiteren Zusammenhängen, deren Teil sie ist.

Die gleiche Handlungseinheit Richterbestechung kann also sowohl isoliert bleiben wie in verschiedene ereignisgeschichtliche und/oder prozessuale Zusammenhänge eingebunden sein. Eben um diese größeren Konnexe, um die verschiedenen Formen, in denen sich Handlungen und ihre Wirkungen zu einem Ganzen verquicken, geht es hier.

In diesen Konnexen wird man freundlich oder feindlich, in gleichem oder verschiedenem Sinne mit anderen gemein, welche man unter Umständen nie gesehen hat, nicht kennt und von denen man auch nicht unbedingt etwas wissen will. Man gerät in Zusammenhänge, die in irgendeiner Weise eine Einheit bilden, vom Thema her, um das es den Beteiligten zu tun ist, um das sich ihr Handeln dreht oder in dem die Wirkungen ihres Handelns einen gemeinsamen Effekt haben[40]. Sei es eine Baukonjunktur, eine Inflation des Geldes oder der Ansprüche, ein Krieg, eine Wendung in der Literaturgeschichte oder was auch immer. Das kann eher ereignishaft oder eher prozessual, über Befehle oder Beschlüsse oder von selbst laufen, in den verschiedensten Sektoren unseres Lebens.

[40] Ein hübsches Beispiel bieten die Überlegungen von Jürgen Eick in der Frankfurter Allgemeinen vom 7. 10. 76: »Zudem hält der kleine Mann in Gelsenkirchen, Rosenheim, Offenbach, Melsungen, Reutlingen, Emden oder sonstwo mit seinen Urlaubsentschlüssen das Schicksal ganzer Zahlungsbilanzen klassischer Urlaubsländer in seiner Hand und damit deren innere Stabilität. Es ist überhaupt nicht auszudenken, was an weltwirtschaftlicher Kettenreaktion zu erwarten wäre, falls plötzlich der devisenbringende Urlauberstrom aus Westdeutschland versiegte.« Dies ist nur eine von vielen Erscheinungsformen der Macht und Folgenhaftigkeit des Banalen in unserer Zeit (welche die Banalität der Politiker durchaus erträglicher macht).

Von solchen Handlungskonnexen lassen sich Idealtypen erarbeiten. Das kann unter sehr verschiedenen Gesichtspunkten geschehen. Maßgebend wäre immer die Frage, in welcher Weise sich jeweils aus menschlichen Handlungen Zusammenhänge bilden. Was diese als solche auszeichnet, wäre das Kriterium der Typisierung. Wenn es etwa sinnvoll wäre, Ereignis und Prozeß zu unterscheiden, würden die entsprechenden Phänomene, gleichgültig ob sie aus der politischen, wirtschaftlichen, sozialen, religiösen oder etwa der Literaturgeschichte stammen, in ein und dieselbe Kategorie fallen. Ebenso können Handlungskonnexe danach unterschieden werden, ob organisiert, auf Grund der Verfügung eines Zentrums gehandelt wird oder nicht. Ja, als Handlungskonnex könnte auch ein und derselbe Verband zu ein und derselben Zeit recht verschiedenes sein, also etwa einerseits eine organisierte Körperschaft, deren Handeln aus Beschlüssen, vielleicht aus Befehlen resultiert, und andererseits eine Menschengruppe, in der sich ein bestimmter Prozeß vollzieht, gewollt oder ungewollt, bemerkt oder unbemerkt, ja möglicherweise derart, daß alle Befehle und Beschlüsse ihm gegenüber mehr oder weniger wirkungslos werden. Der Sinn der Beschäftigung mit diesen Konnexen besteht insbesondere darin, Kategorien zu gewinnen, mit deren Hilfe sich Zusammenhänge dieser Art empirisch aufweisen lassen, welche sonst allzu leicht im Ungefähr vager Beschreibungen oder Etikettierungen verbleiben.

Zwei besonders bemerkenswerte, besonders markante, im Zusammenhang historischer Arbeit besonders wichtige Handlungskonnexe scheinen die Grundtypen des *Ereignisses* und des *autonomen Prozesses* zu sein. Als autonomer Prozeß sei eine besonders ausgeprägte, engere Form des strukturierten prozessualen Handlungskonnexes bezeichnet. In diesen Typen sollen die beiden extremen Möglichkeiten des Zusammentreffens von Handlungen gefaßt werden, extrem jedenfalls, sofern es um im ganzen nicht organisiertes Handeln und die, sei es kontingente, sei es zwangsläufige Modalität des Aufeinanderwirkens geht.

Dem autonomen Prozeß und dem Ereignis – sowie anderen Typen des Handlungskonnexes – sind verschiedene Arten von Realität zu eigen. Betrachtet man den Prozeß als einen Handlungskonnex (und nicht nur als Addition von Impulsen), so ist es etwa erforderlich, daß die darin waltende Dynamik auf die Beteiligten zurückwirkt und sie in ihren Dienst nimmt. Ebendies kann man vom ereignishaften Aufeinandertreffen von Handlungen gerade nicht sagen[41]. Aber in diesen Unterschieden liegt eben die Gegensätzlichkeit der verschiedenen Typen begründet.

Wenn wir mit eigenständigen Handlungszusammenhängen rechnen müssen, so ergeben sich dadurch sowohl große Möglichkeiten, historische Geschehenskomplexe aufzuschließen und zu erklären, wie die entsprechenden Gefahren einer leichtfertigen Behauptung von Zwangsläufigkeit. Um die Möglichkeiten zu nutzen und den Gefahren vorzubeugen, scheint es mir notwendig zu sein, Handlungskonnexe möglichst elementar zu fassen, das heißt Kategorien zu entwickeln, die es erlauben, solche Konnexe vom empirischen Befund her zu sichern oder wahrscheinlich zu machen. Sie sollten bei den Handelnden und den Konstellationen, unter denen sie sich bewegen, ansetzen. Sie sollten auf Elemente, das heißt Stränge und Verknotungen eines komplexen Geschehens gemünzt sein. Faßt man sie möglichst eng und rein, so hat das den Vorteil der Schärfe. In diesem Zusammenhang also braucht man bestimmte Grundtypen. Im Folgenden sollen zunächst einige Beobachtungen zum autonomen Prozeß vorgetragen, das heißt Beispiele eines solchen Prozesses studiert werden, um aus deren Interpretation dann einen Typus abzuleiten.

a. Autonome Prozesse

Als naheliegendes Beispiel eines prozessualen Zusammenhangs unendlich vieler Impulse kann die seit einigen Jahrzehnten in Gang befindliche Motorisierung der westlichen Gesellschaften dienen. Dieser Prozeß läßt sich schematisch etwa so beschreiben: Ausgangskonstellation ist ein in der westlichen Welt wie auch immer erreichter hoher Grad wissenschaftlicher Erkenntnis und technischer Fertigkeit samt bestimmten Produktions- und Einkommensverhältnissen. Im Rahmen dieser Konstellation muß das – teils vorauszusetzende, teils zu weckende – Bedürfnis unzähliger Menschen, sich bequem, rasch und ganz nach eigenem Willen fortzubewegen, sich notwendig so auswirken, daß zahlreiche Motorfahrzeuge gekauft und gefahren werden. Eben die Akte, in denen das geschieht, steigern dieses Bedürfnis weiter (etwa auf Grund des damit neu gesetzten Lebensstandards sowie der wachsenden Erfahrung der sich erschließenden Möglichkeiten). Nachdem der Prozeß einmal in Gang gekommen ist, ruft er also die Antriebe, aus denen er läuft, zum Teil selbst hervor. Das

[41] Vgl. auch Arendt, *Fragwürdige Traditionsbestände*, S. 81.

vollzieht sich zugleich auf Umwegen. Denn wegen der Folgen der Motorisierung und weil jene Ausgangskonstellation zugleich das Bedürfnis nach einem »Eigenheim« für sehr viele erfüllbar macht, verändern sich die Siedlungsgewohnheiten. Dies wiederum steigert das Bedürfnis nach eigenen Fahrzeugen (zumal wenn der öffentliche Nahverkehr nicht genügend funktioniert etc.). Die Veränderung, die daraus resultiert, wird von den Beteiligten nicht unbedingt gewollt, ja weithin geradezu abgelehnt. Wir wollen ja etwa, indem wir ein Auto kaufen und fahren, uns nur rasch, bequem und direkt zum Ziel bewegen. Daß unzählige andere uns mit ihren Autos dabei den Weg verstellen, die Straße verstopfen, die Parkplätze im weiteren Umkreis besetzen, die Aussicht verschandeln, daß Einbahnstraßensysteme uns zu weiten Umwegen zwingen, unzählige Ampeln uns in unserer Fahrt behindern, ist uns lästig. All dies bewirken wir aber, unmittelbar oder mittelbar.

Das allgemeine Bedürfnis zivilisierter Menschen, sich mit den zur Verfügung stehenden Mitteln fortzubewegen, hätte vor zweihundert Jahren vorwiegend auf Schusters Rappen oder mit der Postkutsche befriedigt werden müssen. Die Möglichkeit, ihm nachzugeben, war beschränkt. Es hielt sich so sehr im Rahmen, daß von ihm aus kaum etwas an der Welt verändert wurde. Heute dagegen treibt die Erfüllung des gleichen Bedürfnisses einen Prozeß tiefgreifender, umfassender Verwandlung unserer Welt voran. Die Mittel sind grundverschieden. Die Möglichkeit und der Antrieb, sie sich zu verschaffen, sind unvergleichlich größer, sie sind weithin unabweisbar.

Die Motive, um die es hier geht, sind banal. Wie sich das Bedürfnis nach Fortbewegung mit dem nach entsprechendem Standard, mit Lebensgewohnheiten, Erwartungen etc. verquickt hat, so zwingt es sich für eine relativ ungeheuer große Zahl von Menschen mehr oder weniger auf, sich zu motorisieren. Folglich hat dieser Prozeß eine ungeheure Kraft. Er ist zwangsläufig.

Freilich setzt das bestimmte Randbedingungen voraus. Wenn kein Öl mehr fließt, ist der Prozeß am Ende. Durch hohe Öl- und Autopreise und andere Erschwerungen kann er gehemmt werden. Es kann auch irgendwann eine Sättigung eintreten, so daß ein Prozeß der Reproduktion denjenigen steter Steigerung ablöst. Aber eine Umkehr ist ceteris paribus kaum denkbar, wenn nicht erhebliche Störungen eintreten. Vor allem ist der Prozeß inzwischen so mächtig, daß er seine Randbedingungen zum Teil selbst stabilisiert: indem etwa unzählige Arbeitsplätze von ihm abhängen. Westliche Regierungen haben in dubio kaum die Macht, sich ihm entgegenzustellen, es sei denn, sie bewirkten einen Systemwechsel. Andererseits können die Ressourcen und Bedürfnissysteme, aus denen das Ganze sich speist, versiegen oder andere reizvolle Lebens- und Fortbewegungsformen sich entwickeln[42].

Auf Grund bestimmter, für eine genügend große Zahl von Menschen mit statistischer Wahrscheinlichkeit unabweisbarer Bedürfnisse entsteht hier also eine Kraft, die rebus sic stantibus für keinen verfügbar ist und die die Motive, aus denen sie sich nährt, entweder voraussetzen kann oder selbst hervorruft. Wohl bezieht dieses Geschehen seine Kraft nur aus den Handlungen der Beteiligten, aber diese sind zwar im einzelnen frei, zu tun, was sie wollen, jedoch im ganzen nicht frei genug, um dem Geschehen diese Kraft vorenthalten zu können. Insofern ist dieser Prozeß *autonom*, genau gesagt *bedingt autonom*. Er gehorcht eigenen Gesetzen, er lebt aus »natürlichen Bedingungen« und aus sich selbst. Man kann ihm die eigene Dynamik so wenig absprechen wie etwa der Vereinigung von Wasser zu einem Strom.

Damit sich aus den Handlungen bzw. Impulsen eines Kreises von Menschen ein derart eigenständiger Handlungskonnex bildet, bedarf es eines »Umschlagens«[43]. Arnold Gehlen beschreibt z.B. in den *Problemen einer soziologischen Handlungslehre*[44] die Entstehung einer Institution als Zustandekommen eines eigengesetzlichen Prozesses: »Einer der wichtigsten und bekanntlich am schwersten begrifflich faßbaren sozialen Vorgänge besteht in dem ›Umschlagen‹ eines durch irgendwelche Handlungen in Gang gesetzten Prozesses zur Eigengesetzlichkeit.« Gehlen erläutert das an einem Fabrikbetrieb, der zunächst auf Grund bestimmter Interessen eingerichtet wird, dann aber »›schlägt es um‹, und man muß die Interessen und Verhaltensweisen, die zur Erscheinung kommen, aus der Gesetzlichkeit des Betriebes ab-

[42] Vgl. Max Weber, *Die protestantische Ethik und der Geist des Kapitalismus.* Gesammelte Aufsätze zur Religionssoziologie, Bd. 1, Tübingen 1921, S. 203f.

[43] Vergleichbar innerhalb der Wirtschaftsgeschichte ist wohl der »take-off« Walt W. Rostows. Günter Schmölders spricht einmal davon, »daß zu den schon vorher wirkenden Kräften der Geldwertverschlechterung die Eigendynamik einer sich selbst verstärkenden Hebelwirkung hinzutritt«. Frankfurter Allgemeine vom 6. 7. 74; übrigens zeigte sich dann, daß dieser Prozeß doch einigermaßen unter Kontrolle zu bringen war.

[44] *Studien zur Anthropologie und Soziologie*, S. 197f.; vgl. H. Fleischer, unten S. 168ff.

leiten«. Das Erwerbsstreben sei daher nach Max Weber »gar kein selbständiger psychischer Antrieb ..., sondern eine den Verantwortlichen von der Ratio des Betriebes selbst aufgenötigte Einstellung. Die ganze laufende und gut funktionierende Organisation selber schlägt um in eine Selbstwertgeltung, die ihrerseits die Einstellungen und Handlungsweisen der darin Tätigen bestimmt ..., so daß es zu einer ›uninteressierten Hingabe an die technischen Prozesse der ökonomischen Produktion um ihrer selbst willen (for their own sake)‹ kommen kann, wie Talcott Parsons sagt ... *Jede* Institution entwickelt für die darin Befaßten unvorhergesehene Resultate, die gerade aus der Ausformulierung ihrer Eigengesetzlichkeit folgen.« Das entstehende Gefüge wird »selbstverständlich im Sinne von verselbständigt ... die Gewohnheit liefert ihren eigenen Antrieb«[45].

Diese Beschreibung paßt sowohl auf Institutionen wie auf Wandlungsprozesse. Die Eigengesetzlichkeit kann also sowohl in der Reproduktion wie in der Veränderung, die dann gleichsam »institutionalisierte Veränderung« wird, bestehen.

Es ließen sich vielerlei Beispiele für solche Prozesse anführen. Erinnert sei etwa an die von Robert Michels beobachteten Oligarchisierungsprozesse in modernen Parteien[46] oder an die im Aufbau der nationalsozialistischen Bewegung wahrgenommene »Zirkularstimulation«[47], an die »Eskalation«[48], die Polarisierung, an die Prozesse der Reproduktion kultureller Orientierungen, an Konjunkturen und Inflationen oder an die langfristigen Prozesse der Industrialisierung[49] bzw. der Wissenschaftsgeschichte.

[45] Arnold Gehlen, *Urmensch und Spätkultur. Philosophische Ergebnisse und Aussagen.* 2. Aufl., Frankfurt a. M.-Bonn 1964, S. 34f.

[46] *Zur Soziologie des Parteiwesens in der modernen Demokratie.* 2. Aufl., Stuttgart 1925; Neudruck 1957.

[47] M. Rainer Lepsius, *Zum Verhältnis zwischen Geschichtswissenschaft und Soziologie.* In: *Seminar: Geschichte und Theorie.* Hrsg. von H. M. Baumgartner und J. Rüsen. Frankfurt a. M. 1976, S. 135.

[48] Dazu Elias, *Was ist Soziologie,* S. 28f.

[49] Ein entferntes Beispiel: Reinhard Wittram sagt, daß ihm angesichts der russischen Geschichte im Zeitalter Peters des Großen aufgegangen sei, »mit welcher überpersönlichen Gewalt sich die großen produktions- und gesellschaftsgeschichtlichen Wandlungen vollziehen, mit welcher alles einzelne Wirken überbietenden ›Notwendigkeit‹, der gegenüber sogar eine so außerordentliche Natur wie der erste russische Kaiser als ein ›Werkzeug‹ der Geschichte erscheint«. Er weist auf den Prozeß der »ungeachtet aller Wünsche des Reformczaren vor sich gehenden Befestigung und Verhärtung der bäuerlichen Unfreiheit und der lange vor Peter dem Großen einsetzenden, von ihm allerdings mit starken Stößen geförderten Entwicklung der industriellen Produktion« hin. *Anspruch und Fragwürdigkeit*

Jeweils stellen diese Prozesse bestimmte, vorübergehend sich zusammenballende Stränge innerhalb von sehr viel umfassenderen Geschehenskomplexen dar. Die Bildung ihrer Ausgangskonstellationen kann durchaus kontingent sein; die verschiedenen Impulse können ganz zufällig sich derart häufen, daß sie zur Einheit eines prozessualen Handlungskonnexes umschlagen. Ebenso kann die Existenz und Fortdauer der Randbedingungen alles andere als notwendig sein. Insofern sind diese Prozesse zwar in sich eigenständig, gegen außen aber nur bedingt widerstandsfähig.

Wieweit der große, umfassende Wandlungsprozeß der Neuzeit, zumal seit dem 18. Jahrhundert, davon eine Ausnahme bildet, ist zu fragen. Wohl ist er dadurch gekennzeichnet, daß in ihm die Lebensbedingungen insgesamt in Bewegung gerieten. Und weil das Bürgertum diese Bewegung als im Sinne seiner eigenen Ideale liegend erkannte, konnte es in ihr die Einheit eines »singularisierten Fortschritts« beobachten. Es ist hier nicht der Ort, um die Interdependenzen zwischen den verschiedenen Veränderungen zu untersuchen, insbesondere die Frage zu stellen, ob und wieweit aus ihnen – über viele Wechselfälle hinweg – ein einziger autonomer Prozeß im Sinne der eben formulierten Bedingungen resultierte[50] und ob und wie lange er im Sinne der in ihn vom europäischen und nordamerikanischen Bürgertum gesetzten Hoffnungen verlief. Jedenfalls ist es ein offenes Problem, ob diese Einheit eines einzigen, wenn auch über Rückfälle hinweg sich vollziehenden Prozesses – wenn es sie je gegeben hat – noch heute besteht. Jürgen Habermas[51] spricht von »den geschichtlichen Prozessen, die uns, wenn wir sie nicht meistern, auf diese oder jene Weise aufreiben würden«. Hermann Lübbe[52] spricht davon, daß der Fortschritt seine eigenen Bedingungen bedroht und »seine Sicherung identisch wird mit dem Problem

der Geschichte. Sechs Vorlesungen zur Methodik der Geschichtswissenschaft und zur Ortsbestimmung der Historie. Göttingen 1969, S. 61.

[50] Vgl. Tenbruck, *Die Soziologie vor der Geschichte,* S. 36f. zu den Unterschieden zwischen den verschiedenen Gesellschaften und der Notwendigkeit eines »Mehr-Gesellschaften-Modells«.

[51] *Kultur und Kritik,* Frankfurt a.M. 1973, S. 364. Hier geht es ausschließlich um diese Beobachtung. Vgl. auch Thomas Luckmann, *Zwänge und Freiheiten im Wandel der Gesellschaftsstruktur.* In: *Neue Anthropologie.* Hrsg. von H. G. Gadamer und P. Vogler, Bd. 3: *Sozialanthropologie.* München-Stuttgart 1972, S. 195ff.

[52] *Traditionsverlust und Fortschrittskrise. Sozialer Wandel als Orientierungsproblem.* In: *Wolfenbütteler Studien zur Aufklärung,* Bd. 1. Hrsg. von G. Schulz, Wolfenbüttel 1974, S. 27.

der Beherrschung seiner nicht intendierten, zugleich überraschend und in hochkomplexen Interdependenzzusammenhängen eintretenden Nebenfolgen«. »Aus Apologeten des Fortschritts werden Kritiker einer Zivilisation der Fortschrittsnebenfolgen.« Symptomatisch scheint der Zusammenbruch der seit den fünfziger Jahren blühenden Modernisierungstheorie zu sein: in ihr war noch einmal, wie im alten Fortschrittsbegriff, die Gleichgerichtetheit und sogar die Simultanität der Modernisierung auf den verschiedenen Sektoren der einzelnen traditionellen Gesellschaften behauptet und in allerlei Indices scheinbar auch belegt worden. Maßstab war die »moderne Gesellschaft«. Was dahin in Wirtschaft, Politik, Recht und Gesellschaft zielte, war »gleichgerichtet«. Inzwischen ist es unübersehbar geworden, daß dies ein Trugschluß war, daß die durch den berühmten »take off« angetriebenen Bewegungen in vielerlei Richtung gehen, in den verschiedensten Weisen aufeinandertreffen und zu höchst verschiedenen Ergebnissen führen[53].

Es fragt sich also, ob nicht an die Stelle des einen richtenden Prozesses die vielen gerichteten getreten sind (Marquard)[54], die sich untereinander widersprechen. Diese Frage läßt sich nur mit Hilfe einer Prozeßtheorie beantworten. Und an dieser Stelle erweist sich vermutlich der vorgeschlagene Weg als besonders fruchtbar: eben möglichst elementar und dicht an der Empirie nach den wirklichen Verquickungen menschlicher Handlungen zu fragen und dabei nach den Strängen zu suchen, die tatsächlich zu beobachten sind.

Besondere Aufmerksamkeit verdient die Frage, ob autonome Prozesse auf bestimmte Bereiche des gesellschaftlichen Lebens beschränkt sind. Dafür scheint die naheliegende, von Friedrich Tenbruck jüngst formulierte Annahme zu sprechen, nach der Prozesse durch Handlungen »massenhaften, durchschnittlichen, allmählichen, repetitiven Charakters« ausgemacht werden. Tenbruck will sie dadurch abgrenzen von den Ereignissen, welche durch »herausgehobene Handlungen« bestimmt seien, »welche ...von den Akteuren einen besonderen Handlungsaufwand und von Beobachtern einen besonderen Verständnisaufwand hinsichtlich ihrer Entstehung und ihrer Folgen erfordern«[55]. Diese

[53] Vgl. Shmuel N. Eisenstadt, *Studies of modernization and soziological theory.* History and Theory 13 (1974), S. 225 ff., bes. S. 244 f.; Hans-Ulrich Wehler, *Modernisierungstheorie und Geschichte.* Göttingen 1975.

[54] O. Marquard, unten S. 356.

[55] *Die Soziologie,* S. 43.

Betrachtungsweise scheint dahin zu tendieren, das Ereignis der Politik, den autonomen Prozeß der Wirtschafts- und Sozialgeschichte zuzuweisen (auch wenn keine reinliche Scheidung dieser Art gemeint ist)[56]. Damit aber würde gerade der eigentliche Sinn der hier vorgeschlagenen Unterscheidung von Handlungskonnexen und besonders der beiden Grundtypen Ereignis und autonomer Prozeß verfehlt. Beide Typen finden sich auf allen Gebieten menschlichen Lebens, wenn auch vielleicht in verschiedener Häufigkeit, verschiedener Mischung, verschiedener Ausprägung[57]. Ein autonomer Prozeß kann durchaus auch aus herausgehobenen Handlungen im Sinne Tenbrucks und aus den Ereignissen, zu denen sie zusammentreffen, resultieren. Es müssen nur entsprechend viele und entsprechend gerichtete Nebenwirkungen von ihnen ausgehen. Gerade auch auf dem Felde des politischen Lebens kann der Typus des autonomen Prozesses seine Fruchtbarkeit, sein umfassendes Erklärungspotential entfalten. Gerade auf diesem Felde kann sich die Dynamik unlenkbarer und im wesentlichen auch der Kontingenz nicht ausgesetzter eigengesetzlicher Abläufe zeigen. Nicht zuletzt in politicis kann es vorkommen, daß die prozeßtreibende Problematik politisch nicht einzufangen ist.

In diesem Zusammenhang ist das Beispiel des Niedergangs der römischen Republik[58] besonders interessant. Es zeigen sich hier besonders seltene und auffällige Konstellationen des Handelns. Dazu kommt, daß in diese zwar – wie stets – wirtschaftliche und gesellschaftliche Umstände eingehen, daß diese aber ihrerseits nicht nennenswert in Bewegung sind, so daß sie kaum als prozeßtreibende Kraft angenommen werden können. Der Prozeß verläuft hier also wesentlich in einem relativ weitgehend autonomen politischen Bereich.

Das besonders Eigenartige dieses Vorgangs besteht darin, daß von den treibenden Kräften – mit der möglichen (!) Ausnahme Caesars – keine den Untergang der überkommenen Form des Gemeinwesens wollte, den sie allesamt bewirkten. Indem die Römer unter den Konstellationen dieser Zeit eben das taten, was Menschen immer tun, nämlich ihre Pflichten und Interessen wahrzunehmen, ihr Leben zu sichern, ihren Lebensunterhalt zu

[56] Tenbruck interessiert sich übrigens nicht speziell für das, was hier als autonomer Prozeß gefaßt wird.

[57] Vgl. Aron, *Dimensions*, S. 173 ff.

[58] Zum Folgenden siehe Christian Meier, *Res Publica Amissa. Eine Studie zu Verfassung und Geschichte der späten römischen Republik*. Wiesbaden 1966.

verdienen, ihre Lebensumstände zu verbessern, ihre Möglichkeiten auszuschöpfen trachteten, indem sie verwalteten, Politik machten und Reformen ins Werk setzten, nach Macht strebten, Gegner bekämpften, sich auszuzeichnen suchten – trieben sie den Prozeß der Auflösung ihrer Ordnung voran. Verteidigung des Status quo war dabei nicht anders wirksam als Reform, die Versuche, Ordnung zu schaffen, bildeten sogar einen kräftigeren Impuls zur Auflösung als die Hingabe an den Schlendrian.

Die Konstellationen waren letztlich dadurch bestimmt, daß Rom seinen ungeheuren Herrschaftsbereich auf besondere Weise gebildet und sich angegliedert hatte. Es hatte die Institutionen und den Zuschnitt des Gemeindestaats nie grundsätzlich verändert, sondern nur modifiziert und überdehnt. Ein zunehmender Widerspruch zwischen gemeindestaatlichen Mitteln und den Aufgaben des Herrschaftsbereichs war die Folge. Das aristokratische Regime der ursprünglichen res publica hatte sich im Laufe der Veränderungen nur befestigt, es wurde bestärkt und immer selbstverständlicher. Tendenzen zur Expansion und Tendenzen zur Bewahrung bzw. Verfestigung der Verfassung hatten sich gegenseitig immer neu angetrieben. Das führte schließlich zu einem Widerspruch zwischen der beherrschenden Rolle des Adels und großen Einflußmöglichkeiten einer stark gewordenen Bourgeoisie sowie einer sehr breiten, verarmten Unterschicht in Stadt und Land. Daß diese und andere Widersprüche nicht nur logisch konstruiert sind, sondern praktisch waren, erwies sich im gegensätzlichen Handeln, das sie hervorriefen.

Dank der vielfältigen ungeheuren Mittel aber, die Rom aus den Eroberungen zuwuchsen, sowie verschiedener Ventile in der politischen Ordnung war es möglich, jeweils sehr viele Interessen rasch zu befriedigen bzw. zu entschärfen. Deswegen sowie aus allgemein in der antiken Struktur liegenden Gründen kam es nicht dazu, daß die vorhandene Unzufriedenheit sich zu einem Angriff auf die bestehende Ordnung, zu einer *Alternative* massierte. Praktisch herrschte in Hinsicht auf diese Ordnung Zufriedenheit aller potentiell Mächtigen und Machtlosigkeit der Unzufriedenen. Daher konnten die Widersprüche nicht zum Gegenstand von Politik werden. Sie wirkten sich dafür indirekt aus, indem sie nämlich Anlaß boten einerseits zu einer Schwächung der Republik, andererseits zu den Auseinandersetzungen, in denen diese dann zerrieben wurde.

Es bildeten sich verschiedene circuli vitiosi, genauer gesagt: vitiöse Spiralen (denn die Bewegung verlief nicht nur im Kreise, sondern zugleich in Richtung auf eine Steigerung). Aus der Ausbeutung der Provinzen z. B. resultierte mannigfache Korruption. Diese bildete auf verschiedene Weisen einerseits einen Ansporn zu weiterer Ausbeutung, andererseits zu Bestrebungen, sie einzudämmen (Einrichtung von Gerichten, Verschärfung der Strafen). Das jedoch hatte vor allem die Wirkung, daß die Ausbeutung weiter gesteigert wurde (weil nun auch die Richter bestochen werden mußten)[59]. Daraus wie aus anderen Quellen speiste sich ein Teufelskreis zwischen dem Versagen, der vielfältigen Erfahrung eigener Schwäche, Resignation, gesteigertem Versagen, gesteigerter Resignation etc. Mit den Worten »corruptissima re publica plurimae leges« deutet Tacitus[60] den Zusammenhang zwischen zunehmenden Mißständen, zunehmender Gesetzgebung und zunehmender Wehrlosigkeit der Gesetze an. Mit der Summe der Übertretungen erschlaffte vor allem die Eindeutigkeit und Macht des gesellschaftlichen Urteils im ganzen, auf dem die Bewahrung der überkommenen Ordnung beruht hatte. Die gewachsene Verfassung Roms wurde ja weitgehend durch die praktische Wirksamkeit einer »kollektiven Moral« gewährleistet. Die Kontrollinstanzen der dadurch bestimmten Gesellschaft wurden durch das Übermaß des Versagens und der Versuchungen immer schwächer[61]. Insoweit trafen hier weithin »aggregative, massenhafte, durchschnittliche« Handlungs- und Verhaltensweisen zusammen, um im Spiel der Erwartungen und Erwartungserwartungen, der Aktionen, Reaktionen und Anschlußreaktionen einen im ganzen gerichteten zwangsläufigen Prozeß der Aufweichung der bestehenden Ordnung zu unterhalten.

Die eigentliche Virulenz dieser Bewegung resultierte aber aus den großen politischen Auseinandersetzungen der mächtigsten Persönlichkeiten und obersten Stände der Republik. Während unter anderen Umständen das Gemeinwesen die Aufweichung seiner Grundlagen wohl lange hätte verkraften, die Mißstände sich mehr oder weniger hätten institutionalisieren können[62], entstanden hier die Zuspitzung und der tödliche Konflikt, in dem

[59] Ebd., S. 304f.

[60] Tacitus, Annalen 3, 27, 3.

[61] Vgl. Christian Meier, *Das Kompromiß-Angebot an Caesar i. J. 59 v. Chr., ein Beispiel senatorischer Verfassungspolitik*. Museum Helveticum 32 (1975), S. 197ff. mit weiterer Literatur.

[62] In der Form der »Extensivierung«, vgl. Meier, *Res Publica Amissa*, S. 64ff., bes. S. 151ff.

die Republik – wie gesagt: wider den Willen aller oder fast aller Beteiligten – aufgerieben wurde. Bestimmend dafür war der besondere Charakter der oligarchischen Ordnung Roms. Der konnte den verschiedenen Herausforderungen, denen er ausgesetzt sein mußte, sowie den Verschiebungen in der Machtlagerung auf die Dauer nicht standhalten. Wie und wie rasch er auf sein Ende zusteuerte, das war weithin Sache höchst kontingenter Auseinandersetzungen[63]. Aber die Art, in der sich dabei die Nebenwirkungen des Handelns zu einem Ganzen multiplizierten – und wahrscheinlich: multiplizieren mußten –, hatte, wenigstens in bestimmten Abschnitten, durchaus den Charakter eines autonomen Prozesses.

Zur Bewahrung der alten Ordnung gehörte es, daß man allgemein dem Senat die Verantwortung für das Gemeinwesen zusprach. Also mußte er pflichtgemäß danach streben und unterlag er einem Druck, diese Verantwortung auch auszuüben und die Voraussetzungen dafür zu sichern. Versuchte er dann aber, die eingerissenen Mißstände durch Reformen zu beheben, so geriet er eben dadurch in Kollision mit wichtigen Teilen der Gesellschaft, in der nachgracchischen Zeit zumal mit den Rittern. Diese hatten zwar als Gruppe kaum Interesse an der Politik. Sobald man sie aber in ihren Geschäften störte, waren sie da und konnten sehr viel Macht gegen den Senat aufbieten. Hier wirkte sich dann der Widerspruch aus, daß eben die Kräfte, die das Senatsregime wesentlich mittrugen, stark an den Mißständen interessiert waren (weil die bestehende Ordnung ihnen eben dadurch liebenswert wurde). Sie waren also zugleich Quelle der senatorischen Verantwortung (und indirekt damit Ansporn zu Reformansätzen) und Ursache der senatorischen Schwäche (das heißt – falls der Senat diese überwinden wollte – der senatorischen Niederlagen).

Dieser Widerspruch zwischen Verantwortung und Schwäche des Senats, der in verschiedenster Weise evident ist und sich historisch erklären läßt, war ein zentrales Strukturmerkmal der späten Republik. Er war zugleich die Ursache dafür, daß keiner die Krise recht verstand und daß die führende Schicht sich in ihrem Regiment in keiner Weise angezweifelt sah. Daraus folgte, daß keiner fand, die bestehende Ordnung sei durch eine neue zu ersetzen. Im Gegenteil: je mehr sie versagte, um so mehr sah man sich veranlaßt, sie zu verteidigen. Das einzige, was den Senat

[63] Ebd., S. 267ff.

davon hätte abhalten können, wären Ratlosigkeit und Resignation gewesen. Die haben dann auch oft um sich gegriffen, aber sie sind immer wieder überwunden worden.

Dies wiederum geschah nicht zufällig, sondern während einer bestimmten Zeitstrecke zwangsläufig oder wenigstens mit großer Wahrscheinlichkeit. Darauf wirkte ein bestimmter, geradezu institutioneller Druck hin: die Erwartungen, die an den Senat gerichtet wurden, die sein Regime legitimierten (und unter den Umständen der auf starker »Gegenwärtigkeit« und stetem Funktionieren der gesellschaftlichen Kontrollinstanzen beruhenden gewachsenen Verfassung besonders lebhaft waren bzw. trotz aller Schwierigkeiten immer wieder durchschlugen); weiterhin aber auch das Machtbedürfnis zumal der führenden Kreise, das sich in kritischen Situationen sehr entschieden regte. Innerhalb des Senats hat es offensichtlich besondere Machtprämien, besondere Autorität für diejenigen gegeben, die die Sache des Hauses energisch wahrnahmen. Ihren Appellen konnte sich die Mehrheit bei wichtigen Punkten nicht entziehen, zumal die Grenzen der Macht des Senats bis zuletzt offenbar unbegreiflich waren[64].

Unter diesen Konstellationen sprach alle Wahrscheinlichkeit dafür, daß der Senat immer wieder mit starken Interessen in heftige Auseinandersetzungen geriet. Die Anlässe dazu mußten sich entweder aus notwendig werdenden Reformvorhaben in seinem Sinne oder aus Versuchen, gegen ihn Nennenswertes durchzusetzen, ergeben. Dies hat sich schon in den ersten Jahrzehnten nach den Gracchen gezeigt. Nur war der Senat zunächst noch mächtig genug, um am Ende der großen Auseinandersetzungen mit Hilfe des »senatus consultum ultimum« zu siegen und für eine Zeitlang seine Macht zu befestigen. Zwischen 95 und 80 scheiterten dagegen drei große Reformversuche in seinem Sinne. Jeweils antwortete man mit weitergehenden Vorhaben, jeweils erntete man härteren Widerstand bis hin zum Bürgerkrieg. Auch die vierte Reform, die zunächst gelang, Sullas Neuordnung, hat den Senat im Endeffekt eher geschwächt als gestärkt. Schließlich war das Aufkommen und Mächtigwerden großer Einzelner zwangsläufig, und es erwuchsen zugleich verschiedene kräftige Antriebe für den Senat, sie zu bekämpfen.

[64] Wohl konnte man auch auf andere Gedanken kommen, wie das Beispiel Ciceros zeigt. Aber dann hatte man kaum die Chance, sich im Prozeß der senatorischen Politik und der Regeneration senatorischer Führungsstrukturen durchzusetzen.

Darin wirkten bestimmte Mechanismen, vor allem derjenige einer Verengung der senatorischen Norm: man züchtete und förderte Mittelmäßigkeit. Das daraus folgende Versagen vor vielen Problemen machte immer wieder den Rückgriff auf große Einzelne notwendig. Je mehr man sie aber brauchte, um so mehr mußte man sie bekämpfen: denn sie drohten der oligarchischen Gleichheit zu entwachsen, und zwar wider Willen und zunächst vor allem deswegen, weil diese so eng verstanden wurde. Die Sorge für die Verfassung geriet von daher mit der für die Bewältigung dringender Probleme in einen virulenten Widerspruch. Daraus folgten ganze Reihen von Konflikten, die alle nach dem gleichen Grundmuster verliefen: der Senat leistete gegen die mächtigen Forderungen, die diese Lage mit sich brachte, Widerstand; darauf versuchte man, sich gegen ihn mit Hilfe der Volksversammlung durchzusetzen; dagegen ließ der Senat Interzession oder andere Obstruktionsmittel einlegen; die Gegner setzten sich gewaltsam darüber hinweg; und der Senat konnte diese Verfassungsbrüche nicht ahnden. So wurden seine Abwehrmittel, seine Autorität immer mehr abgenutzt. So wurden die großen Einzelnen genötigt und in die Lage versetzt, immer mehr Macht zu sammeln. Der Kampf gegen sie wurde für den Senat immer nötiger und zugleich immer aussichtsloser.

Der historische Ablauf, in dem dies geschah, war – wie gesagt – aufs stärkste kontingent. Einzelne Persönlichkeiten, vor allem Caesar, Pompeius und Cato, haben ihn wesentlich geprägt, die Gunst der Stunden und die Art, wie sie genutzt oder verschenkt wurde, hat vieles bewirkt. Die Zuspitzung des Kampfes in Caesars Consulat von 59 hat den Niedergang der Republik stark beschleunigt.

Gleichwohl wirkte hier wenigstens streckenweise eine Eigengesetzlichkeit, insofern die Figurationen im Senat und zwischen dem Senat und anderen Kräften immer wieder heftige Auseinandersetzungen heraufführen mußten. Innerhalb der römischen Bürgerschaft mußten stets von neuem entsprechende Positionen eingenommen werden. Auch gegen seine Intentionen wurde etwa Pompeius genötigt, die überkommenen Formen der Republik anzugreifen, weil der Senat sie gegen ihn einsetzte. Indem er die Politik der großen Einzelnen als Angriff auf die Republik empfand, machte er sie dazu. Indem er die Verfassung verteidigte, trug er zu ihrer Zerstörung bei. Umgekehrt verstärkte der Machtgewinn des Pompeius, ohne daß er dies gewollt hätte, den senatorischen Widerstand gegen ihn. So verstrickte man sich in eine »immanente Figurationsdynamik« (Elias)[65], in der man die Feindschaft zwischen dem Senat und seinen Gegenspielern reproduzierte und zugleich die Schwächung von Senat und Verfassung und die Stärkung des für große Einzelne bereitstehenden Potentials vorantrieb. Die Bedingungen des Handelns der Beteiligten waren zugleich dessen Ergebnis. Die Verfassung geriet dabei nicht zwischen, sondern unter die Parteiungen. In den Konflikten kam jeweils weit mehr ins Spiel als das, was auf der Tagesordnung stand.

Dieses Beispiel eines autonomen Prozesses unterscheidet sich von dem der Motorisierung zunächst dadurch, daß die Motive, die hier wirkten, gar nicht banal waren. Weiter war die Zahl der Beteiligten sehr viel kleiner, und ihr Handeln innerhalb dieses Konnexes hatte viel mehr Spielraum, es benötigte einen weit höheren »Handlungsaufwand«. Drittens konnte der Ablauf auf Grund von Kontingenzen und Wechselfällen zeitweilig ruhen, vorübergehend wohl auch seine Richtung ändern. Schließlich war die Eigengesetzlichkeit des Geschehens nicht so stark nach außen abgeschirmt; es ist zum Beispiel nicht ganz auszuschließen, daß die Handelnden selbst den Prozeß stets neuen Kampfes hätten abbrechen können. Dazu wäre dann allerdings ein ganz ungewöhnlicher Aufwand an Einsicht oder Resignation nötig gewesen. Insgesamt sprach nur eine Wahrscheinlichkeit dafür, daß ein derart autonomer Prozeß entstand und so lange dauerte.

Bei diesen und anderen Unterschieden bleibt das Gemeinsame der beiden Beispiele um so auffälliger: daß unter bestimmten Konstellationen Menschen eines bestimmten Kreises mehr oder weniger genötigt sind, einfach dadurch, daß sie ihre naheliegenden, kaum abweisbaren Interessen wahrnehmen und die ihnen sich bietenden Möglichkeiten ausnutzen, ein im Grunde autonomes Geschehen anzutreiben.

So wird, wenn man die von der Figuration vorgegebenen Handlungszwänge bzw. -trends rekonstruiert, deutlich, warum hier eine politische Ordnung unterging, obwohl keiner von denen, die dies bewirkten, es gewollt hatte. Was im ganzen als sinnlos erscheint, entsprang einer Multiplikation von insgesamt sinnvollen Handlungen[66]. Auch in der Politik, in der die »Ereig-

[65] *Was ist Soziologie*, S. 181.

[66] Diese Tatsache bereitet dem heutigen Betrachter offenkundig große Schwierigkeiten. A. W. Lintott hat eine ganze Theorie über ein angeblich leichtfertiges Verhältnis der Römer zur Gewalt aufgebaut, weil er sich anders nicht erklären konnte, warum die Republik, ohne daß jemand das gewollt hätte, unterging

nisgeschichte« ihre eigentliche Domäne hat, sind nicht nur im kleinen, sondern auch im großen prozessuale Verquickungen menschlichen Handelns möglich, wenn die *politische Kapazität* des Gemeinwesens nicht ausreicht, um die Konstellationen selbst, aus denen da mit Veränderungswirkung gehandelt wird, zum Gegenstand politischer Entscheidung zu machen. Das heißt: wenn nicht genügend Macht an einer Stelle versammelt werden kann, um Institutionen welcher Art auch immer einzuführen, die es erlauben, die Gesamtheit der Handlungen und Prozesse innerhalb eines Systems einer wie auch immer gearteten gewollten Ordnung wieder konform zu machen, ohne daß die Grenzen des Systems revolutionär gesprengt würden. (Die Fälle in der Weltgeschichte, in denen das gelingt, sind wenigstens in Zeiten starker Dynamik selten: zuweilen aber und streckenweise kann der politisch nicht kontrollierte Wandel für genügend breite Kreise erfreulich genug sein, um das Bedürfnis nach entsprechenden Institutionen gar nicht erst kräftig werden zu lassen.) In Rom hat erst Augustus nach langen Bürgerkriegen die Alternative schaffen können, durch die es möglich war, die Ordnung selbst im politischen Handeln wieder einzufangen.

Der Prozeß des Niedergangs der Republik spielte sich zwar weitgehend in den Ereignissen auf der politischen Bühne ab. Die Handlungen der Beteiligten waren zum guten Teil gegeneinander gerichtet. Eben dadurch riefen sie sich stets von neuem gegenseitig hervor. Indem sie aber die genannten Veränderungen bewirkten, zielten die Nebenwirkungen dieses gegnerischen Handelns in die gleiche Richtung. Der Prozeß war dadurch ausgezeichnet, daß die Handlungen in der Gegensätzlichkeit ihres Aufeinanderwirkens mehr oder weniger ständig gleichge-

(*Violence in Republican Rome*. Oxford 1968; dazu Historische Zeitschrift 213 [1971], S. 395ff.). Helmut Schneider erklärt kurzerhand, wenn es keine Kraft gegeben hätte, die auf Änderung des Bestehenden drängte (und zwar: absichtlich drängte, nicht nur de facto; denn davon war an der zitierten Stelle die Rede), erhebe sich die Frage, »warum dann sich überhaupt etwas geändert hat« (*Wirtschaft und Politik. Untersuchungen zur Geschichte der späten römischen Republik*. Diss. Marburg 1974, S. 269). Wenn man die Differenz zwischen den Gegenständen der – schließlich bis zum Bürgerkrieg gesteigerten – heftigen Konflikte einerseits und den tatsächlichen Veränderungsabläufen andererseits zu begreifen sucht, fällt ihm im Banne oberflächlich genommener moderner Konflikttheorien nichts Besseres dazu ein, als das eine »konfliktkaschierende Theorie, die einer an einem Harmonieideal orientierten Gesellschaftslehre verpflichtet ist« zu schelten. Man möchte ihm eine Lektüre von Marx empfehlen, der da schon erheblich weiter war. Vgl. übrigens die interessanten Ausführungen von Charles Tilly, *Clio und Minerva*. In: *Geschichte und Soziologie*. Hrsg. von H.-U. Wehler. Köln 1972, S. 124f.

richtete Impulse in Hinsicht auf das Thema des Prozesses ausübten. Dies letztere sollte man für den autonomen Prozeß als notwendig erachten. Insofern fiele der »unkontrollierbare« Handlungszusammenhang, den Kreisky beim Eurokommunismus bisher beobachtete, nicht in diesen Idealtyp.

Es ließen sich noch zahlreiche Beispiele für autonome Prozesse anführen. Insbesondere sei auf die prozessualen Zusammenhänge in der Vorgeschichte der griechischen Demokratie und in der Geschichte des modernen Imperialismus hingewiesen[67]. Der Handlungskonnex des autonomen Prozesses ließe sich danach zusammenfassend wie folgt umschreiben:

Unter bestimmten Konstellationen und Randbedingungen wird in einem bestimmten Kreis von Menschen so gehandelt bzw. gehen aus wie immer gearteten Handlungen solche Impulse hervor, daß daraus eine den Intentionen der Beteiligten gegenüber eigenständige, nach außen bedingt immune, gerichtete, zwangsläufige Bewegung sich kumuliert.

Die Konstellationen reproduzieren sich nicht zuletzt dadurch, daß die Beteiligten durch ihr Handeln die Bedingungen, die sie antreiben, für sich und andere stets neu schaffen. Diese sind also nicht nur Voraussetzungen, sondern auch Resultate des Prozesses[68]. Konstellationen und Randbedingungen können sich in dessen Verlauf verändern, müssen aber insgesamt dem Prozeß freundlich bleiben.

Der autonome Prozeß entsteht durch ein Umschlagen von Handlungssummen in eine Eigendynamik. Die Ausgangsbedingungen, unter denen das geschieht, sind kontingent. Das gleiche gilt von der Erhaltung der Randbedingungen, folglich auch vom Ende des Prozesses (das aber nicht nur exogen, sondern zugleich endogen – etwa durch die Erschöpfung der bestimmenden Konstellationen – bedingt sein kann). Der Prozeß wird seine Randbedingungen aber in gewissem Maße stabilisieren. Dazu gehört, daß er die Absichten und Erwartungen der Beteiligten verändert.

Wie andere autonome Gebilde kann ein solcher Prozeß Einbußen an seiner Eigenständigkeit erleiden, ohne diese zu verlieren. Nur muß sich diese Einwirkung der Kontingenz im ganzen im Sinne der Prozeßrichtung abschleifen, wenn er sich fortsetzen soll. Im übrigen können vielerlei Ereignisse das prozessuale Geschehen im einzelnen bestimmen. Die Handlungen der Beteilig-

[67] Vgl. Ch. Meier, unten S. 221 ff.; W. J. Mommsen, unten S. 248 ff.
[68] Die Formulierung nach Marx, oben S. 20 f.

ten können in sehr verschiedene Richtungen zielen. Bei alledem lebt der Prozeß daraus, daß die Impulse sich mindestens indirekt ständig oder wenigstens wiederkehrend in die gleiche Richtung massieren (worin diese nun auch zu suchen ist). Der Anteil des Ereignishaften an der Intensität und Gerichtetheit des Geschehens muß also begrenzt bleiben.

Am autonomen Prozeß haben nur diejenigen teil, von deren Handlungen Impulse in ihn eingehen, und sie haben es nur in dem Maße, in dem das der Fall ist. Nur dadurch müssen sie miteinander in Konnex stehen. Die Bedingung der Möglichkeit des Prozesses ist, daß in irgendeinem Kreis von Menschen mit statistischer Wahrscheinlichkeit die Handlungen entstehen, deren Wirkungen der Prozeß in seinen Dienst nimmt. Dadurch ist dieser Handlungskonnex im Idealfall klar nach außen abgegrenzt. Selbstverständlich brauchen die Beteiligten nicht zu wissen, wozu sie durch ihr Handeln beitragen.

Die Entstehung der notwendigen Handlungen muß durch im ganzen – wieder mit statistischer Wahrscheinlichkeit – unabweisbare Motive gesichert sein. Diese sind entweder vorauszusetzen oder sie werden durch den Prozeß hervorgerufen[69]. Sie können so gut universell wie epochen- oder auch nur prozeßspezifisch sein. Zum Teil lebt die Bewegung aus der Besetzung von Rollen, die einladend genug sind, daß es an denen, die sie spielen, nicht fehlen kann[70]. Jeweils sorgen die Konstellationen dafür, daß aus den Handlungen die notwendigen Impulse hervorgehen. Auch wenn alle Beteiligten in ihren Entschlüssen frei sind: die Gesetzmäßigkeit muß sich dadurch in einer genügend großen Zahl von ihnen immer neu erzeugen.

Da der autonome Prozeß von auf ihn gerichteten Intentionen unabhängig sein soll, muß die treibende Kraft in Nebenwirkun-

[69] Vgl. dazu Weber, *Die protestantische Ethik*, S. 203f.; Gehlen, *Studien zur Anthropologie*, S. 197, 230f. (mit einem ausführlichen Parsons-Zitat). Hier wäre eine ganze Bedürfnis- und Motivtheorie am Platze. Besonders wichtig auch in diesem Zusammenhang die schottische Sozialphilosophie, vgl. etwa Hayek, *Freiburger Studien*, S. 156, 238ff.

[70] Ein entferntes Beispiel dazu bietet Odo Marquard: Bei den »Elementen der alten Geschichtstheologie und der neuen Geschichtsphilosophie« handele es sich »um interdependente Stellen eines sich bewegenden, sich dabei ergänzenden Systems ..., die umbesetzt werden können und umbesetzt worden sind und in denen die, die sie neu besetzen, Stellenzumutungen unterliegen, so daß sie Imitationspflichten haben: allererst das macht plausibel, wieso bei so viel Anderswerden – bei so viel Umbesetzung im historioeschatologischen Ensemble – immer noch das gleiche Stück gespielt werden kann und gespielt wird: das Stück Erlösung«. *Schwierigkeiten mit der Geschichtsphilosophie*, S. 17ff.

gen von Handlungen aus solchen mit statistischer Wahrscheinlichkeit unabweisbaren Motiven beruhen. Dort, wo die Beteiligten die Richtung des Prozesses kennen und bejahen, kann es sich deswegen um einen autonomen Prozeß nur handeln, wo dessen Dynamik sich aus anderen Quellen speist. Ein von den Beteiligten gewünschter Prozeß der Aufklärung etwa kann autonom nur sein, sofern diese einem starken Druck ausgesetzt sind, Einsichten zu gewinnen und zu vermitteln. Es wäre etwa zu denken an die Antriebe des wissenschaftlichen Wettbewerbs, Aussicht auf Beifall und Honorar für »aufklärerische« Thesen, überhaupt allerlei Imitationspflichten, sobald so ein Geschehen einmal zum Prozeß umgeschlagen ist, den Trieb, das dann zum Ideal werdende »Mit-der-Zeit-Gehen« zu erfüllen, die Suggestionen des Erfolgs, das heißt die Bestätigungen durch eine Wirklichkeit, die sich dann in den Sinnen weiter Kreise zunächst einmal bildet, an mannigfache Bedürfnisse der Identitätssicherung[71] in einer fortschreitenden Bewegung, in deren Untergruppen etc. Dies und anderes, das heißt die Summe derartiger, unter sich verzahnter Nebenwirkungen aufklärerisch gemeinter Handlungen gibt den verschiedenen Absichten der Interessierten erst ihr stabilisierendes Unterfutter, indem es dafür sorgt, daß sie entstehen und wirken, bis die Konstellation sich erschöpft.

Die Richtung des Prozesses kann sowohl auf Reproduktion wie auf Veränderung zielen. Will man den Unterschied formal bestimmen, so bleibt wohl nur zu sagen, daß im Falle des Veränderungsprozesses das Handeln seine Bedingungen in irgendwie gesteigertem Maße reproduzieren muß. Das ist eine Frage der Konstellationen. Ob sie mit dem Umschlagen zum Prozeß schon entschieden sein muß, sei offengelassen.

In welche Richtung ein Prozeß zielt, ergibt sich ausschließlich aus der empirisch auszumachenden Tendenz, in die die Dynamik des Geschehens wirkt. Man darf diese also nicht unbedingt mit dem schließlichen Geschick der Einheit, in deren Rahmen der Prozeß sich abspielt, gleichsetzen. Auch ein Auflösungsprozeß steuert nicht unbedingt der Auflösung der gesamten Ordnung zu. Vor allem ist der Prozeß nicht immun gegen Einwirkungen von außen: es kommt immer darauf an, wie weit menschlicher Wille und Kontingenz es mit seiner Kraft aufnehmen können.

[71] In Goethes *Maximen und Reflexionen* heißt es: »Dem Menschen ist verhaßt, was er nicht glaubt selbst getan zu haben; deswegen der Parteigeist so eifrig ist. Jeder Alberne glaubt, ins Beste einzugreifen, und alle Welt, die nichts ist, wird zu was.« (Nr. 659 Heinemann = 868 von Loeper).

An dieser Stelle lägen auch die Grenzen der Prognose: wohl müßte es möglich sein, wenn die notwendigen Daten überblickbar sind, den Ablauf eines autonomen Prozesses rebus sic stantibus zu prognostizieren. Allein, daß die Randbedingungen so bleiben, wäre eine eigene Prognose wert. In diesen Grenzen aber haben wir es mit der »typischen Chance eines bei Vorliegen gewisser Tatbestände zu *gewärtigenden* Ablaufes von sozialem Handeln« zu tun, »welche aus typischen Motiven und typisch gemeintem Sinn der Handelnden *verständlich* wird«, das heißt nach Max Weber[72]: mit Gesetzen verstehender Soziologie.

Dieser Typus wird in Wirklichkeit mehr oder weniger erreicht. Es ist möglich, daß die Motive, aus denen jeweils gehandelt wird, nicht unabweisbar, sondern nur »wahrscheinlich unabweisbar« sind und daß die Konstellationen die Wirkungen des Handelns nur ungenau in ihren Dienst nehmen. Dann ist das Geschehen nur »wahrscheinlich zwangsläufig«.

Vom Urteil über die Konstellationen und die Motive hängt es ab, wieweit man einen Prozeß als autonom ansehen kann und wie man seine Kraft bemißt. Anhänger gewisser materialistischer Auffassungen werden da anders denken als Verhaltensforscher oder als Verfechter eines der Vielfalt praktischer Erfahrung verpflichteten »historischen Realismus«. Hier schließt sich ein weites Feld von Fragen an, die den Bedingungen der Handlungskonnexe auf den verschiedenen Gebieten gelten; vor allem psychologische und sozialökonomische Untersuchungen könnten wohl weiterhelfen. Die Kategorie des Prozesses, wie sie hier entwickelt worden ist, ist formal genug, um die verschiedensten Möglichkeiten der Deutung offenzulassen. Jedenfalls vermag sie es im allgemeinen, vom Handeln und von den Interessen der je Beteiligten her empirisch und elementar die »Natur der Zwangsläufigkeit solcher Prozesse«[73] verständlich zu machen. Um Mißverständnisse auszuschließen, sei nochmals betont, daß die Autonomie dieser Prozesse (wie jede andere) bedingt ist.

Eine andere Frage ist, mit welchem Grad von Gewißheit Konstellationen und Motive zu erkennen sind (was zum Teil von den Quellen abhängt). Auch hier ist mit verschiedenen Graden der Wahrscheinlichkeit zu rechnen. Manch ein Prozeß wird zum Beispiel nur mit Wahrscheinlichkeit als »wahrscheinlich zwangsläufig« auszumachen sein. Diese Schwierigkeiten sind aber nicht

[72] *Wirtschaft und Gesellschaft.* Studienausgabe, Köln 1964, S. 13.
[73] Elias, *Über den Prozeß der Zivilisation,* Bd. 2, S. 475 f.

größer als bei anderen wichtigen Gegenständen historischer Arbeit. Sie beeinträchtigen die allgemeine Fruchtbarkeit dieses Typus bei der Identifikation und Erklärung besonderer Handlungszusammenhänge und historischer Abläufe nicht.

In der Rekonstruktion der autonomen Prozesse sollte sehr genau auf deren Umfang geachtet werden. Es ist etwa bei komplexen Abläufen scharf zu unterscheiden, wie weit es sich gegebenenfalls um eine einzige durchwaltende Kraft oder um mehrere, voneinander zu trennende (wenn auch gleichzeitige und eventuell zeitweise interdependente) Prozesse handelt. Zu fragen ist auch, von welchem Punkt an und wie lange ein Prozeß autonom gewesen ist. Es spricht nichts dafür, daß »die Geschichte« irgendwann ein autonomer Prozeß gewesen sei.

Worin die Fruchtbarkeit, die Leistung dieses Typus und der Kategorie des autonomen Prozesses besteht, soll gleich im Zusammenhang aufgewiesen werden. Zuvor scheinen noch einige Bemerkungen angebracht, um den autonomen Prozeß zu anderen Handlungskonnexen ins Verhältnis zu setzen.

Zwar ist es möglich, verschiedene Vorgänge, die dem, was er meint, nur ähnlich sind, von ihm her und gegen ihn zu verstehen; irgendwelche Tendenzen etwa von drängender Kraft oder Konnexe, in denen die Interessen nicht so eindeutig in eine Richtung treiben. Allein, die Konzentration auf das Merkmal der eigenständigen, auf das Handeln derer, die sie erzeugen, zurückwirkenden, gerichteten Dynamik kann den Weg zum Verständnis verschiedener Arten prozessualen Geschehens eher verstellen. Es wäre zu fragen, wieweit weitere allgemeine Typen des prozessualen Handlungskonnexes zu erarbeiten sind, etwa auf den von Kreisky gemeinten, besonders intensiven und kumulativen Geschehenszusammenhang hin; oder auf solche langgestreckten Prozesse von »Versuch und Irrtum«, wie den, in dem sich etwa der Typus des »gewachsenen Bauernhauses« allmählich bildete. Ein anderes Problem stellen die vielfältigen Formen eines nicht so geschlossenen, abgrenzbaren Zusammenhangs von Handlungen dar. Sie unterscheiden sich vor allem durch ihre Komplexität, durch die Mischung verschiedener Geschehensmodalitäten von den beiden Grundtypen, die hier im Zentrum stehen. Darauf ist nachdrücklich hinzuweisen, damit der vorliegende Versuch, gewisse Schneisen in die Materie der Handlungskonnexe zu schlagen, nicht mit der viel weiteren Unternehmung verwechselt werde, die sich zum Ziel setzen könnte, das gesamte Feld der Handlungskonnexe zu bearbeiten und etwa typologisch annähernd aufzusiedeln, sofern das in fruchtbarer Weise und diesseits eines reinen Schematismus überhaupt möglich ist.

Hier dagegen soll es genug sein, den Gegenpol des Ereignisses in einer kurzen vergleichenden Betrachtung zur besseren Klärung einzubeziehen.

b. Autonomer Prozeß und Ereignis

Als Ereignis bezeichnen wir im Alltag primär ein besonderes, aus dem Üblichen herausragendes Geschehen. Die Historie gebraucht das Wort im gleichen Sinne und meint damit zumeist die bemerkenswerten, »denk- (und überlieferungs-)würdigen« Handlungen und Handlungszusammenhänge sowie anderswie bewirkten Einschnitte des politischen und militärischen Bühnengeschehens[74]. Diese Ereignisse haben zwar immer ihr Besonderes, Denkwürdiges, aber dies ist jeweils nur innerhalb bestimmter Zusammenhänge von Interesse: das »freudige Ereignis«, als das eine Familie die Geburt eines Kindes ansieht, ist im weiteren Rahmen regelmäßig so gleichgültig wie unzählige Ereignisse auf der politischen Bühne einer Stadt, einer Nation, ja der ganzen Welt gleichgültig sind für viele weiter gespannte Betrachtungen (einen großen Teil derjenigen eingeschlossen, die die an ihnen Beteiligten als historisch ansehen). »Aus dem Üblichen herausragend« bedeutet also nicht: absolut wichtig, vielmehr nur die Unterbrechung irgendwelcher alltäglicher Abläufe durch besondere Geschehnisse.

Von dieser Grundbedeutung wird die Kategorie der »Ereignishaftigkeit«, das heißt des Kontingenten abgeleitet, die eine bestimmte Weise des Vollzugs von Geschehen meint, für die offenbar bestimmte Eigenschaften des primär politisch-militärischen Handlungskonnexes Ereignis charakteristisch sind[75].

[74] Der Sprachgebrauch mag im Deutschen mit der Herkunft des Wortes Ereignis, das ursprünglich das »Vor Augen Kommende«, »Sich Zeigende« bezeichnet (von: eräugen), zusammenhängen. Vgl. Hans Robert Jauß, *Versuch einer Ehrenrettung des Ereignisbegriffs*. In: *Geschichte – Ereignis und Erzählung* (Poetik und Hermeneutik 5, hrsg. von R. Koselleck und W.-D. Stempel), München 1973, S. 554f. Für die Historie hat sich das deutsche Wort Ereignis offenbar mit der von der Antike kommenden Vorstellung eines bestimmten Handlungskomplexes verknüpft. Herodot spricht im Programmsatz seines Prooimions von den »großen und bewundernswerten Werken und Taten (*erga*)«, die er rühmen will. Das gleiche Wort bezeichnet schon bei Thukydides den Handlungskonnex Ereignis. Ähnlich haben die Worte für Handlung (*pragma, praxis*) rasch die Bedeutung »Ereignis« angenommen. Entsprechend lief es im Lateinischen mit *res gestae*.

[75] Aron, *Dimensions*, S. 173ff.; Juillard, *La politique*. In: *Faire de l'histoire*,

In einem zugespitzten Sinne schließlich wird das Wort gebraucht für große Knotenpunkte oder Gelenkstellen des historischen Ablaufs, in denen sich auf längere Zeit etwas entschied. Solche Knotenpunkte sind wohl immer »ereignishaft«, und sei es, daß in ihnen große Prozesse ereignishaft zusammentreffen. Aber nicht so sehr deswegen wie wegen ihrer Folgenhaftigkeit nennt man sie in diesem dritten Sinne Ereignis. Man sollte also sehr klar zwischen den verschiedenen Bedeutungskreisen des Wortes unterscheiden, die sich nur teilweise überschneiden.

Vornehmlich um die zweite Bedeutung geht es hier. In diesem Sinne stellt das Ereignis den Handlungskonnex dar, der dem autonomen Prozeß nach den wesentlichen Merkmalen diametral entgegengesetzt ist. Der gleiche Vorgang kann kaum ereignishaft und autonom-prozessual zugleich sein. Er kann höchstens sowohl als dies wie als das aufgefaßt werden. Dann beurteilt man ihn und organisiert man die Zusammenhänge in ihm verschieden. Ebenso meint man verschiedenes, wenn man ereignishafte und prozessuale Züge an ein und demselben Vorgang beobachtet oder findet, daß dieselbe Handlung sowohl in ereignishaften wie in prozessualen Zusammenhang gehört.

Von Ereignissen gilt in der Regel, daß sie nicht nur aus dem Gegeneinanderhandeln verschiedener Kräfte resultieren, sondern in diesem Gegeneinanderhandeln samt der darin fallenden Entscheidung geradezu bestehen. Zwar kann auch die Überwindung von Gegensätzen ein Ereignis sein, aber das ist dann die Ausnahme, die die Regel bestätigt. Ein autonomer Prozeß dagegen besteht darin, daß die beteiligten Impulse über lange Strekken hin wesentlich in die gleiche Richtung zielen (auch wenn er sich aus heftigen Kämpfen speist). Wer in der Ereignis-Dimension Gegner oder Feind ist, zieht dann in der Prozeß-Dimension – fast möchte man sagen: einträchtig – an einem Strang. Gegner oder Feinde sind dann »Partner« in einem Prozeß[76].

Sind beim autonomen Prozeß die Impulse innerhalb eines bestimmten Kreises von Menschen mehr oder weniger im Prozeßsinn festgelegt, so treffen sie beim Ereignis vergleichsweise

hrsg. von J. Le Goff und P. Nora, Paris 1974, Bd. 2, S. 239f; Arendt, *Fragwürdige Traditionsbestände*, S. 107ff.; vgl. Tenbruck, *Die Soziologie*, S. 43.

[76] Vielleicht hängt die grassierende Partnerschaftsideologie unserer Zeit nicht zuletzt mit dem Vorwalten eines prozeßorientierten Denkens zusammen. In diesem Sinne sollte man auch die Argumentationsweise, die Grobheiten bzw. Verletzungen zu »Denkanstößen« umfunktionalisiert, auf ihren symptomatischen Wert hin prüfen.

frei aufeinander. Die Beteiligten tragen irgendeine Sache unter sich aus. Es ist nicht notwendig, daß sie das alle wissen oder daß sie alle oder auch nur zum Teil die Sache meinen, die dann das Thema der zwischen ihnen fallenden Entscheidung wird. Aber diese Entscheidung fällt jedenfalls in ihrer Mitte. Die Richtung, in die die Dinge dann laufen, bestimmt sich innerhalb des Ereignisses. Die an einem autonomen Prozeß Beteiligten haben dagegen, was den Handlungskonnex, in dem sie befangen sind, angeht, nichts zu entscheiden. Es vollzieht sich nur etwas zwischen ihnen und durch sie hindurch. Sie sind insofern nur Medien[77] eines Vorgangs.

Während beim autonomen Prozeß kontingente Bedingungen zwar für Entstehung und Erhaltung, nicht aber für das je neue Zustandekommen seiner Richtung wichtig sind, sind sie beim Ereignis zentral. Die besonderen Umstände, die besonderen zeitlichen Verknotungen, in denen es geschieht, spielen in ihm eine große Rolle: etwa wo und wann es stattfindet, welche Personen mit welchen Intentionen und Mitteln in welcher Verfassung daran beteiligt sind, wie und wann sie eingreifen oder aufeinandertreffen, wie das Wetter ist, wieweit wichtige Voraussetzungen des Handelns vorher oder gleichzeitig geschaffen sind etc. Insofern ist das Ereignis zeitlich und räumlich eindeutig situiert[78]. In irgendeinem Ausmaß ist damit die Unvorhersehbarkeit des Ausgangs gegeben. »Au travers de tous nos projects, de nos conseils et precautions, la fortune maintient tousjours la possession des événements«, wie Montaigne[79] geschrieben hat. »Jedes Ereignis zeitigt mehr und zugleich weniger, als in seinen Vorgegebenheiten enthalten ist: daher seine jeweils überraschende Novität.«[80] Was aus dem Ereignis herauskommt, ist also nicht einfach die Resultante aus dem Parallelogramm der beteiligten Kräfte, sondern ist entscheidend durch die ereignishafte Modalität ihres Aufeinandertreffens bestimmt[81].

Hier liegt wohl der entscheidende Unterschied: daß der eine Handlungskonnex in sich weitgehend der Kontingenz ausge-

[77] Auch dieser Ausdruck bei Droysen, *Historik*, S. 179: »Die historische Forschung weiß, daß die Persönlichkeiten die Medien, aber auch nur die Medien sind, durch die die Dinge hingehen.«

[78] Tenbruck, *Die Soziologie*, S. 43. Aron, *Dimensions*, S. 134, 172.

[79] Essais 1, Kap. 24; vgl. Jauß, *Versuch einer Ehrenrettung*.

[80] Reinhart Koselleck, *Ereignis und Struktur*. In: *Geschichte – Ereignis und Erzählung*, S. 566; vgl. Aron, *Dimensions*, S. 172f.

[81] Aron, *Dimensions*, S. 177; Arendt, *Fragwürdige Traditionsbestände*, S. 72; Tenbruck, *Die Soziologie*, S. 43.

setzt, ja dadurch bestimmt ist, während der andere in sich (bedingt) zwangsläufig ist. Überdies erscheint das Ereignis als relativ punktuell, da man es als Unterbrechung eines sonst eher regelmäßig dahinfließenden Geschehens auffaßt. In ihm massieren sich die Kräfte zu plötzlicher Entscheidung. (Daß es in sich durch Zeitdifferenzen konstituiert ist, steht auf einem anderen Blatt.) Dies ist vor allem, aber keineswegs ausschließlich, der Fall bei den großen Knotenpunkten der Geschichte, so wenn Ranke die Völkerwanderung zu den wichtigsten Ereignissen der Weltgeschichte zählt: wie in einem Punkt entscheidet sich dann dort außerordentlich viel auf einmal, auch wenn dieser »Punkt« jahrhundertelang dauert.

Beide Handlungskonnexe sind in der Regel unverfügbar für einzelne Beteiligte. Es gibt in ihnen keine »übergreifende Handlungsrationalität«[82]. Aber im Ereignis besteht jedenfalls grundsätzlich eine Chance zu weitgehender Verfügung über das Geschehen, wenn eine Macht stark und glücklich genug dazu ist[83].

Von diesen polaren Grundtypen her ließen sich Eigenschaften ableiten, die es etwa ermöglichen, ereignishafte und prozessuale Züge von Geschehnissen zu kennzeichnen. Im großen gewänne man damit die Möglichkeit, das ereignishafte Aufeinandertreffen von Prozessen zu begreifen[84]. Hier zeigt sich allerdings ein letzter bedeutsamer Unterschied zwischen Ereignis und autonomem Prozeß. Denn es ist nicht möglich, prozessuales Zusammentreffen von Ereignissen festzustellen. Sieht man einen autonomen Prozeß sich durch Ereignisse vollziehen oder nimmt man Ereignisreihen als Prozeß, so läßt man das Ereignishafte an ihnen gerade verschwinden. Das Ereignis erweist sich dadurch im Rahmen der Handlungskonnexe als die umfassendere Kategorie. Mag es auch naheliegen, die großen historischen Abläufe als Prozesse und vielleicht gar die Weltgeschichte als Prozeß der Prozesse aufzufassen, sobald man diese umfassenden Geschehenskomplexe auf die Handlungskonnexe hin analysiert, werden die Gelenkstellen sich vermutlich immer wieder als kontingent erweisen, wird man insofern – wenn man das für den Ablauf Entscheidende sucht – mehr auf Zufall als auf Notwendigkeit stoßen. In einer Zeit, in der manches dafür spricht, daß dynamische Prozesse immer mehr ereignishaft aufeinanderstoßen, ja in

[82] Lübbe, *Geschichtsbegriff*, S. 38f.
[83] Vgl. Athen zur Zeit des Perikles (unten S. 87f.).
[84] Lübbe, *Geschichtsbegriff*, S. 263, 265f., 283ff.

Widerspruch zueinander geraten, in der sich also Kontingenz multipliziert[85], scheinen die Probleme von Prozeß- und Ereignishaftigkeit zudem in neuer Weise aktuell zu werden. Damit gerät zugleich die Funktion der Handlungskonnexe für die Erschließung komplexer historischer Prozesse auf die Tagesordnung. Bevor dies jedoch erörtert wird, muß die Behandlung des autonomen Prozesses zu einem Ende geführt werden. Denn es sollte zunächst im Zusammenhang darüber Rechenschaft gegeben werden, was diese Kategorie zu leisten hat.

c. Die Leistung der Kategorie des autonomen Prozesses

Den Suggestionen, die mit dem recht ungefähren Etikett des »Prozesses« gegeben sind, kann man am wirksamsten durch die Aufstellung von anspruchsvollen Kategorien entgegenwirken, wie es hier durch die des autonomen Prozesses versucht wurde.

Indem diese dazu dient, Zwangsläufigkeiten zu identifizieren, hilft sie zugleich, Spielräume freien Handelns und Sich-Ereignens auszumachen. Denn sie müßte es ermöglichen, wie die Grenzen so auch die Schwächen prozessualer Eigendynamik besser zu erkennen.

Sie erlaubt es, Formen der Realität zu ordnen, Wahrnehmungen zu organisieren und eben damit an die Stelle sowohl des fatalen wie des alles entschuldigenden Eindrucks von Sachzwängen[86] Erkenntnis zu setzen, mithin ein neues Verhältnis zu neuerdings besonders vorherrschenden Formen der gesellschaftlichen Wirklichkeit zu gewinnen. Das würde zugleich ein Weg sein, um dem nur allzu leicht entstehenden prozessualen Zusammenhang zwischen falscher Erwartung, Enttäuschung, Kompensation durch noch höhere Erwartung etc. Kraft zu entziehen. Denn daß es möglich wäre, der »Naturwüchsigkeit« von Prozessen je zu entrinnen, möchte ich bezweifeln[87]. Die Wahrscheinlichkeit spricht eher für das Gegenteil, und der Abstand hoffnungsvoller Credos von der erwartungswidrigen Absurdität des Gesche-

[85] Lübbe, ebd.

[86] Diese gewinnen aus diesem Eindruck natürlich zusätzliche Kraft. Zur Forderung, diese Zwänge durchschaubar zu machen: Elias, *Was ist Soziologie*, S. 73f., 184. Wieweit eine »Chance ... der Kontrolle und Steuerung solcher Zwänge besteht«, muß man sehen. Jedenfalls sind sie durch Erkenntnis besser auszuhalten (vgl. zu dieser Problematik Christian Meier, *Handeln und Aushalten. Didaktische Überlegungen zur Funktion der Geschichte*. In: *Imago Linguae*, Festschrift F. Paepcke, hrsg. von K.-H. Bender, K. Berger und M. Wandruczka, München 1976, S. 359ff.).

[87] Dagegen insbesondere das Buch von Lübbe, *Geschichtsbegriff*.

hens[88] weist nicht darauf, daß das neue Jerusalem in erreichbare Nähe gerückt wäre. Aber in der so weitgehend prozeßbestimmten Gegenwart sich besser zu bewegen, dazu kann eine Prozeßtheorie in der Tat verhelfen. Indem sie auf Zwangsläufigkeiten aufmerksam macht, sollte sie mit der Mahnung verbunden sein, stets neu danach zu fragen, wo deren Grenzen liegen.

Was sich derart für die Gegenwart aufdrängt, ist nicht weniger indiziert für die Vergangenheit, deren Geschehen zwar in sehr verschiedenem Umfang prozeßbestimmt sein kann, in der aber unser Urteil und unser Verstehen stets von neuem darauf angewiesen sind, Spielräume des Handelns auszumachen. Vom Urteil über die Handlungskonnexe und -konstellationen der späten Republik hängt etwa das über Caesar, Pompeius, Cato, Cicero und andere weitgehend ab.

Die Kategorie des autonomen Prozesses bietet aber auch ein Instrument, um Handlungsfolgen genauer zu bemessen; den Abstand etwa zwischen Intentionen und Nebenwirkungen, die Anteile Einzelner an der Entstehung von Abläufen und Zuständen. Wenn ein Inflationsgeschehen zum Beispiel in die Phase eintritt, »in der zu den schon vorher wirkenden Kräften der Geldwertverschlechterung die Eigendynamik einer sich selbst verstärkenden Hebelwirkung hinzutritt«, wird es »müßig, über die Ursachen der Inflation zu streiten; ob sie ›hausgemacht‹ oder ›importiert‹, ob sie ›kosten- ...‹ oder ›nachfragebedingt‹ ... entstanden oder ob sie der undisziplinierten Ausgabengebarung der öffentlichen Hände oder der uferlosen Steigerung aller privaten Ansprüche ... zu verdanken ist«[89]. Ähnlich ist es, wenn Polarisierungstendenzen zu Prozessen umschlagen oder wenn die Tendenz zur Auflösung einer Staatlichkeit eine bestimmte Intensität gewonnen hat. Zum Erscheinungsbild wie zum weiteren Antrieb des Prozesses gehört dann die gegenseitige Schuldzuweisung durch die Mitschuldigen. Im Rahmen einer Prozeßtheorie müßte sich die Verursachung besser klären und auf Grund davon evtl. auch für das Handeln und Verhalten andere Regeln aufstellen lassen.

Auch da, wo der Richtungssinn historischer Abläufe – bemessen an unserer Erwartung und/oder am Willen der Beteiligten – als sinnlos erscheint, wird in diesem Zusammenhang erklärt

[88] Vgl. Rainer Specht, *Innovation und Folgelast*. Stuttgart-Bad Cannstatt 1972, S. 226. Gehlen, *Einblicke*, S. 9f., 25ff.

[89] Günter Schmölders in der Frankfurter Allgemeinen vom 6. 7. 74.

werden können, daß diese Sinnlosigkeit aus gerade sehr sinnvollen Handlungen der Beteiligten resultiert, welche nur eben unter den Konstellationen, in die sie verquickt sind, nichts anderes hervorbringen können oder wenigstens: einer gewissen Tendenz unterliegen, eben dies hervorzubringen[90]. Diese Erkenntnis hat weitreichende Konsequenzen auf verschiedensten Gebieten. Nur wenige Beispiele: Ernst Forsthoff hat darauf hingewiesen, daß wichtige allgemeine Interessen in der heutigen Demokratie gerade wegen ihrer Allgemeinheit besonders schwach sind: weil sie nämlich so breit gelagert sind, daß sie nach allen Seiten gegen mächtige partikulare Interessen offene Flanken bieten[91]: diese Schwäche erklärt sich nicht zuletzt dadurch, daß dieselben Menschen praktisch zwangsläufig dem institutionalisierten Treiben der Partikularinteressen dienen, das ihren allgemeinen Interessen entgegen ist. Der Handlungskonnex des autonomen Prozesses ist aber oft auch dort wirksam, wo die politische Kapazität von Gemeinwesen problematisch wird, das heißt wo sich die Frage stellt, inwieweit eine Gesellschaft ihre virulenten Mißstände im politischen Handeln, in politischen Gegensätzen einfangen kann, oder speziell: inwieweit die gleichen Parteien sowohl für die Interessenvertretung wie für die allfälligen Reformen des Gemeinwesens zuständig sein können[92]. Eine darauf zielende Parteiungstheorie[93] muß also weitgehend zwischen – grob gesagt – Möglichkeiten des bestimmenden politischen Handelns und mehr oder weniger autonomen Prozessen operieren.

Um es in einer Formel zu sagen: hier müßte die Vermittlung von der – weit überwiegenden – Banalität menschlicher Intentionen und Handlungen zum gesellschaftlichen und historischen Geschehen hin zu leisten sein. Und dies nicht nur im Sinne der schottischen Sozialphilosophie (daß nämlich das Mängelwesen Mensch, ohne es zu wissen oder es zu wollen, seine Situation im

[90] »There is no quality in human nature which causes more fatal errors in our conduct, than that which leads us to prefer whatever is present to the distant and remote«. David Hume, *A treatise of human nature*. Bd. 2, London 1911, S. 239.

[91] *Rechtsstaat im Wandel. Verfassungsrechtliche Abhandlungen 1954–1973*. 2. Aufl., München 1976, S. 6f. Daß diese Äußerung im spezifischen Inhalt zum Teil überholt ist, tangiert ihre grundsätzliche Richtigkeit wohl kaum.

[92] Denn zwischen den Prozessen, zu denen sich die Verfolgung der Alltags- (inklusive der Machtbehauptungs-) interessen institutionalisiert hat, und der Notwendigkeit einer systemimmanenten Problembewältigung kann ja eine sehr große, schließlich virulente Kluft bestehen.

[93] Zu diesem Problem allgemein Christian Meier, *Der Alltag des Historikers und die historische Theorie*. In: *Seminar: Geschichte und Theorie*, S. 40ff., 46ff.

Laufe der Zeit umfassend verbessern kann), vielmehr insbesondere auch umgekehrt in dem Sinne, daß die gar nicht so bösartigen, gar nicht so uneinsichtigen Menschen, die es überdies so herrlich weit gebracht, ständig neu Prozesse produzieren, die ihren eigenen Intentionen kraß zuwider und vielleicht gar in der Summe eher »regressiv« sind.

Eine begrenzte, aber sehr wichtige Funktion der Handlungskonnexe ist weiterhin die Schärfung des Bewußtseins für die Fiktionalität historischer Objekte. Es sei nur an zwei sehr einfache Sätze erinnert: »Italien erkennt die DDR an« und »Italien zerstört durch die Streiks seine Wirtschaft«. Grammatisch erscheint es, wie wenn das Subjekt beide Male das gleiche wäre. In Wirklichkeit ist dieses nur im ersten Fall Ausgangspunkt der Handlung. Im zweiten dagegen bezeichnet es nur das Gehäuse für Prozesse (die freilich nicht unbedingt autonom sein müssen). Entsprechend kann in einer Armee gleichzeitig organisiert gehandelt und gehorcht werden und eine Meuterei sich prozessual vorbereiten.

Im weiteren Sinne wären hier aber auch die im Zeichen des modernen Animismus und moderner Hostifikationen verbreiteten Annahmen über den Subjektcharakter der »herrschenden Schichten« einschlägig: denn wieweit diese als solche ihre vermeintlich oder wirklich gemeinsamen Herrschaftsinteressen verfolgen können und wieweit dem praktisch die Konstellationen ihrer Partikularinteressen entgegenwirken, ist wiederum weitgehend Frage der Handlungskonnexe, oft insbesondere dessen des autonomen Prozesses. Im römischen Senat scheinen die führenden Kreise gelegentlich ganz froh gewesen zu sein, wenn ein Ernstfall eintrat: weil dann und nur dann das Gewicht des Senats geschlossen eingesetzt und für einige Zeit befestigt werden konnte. In der Regel kollidierten die naheliegenden, praktisch unabweisbaren Interessen der Senatoren weitgehend mit denen des Senats (das heißt der Bewahrung ihrer Herrschaft). Das aber war nicht einfach eine Sache der Institutionen, der Verfassung, der Maximen politischen Handelns (denn die hatten sich seit der klassischen Zeit kaum geändert), sondern es folgte in einem viel weiteren Sinne aus den allgemeinen Konstellationen, aus denen damals auf Grund eben dieser Institutionen und Maximen gehandelt werden mußte.

Wenn dergestalt bei den Handlungskonnexen, in die irgendwelche Kreise von Menschen geraten, angesetzt wird, so gewinnt man wohl auch ein Mittel gegen die immer wieder sich aufdrängende Versuchung, Ei und Henne, das heißt: verschiedene Verdinglichungen und Substanzen[94], wechselseitig zur Ursache voneinander zu erklären. Zwar wird es methodisch wohl kaum zu umgehen sein, im Strom eines umfassenden Geschehens immer wieder den einen Strang davon hypothetisch konstant zu setzen, um die Bewegung des anderen gegen diese Folie zu studieren[95]. Aber es fragt sich einerseits, ob mit Hilfe eines Prozeß-Modells nicht wenigstens viele Bewegungen im ganzen erfaßt werden können. Andererseits müßten das Studium und die Applikation solcher Modelle eine Weise des Auffassens verbreiten und verstärken helfen, für die jene Methode nicht mehr so viele verfälschende Insinuationen mit sich bringt. Auch müßte dadurch den Unzulänglichkeiten unserer Sprache bei der Darstellung und Apperzeption von wechselseitigen Verursachungen[96] entgegengewirkt werden können.

Die Zusammenhänge, auf die diese Theorie hinweist, liegen vielfach quer zu den üblichen Subjekten, mit denen die Historie rechnet. Gleichwohl besitzen sie eigene Dynamik; etwa der Prozeß der Realitätsaufweichung, der sich gelegentlich durch alle Parteien hindurch vollzieht, oder der der Suggestion bestimmter Ideen und Parolen, der zum Wettlauf der Parteien in die falsche Richtung führt[97]: es ist also in diesem Zusammenhang ein besserer Überblick und bessere Kenntnis der je am Werk befindlichen »Kräfte« zu erwarten.

Im Rahmen der hier zu entfaltenden Kategorien sollte es möglich sein, ohne gleich tiefe Strukturbedingungen, besondere Nationaleigenschaften oder einen Volksgeist bemühen zu müssen, vielmehr auf Grund relativ geringer »Auslöser« innerhalb bestimmter Konstellationen die mehr oder weniger prozessuale Entstehung bemerkenswerter und eigentümlicher historischer Erscheinungen zu verstehen. So etwa im großen die Herausbildung der griechischen Besonderheit oder speziell die des Anse-

[94] Die Zusammenhänge von kosmologischem und politischem Denken der Griechen und von römischer Expansion und Verfassungsgeschichte – um nur zwei Beispiele zu nennen – lassen sich nur als vielstufige Prozesse stets neuer Wechselwirkung begreifen. Es wäre ganz unsinnig, eines einfach zur Ursache des anderen machen zu wollen.

[95] Vgl. etwa Koselleck, *Wozu noch Historie?*, S. 15.

[96] Dazu Elias, *Was ist Soziologie*, S. 57, 118f.; ders., *Höfische Gesellschaft*, S. 347.

[97] Gute Beispiele dafür bei Hatto H. Schmitt, *Vademecum für empörte Eltern. Absurdes aus der Schulpolitik*. Zürich 1977.

hens Delphis und der besonderen, dort zentrierten Religion und Philosophie.

Wenn nicht alles täuscht, eröffnet sich durch einen Ansatz bei Handlungskonnexen weiterhin ein Zugang zum Problem der Vermittlung von Prozeß und Struktur. Wenn Institutionen und autonome Prozesse des Wandels als Handlungskonnexe im wesentlichen die gleichen Merkmale aufweisen, so kann das, was sie unterscheidet, demgegenüber nur ein zusätzliches Merkmal sein, das offenbar in den besonderen Konstellationen des Handelns begründet liegt. So stellt sich wenigstens für manche Fälle die Frage, ob wirklich »ein und dieselbe Analyse nicht gleichzeitig die funktionalen Beziehungen innerhalb einer Gesellschaft *und* ihren historischen Wandel erklären kann«[98]. Aber es würde zu weit führen, das hier genauer zu verfolgen.

Das Problem der Handlungskonnexe liegt insgesamt quer zu den Unterscheidungen von System und Wandel, von Ereignis- und Strukturgeschichte, aber auch von verschiedenen Arten gesellschaftlicher Organisation. Es bezieht sich auf Zusammenhänge eigener Art.

Die Frage, wieweit der Typus des autonomen Prozesses und die Kategorie der Handlungskonnexe überhaupt bei der Analyse umfassender Geschehenskomplexe eine Rolle spielen kann, gehört schon in das weitere, vom Gegenstandsbereich historischer Arbeit her so zentrale Thema dieser Fragen und Thesen, das der historischen Prozesse im großen.

3. Das Problem der komplexen historischen Prozesse

Unter historischen Prozessen versteht man in der Regel längere, nämlich Jahrzehnte oder gar Jahrhunderte übergreifende Abläufe. Man faßt mit dieser Kategorie Handlungen, Faktoren, Verknüpfungen etc., die wie auch immer zum Erreichen eines bestimmten Endes beitrugen, von diesem Ende her zu einem Sinnganzen zusammen. Alle möglichen Arten von Kontingenz mögen dabei mitgesprochen haben; auch mögen gewisse Stränge von autonom-prozessualem Charakter darin enthalten gewesen sein; gelegentlich mag zu einem späteren Zeitpunkt das ganze Geschehen eigenständige Kraft gewonnen haben. Dies zu entwirren, wäre Aufgabe je neuer Untersuchung von Fall zu Fall.

[98] Eric J. Hobsbawm, *Karl Marx' Beitrag zur Geschichtsschreibung*. In: *Seminar: Geschichte und Theorie*, S. 151f.

Im Zusammenhang historischer Theorie stellt sich aber die Frage, ob nicht gewisse Regeln und Gebote für die Erschließung dieser vielfältigen komplexen Prozesse aufzustellen seien. Ich kann das hier nicht näher behandeln. Es scheint mir aber angebracht, wenigstens einige Thesen zur Diskussion zu stellen.

(1) Angesichts der mannigfachen Versuchungen zu teleologischer Kämmung von Geschehenskomplexen sowie im Sinne einer besseren gedanklichen Durchdringung des historischen Wandels erscheint es mir als notwendig, wesentlich konsequenter als bisher die Erschließung und Rekonstruktion der komplexen Prozesse zum Programm historischer Untersuchung und Darstellung zu machen. Das bedeutet: Historie einseitig und mit einer expliziten, genau zu erarbeitenden Fragestellung im Hinblick auf die Verursachung langfristiger Veränderung zu betreiben.

Einzig so ist es möglich – um es grob zu sagen –, Zufall und Zwangsläufigkeit und die Anteile intentionalen Handelns an großen Abläufen zu studieren. Einzig so kann es die Historie mit der immer neuen Behauptung »historischer Gesetze« aufnehmen: indem sie prüft, was eventuell und vermutlich nur partiell für solche Gesetze zu sprechen scheint, und dem, was daran wahrscheinlich ist, gerecht wird; aber zugleich damit auch dessen Grenzen empirisch aufweist. Einzig so kann auch im Hinblick auf große Zusammenhänge dem Konsistenzdruck, dem der Historiker leicht unterliegt, wirksam begegnet werden.

(2) Ein wesentlicher Zugang zu diesem Problem scheint mir die Herausarbeitung der verschiedenen Handlungskonnexe zwischen den Beteiligten zu sein, zumal der autonom-prozessualen Stränge innerhalb des Geschehens (sofern es sie gibt). Dabei ist es besonders wichtig, das Bedingungsverhältnis zwischen den einzelnen Konnexen, insbesondere zwischen den autonomen Prozessen, zu untersuchen. In der Regel wird man finden, daß darin Kontingenz vorwaltet. Aber es mag Ausnahmen – etwa im großen Veränderungsprozeß der (jüngst vergangenen?) Neuzeit – geben. Prozessualität und Kontingenz werden in verschiedenen Bezugsrahmen aufzusuchen und auf ihren Stellenwert, ihre Funktion in deren Zusammenhang zu prüfen sein. Vielleicht kann man auch bestimmte Typen komplexer Prozesse unterscheiden. Möglicherweise gibt es bestimmte Regelmäßigkeiten, auch Eigentümlichkeiten in bestimmten Epochen und in bestimmten Sektoren des gesellschaftlichen Lebens.

(3) Das Instrumentarium, mit dem bei der Erschließung kom-

plexer historischer Prozesse gearbeitet wird, kann sich nur in praktischer historischer Arbeit bewähren und verfeinern. Diese Arbeit sollte aber ständig im Zusammenhang historischer Theorie beleuchtet, bedacht und kontrolliert werden – im Sinne einer gegenseitigen Durchdringung praktischer Theorie und theoretischer Praxis. Historische Theorie müßte hier (wie an vielen anderen Stellen) als Zentrale für die Koordination, Kritik und Entfaltung der Kategorien historischer Arbeit fungieren.

(4) Eine so betrachtete »Veränderungsgeschichte« (im Sinne der einseitig auf die Verursachung langfristiger Veränderungen orientierten Historie) ist im umfassenden Sinne »Strukturgeschichte«. Denn Strukturen verschiedenster Art wären ihr Referenzsubjekt[99] (Prozesse der Bildung von Strukturen, in denen dieses Subjekt also erst am Ende vorhanden ist, eingeschlossen). Solche Strukturgeschichte wird, grob eingeteilt, sowohl durch intentionales (und zwar auf die Veränderung der Struktur gerichtetes) Handeln wie durch Ereignisse und Prozesse im engeren Sinne des Wortes vorangetrieben. Gerade die Rolle des Ereignisses darin ist zu betonen. »L'événement, notamment sous sa forme politique, n'est ... pas à considérer comme un simple *produit;* ... il est à son tour *producteur* de structure«, wie Jacques Julliard[100] geschrieben hat. Und zwischen Handlungen, Ereignissen und autonomen und anderen Prozessen besteht ein möglicherweise sehr verschiedenartiger, unter Umständen hoch kontingenter Zusammenhang. Deswegen erscheint es als unglücklich, der Veränderungsgeschichte als solcher eine »Ereignisgeschichte« entgegenzustellen. *Histoire structurale* hat sich zwar historisch von einer *histoire événementielle* abgesetzt (die Paul Veyne[101] sehr schön als *histoire traités-et-batailles* bezeichnet hat). In Wirklichkeit steht sie als konsequent auf längerfristige Veränderung gerichtete Historie in Opposition zu verschiedenen Formen einer mehr auf die jeweilige Gegenwart einer Epoche, auf das an ihr, was »unmittelbar zu Gott« ist, gerichteten historischen Betrachtung. Ereignisgeschichte dagegen bezeichnet eher einen Modus von Geschehen und eine vornehmlich darauf orientierte Betrachtungsweise und findet ihr Gegenteil eher in einer auf Prozesse in irgendeinem engeren Sinne gerichte-

[99] Zu diesem, von W.-D. Stempel geprägten Begriff: Stempel in: *Geschichte – Ereignis und Erzählung*, S. 329; Lübbe, *Geschichtsbegriff*, S. 75 ff.
[100] In: *Faire de l'histoire*, S. 239 f. Vgl. Lübbe, *Geschichtsbegriff*, S. 263.
[101] Ebd., Bd. 1, S. 70.

ten Historie. Einmal handelt es sich um Modi des Vollzugs von Geschichte, das andere Mal um verschiedene Perspektiven.

(5) Wenn der große Vorzug der in diesem Sinne aufgefaßten Strukturgeschichte in ihrer Einseitigkeit besteht, wird es um so wichtiger, andere Richtungen historischen Interesses gegen sie zu betonen, zu profilieren und zu ihr in Beziehung zu setzen. Es kann nicht angehen, die Geschichte einer Epoche nur unter dem Gesichtspunkt der Verursachung von Veränderung zu sehen. Pompeius, Caesar und Cato können den Historiker nicht nur als »Exponenten« eines Prozesses[102], als Männer, die eine bereitstehende, anziehende Rolle in besonderer Weise spielten, interessieren. Vielmehr gehört zur Geschichte ebenso, was die jeweiligen Zeitgenossen zentral beschäftigte, worum sie kämpften, wie sie dachten, lebten, arbeiteten, verkehrten, wie sie in der Welt standen etc., kurz: was dort nennenswert gehandelt und vor allem auch, was nennenswert gelitten, erlitten, geopfert wurde. Auf den verschiedensten Gebieten müßte also neben der auf langfristige Veränderung orientierten Betrachtung eine andere stehen, die eher kurzfristige, dafür innerhalb der Epoche in der Regel um so wichtigere Formen des Geschehens und daneben eher gleichbleibende Weisen des Lebens zum Thema hat. Das konsequent betriebene Studium historischer Prozesse erfordert also ein Bewußtsein seiner eigenen Grenzen. Sobald es um ganze Stücke von Geschichte, etwa von Völkern oder Epochen, geht, ist es dringend notwendig, die verschiedenen Prozesse im weiteren Zusammenhang zu relativieren. Auch von dieser Seite wäre den Suggestionen einer global-prozessualen Betrachtung gegenzusteuern. Daraus folgen zahlreiche intrikate Probleme der historischen Erkenntnis wie insbesondere der Darstellung. Sowohl im einzelnen wie im ganzen wird sich immer wieder zeigen, wie schwierig es ist, die verschiedenen Betrachtungsweisen und die verschiedenen Zusammenhänge je zu ihrem Recht kommen zu lassen[103]. Um nur eine Einzelheit zu nennen: innerhalb der politischen Geschichte Roms müssen sowohl die Auseinandersetzungen zwischen Pompeius und dem Senat wie die Veränderungen der Verfassungswirklichkeit und der politischen Kultur der späten Republik behandelt werden, die sich aus ihnen speisen und in sie eingehen, also je ihre Bedingung und ihr Resultat sind. Diese

[102] Dazu Arendt, *Fragwürdige Traditionsbestände*, S. 81 ff.
[103] Einige einschlägige Probleme hat R. Koselleck, *Ereignis und Struktur*, erörtert.

Erwägungen führen in den viel weiteren Kreis der Frage, wie heute Geschichte zu schreiben sei. Es sei pauschal mit allem Nachdruck auf diesen Problemkomplex hingewiesen.

Die Vermittlung zwischen den verschiedenen Zusammenhängen des Handelns bietet aber nicht nur im Hinblick auf die komplexen historischen Prozesse und die thematisch umfassende Geschichtsschreibung eine Menge von Schwierigkeiten und Chancen, sondern zugleich im Hinblick auf die Eigenart der verschiedenen Epochen und Gesellschaften.

4. Handlungskonnexe und Epochentheorie

Epochen sind nicht nur durch die in ihnen vorherrschenden Staatsformen, Wirtschaftsweisen, Parteiensysteme, Arten des Denkens und Glaubens charakterisiert, sondern auch durch spezifische Modi der Verquickung in Handlungskonnexe, der Spielräume des Handelns, der Abläufe. Es scheint sich zu lohnen, in ihnen nach dem *allgemein relevanten Wandel* zu fragen, das heißt danach, wie er sich herstellt und – was eng damit zusammenhängt – wie er wahrgenommen wird. Mit diesem Begriff möchte ich diejenige Form des Wandels oder dasjenige Verhältnis zwischen verschiedenen Formen davon bezeichnen, das innerhalb einer Gesellschaft oder einer Kultur als relevant angesehen wird. Zwischen dem Umfang der Gesellschaft bzw. der Kultur und dem Vorherrschen bestimmter Formen des Wandels könnte es ein Wechselverhältnis geben.

Für die Griechen im 5. Jahrhundert zum Beispiel bestand der allgemein relevante Wandel im wesentlichen in den politisch-militärischen Figurationsveränderungen, und zwar zumal im außenpolitischen Bereich[104]. Die Wahrnehmung davon geschah in einer ereignisgeschichtlich orientierten Historiographie. Darüber hinaus lassen sich eine ganze Reihe von Verbesserungen der Erkenntnis und der Möglichkeiten des methodischen Handelns und Herstellens beobachten, »Fortschritte« auf den verschiedensten Gebieten. Sie schlugen sich unter anderem in der Schaffung der Demokratie nieder. Ihnen entsprach ein Könnens-Bewußtsein[105]. Die beiden Weisen der Wahrnehmung allgemein relevan-

[104] Zum Folgenden vgl. unten S. 82f.

[105] Dazu Christian Meier, *Ein antikes Äquivalent des Fortschrittsgedankens: Das Könnens-Bewußtsein des 5. Jahrhunderts v. Chr.* Historische Zeitschrift 226 (1978), S. 265ff.

ten Wandels hängen untereinander eng zusammen. Sie konzentrieren sich auf das Handeln einzelner Subjekte und die kontingenten Umstände, in denen es sich vollzieht. Sie neigen eher dazu, den Wandel, dem auch die damalige Gesellschaft unterworfen war, zu unterschätzen. Darin wirken sich bestimmte Gravitationen der Wahrnehmung aus. Die gesellschaftliche Welt im ganzen war eher statisch, und die Auffassungen von ihr haben das noch übertrieben. Auch in der Betrachtung der politischen Ereignisse stand das Interesse am Handeln als dem Zentralfaktor dieser Welt und an Weisen des Aufeinandergeratens ganz im Vordergrund gegenüber dem an der dadurch vollzogenen Veränderung.

Weithin entgegengesetzt stellt sich der allgemein relevante Wandel der Neuzeit seit der Mitte des 18. Jahrhunderts dar. Trotz höchst bemerkenswerter Manifestationen menschlichen Könnens in Einzelnen, trotz einer bewegten, denkwürdigen Geschichte politischer Handlungen und Ereignisse überwiegen in Wirklichkeit und Wahrnehmung prozeßartige Veränderungen, in denen noch die größten Leistungen als eingeebnet erscheinen in die Unsumme der Impulse. Diese Wandlungsprozesse umfassen zunehmend mehr, schließlich alle wichtigen Gebiete des menschlichen Lebens. Sie sind untereinander interdependent. Politisches Handeln erscheint ihnen gegenüber im ganzen als partikular, sitzt ihnen nur auf. Die Ereignisse haben in ihnen einen minderen Stellenwert. Ihnen entspricht der Fortschritts- und der Geschichtsbegriff. Die Gravitation der Wahrnehmung schlägt zugunsten des Wandels aus. Die Welt erscheint als geschichtlich. Die Zeit wird »synchronisiert« mit einem großen Veränderungsprozeß, sie vollzieht sich gleichsam zweidimensional, indem ihre Bewegung zwischen den Koordinaten der Chronologie und der qualitativen Höhe eine aufsteigende Linie zu beschreiben scheint.

Über eine Theorie der Handlungskonnexe lassen sich die beiden gründlich verschiedenen Formen des allgemein relevanten Wandels miteinander kommensurabel machen[106]. Darüber hinaus lassen sich in den in einer Epoche *vorherrschenden Handlungskonstellationen* zentrale Bedingungen des Denkens, Handelns, Lebens, des In-der-Welt-Stehens der jeweiligen Zeitgenossen (in wechselndem Ausmaß, mindestens in den bestimmenden Schichten) begreifen und plausibel machen. Sie stehen natür-

[106] Vgl. auch Meier, *Alltag*, S. 50.

lich in vielfältiger Interdependenz mit anderen Grundbedingungen, die in irgendeiner Weise in sie einschießen und zu ihnen beitragen. Aber die Art, in der hier die bestimmenden Faktoren einer Epoche in ein Verhältnis gesetzt werden können, scheint mir interessant genug, daß wir von einer Theorie der vorherrschenden Handlungskonstellationen her einen wichtigen Zugang zur Eigenart von Epochen gewinnen können.

Im Verhältnis zwischen Politik und Prozeß, das heißt zwischen bewußter Bestimmung und »Selbstläufigkeit« des Geschehens scheint nämlich ein sehr zentraler Tatbestand von Epochen erfaßt werden zu können. Als bei den Griechen zum ersten Mal die ganze Ordnung zwischen den Bürgern zum Gegenstand politischer Entscheidung, das heißt aus der Selbstverständlichkeit und Selbstläufigkeit herausgeschlagen wurde, entstand eben damit eine Freiheit des Handelns und Herstellens, die sich sehr spezifisch auf den verschiedensten Gebieten auch der Literatur und Kunst äußerte[107]. Dabei war entscheidend, daß damit der gesamte Bereich des Beweglichen in der Welt den Bürgerschaften und den Städten »in die Mitte« gelegt, das heißt zum Austrag unter sich gegeben wurde (zumal nach dem Sieg über die Perser). Die Gesellschaften wurden insoweit zu Herren des gesamten Geschehens, Politik (und Kriegführung) zum Modus der Entscheidung darüber. Dem entsprach eine pralle »Gegenwärtigkeit« des gesamten Lebens, eine »politische Identität«. Was sich daraus an weiteren Konsequenzen bis hin zur Anthropologie und Ethik ergab, ist noch gar nicht auszuloten.

Als dann im 18. Jahrhundert der umfassende Fortschrittsprozeß beobachtet wurde, richteten sich die Erwartungen auf die von den maßgeblichen Schichten als rundum positiv verstandene Selbstläufigkeit des Geschehens. Das Handeln unendlich Vieler (und insbesondere dessen Nebenwirkungen) objektivierte sich zur Kraft »der Zeit«, in vielen Strängen wohl geradezu zu einem autonom-prozessualen Geschehen. »Die Zeit« oder »die Geschichte« bestimmte die Veränderung. Alles war beweglich. Aber die daraus erwachsenden Orientierungsprobleme wurden in einer Fortschrittsidentifikation aufgefangen. Verschiedene

[107] Vgl. Tonio Hölscher, *Griechische Historienbilder des 5. und 4. Jahrhunderts.* Würzburg 1973, S. 205 f.; ders., *Die Nike der Messenier und Naupaktier in Olympia. Kunst und Geschichte im späten 5. Jahrhundert v. Chr.* Jahrbuch des Deutschen Archäologischen Instituts 89 (1974), S. 70ff., bes. S. 98ff. und 101, 142 zu den Kategorien des Nomistischen und Kratistischen, die zur Charakteristik der besonderen Handlungskonstellationen geeignet zu sein scheinen.

Formen der Relativierung, des Aufgehobenseins in der Zeit traten an die Stelle der Gegenwärtigkeit. Von da aus ergibt sich, so scheint es, ein Schlüssel zur genaueren Bestimmung der Epochenunterschiede.

Wenn nicht alles täuscht, sind heute wieder neue Handlungskonstellationen vorherrschend. Dazu mag beitragen, daß die Beschleunigung des Wandels eine kritische Grenze überschritten hat. Sobald verschiedene autonome Prozesse in Widerspruch zueinander und zu zentralen Erwartungen geraten, entsteht ein neues Anheimgegebensein an Prozesse samt vielfältigen Protesten dagegen. Die daraus erwachsende Handlungsproblematik ergibt sich schlagend angesichts einer Äußerung von Odo Marquard: »Es braucht nämlich jedermann viel Fatalismus, der kein Fatalist sein will: daß man nicht alles machen muß, daß also – anders gesagt – viele Dinge ›immer schon‹ ohne Zutun laufen und gelaufen sein müssen, ist die Möglichkeitsbedingung des Handelns in Reichweiten, in denen man handeln kann. Die Praxis macht stets nur das Wenige, was noch zu machen ist; damit sie möglich sei, muß in einem beträchtlichen Umfang schon nichts mehr zu machen sein[108].« Dies aber wird höchst unbefriedigend, wenn unendlich viel gemacht werden müßte, wenn das Bedingungsgefüge zu Handlungen zwingt, die nicht verantwortbar sind, die in der Summe das Ganze betreffen, ohne kontrolliert werden zu können. Daraus resultiert dann die Forderung, das Geschehen politisch einzufangen, insofern also die Gesellschaft zum Herrn darüber zu machen. Politik soll dann die Prozesse bezwingen oder wenigstens stark eingrenzen oder lenken. Eben mit den Implikationen dieses Gebots aber entstehen Nötigungen, die zugleich den Wunsch nach Politikverschonung aktuell werden lassen. Der Notwendigkeit zur politischen Entscheidung korrespondiert zudem eine Scheu vor ihr und insbesondere das Schrumpfen der politischen Kapazität. Denn die autonomen Prozesse, zu denen die partikulare Interessenverfolgung in den Zusammenhängen zu werden droht, denen wir inhärent sind, erweisen sich ja immer wieder als stärker als die Entscheidungs- (und Machtzusammenballungs-)Möglichkeiten der politischen Systeme. Womit sich dies alles verquickt und was es alles bis hin zu Ethik, Sinngebung und Lebensmut nach sich zieht, ist noch kaum absehbar[109]. Jedenfalls spricht manches dafür, daß es sich

[108] Unten S. 332.

[109] Nachdem früher der Fortschritt – trotz aller Veränderungen, die er her-

einer Theorie von den vorherrschenden Handlungskonstellationen mindestens zum guten Teil erschließt, die ihrerseits im wesentlichen Prozeßtheorie wäre. Das ist nicht der geringste Grund, der für die Entwicklung einer Theorie historischer Prozesse spricht.

5. Der Gebrauch der Prozeß-Kategorie in der bisherigen Historiographie und Geschichtsforschung

Insofern historische Theorie zu einem wesentlichen Teil die grundsätzliche Beschäftigung mit Geschichtsbetrachtung und -wissenschaft ist, kann sie unter der Überschrift »Historische Prozesse« schließlich nicht an der Frage vorbei, welche Rolle die Prozeß-Kategorie in der bisherigen Beschäftigung mit Geschichte gespielt hat. Dabei geht es kaum um die Etikette, also um den neutralen Oberbegriff für alle möglichen Geschehensabschnitte, die man unter irgendeiner Perspektive verbal zusammenfassen will. Man darf sich aber andererseits auch nicht auf das Wort »Prozeß« beschränken, vielmehr sind parallele Bedeutungen von »Entwicklung« oder auch von »Geschichte« und Anschauungen, die nicht unbedingt an der Verwendung solcher Worte hängen, einzubeziehen. Die Frage wäre, welcher Gebrauch von der Prozeß-Kategorie in der Historiographie und Geschichtsbetrachtung gemacht worden ist.

Zunächst wäre allgemein zu untersuchen, wieweit und wie dort Handeln und Sich-Ereignen in der übergreifenden Einheit prozessualer Abläufe wahrgenommen, relativiert und funktionalisiert werden. Wieweit interessiert man sich vom Ausgang her primär für die Richtung des Geschehens? Wo und inwieweit kommt es vor, daß »der Prozeß, der alles und alle zu Exponenten erniedrigt – Napoleon zum Exponenten des Weltgeistes und Katharina die Große zum Exponenten feudaler Klassenkämpfe –, ... sich ein Monopol auf Sinn und Bedeutung« aneignet, »so daß der Einzelne oder das Besondere nur dann und nur dadurch sinnvoll sein können, daß sie als bloße Funktionen verstanden

beiführte – weithin die »Orientierungsstabilität der Subjekte« nicht bedroht, sondern deren Identität nur verzeitlicht hatte, sind jetzt das »anwachsende Tempo sozialer Wandlungen einerseits und die anwachsende Kompliziertheit der Abhängigkeitsbeziehungen zwischen diesen Wandlungen andererseits« »orientierungskritisch« geworden. Lübbe, *Traditionsverlust*, S. 22f.; ders., *Fortschritt als Orientierungsproblem*. Freiburg i.Br. 1975.

werden«[110]? Wieweit unterliegt historische Betrachtung dem Druck, zu meinen, »nur dann mit der Erforschung und Darstellung eines Ereignisses fertig« zu sein, »wenn sie in ihm das funktionell Exponentenhafte entdeckt« hat, »nämlich das, was selbst ungreifbar sich hinter dem Sichtbaren und Erfahrbaren verbarg«? Was ist mit solcher Betrachtungsweise – über das hinaus, was jede Geschichtsbetrachtung mit sich bringt – an Abstraktionen, Zusammenfassungen, Verkürzungen und Verjüngungen gegeben? Wieweit wird davon mehr oder weniger konsequent, durchdringend oder intermittierend Gebrauch gemacht?

Damit ist die zweite Frage schon gegeben: Wieweit wird Geschichte unter der Suggestion des engeren Prozeßbegriffs auf Linie gebracht, teleologisch gekämmt; werden die teleologisch wichtigen Impulse herausgearbeitet, die anderen vernachlässigt? Wieweit zielen Wahrnehmung und Darstellung auf die Konsistenz einer »zwangsläufigen Entwicklung«? Man hätte etwa zu erforschen, welche Mittel in diesem Sinne angewandt werden, welche Implikationen in dieser Hinsicht etwa die Sprache enthält bzw. enthalten kann; wieweit die Annahme von Sinn vom regulativen zum konstitutiven Prinzip hinüberspielt oder zu spielen scheint.

Schließlich wäre aber auch zu verfolgen, wieweit mit Hilfe der Prozeß-Kategorie wirkliche Zusammenhänge aufgedeckt worden sind[111]. Denn natürlich kann sie sich heuristisch sehr fruchtbar auswirken.

Alle diese Fragen beziehen sich auf zeitlich kürzere und längere sowie sektoral mehr oder weniger begrenzte Prozesse im allgemeinen Sinne des Wortes, sie verlängern sich schließlich bis zum Problem des Verständnisses der Weltgeschichte insgesamt als eines – als wie auch immer sinnvoll und zusammenhängend angenommenen – Prozesses.

Mit ihnen eröffnet sich zugleich ein letzter Problemkomplex: Wie kommt es zur Prozeß-Kategorie im allgemeinen und besonders in der Historie? Diese Frage legt sich besonders nahe angesichts der Tatsache, auf die Hannah Arendt hingewiesen hat, daß nämlich die antike Historie im ganzen ohne diese Kategorie ausgekommen ist[112]. Weiterhin wäre der Gebrauch der Prozeß-

[110] Arendt, *Fragwürdige Traditionsbestände,* S. 82f.

[111] Vgl. etwa Theodor Schieders »Verlaufstypen«. Schieder, *Geschichte als Wissenschaft. Eine Einführung.* München – Wien 1965, S. 48.

[112] Arendt, *Fragwürdige Traditionsbestände,* S. 83ff.

Kategorie jeweils zu den Auffassungen und zur Eigenart der Epoche, in der er gemacht wird, in Beziehung zu setzen. Womit hängt er jeweils zusammen? Etwa mit bestimmten vorherrschenden Erfahrungen, Meinungen, Interessen, Ideologien? Mit bestimmten Weisen des Geschehens, der Handlungskonstellationen in ihm, mit bestimmten Weisen gesellschaftlicher Identität? Mit Kompensationsbestrebungen, Trost- und Fatalismusbedarf (O. Marquard)? Dabei müßten sich anthropologische und historische Fragestellungen ergänzen. Schließlich mündet die Fragestellung in den allgemeinen zeitlichen Horizont unserer eigenen Bemühung um die historischen Prozesse.

Es scheint mir wahrscheinlich zu sein, daß Fragen wie die nach der Auffassung und Erkenntnis prozessualer Zusammenhänge einen wichtigen Zugang zum besseren Verständnis historischer Anschauung und Arbeit und damit zugleich des Denkens und vielleicht sogar bestimmter Grundzüge des Seins früherer Generationen bieten.

Erster Teil
Auffassungen historischer Prozesse in der Tradition historischen Denkens

Christian Meier

Prozeß und Ereignis in der griechischen Historiographie des 5. Jahrhunderts v. Chr. und vorher

Daß im Rahmen der Prozeß-Problematik auch die klassische griechische Historiographie behandelt wird, mag verwunderlich erscheinen, ist diese doch und nicht zu Unrecht als Ereignishistorie bekannt.

Allein, um die im folgenden auszufaltenden Thesen vorwegzunehmen: Erstens hat die klassische griechische Geschichtsschreibung als Ereignishistorie frühe Formen einer eher prozessualen Betrachtungsweise vorausgesetzt und dann beiseite gedrängt. Das läßt sich am Werk Herodots beobachten. Zweitens ist die Konstituierung einer Ereignishistorie in der Geschichte der historischen Wissenschaft ein ungemein großer Fortschritt gewesen. Das erscheint von heute, also vom Standpunkt einer stark aufs Prozessuale gerichteten Geschichtswissenschaft aus, als erstaunlich und schwer verständlich. Deswegen ist eine Betrachtung der griechischen Historie geeignet, Grenzen und Implikationen der Prozeß-Kategorie deutlicher werden zu lassen. Drittens enthält die klassische Historie neben den überkommenen auch gewisse neu entwickelte Formen prozessualer Betrachtungsweise, die aus der Kulturentstehungslehre abgeleitet zu sein scheinen. Es sind Vorläufer der »conjectural history« des 18. Jahrhunderts, die nur als solche noch kaum bedacht worden sind. Viertens finden wir im 5. Jahrhundert eine besonders interessante Beziehung zwischen Historie und Realität. Man könnte auch formulieren: zwischen Wandel und Wandelswahrnehmung; oder auch: zwischen Handlungskonstellationen, Handlungskonnexen und übriger Lebenswelt.

»Ereignis« wird hier in dem Sinne gebraucht, wie er oben in den »Fragen und Thesen« entwickelt worden ist: in ihm ist der Modus und das Ergebnis des Geschehens wesentlich durch die kontingente Weise des Aufeinandertreffens der Handlungen verschiedener Subjekte bestimmt. Um »ereignishafte Betrachtung« langgestreckter Vorgänge soll es sich handeln, wenn deren Ablauf im wesentlichen von den kontingenten Verknüpfungen von Handlungen und Handlungskomplexen her aufgefaßt wird. Die

»prozessuale Betrachtungsweise« muß hier dagegen vor allem negativ bestimmt werden als die Auffassung, die den Ablauf solcher Vorgänge im wesentlichen unabhängig von Handlungen und Ereignissen betrachtet (abgesehen davon, daß diese bei der Auslösung der »Prozesse« eine Rolle spielen können). Diese Bestimmung hat ihren Sinn im Blick auf eine Zeit (vor den Griechen), welche das Nachvollziehen langfristiger Vorgänge in ihrer Ereignishaftigkeit noch nicht kennt; folglich auch die kaum oder nicht überblickbare Zahl der Impulse, die heute die allgemeine Vorstellung von Prozeß zu kennzeichnen scheint, noch nicht meinen kann. Diese Prozesse werden stets auf ein einziges Referenzsubjekt[1] bezogen, das heißt auf Personen, Geschlechter oder politische Einheiten. Einzig für gewisse Stücke im Thukydides, nach Entdeckung der Ereignisgeschichte, kann der heutige allgemeine Begriff etwas an unserem Thema erfassen.

Die griechische Historie, die mit Herodots Werk entstand, zeichnete sich dadurch aus, daß sie längerfristige, nämlich Generationen übergreifende Abläufe als multisubjektive Ereignisgeschichte auffaßte, zu verstehen suchte, erzählte und diese Erzählung veröffentlichte[2]. Ihr Ziel war keineswegs ausschließlich das Verständnis dieser Abläufe, sondern oft mehr noch die Aufbewahrung der Kunde von Taten und denkwürdigen Begebenheiten oder auch die literarische Bewährung an einem interessanten Gegenstand. Aber es ging jeweils um die Taten sehr verschiedener Subjekte, und sie erfolgten in kontingentem Zusammenhang, und mindestens die intellektuell bedeutenden Werke hatten wesentlich auch das Ziel, längerfristige Abläufe auf Grund des Nachvollzugs und der Erzählung längerer Reihen von kontingenten Geschehnissen zu begreifen. Mit der Mehrzahl der Subjekte ist nicht nur die der Handelnden, sondern auch diejenige derer, auf die sich die Geschichte bezieht (der »Referenzsubjekte«), gemeint. Denn die Griechen befaßten sich in der Regel nicht nur mit einer einzigen politischen Einheit[3], und schon gar nicht rechneten sie mit einer Einheit der Geschichte. Was das bedeutet und woher es sich erklärt, wird gleich zu fragen sein. Hier soll

[1] Vgl. dazu oben S. 58 u. 99.

[2] Vgl. Christian Meier, *Die Entstehung der Historie*. In: *Geschichte – Ereignis und Erzählung* (Poetik und Hermeneutik 5). Hrsg. von R. Koselleck und W.-D. Stempel, München 1973, S. 251ff.

[3] Wo es sich um die »Geschichte« einer Stadt handelte, gab diese nur den Rahmen der Erzählung ab, welchselbe dann Handlungen und Ereignisse zwischen mehreren Subjekten innerhalb dieses Rahmens zum Inhalt hatte.

zunächst das Gegenbild gezeichnet werden, gegen das sich die griechische Historie abhob: denn so etwas hatten die vorderasiatischen Hochkulturen nicht gekannt. Einzig in Israel finden wir Vergleichbares[4].

Öffentlich dargestelltes Handeln war etwa in Ägypten, Mesopotamien und bei den Hethitern fast ausschließlich das der Könige. Und die Könige waren es selbst, die davon kündeten. In geringerem Maße konnten auch hohe Beamte ihre Leistungen der Nachwelt mitteilen, aber sie stellten sich dabei als Helfer der Könige dar. Es kommt schon hoch – und spricht vermutlich für eine nicht ganz so streng monarchische Struktur –, wenn der hethitische König in veröffentlichten Texten zugibt, daß er »ereignishaft«, das heißt durch gleichzeitige Bedrohung von verschiedenen Seiten her, in ernsthafte Schwierigkeiten geraten war, aus denen er sich dann aber durch seine großen Taten rettete[5].

Wie es sich in Wirklichkeit mit Politik und Kriegführung verhielt, muß man mindestens in bestimmten Kreisen relativ genau gewußt haben. Keine Intrige konnte angezettelt, kein Feldzug, keine diplomatische Mission, keine komplizierte Willensbildung konnte beurteilt und verstanden, keine Manöverkritik geübt werden, wenn man nicht in der Lage war, ereignishafte multisubjektive Handlungszusammenhänge nachzuvollziehen. Ebenso können wohl auch in breiteren Bevölkerungsschichten nicht alle Geschehnisse nur als Handeln des Königs oder Einwirkung einer Gottheit verstanden worden sein. Nur gab es anscheinend im engeren Kreis der mit dem Geschehen Vertrauten gar keinen Anlaß, dieses Wissen nach außen deutlich werden zu lassen, und weder hier noch im Volk scheint irgendein Interesse oder irgendeine Möglichkeit bestanden zu haben, längere Abläu-

[4] Offen bleibe dabei das Problem der chinesischen Historiographie, das mir nicht genügend bekannt ist.

[5] Eberhard Otto, *Geschichtsbild und Geschichtsschreibung in Ägypten*. In: *Die Welt des Orients* 3.3, Göttingen 1966, S. 161 ff.; Erik Hornung, *Geschichte als Fest*. Darmstadt 1966; ders., *Einführung in die Ägyptologie*. Darmstadt 1967 S. 49, 124 f.; ders., *Planung und Realität im alten Ägypten*. Saeculum 22 (1971), S. 48 ff.; Ludlow Bull, *Ancient Egypt*. In: *The idea of history in the Ancient Near East*, hrsg. von R. C. Dentan. New Haven-London 1955, S. 1 ff.; E. A. Speiser, *Ancient Mesopotamia*. Ebd., S. 35 ff.; Hartmut Gese, *Geschichtliches Denken im Alten Orient und im Alten Testament*. Zeitschrift für Theologie und Kirche 55 (1958), S. 127 ff. Annelies Kammenhuber, *Die hethitische Geschichtsschreibung*. Saeculum 9 (1958), S. 136 ff.; Hartmut Schmökel, *Kulturgeschichte des alten Orient*. Stuttgart 1961, S. 335 f., 339 f. Dazu Heinrich Otten, ebd., S. 327 f. Vgl. für Israel: Jürgen Kegler, *Politisches Geschehen und theologisches Verstehen in der frühen israelitischen Königszeit*. Stuttgart 1977, S. 14 ff.

fe als Abfolgen kontingenten Geschehens zu erzählen, schriftlich festzuhalten und zu verstehen. Wohl hat man unendlich viel aufgeschrieben, aber man blieb dabei auf eine Fülle von Einzelheiten fixiert, vor allem auf Taten der Könige, Errichtung von Kultanlagen, Begehung von großen Festen, Siege über Feinde und rituelle Jagden, die Höhe der Nilüberschwemmung etc[6]. Wahrscheinlich ist es gar nicht einfach, längerfristige Abläufe als Ketten kontingenter Ereignisse, das heißt als ein Geschehen, in dem man nicht »gemeint«, das nicht auf einen gemünzt ist, aufzufassen. Es erfordert vermutlich außerordentliche Leistungen einer bestimmten Abstraktion, vielleicht auch eine bestimmte Differenzierung von Rollen in einer Gesellschaft u. a.[7]

Sofern überhaupt das Bedürfnis nach dem Verständnis längerer Abläufe bestand, wurde es in den vorderasiatischen Hochkulturen (außer Israel) durch »selbstbezogene« Sinnkonstruktionen befriedigt, das heißt durch bestimmte Deutungen, wonach das sich vollziehende Geschehen der betreffenden politischen Einheit irgendwie zugeordnet war, sie es sich also selbst zugezogen hatte oder es sonstwie ihr von einer höheren Instanz zugedacht worden war. Dahin gehört die Auffassung, nach der sich in Ägypten immer wieder Chaos und Anarchie einstellen, denen gegenüber der König dann die Ordnung der Schöpfung wiedererrichtet. Eine andere Variante dieses Grundmusters der Verarbeitung historischer Kontingenz ist die mesopotamische Annahme, daß einschneidende Ereignisse die Folge von (meist kultischen) Verfehlungen der Könige seien; oder daß einzelne Gottheiten bestimmten Königen besondere Gunst erwiesen hätten. Eine weitere Lösung ist der Wechsel von Heils- und Unheilszeiten, mit dem man in Mesopotamien, aber – nach einem Zeugnis Herodots – anscheinend auch in Ägypten gerechnet hat (und der übrigens mutatis mutandis auch in China begegnet)[8]. Insgesamt

[6] Hornung, *Geschichte*, S. 21; Gerhard von Rad, *Der Anfang der Geschichtsschreibung im alten Israel.* Archiv für Kulturgeschichte 32 (1944), S. 2.

[7] Vgl. Norbert Elias, *Über den Prozeß der Zivilisation.* Bd. 1, 2. Aufl., Bern-München 1969, S. LVIIIf.; ders., *Was ist Soziologie?* München 1970, S. 61; vgl. evtl. Plutarch, Nikias 23, 4.

[8] Eberhard Otto, *Wesen und Wandel der ägyptischen Kultur.* Berlin-Heidelberg-New York 1969, S. 66; Hornung, *Geschichte*, S. 29; Gese, *Geschichtliches Denken*, S. 127ff.; H.-G. Güterbock, *Die historische Tradition und ihre literarische Gestaltung bei den Babyloniern und Hethitern.* Zeitschrift für Assyriologie N.F. 8 (1964) S. 2, 13, 15, 34, 36, 75; Peter J. Opitz, *Chinesisches Altertum und konfuzianische Klassik.* München 1968, S. 26f., 29f., 76; Wolfgang Bauer, *China und die Hoffnung auf Glück.* München 1971, S. 110f. Zur zyklischen Auffassung

also wird die Summierung von kontingenten Weisen des Aufeinandertreffens verschiedener Kräfte innerhalb der politischen Einheiten und in ihrer äußeren Geschichte auf längere Sicht entweder nicht wahrgenommen oder hinweginterpretiert. Man könnte sagen: neben dem Handeln der Könige und über dieses hinaus wurden vor allem Prozesse, das heißt breithin sich vollziehende, langgestreckte Abläufe beobachtet. Mindestens bestimmt eine Art von Prozeß-Kategorie die Wahrnehmung längerer Zeitstrecken, und Ereignishaftigkeit spielt dabei keine Rolle. Diese Prozesse haben wohl auch in Mesopotamien je ein einziges Referenzsubjekt gehabt.

In der schriftlichen Hinterlassenschaft des Volkes Israel finden wir ein ganz anderes Bild: mindestens streckenweise den Bericht über heftige innere Auseinandersetzungen und immer wieder Nachrichten von äußeren Kämpfen mit Nachbarn und Großreichen, und diese Nachrichten sind dergestalt, daß sie die durchaus kontingenten Weisen des Zusammentreffens der Kräfte deutlich werden lassen. Offenbar hat es hier frühzeitig, spätestens seit Begründung des Königtums, ein ungewöhnliches Interesse an den politisch-militärischen Begebenheiten und Abläufen gegeben. Die Vergangenheit bildete insofern eine außerordentlich wichtige Erkenntnisquelle. Das hat sich in einer reichen Überlieferung niedergeschlagen. Allein, ein Versuch, längerfristige Abläufe als Abfolgen kontingenter Geschehnisse nachzuvollziehen, zu erzählen und zu verstehen, ist auch hier nicht zu beobachten.

Soweit uns die Überlieferung in der Heiligen Schrift noch vorliegt, haben wir es überall mit theologischer Geschichtsschreibung zu tun[9]. Der griechischen Historiographie am nächsten kommt die Erzählung von der Thronnachfolge Davids, die offenbar in der Zeit Salomons abgefaßt worden ist. Eduard Meyer hat sie »wirkliche Geschichtsschreibung« genannt, wie sie die Griechen erst »auf der Höhe ihrer Entwicklung im 5. Jahrhundert« erreicht hätten: »Der Lauf der Welt und die in der Verkettung der Ereignisse sich durch eigene Schuld vollziehende Nemesis werden dargestellt in voller Sachlichkeit.« Allein, wenn er schreibt, »jeder Gedanke an eine übernatürliche Leitung« läge hier ganz fern, so hat er zentrale Teile des Textes überlesen.

im deuteronomistischen Geschichtsverständnis: Kegler, *Politisches Geschehen*, S. 253.

[9] Gerhard von Rad, *Theologische Geschichtsschreibung im Alten Testament*. Theologische Zeitschrift 4 (1948), S. 161ff. Die neuere Literatur und gewisse Modifikationen bei Kegler, *Politisches Geschehen*.

Gerhard von Rad hat nämlich gezeigt, daß zwar »eine Abfolge von Geschehnissen« erzählt wird, »in der die immanent kausale Kette ganz dicht geschlossen ist; so dicht, daß das Menschenauge überhaupt keine Lücke mehr findet, in der Gott hätte eingreifen können«. Allein, die Ansicht des Autors »über die letzte in der Geschichte wirksame Macht haben wir damit noch nicht ermittelt«. Denn heimlich war es, wie die Geschichte zeigt, doch Gott, der alles gewirkt hat, »alle Fäden lagen in seinen Händen, sein Wirken umschloß die großen politischen Ereignisse gleicherweise wie die verborgenen Entschlüsse der Herzen. Der ganze menschliche Bereich ist das Betätigungsfeld der göttlichen Vorsehung. Diese Auffassung von dem ›concursus divinus‹ ist es, die es unserm Historiker ermöglicht hat, in seiner Darstellung der ganzen menschlichen Wirklichkeit gerecht zu werden.« Denn »Gottes Handeln wird hier nicht wunderbar und intermittierend wie in den alten ›heiligen Kriegen‹ erlebt; es ist dem natürlichen Auge verborgener, aber doch viel totaler und kontinuierlicher verstanden.« Sein Schwergewicht liegt jenseits der alten sakralen Institutionen ganz im Profanen[10].

Die verschiedenen Dimensionen der wundervollen Leistung dieses historiographischen und literarischen Meisterwerks können uns hier nicht beschäftigen. In der Tat erinnert manches in ihm an Herodot und Thukydides, und in manchem ist er den beiden Griechen durchaus überlegen gewesen. Gleichwohl bleibt er in dem, was hier interessiert, hinter ihnen zurück. Zwar hat er es vermocht, die Kontingenz einer beachtlichen Geschehensabfolge zu erfassen und darzustellen (und wohl mehr, als das für orientalische Hoftagebücher sonst anzunehmen ist). Aber dabei bleibt der zeitliche Rahmen auf wenige Jahre begrenzt, das Thema beschränkt, und vor allem ist eben der Nachvollzug des Geschehens in seiner Kontingenz nicht das eigentliche Medium seines Verständnisses. Anders gesagt: der Autor setzt sich dieser Kontingenz nicht voll aus. Indem er ihr folgt, suspendiert er sie zugleich. Denn was er in ihr hauptsächlich sucht und findet, sind

[10] Eduard Meyer, *Geschichte des Altertums.* Bd. 2.2, 2. Aufl., Stuttgart 1907, S. 285f.; Ludwig Rost, *Die Überlieferung von der Thronnachfolge Davids.* 1926; von Rad, *Anfang der Geschichtsschreibung*, S. 12ff., bes. S. 34, 35, 39f. »Daß dies beides gezeigt werden konnte – die Menschen sinken nicht zu Marionetten herab, und der Hinweis auf Gott ist nicht im letzten unernst, d.h. also, daß dem Leser diese Spannung zugemutet wurde, der ja kein lebendiger Glaube entgeht –, das ist schriftstellerisch und theologisch eine Leistung, deren Reife und innere Sicherheit man nicht genug bewundern kann.« Ebd., S. 40. Die Ergebnisse dieser Arbeit scheinen mir durch Keglers Interpretation nicht überholt zu sein.

die Anhaltspunkte für das Wirken Gottes. Die Kontingenz wird also aufgehoben (im dreifachen Sinne des Wortes) im – ganz neu verstandenen – Handeln Jahwes mit seinem Volk.

Die Auffassungsweise des Historikers der Thronnachfolge muß damals revolutionär gewesen sein. Sie gehört geistig in das Ambiente einer »Aufklärungsepoche«[11]. Politisch wird sie wohl mitbestimmt sein durch das Legitimitätsinteresse Salomons; angesichts einer vielfältigen, weitverbreiteten Kunde von den bewegten und nicht gerade erfreulichen Ereignissen, die man jüngst erlebt hatte, angesichts von Verdächtigungen und Gerüchten, die davon ausgehen mußten. Jedenfalls lief sie im Effekt auf eine Beglaubigung der Herrschaft des Königs hinaus. Wenn sie auch dies beabsichtigt hat, müßte die relativ genaue, ungeschminkte und doch an den entscheidenden Stellen den Willen Jahwes entdeckende Darstellung der Ereignisse wohl die feinste, historisch und theologisch anspruchsvollste Weise der Ausführung gewesen sein[12].

Die zeitlich weiter ausgreifenden Geschichtsdarstellungen im Alten Testament enthalten weit weniger multisubjektiv verstandene Geschehnisse und Geschehensreihen. Sie geben vielmehr im wesentlichen Taten und Verhalten der Könige (nicht zuletzt in Hinsicht auf die Verehrung Jahwes und anderer Gottheiten) sowie die verschiedenen Kämpfe mit auswärtigen Mächten wieder. Das eigentliche Interesse galt immer dem Handeln Jahwes mit seinem Volk. Zugrunde lag die »Vorstellung von der Allwirksamkeit Gottes«. Bei Amos heißt es: »Geschieht auch ein Unglück in der Stadt, und Jahwe hat es nicht getan?« Gerhard von Rad schreibt dazu: »Das Vermögen, eine bloße Aufeinanderfolge von Einzelereignissen überhaupt als Geschichte zu sehen und zu verstehen, verdankt das alte Israel der Eigenart seines Gottesglaubens. ... Der Schwerpunkt des Geschehens liegt gar nicht auf der irdischen Bühne; weder Völker noch Könige noch ruhmreiche Helden sind die eigentlich Handelnden; und damit sind sie im allerletzten Sinn auch nicht der Gegenstand der Darstellung. Und doch wird all das immanente Geschehen mit

[11] Ebd., S. 41f.

[12] Es wäre dann dieser Wille an den Gelenkstellen des Geschehens gesucht worden, um den endlichen Erfolg Salomons von da her zu verstehen und zu begründen. Vgl. zur Nathansweissagung auch Martin Noth, *Geschichte Israels*. 5. Aufl., Göttingen 1963, A. 183, 5. Zum allgemeinen Problem von Rad, *Anfang der Geschichtsschreibung*, S. 30f.; Millar Burrows, *Ancient Israel*. In: *The idea of history*, S. 109.

atemlosem Interesse und höchster innerer Beteiligung verfolgt, eben weil es das Wirkungsfeld des göttlichen Handelns ist.« »Israel hat sich das Bild von einer Geschichte erarbeitet, die sich ausschließlich aus der Abfolge von Fakten aufbaute, die Gott zum Heile Israels markiert hat. Geschichte gab es also in Israel nur, sofern und soweit Gott mit ihm gegangen ist.«[13] Die Verwirklichung des Bundes Israels mit seinem Gott ist »nicht ein einmaliges Ereignis, sondern ein historischer Prozeß« (im ganz allgemeinen Sinne des Wortes) gewesen[14].

Damit wird ein ungeheuer reicher, vielfältiger, verbreiteter Umgang mit »Geschichte« eröffnet, der sich bei den Propheten zugleich auch auf die Vorgänge wendet, deren Zeuge sie sind, in der »unerhörten Wachsamkeit des Lauschens auf die großen geschichtlichen Bewegungen und Veränderungen ihrer Gegenwart«[15]. Diese existentielle Bedeutung, diese zentrale Macht, diese Breite hat das historische Interesse, hat auch die Erinnerung[16] bei den Griechen bei weitem nicht erlangt. Allein, mit den Möglichkeiten waren auch die Richtungen und Grenzen dieses Interesses gesetzt.

Das bedeutet in unserem Zusammenhang: Bei allem Interesse an Kontingenz (das wesentlich mit der Theologie, mit Verheißung und Bund, wahrscheinlich aber auch mit den politisch-gesellschaftlichen Machtverhältnissen und der äußeren Lage gegeben war) bestand doch keine Möglichkeit, längerfristige Abläufe als multisubjektive Ereignisgeschichte aufzufassen und zu verstehen. Alle Wahrnehmung von Kontingenz war aufgehoben in der Geschichte Israels mit seinem Gott. So sehr man Stücke der übrigen »Weltgeschichte« berücksichtigte[17], so sehr bezog man deren Anteil am Geschehen auf sich selbst: auch die mächtigen Reiche der Assyrer, Babylonier und Perser wurden zu Vollstrekkern des Willens Jahwes an seinem Volk[18]. Die Israeliten ver-

[13] Amos 3, 6. von Rad, S. 5f.; ders., *Die Botschaft der Propheten*. 2. Aufl., München-Hamburg 1970, S. 81.

[14] Gese, *Geschichtliches Denken*, S. 142. Die uns nicht überlieferten Chroniken der Könige von Juda und Israel – auf die im deuteronomistischen Buch der Könige mehrfach verwiesen wird, offenbar die offiziellen Reichsannalen (von Rad, *Theologische Geschichtsschreibung*, S. 163f.) – können auch nicht viel anderes enthalten haben als Taten (g^{e}būrōt) von Königen.

[15] von Rad, *Botschaft*, S. 87.

[16] Arnaldo Momigliano, *Time in ancient historiography*. History and Theory, Beiheft 6 (1966), S. 18ff.

[17] Genesis 10; Amos 9, 7. u.a. Burrows, *Ancient Israel*, S. 113f.

[18] Meyer, *Geschichte des Altertums*. Bd. 4, 1, Stuttgart 1954, S. 175f.; von Rad,

mochten also zwar die äußere Geschichte ganz anders in ihre Auffassung des Geschehens einzubeziehen als die übrigen vorderasiatischen Hochkulturen (und schließlich sogar eine Einheit der Geschichte von Jahwe her zu konstituieren)[19], aber bei allen kaum auslotbaren, ungeheuren Unterschieden[20] blieben sie insofern in deren Horizont befangen, als sie alles, was geschah, um ihretwillen geschehen sein ließen und ganz von ihrem eigenen Verhalten her verstanden; im Rahmen des göttlichen Geschichtsplans. Geschichte war ihnen – so muß man wohl sagen – angesichts der aus Verheißung und Bund erwachsenden Ansprüche zu wichtig, als daß sie sich ihrer Ereignishaftigkeit hätten aussetzen können.

Die Gemeinsamkeit der in den vorderasiatischen Kulturen herrschenden Auffassungen von längeren Abläufen läßt sich also darin sehen, daß sie darauf zielten, in diesen einen inneren, der betreffenden politischen Einheit zugemessenen globalen Sinn festzustellen, sei es in einer eher prozessualen Auffassung (als breithin sich vollziehende, langgestreckte, von Handlungen und Ereignissen nicht bestimmte Abläufe), sei es in der Form der »aufgehobenen Kontingenz«[21].

Bei den Griechen finden wir zunächst, im 7. Jahrhundert, eine aus dem Orient übernommene großartige Geschichtskonstruktion, die Weltalter-Lehre Hesiods. In die Abfolge der vier Zeiten ist nur die in das orientalische Schema nicht einzupassende, im Bewußtsein der Griechen so zentrale Epoche der mythischen Helden an vorletzter Stelle, als eigenes Weltalter, eingefügt[22]. Es ging Hesiod also offenbar darum, die eigene Gegenwart »historisch« einzuordnen.

Botschaft, S. 75ff., 87ff. Hans Walter Wolff, *Das Geschichtsverständnis der Alttestamentlichen Prophetie.* Gesammelte Studien zum Alten Testament, München 1964, S. 289ff. Neuerdings: Friedrich Huber, *Jahwe, Juda und die anderen Völker beim Propheten Jesaja.* Berlin-New York 1976.

[19] Wolfhart Pannenberg, *Erfordert die Einheit der Geschichte ein Subjekt?* In: *Geschichte – Ereignis und Erzählung*, S. 485f.

[20] Insofern hat Pannenberg, ebd., gewiß recht. Allein, es muß gleichwohl bei der Selbstbezogenheit bleiben, auch wenn sie – wie zuzugeben ist – anderen, sehr besonderen Charakters ist. Vgl. auch Koselleck, ebd., S. 217.

[21] Es ergeben sich hier, wie überall, natürlich zahlreiche Fragen. Eine interessante neue Perspektive scheint mir Arnold Gehlen, *Moral und Hypermoral. Eine pluralistische Ethik.* Frankfurt-Bonn 1969, S. 57, zu eröffnen.

[22] Hesiod, *Erga* 106ff. Einige der wichtigeren Arbeiten dazu sind abgedruckt in: *Hesiod.* Hrsg. von E. Heitsch, Darmstadt 1966. Dazu Jean Pierre Vernant, *Mythe et pensée chez les Grecs.* Bd. 1, Paris 1971, S. 13ff.; Eric Robertson Dodds, *The ancient concept of progress.* Oxford 1973, S. 3f.

Dieses Modell war nach den Zeitmaßen, in denen gedacht, und dem sektoralen Umfang, in dem Veränderung angenommen wurde – die Zeitalter lösten sich insgesamt ab – umfassend. Es entsprang in einem sehr allgemeinen Sinne des Wortes einer prozessualen Betrachtungsweise[23].

Die griechische Historie war demgegenüber viel beschränkter in Anspruch und Gegenstand. Aber in dieser Beschränkung leistete sie etwas Neues, das man nicht unterschätzen sollte. Es handelt sich letztlich darum, daß sie sich einerseits damit abfand, daß die Abfolgen der Ereignisse keinen tieferen Sinn hatten, daß sie andererseits aber eben damit die so fruchtbare Möglichkeit gewann, diese in ihrer Kontingenz nachzuvollziehen, also intellektuell zu durchdringen. Man vermochte es jetzt, Pläne, Handlungen, Ereignisse über lange Strecken hin zu einem sich selbst tragenden Zusammenhang zu fügen. Jetzt brauchten politische Wirkungen nicht mehr auf kultische oder moralische Verfehlungen oder weit angelegte Sinn-Vollzüge zurückgeführt zu werden. Die Lücke zwischen den Wirkungen und den angenommenen Ursachen, zwischen den Erfahrungen kurzfristigen Erlebens von Politik und der Auffassung ganzer Abläufe schloß sich auf der neu konstituierten politischen Ebene. Auch längere Geschehensketten wurden zum Gegenstand der Empirie. Man wurde fähig, sie von den wirkenden Kräften und deren kontingentem Aufeinandertreffen her zu verstehen, also sie mit menschlichem Handeln zu korrelieren. Mit der Beschränkung auf das Ereignishafte ist folglich ein unerhörter Gewinn an Erkenntnis verbunden gewesen, sie ergibt sich offenkundig aus einer neuen Stellung in der Welt.

Herodots Historie entsprang einem ungeheuer breiten Interesse[24]. Soweit sie sich auf Politik und Kriegführung konzentrierte, ging es ihr ausdrücklich auch darum, besonders denkwürdige Taten und Ereignisse aufzubewahren. Daneben aber stand die Frage im Vordergrund, wie es zur Bildung des Perserreichs, zum

[23] Ähnlich auch *Erga* 225 ff., wo die Rechtssprechung der Fürsten einen äußerst umfassenden Geschehenskomplex, selbst in der Natur, auslöst, der in sich – so wie er hier angenommen wird – dann nicht mehr von Handlungen und Ereignissen bestimmt ist, bzw. in diesen nur noch den Vollzug der Belohnung oder Bestrafung hat. Ähnlich Homer, *Ilias* 16, 384 ff.; *Odyssee* 19, 108 ff.; Micha 3, 9 ff.; Amos 4, 6 ff. (mit dem bezeichnenden Unterschied, daß hier das ganze Volk die Strafe verschuldet).

[24] Vgl. Justus Cobet, *Herodots Exkurse und die Frage der Einheit seines Werkes.* Wiesbaden 1971. Auch: Hartmut Erbse, *Tradition und Form im Werke Herodots.* Gymnasium 68 (1961), S. 239 ff.

Krieg der Perser gegen die Griechen und zum erstaunlichen Sieg der Griechen gekommen war[25]. Dabei genügten Herodot die gängigen religiösen und ethischen, politischen, militärischen und geographischen Erklärungen nicht. Seine Frage nach der persischen Niederlage war noch nicht mit dem Hinweis auf die Hybris des Xerxes oder auf den Willen der Götter, daß nicht Einer über die ganze Welt herrschen sollte, oder auf die ethische Überlegenheit der Griechen erledigt. Er suchte die Antwort vielmehr im Lauf der Ereignisse, in denen sich das Geschehen vollzog und in denen sich jene Faktoren, soweit sie wirksam waren, manifestieren mußten[26].

Dabei ist es interessant zu sehen, wie sich noch verschiedentlich Spuren von selbstbezogenen (innerhalb einzelner Referenzsubjekte aufgehenden) Sinnkonstruktionen finden. Wir hören etwa, daß der Lyderkönig Kroisos sein Reich deswegen verlor, weil seiner Dynastie nur fünf Generationen zugemessen waren – danach mußte sie büßen für die Usurpation ihres Gründers Gyges. Mehrfach wird bemerkt, daß einem Mann sein Unglück »geschehen mußte« (auf Grund eines göttlichen Willens oder auch bestimmter Gesetzmäßigkeiten, die in seiner Vita lagen). Oft scheint durch eine Erzählung die Vorstellung hindurch, daß auf einen Aufstieg notwendigerweise ein Fall folgen müsse[27]. Besonders anschaulich ist das Nebeneinander alter Sinnkonstruktionen und einer ereignishaften Auffassungsweise bei der Niederlage, die dem ägyptischen König Apries von den Griechen aus Kyrene beigebracht wurde. Herodot berichtet an zwei Stellen von ihr. Einmal (im Zusammenhang der Geschichte Kyrenes) führt er sie auf militärische Gründe zurück, das andere Mal (in der ägyptischen Geschichte) darauf, daß es Apries »schlimm ergehen sollte«[28]. Man könnte noch viele ähnliche Beispiele anführen.

Solche Sinnkonstruktionen fand Herodot wohl zumeist in den

[25] Praefatio. Dazu Meier, *Die Entstehung der Historie*, S. 256ff.

[26] Ebd., S. 265ff.

[27] Ebd., S. 277ff.; Albin Lesky, *Geschichte der griechischen Literatur*. 3. Aufl., Bern-München 1971, S. 368; Otto Regenbogen, *Herodot und sein Werk*. In: *Herodot. Eine Auswahl aus der neueren Forschung*. Hrsg. von W. Marg. 2. Aufl., Darmstadt 1965, S. 90ff. Vgl. die Deutung der persischen Niederlage in Aischylos' *Persern*, 739ff.: dem Reich ist ein Ende verhängt; es scheint rascher als gedacht einzutreffen.

[28] Herodot 4, 159, 6. 2, 161, 4. Vermutlich war die »Selbstsicherheit« des Königs (2, 169, 2. Vgl. Walter Marg, *»Selbstsicherheit« bei Herodot*. In: *Herodot*, S. 290ff.) Grund für die Vermutung, daß er bestraft werden mußte.

Berichten seiner Zeugen. Da sie zugleich seiner Denkweise entsprochen zu haben scheinen, werden sie hier oder da auch von ihm stammen[29]. Sie hatten für das Zustandekommen seiner Historie eine kaum zu unterschätzende Bedeutung. Denn sie scheinen zu Herodots »nomologischem Wissen« gehört zu haben[30]. Mit ihrer Hilfe konnte er eine ganze Reihe von Geschehnissen und Abläufen verstehen, bestätigten sich ihm zahlreiche seiner Wahrnehmungen am herkömmlichen Glauben, fand er auch in ihnen jedenfalls teilweise eine Ordnung. Was das ausmachte, ist nur zu ermessen, wenn man sich klarmacht, welch ungeheuer weiten Schritt Herodot mit der Konstitution seiner Historie tat.

Aber wie sehr wir in seinem Werk auch vielfältige Verschränkungen von faktischer und metafaktischer Verursachung beobachten, entscheidend ist, daß er dabei nicht stehenblieb. Erstens hat er in vielen Erzählungen – zum Beispiel dem langen Abschnitt über den jonischen Aufstand – fast oder ganz auf solche Sinnvermutungen verzichtet (sie waren ihm hier anscheinend nicht überliefert). Zweitens haben sie ihm in sehr vielen Fällen, möglicherweise sogar immer dann, wenn er mehr wußte, nicht genügt. Sie erübrigten ihm keineswegs den Bericht über den faktischen Ablauf. Die Rekonstruktion der Ereignisverknüpfungen hatte für ihn einen eigenen Wert. Drittens und vor allem hat Herodot die einzelnen quasi-prozessualen selbstbezogenen Stränge (»Viten« von Individuen, Dynastien, Reichen) aufgehoben im Ganzen eines höchst kontingenten, multisubjektiven Zusammenhangs von Handlungen, Ereignissen und Abläufen, der nur im nachvollziehenden Erzählen präsent gemacht und verstanden werden konnte. Wie etwa das Perserreich sich bildete, wie Sparta und Athen mächtig wurden, wie höchst persönliche Motive und Motivverknüpfungen zum jonischen Aufstand führten, eine neue innenpolitische Lage in Athen dessen Beteiligung daran begünstigte oder wie ganz persönliche Einwirkungen einzelner und militärische Operationen zu den Schlachten und Siegen führten – das war alles, grob gesagt, letztlich zufällig, das konnte Herodot nur von den einzelnen Handlungen und Verwicklungen her auffassen[31].

[29] Etwa dann, wenn ganz unsinnig erscheinende, für Herodots Auffassung absonderliche, folgenreiche Handlungen zu erklären sind (z. B. 1, 8, 2: Das Kandaules-Motiv).

[30] In ihnen fand das einzelne Geschehen seinen »Anschluß ... an ein übergeordnetes Normatives, an ein Allgemeines, das erst dem Einzelnen seinen Sinn verleiht«! Regenbogen, *Herodot und sein Werk,* S. 92.

[31] Meier, *Entstehung der Historie,* S. 284ff.

Damit Herodot eine solche Historie konzipieren konnte, mußten wohl verschiedene Bedingungen zusammenkommen. Das Erlebnis der Perserkriege, die Erstaunlichkeit des griechischen Sieges mußten sehr zu denken geben. Die zeitliche Distanz von gut einer Generation mußte den Blick aufs Ganze besser freigeben. Die jonische Wissenschaft mit ihrem starken Drang nach empirischer Datensammlung und ihren relativ strengen Maßstäben der Wissenssicherung ließ zahlreiche Details als wichtig erscheinen und hinderte andererseits daran, zu geben, was man nicht hatte[32]. Das trug bei zu dem Bestreben, das Interessante[33] an den zu behandelnden Abläufen umfassend wiederzugeben, es führte zugleich dazu, daß Herodot sich relativ getreu an den empirischen Befund, das heißt an das, was seine Gewährsmänner berichteten, zu halten suchte. Insofern sind die Sinnvermutungen im ganzen eher als Zeugnisse denn als eigene Deutungen zu betrachten[34]. Das Motiv, große Werke und Taten dem Gedächtnis zu bewahren, bot einen zusätzlichen Anlaß zur Sorgfalt auch im Nachzeichnen von Details an Handlungen und Ereignissen.

Die polypolitische[35] Welt der Griechen, die Perspektive des aus Kleinasien stammenden, heimatlos gewesenen, weitgereisten Griechen ermöglichten den Blick auf die Vielzahl der Abläufe, zumal angesichts eines Geschehens, das eher im Zusammenhang der fremden, der persischen Geschichte einen Sinn zu geben schien als in dem der eigenen[36]. So konnte eine auf ein einziges Subjekt bezogene Geschichte kaum befriedigen. So lag es wohl nahe, den Blick auf ein Ganzes jenseits aller einzelnen politischen Einheiten zu richten. Innerhalb dieses übergreifenden Ganzen wird auch die ganz neue griechische Art, den Feinden gerecht zu werden, verständlich.

[32] Lesky, *Geschichte*, S. 253ff. mit weiterer Literatur. Wichtig zu Herodots wissenschaftlichem Verfahren Hartmut Erbse, *Zur Geschichtsbetrachtung des Thukydides*. In: *Thukydides*. Hrsg. von H. Herter, Darmstadt 1968, S. 594ff.

[33] Welche Kriterien er dabei hatte, kann uns hier nicht beschäftigen. Sie sind bei der äußerst weitgespannten Aufmerksamkeit Herodots nur schwer zu ermitteln. Aber er hat zweifellos, wenn auch wenig konsequent, eine Auswahl aus seinem Wissen getroffen, vgl. etwa Hans-Alois Weber, *Herodots Verständnis von Historie. Untersuchungen zur Methodologie und Argumentationsweise Herodots*. Bern-Frankfurt-München 1976, S. 115ff.

[34] Meier, *Entstehung der Historie*, S. 273ff.

[35] Aus (außerordentlich) vielen, dicht beieinanderliegenden, autokephalen Städten bestehend.

[36] Vgl. auch die Deutung in Aischylos' *Persern*.

Besonders zentral scheinen die Bedingungen gewesen zu sein, die mit den neuen politischen Handlungskonstellationen im 5. Jahrhundert gegeben waren[37]. Wenn Herodots Ereignishistorie die Lücke zwischen dem Bereich kurzfristiger Erfahrung von Politik und der Auffassung längerer Abläufe durch literarische Konstitution einer politischen Ebene schloß, so setzte dies vermutlich voraus, daß sich eben diese Ebene damals auch in der Wirklichkeit unter den damaligen Griechen als etwas völlig Neues herausbildete.

Die Griechen waren in den stark bewegten Jahrzehnten des 5. Jahrhunderts in ungewöhnlichem Maße der Politik und der Kriegführung ausgesetzt. Zahllose wichtige Entscheidungen waren zu treffen, man lernte, wie das Geschehen vor sich ging, und vor allem: es waren außerordentlich breite Kreise, die das taten. Denn in vielen griechischen Städten gab es Demokratien (oder deren Vorläufer: Isonomien), das heißt, es nahmen breite Bürgerschichten an den politischen Überlegungen und Entscheidungen teil. Die eigenartige Mischung von Beteiligung an Politik und Distanz dazu, die die Regierung unter starker Beteiligung von Nichtregierten mit sich brachte, mußte zu zahlreichen Reflexionen über politisches Handeln und politische Ereignisse reizen. Ein ganz neuer Sinn für Handeln und Sich-Ereignen kam auf.

Zugleich aber führte die Entstehung von Isonomie und Demokratie zu einer grundsätzlich neuen Orientierung unter den Griechen. Denn die ersten Demokratien der Weltgeschichte konnten sich nur als direkte Demokratien bilden[38]. Dies aber setzte eine Verwandlung der Bürgerschaften voraus, die so tief war, daß man sie nur als Wandel der gesellschaftlichen Identität begreifen kann. Es entstand eine »politische Identität«, zumal in Athen, aber in geringerem Maße auch anderswo. Das bedeutete, daß die Bürger sich in welthistorisch einmaliger Weise als Bürger engagierten, daß Politik zu ihrem zentralen Lebensbereich und Interesse wurde. Die Problematik der Gemeinwesen wurde nach einer langen Krise ins Politische transponiert, wesentlich im Verhältnis der Bürger als Bürger gesehen und darin weithin lösbar. Damit war verknüpft, daß diese Problematik die Bürger ungemein beschäftigte. Man ging in weitem Maße in der eben damit konstitu-

[37] Dazu und zum Folgenden Meier, *Entstehung der Historie*, S. 295ff.

[38] Vgl. Christian Meier, *Entstehung und Besonderheit der griechischen Demokratie.* Zeitschrift für Politik 25 (1978). Auch unten, S. 236f. Zum Folgenden Christian Meier, *Die politische Identität der Griechen.* In: *Identität* (Poetik und Hermeneutik 8). Hrsg. von O. Marquard und K. Stierle, München 1978.

ierten Welt politisch-militärischen Handelns auf. Was für die Gesamtheit wichtig war, wurde Gegenstand der Politik, und damit wurde, was Gegenstand der Politik war, für die Gesamtheit zentral. Dem entsprach die Ereignishistorie. Sie zeichnete die in den Augen der Zeitgenossen wichtigsten Bewegungen und Veränderungen auf.

Wenn aber Veränderungen der politischen Konfigurationen als die bedeutendsten empfunden wurden, so kann Veränderung keine sehr zentrale Kategorie gewesen sein. Entsprechend stand neben dem Bedürfnis, Abläufe zu verstehen, das Interesse an den Taten und Ereignissen selbst stark im Vordergrund. Während in der heutigen Auffassung die Ereignisse Sinn und Bedeutung zumal dadurch erhalten, daß sie als Teile von Prozessen zu verstehen sind, lag ihre Bedeutung damals in ihnen selbst. Und der ursächliche Zusammenhang hatte »kein von den Ereignissen zu trennendes, unabhängiges Dasein, dessen mehr oder minder zufälliger, mehr oder minder adäquater Ausdruck nun die Ereignisse sind. Jede Tat und jedes Ereignis in der Antike enthielt und zeigte auch seine ›allgemeinere Bedeutung‹ in den Grenzen seines So-Seins.« Die Ereignisse erwiesen sich als resistent gegen eine Funktionalisierung in Wandlungsprozessen[39].

Das Handeln und Sich-Ereignen war im ganzen bedeutsamer als das Verändern bzw. der Wandel. So entsprach es der besonderen »Gegenwärtigkeit« alles damaligen Lebens: politische Identität nimmt sehr stark in Anspruch, erfordert insofern das räumliche und gedankliche Dabeisein der Bürger. Sie läßt wenig Raum für Differenzierung, läßt die Bürger also in besonderem Maße unvermittelt aufeinanderstoßen. Sie bedingt es eben damit, daß diese besonders stark in der Gegenwart verhaftet sind. Insofern ist sie höchst konkret und prall – mindestens solange sie intensiv ist. So entsteht eine Welt, die in die Hand der Handelnden gelegt ist[40].

[39] Hannah Arendt, *Fragwürdige Traditionsbestände im politischen Denken der Gegenwart.* Frankfurt 1957, S. 50, 69, 83, 114. Vgl. Raymond Aron, *Dimensions de la conscience historique.* Paris 1961, S. 180.

[40] Das ist zum Teil schon im Homer vorgebildet, vgl. Hermann Strasburger, *Homer und die Geschichtsschreibung.* Sitzungsbericht der Heidelberger Akademie 1972. Hans Freyer, *Weltgeschichte Europas,* 2. Aufl., Stuttgart 1954, S. 209, schreibt, die Lebensführung des homerischen Adels habe sich in lauter epischen Situationen bewegt. »Hier ist alles auf dasjenige gestellt, was der fleißige Bürger Zufall nennt, nämlich auf den Erfolg des Waffengangs, und in jedem Moment zittert die Waage, auf der die Kräfte gewogen werden. Hier gibt es die tolle Einmaligkeit des Triumphs, aber auch den unvermittelten Sturz in Schande und

Daraus folgt, daß das Verständnis des Geschehens nicht mit so starken Sinnbedürfnissen belastet war wie etwa bei den Israeliten. Außerdem war mindestens der Perserkrieg, der den »Vater der Geschichte« beschäftigte, für die Griechen erfreulich. Sie gewannen also die »Kontingenztoleranz«, die es braucht, um Geschichte als kontingenten multisubjektiven Ablauf aufzufassen.

Gleichwohl war man nicht frei von Überlegungen über den tieferen Sinn menschlichen Handelns und Erleidens. Herodot selbst scheint in seinem Werk eine bestimmte Veränderungserfahrung oder besser: einen Veränderungsverdacht verarbeitet zu haben. Denn so sehr die neue Lage unter den Griechen weithin und zumal im tonangebenden Athen von der Seite der neu erschlossenen Möglichkeiten des Handelns aufgefaßt wurde, so wenig konnten doch die alten religiösen und metaphysischen Auffassungen vom Menschengeschick dadurch einfach suspendiert werden und so sehr fragte es sich alter- wie neuerdings, ob nicht in dem Geschehen irgendeine Ordnung walte. Herodots Antwort stand im Einklang mit einer auch sonst vielfach zu greifenden griechischen Überzeugung: bei allem Wechsel der politischen Konfigurationen, ja gerade wegen deren Wechsels bleibt die Welt sich im ganzen gleich. Bald herrschen diese, bald jene. Das ändert sich. Aber es ist dafür gesorgt, daß niemals irgendeine Macht auf Dauer und niemals eine über alle herrscht[41]. Diese Auffassung entsprach den alten, in der archaischen Zeit tausendfach gemachten Erfahrungen von der Aufeinanderfolge von Aufstieg und Fall, vom Neid der Götter u. ä. Sie schien sich für den zeitlich und räumlich distanzierten Blick Herodots überall zu bestätigen. Ihre wichtigste Beglaubigung stellte die Niederlage der Perser dar. Das bedeutendste – und in der Geschichte der griechischen Welt, wie wir wissen, tief einschneidende – Ereignis der Zeit scheint dieser Auffassung also als Argument dafür gegolten zu haben, daß im ganzen alles beim alten blieb. Innerhalb des derart gleichbleibenden Rahmens vollzogen sich die zahlreichen »Kreisläufe«, in denen sich nach alter Auffassung die Viten der Menschen und menschlicher Gebilde bewegen[42]. Diese Auffassung war der Freisetzung einer ereignishistorischen Konzeption günstig. Indem sie das Ganze der Welt aus der Zeit

Tod, wenn, wie homerische Helden so oft empfinden, die Götter selbst gegen einen sind.«

[41] Henry R. Immerwahr, *Form and thought in Herodotus.* Cleveland 1966, S. 306ff.

[42] Herodot 1, 207, 2. Vgl. 1, 5, 4.

herausnahm[43], entlastete sie deren Wahrnehmung und schuf eine Voraussetzung dafür, die vielen einzelnen Bewegungen relativ frei für sich aufzufassen. Sie ermöglichte es zugleich, in ihnen eine gewisse Regelmäßigkeit zu sehen[44] (die sich ergab, sobald man die Viten großer Einzelner mit denen von Dynastien und Reichen in Parallele und aus einiger Entfernung betrachtete).

Auch sofern man diesen archaischen Anschauungen nicht anhing, hat man doch im 5. Jahrhundert insgesamt mit dem weitgehenden Sich-gleich-Bleiben der allgemeinen außerpolitischen Verhältnisse gerechnet. Die Veränderungen, die sich damals vollzogen, konnten offenbar nur rudimentär und nicht in ihrem Zusammenhang erkannt werden. So beträchtlich sie waren, so waren sie offenbar nicht groß genug, um die Schwelle zu überwinden, die ihrer Wahrnehmung entgegenstand[45]. Dies war besonders durch die Apperzeptionsweise bedingt, die mit der politischen Identität gegeben war, durch das vorwaltende einseitige Interesse an den politischen Bewegungen, die dementsprechende Überzeugung, daß alles Geschehen sich »mitten unter den Bürgern«[46], also in greifbarer Gegenwärtigkeit vollzog.

Wenn Herodot nun den archaischen Auffassungen anhing, so stand er damit vermutlich schon in einer gewissen Opposition zum neuen Selbstbewußtsein der Griechen, besonders der Athener, das sich um die Mitte des Jahrhunderts herausbildete und innerhalb der Historiographie im Werk des Thukydides seinen Niederschlag gefunden hat. Zwischen Herodot und Thukydides bestehen manche bedeutenden Unterschiede. Gerade darin zeigt sich, in welcher Spannweite diese Epoche lebte und dachte[47]. Aber zugleich damit offenbaren sich die allgemeinen Grundzüge, Möglichkeiten und Grenzen des 5. Jahrhunderts.

[43] Übrigens war ein ähnlicher Herauslösungsvorgang (die Trennung des Zusammenhangs von Polis und Natur) Voraussetzung für die Entstehung von Distanz zur bestehenden Ordnung der Polis und damit zur Gewinnung politischer Erkenntnisse, die dann in der Vorgeschichte der griechischen Demokratie eine große Rolle spielten. Vgl. Christian Meier, *Entstehung des Begriffs »Demokratie«*. Frankfurt a. M. 1970, S. 19ff.

[44] Werner Jaeger, *Paideia*, Bd. 1, 4. Aufl., Berlin 1959, S. 174f.; Hermann Fränkel, *Dichtung und Philosophie des frühen Griechentums*. 2. Aufl., München 1962, S. 604, 610f.

[45] Vgl. Christian Meier, *Ein antikes Äquivalent des Fortschrittsgedankens: Das »Könnens-Bewußtsein« des 5. Jahrhunderts v. Chr.* Historische Zeitschrift 226 (1978), S. 303ff.

[46] Vgl. Herodot 3, 80, 2. 142, 3.

[47] Vgl. Hermann Strasburger, *Die Entdeckung der politischen Geschichte durch Thukydides*. In: *Thukydides*, hrsg. von H. Herter, S. 412ff.

Thukydides sagt nicht, wie Herodot, daß er irgendetwas hätte erklären wollen. Er legt nur Thema und Methode dar und gibt als sein Ziel an, man solle aus seinem Werk »das deutliche Wesen des Geschehenen und das, was entsprechend der (gleichbleibenden) Menschennatur einmal wieder so oder ähnlich geschehen wird, betrachtend erfassen« können[48]. Es geht insoweit um eine Lehre von der Politik, und daran scheint er vornehmlich gedacht zu haben, als ihm gleich zu Beginn des Peloponnesischen Krieges der Plan reifte, diesen zu beschreiben. Je mehr dann aber dessen Verlauf seinen Erwartungen widersprach, müssen ihn zugleich andere Fragen bewegt haben. Aber das hat die Methode und Richtung seines Ansatzes nicht grundsätzlich verändert.

Bei Thukydides sind alle Sinnvermutungen radikal zurückgedrängt[49]. Sein historischer Bericht ist streng auf das empirisch feststellbare menschliche Planen und Handeln und die Ereignisse und Abläufe, die daraus resultieren, beschränkt. Was zählt, sind ausschließlich politische und militärische Vorgänge sowie Gegebenheiten, die unmittelbar darin eingehen, wie etwa finanzielle Mittel, technische Erfahrungen, geographische Bedingungen, bestimmte Eigenschaften der allgemeinen Menschennatur wie der Ausprägungen, die diese etwa in bestimmten Situationen und bestimmten Völkern annimmt. Dazu gehörten zum Beispiel die besondere Dynamik, der gewaltige Mut und die außerordentlichen Erwartungen der Athener.

In der Auffassung des Thukydides mischen sich eine anthropologische und eine historisch-soziologische Theorie. Einerseits nämlich rechnet er damit, daß sich die menschliche Natur im Grunde gleich bleibt: das heißt, es sind wenige Grundantriebe, die die Menschen letztlich bestimmen[50]. Andererseits aber nimmt er beachtliche Unterschiede des menschlichen Handelns an, auf verschiedenen Kulturstufen, in verschiedenen Völkern (Athen und Sparta), unter verschiedenen Umständen (Krieg und Frieden, entfesselte und gehegte Macht) und in verschiedenen Rollen (Herrscher und Beherrschte, und das in verschiedenen Formen der Herrschaft)[51]. Sowohl die menschliche Natur wie

[48] Thukydides 1, 22, 4. Übersetzung in Anlehnung an O. Regenbogen.

[49] Vgl. allerdings Karl Reinhardt, *Thukydides und Macchiavelli.* In: *Vermächtnis der Antike.* Göttingen 1960, S. 184ff.

[50] Walter Müri, *Beitrag zum Verständnis des Thukydides.* In: *Thukydides,* hrsg. von H. Herter, S. 135ff.

[51] Thukydides 1, 2ff. – Hermann Gundert, *Athen und Sparta in den Reden des Thukydides.* In: *Thukydides,* hrsg. von H. Herter, S. 114ff. – Thukydides 3, 82

bestimmte Gesetzmäßigkeiten der verschiedenen Gesellschaften, Umstände und Rollen zwingen den Beteiligten gewisse Handlungs- und Verhaltensweisen auf. Dadurch wächst die Möglichkeit des politischen Kalküls. Man kann die Vorgänge besser verstehen und als Politiker die eigene Politik besser planen[52]. Ja man kann sogar ganze Geschehenskomplexe, ganze Kriege so planen, daß ein bestimmter Ausgang wahrscheinlich oder gar sicher wird. So jedenfalls tat es der Kriegsplan des Perikles im Jahre 431, der nach Thukydides so gut war, daß er nicht nur ein ganzes Stück über die Reichweite aller denkbaren Zufälle (einschließlich der Pest), sondern auch über die einer ganzen Reihe von kapitalen Fehlern athenischer Politiker hinausragte[53].

Thukydides scheint von dieser höchsten Manifestation damaligen politischen Planungsvermögens tief beeindruckt gewesen zu sein. Sie hat sein Denken nachhaltig bestimmt. Es wird nicht deutlich, wieweit er sich darüber im klaren war, daß Perikles sich in einer Ausnahmesituation[54] befand: angesichts der außerordentlichen Mittel und Möglichkeiten, über die Athen, wie er selber zeigt[55], damals verfügte.

Perikles wie Thukydides standen im Banne des damals mächtigen neuen »Könnens-Bewußtseins«, das eine Entsprechung zu unserem Fortschrittsgedanken darstellte[56]. Auf den verschiedensten Gebieten der Kunst, Technik, Rhetorik, Erziehung, des

(dort § 8 zum Ausnahmecharakter der entfesselten Macht. Vgl. dazu 2, 65, 8. 6, 39, 1 f. Anonymus Jamblichi. *Fragmente der Vorsokratiker.* Bd. 2, S. 400f., 6) – Thukydides 5, 84ff. 1, 75, 4. 76, 1. 77, 5f. 2, 64, 5. 3, 37, 2 u.ö.; vgl. Hans Herter, *Freiheit und Gebundenheit des Staatsmannes bei Thukydides.* In: *Thukydides,* hrsg. von H. Herter, S. 260ff.; Regenbogen, ebd., S. 48ff. Kurt von Fritz, *Die griechische Geschichtsschreibung.* Bd. 1, 2, Berlin 1967, S. 249f., 535.

[52] Insofern ist gerade die Erkenntnis von Zwangsläufigkeiten (die zu manch unerfreulichen Handlungen veranlassen) vom technischen Standpunkt aus sehr positiv zu beurteilen. Vgl. für eine Parallele Meier, *Entstehung des Begriffs Demokratie,* S. 20.

[53] Thukydides 1, 140ff. 2, 65. Vgl. Erbse, *Zur Geschichtsbetrachtung,* S. 614f.

[54] Es ist überhaupt für das Verständnis des Thukydides wichtig, daß er sehr stark von der Ausnahme her denkt (vom Krieg, von Perikles, von Athen her). Dabei hat er freilich die Regel nicht übersehen (vgl. nur die Äußerungen über die verschiedenen Arten der Macht: 2, 65, 8. 3, 82, 8. 6, 39, 1f.). Man darf seinen Ansatz bei alledem nicht zu direkt nehmen (vgl. etwa W. K. C. Guthrie, *A history of Greek philosophy.* Bd. 3, Cambridge 1969, S. 88ff.: Diese wohlbegründete Kritik an der üblichen Interpretation des Standpunkts des platonischen Thrasymachos gilt auch für manche Auffassungen über Thukydides.).

[55] 1, 140ff. 2, 13. 60ff.

[56] S. den oben, Anm. 45 zitierten Aufsatz.

Militärwesens und der Politik hatte man außerordentliche Erfolge erzielt, hatte gefunden, daß sich zahlreiche Probleme überhaupt oder wesentlich besser als bisher durch methodisch-sachgemäßes Handeln bewältigen ließen. Diese Erfahrungen hatten sich verallgemeinert zu einem beachtlichen Stolz auf die Möglichkeiten menschlichen Handelns und Bewirkens überhaupt. Er konnte sich nicht zuletzt auf die Siege und Reichtümer, den Glanz und die umfassende kulturelle »Hochform« der Stadt Athen stützen. Man war überzeugt, auch Politik besser treiben und kraft der Rhetorik sich besser durchsetzen zu können. Man meinte, daß es Zufälle entweder nicht gebe oder daß man sie bei entsprechend guter Kalkulation vernachlässigen könne[57]. Man nahm das Maß der Möglichkeiten gern an den großen »Fachleuten«, den »Könnern«, wie zum Beispiel Perikles einer war.

Diese Auffassung stand diametral gegen diejenige Herodots. Denn der scheint sich, wie gesagt, geradezu gegen sie abgesetzt und in seiner Historie eine Vergewisserung dafür gesucht zu haben, daß die Dinge noch beim alten waren (obwohl er selbst durchaus Interesse an den Manifestationen neuen Könnens hatte)[58]. Um so bemerkenswerter ist es, daß Thukydides' Historiographie in den Hinsichten, um die es hier geht, sich von Herodot nicht stark unterscheidet.

Wohl hätte Perikles' Planung – wenn man sich an sie gehalten hätte – Kontingenz in gewissem Maße gleichgültig machen können, was jedenfalls den letztlichen Ausgang des Krieges anging. Allein, dadurch wurden die einzelnen Handlungen und Ereignisse noch nicht uninteressant. Thukydides gibt sich vielmehr alle Mühe, sie genau nachzuzeichnen. Weit mehr als Herodot legt er größten Wert darauf, daß gerade die Kontingenz des Aufeinandertreffens verschiedener Handlungslinien deutlich wird. Besonders sinnenfällig wird dies, wo er etwa die Überlegungen der Feldherrn vor der Schlacht ausbreitet, die dann in deren Verlauf nur allzuoft scheitern[59].

Darüber hinaus aber ist es eben mit der so stark am Vollzug des Handelns interessierten griechischen »Geschichts«auffassung vermacht, daß sie Abläufe nur als politisch-militärische Ereignis-

[57] Vgl. Meier, *Ein antikes Äquivalent*, S. 281f.

[58] Ludwig Edelstein, *The idea of progress in classical antiquity*. Baltimore 1967, S. 32ff.

[59] Raymond Aron, *Thucydide et le récit historique*. In: *Dimensions*, S. 147ff., bes. 161.

geschichte auffassen kann. Das zeigt sich bei Thukydides formal schon darin, daß er alle allgemeinen Aussagen über Machtverhältnisse und tiefere Bedingungen von Erfolg und Mißerfolg aus der Darstellung des Ablaufs heraushält und in Reden oder – äußerst selten – eigenen Kommentaren daneben setzt. Wie die allgemeinen Strukturvoraussetzungen wirken, ergibt sich nur im Ganzen, in der Summe, in der Fernperspektive; nicht im Einzelnen. Das Einzelne aber muß in aller methodischen Strenge dargestellt werden; aus ihm setzt sich das Ganze ja zusammen.

Die Überlegenheit und ungeheure Dynamik, der Schwung und Siegeswille Athens, das Wuchern mit den Pfunden, das dieser Stadt eigen ist[60], sind also bei Thukydides nur »durchhaltende Faktoren«, die immer wieder in die Situationen eingehen und dadurch gleichsam mit statistischer Wahrscheinlichkeit durchschlagen müssen. Entsprechend ließen sich aus der Fernperspektive Konstellationen ausmachen, die den Krieg zwischen Sparta und Athen als notwendig erscheinen ließen[61]. Gleichwohl war es im Ablauf der Beratungen unter den Spartanern, wie Thukydides ihn schildert, keineswegs ausgemacht, daß Sparta sich dieser Notwendigkeit beugte. Schließlich haben gerade Ereignisse wie Perikles' Tod und die darauf folgenden, von Thukydides offenbar nicht weiter auf Strukturbedingungen zurückgeführten, Auseinandersetzungen zwischen den Politikern den großen Plan zuschanden gemacht.

Der Peloponnesische Krieg ist mithin von Thukydides in keiner Weise prozessual aufgefaßt worden. Alle objektiven Bedingungen, die er entdeckt, ändern nichts daran, daß das Geschehen für ihn vor allem subjektiv und kontingent war[62]. Auch die Güte des Kriegsplans figuriert letztlich als Zeugnis für den Politiker Perikles[63]. Prozessual verknüpft sind bestenfalls bestimmte, relativ kurzfristige Stränge des Kriegsgeschehens[64].

[60] Vgl. Gundert, *Athen und Sparta.* Sparta dagegen hat seine Pfunde eher verschenkt.

[61] Das ist das Thema der Pentekontaëtie, 1, 88 ff.

[62] Vgl. 1, 122, 1: »Nie verläuft ein Krieg nach festgelegtem Plan; aus sich selbst heraus erfindet er immer wieder Neues für jede neue Lage«.

[63] Sie wird dargelegt im Zusammenhang der Würdigung seiner staatsmännischen Größe (2, 65).

[64] Z.B. 3, 82. Oder der Wetteifer in Erfindungen 4, 26. 7, 62. 65. Es läßt sich wohl auch, für Sparta nach der Einschließung von Sphakteria, für Athen nach der sizilischen Niederlage ein gewisser Zusammenhang von Niederlage, Niedergeschlagenheit und Niederlage ausmachen.

Freilich ist der Peloponnesische Krieg, trotz der 27 Jahre, die er dauerte, noch kein Generationen übergreifender Ablauf. Eine prozessuale Betrachtungsweise wäre daher am ehesten an den beiden Stellen zu erwarten, an denen Thukydides längerfristige Geschehensreihen behandelt, das heißt in der Archäologie und in der Pentekontaëtie.

In dieser soll zwar bewiesen werden, wie die Macht Athens so anwuchs, daß sie schließlich für Sparta bedrohlich wurde. Insofern wird die allmähliche Herausbildung einer Tendenz nachvollzogen. Aber in der Darstellung selbst tut Thukydides nichts anderes, als die wichtigsten Geschehnisse nacheinander zu erzählen.

Anders ist es bei der Archäologie, die ganz am Anfang, außerhalb des eigentlichen historischen Berichts, als Argument eingeführt wird[65]. Hier soll gezeigt werden, daß der Peloponnesische Krieg der größte sei. Dazu braucht Thukydides den Blick auf die vorangegangene Geschichte. Dort aber reicht es nicht einfach, nach den Kriegen zu fragen. Dazu berichten die Quellen zu wenig von dieser Zeit. Deswegen sucht Thukydides die damaligen Zustände zu rekonstruieren. Und dies gerät ihm – wahrscheinlich unter dem Einfluß der in seiner Zeit stark verbreiteten Kulturentstehungslehren, beziehungsweise der in diesen wirksamen Denkweise – zu einer historischen Darstellung. Er zeichnet einen Prozeß, in dem unendlich viele Impulse in die gleiche Richtung zielen. Implizit setzt er voraus, daß der menschlichen Gesellschaft eine Tendenz zur Mehrung ihrer Mittel innewohnt, zur Erzielung eines Überschusses, zur Verbesserung ihrer Techniken, infolge davon zu größeren Zusammenfassungen ihrer Macht, zum Flottenbau etc. Diese Tendenz kann sich nur auswirken, wenn die Menschen seßhaft sind und einigermaßen sicher gegen ständige Überfälle, Kriege und Bürgerkriege. Wichtig zur Herstellung dieser Vorbedingungen war ein Ereignis: daß der Kreterkönig Minos das Meer von Seeräubern reinigte; das erscheint in Thukydides' Darstellung wie der Ausgangspunkt des Prozesses, von dem an kein Rückfall mehr möglich war. Dadurch wurden Seeverkehr, Handel, Handwerk, Städtebau, Reichtum und die Begründung von Abhängigkeitsverhältnissen, also die Bildung von Macht, befördert. Thukydides' Ausführun-

[65] 1, 2 – 17. Vgl. Jacqueline de Romilly, *Thucydide et l'idée de progrès*. Annali della Scuola Normale Superiore di Pisa. Ser. 2 (1966), S. 143ff.; Erbse, *Zur Geschichtsbetrachtung*, S. 599ff., 606ff.

gen sind freilich nicht sehr eingehend. Er ist oft zufrieden, wenn er die Daten für sein übergeordnetes Argument aufgeführt hat.

Aber wir finden hier, wie in der damaligen Kulturentstehungslehre überhaupt, eine Entsprechung zur »conjectural history« des 18. Jahrhunderts. Hier wie dort gelten Mangel und Not (χρεία, imbecillitas) als die treibenden Motive[66]. Im Unterschied zu Vico und der schottischen Sozialphilosophie wurde in der Antike aber kein so weiter Abstand zwischen den zu vermutenden Intentionen der Beteiligten und dem Resultat gesehen. Die Griechen rechneten vergleichsweise sehr umfassend mit dem Wunsch und der Fähigkeit der Menschen, ihre Lage zu verbessern und dabei immer neue und geeignetere Methoden zu entwickeln, und zwar – das ist das bedeutende – gerade auch im Hinblick auf die Institutionen des politischen Zusammenlebens. Gerade aus der Erfahrung des 5. Jahrhunderts, daß die Bürger über die gesamte politische Ordnung verfügen konnten, speisten sich die damaligen hohen Einschätzungen menschlichen Könnens, das heißt des bewußten Könnens, das in der Lage ist, gerade das, was es will, auch zu verwirklichen. Hier lag wahrscheinlich das Zentrum des damaligen Könnens-Bewußtseins[67]. Die Kulturentstehungslehre stellte die historische Konsequenz daraus dar. Denn die gleichen Fähigkeiten, die man an sich selbst beobachtete, setzte man nun – in geringerem Ausmaß – auch für die Vergangenheit voraus. Gerade vom Höhepunkt griechischer »Aufklärung« also wurde die alte Tendenz, alle Einrichtungen und selbst ungeschriebene Regeln auf einzelne Urheber zurückzuführen[68], bestärkt. Darin äußert sich ein vergleichsweise starker elitärer Zug dieses Denkens, ja eine besonders hohe Einschätzung der Menschen überhaupt. So blieb den Griechen die Erkenntnis des Vorankommens aus Nebenwirkungen, der »priva-

[66] Romilly 154ff. Hans Medick, *Naturzustand und Naturgeschichte der bürgerlichen Gesellschaft.* Göttingen 1973, S. 52ff.; Friedrich A. von Hayek, *Freiburger Studien.* Tübingen 1969, S. 156, 238ff.

[67] Vgl. Meier, *Ein antikes Äquivalent.*

[68] Hans Julius Wolff, *»Normenkontrolle« und Gesetzesbegriff in der attischen Demokratie.* (Sitzungsbericht der Heidelberger Akademie 1970), S. 70. Dagegen etwa Adam Ferguson, *Abhandlung über die Geschichte der bürgerlichen Gesellschaft.* 2. Aufl., Jena 1923, S. 172: »... wir schreiben einem Plane zu, was nur durch die Erfahrung erkannt werden, was keine menschliche Weisheit voraussehen konnte«. Vgl. von Hayek, *Freiburger Studien,* S. 97ff. In den hier aufgewiesenen Zusammenhängen muß die Ursache dafür gesucht werden, daß den Griechen nur die Alternative zwischen natürlichen und künstlichen Institutionen erreichbar war (ebd., S. 67, 131).

ten Laster als öffentlicher Vorteile«, der »establishments which are indeed the result of human action, but not the execution of any human design« verborgen[69].

Wohl letztlich aus den gleichen Gründen waren der Kulturentstehungslehre die Erfindungen wichtiger als der Prozeß ihrer Mehrung. Die Notwendigkeit einer historischen Betrachtung ergab sich nur daraus, daß die Kultur – wenn sie Menschenwerk sein sollte – Schritt für Schritt entstanden sein mußte und daß man die Distanz zwischen der Kultur und den primitiven Anfangszuständen anders nicht überbrücken konnte. Ein geschärfter Blick für den Wandel ergab sich aber daraus kaum. Denn es reichte der Kulturentstehungslehre, die Bildung der Grundbedingungen der Zivilisation bis zur Schaffung der Polis zu rekonstruieren. Die Brücke zur Gegenwart schlug nur, unter begrenzter Fragestellung, Thukydides' Archäologie.

Man kann vermutlich zwei Formen eines Bewußtseins nennenswerter Verbesserung der Bedingungen menschlichen Denkens und Handelns unterscheiden: eine minimale, die im wesentlichen nur das Können der Menschen und die unmittelbaren Konsequenzen, die sich aus dessen Summierung ergeben, feststellt; und eine maximale, für die sich die Manifestationen dieses Könnens derartig gewaltig gegenseitig bedingen und antreiben, multiplizieren und potenzieren, daß sie einen geradezu autonomen, umfassenden Prozeß der Veränderung beobachten kann. Dieses wäre der neuzeitliche, jenes der griechische Fall. Hier löst sich der Wandel gleichsam von seinen Verursachern ab und geht weit über sie hinaus. Der Abstand zwischen den Menschen und dem Geschehen ist außerordentlich groß (wird zum Teil auch durch das christliche Gottesverständnis vergrößert). Die Gravitation der Wahrnehmung stellt sich auf den Wandel. Dort bleibt es im wesentlichen bei der Wahrnehmung des Könnens selbst – dessen Mehrung wird im wesentlichen bloß als Addition aufgefaßt. Ein derartiges Bewußtsein des Könnens aber scheint eher zu einer Unterschätzung des Wandels zu führen. Es verträgt sich nicht mit dem Gefühl des Anheimgegebenseins an anonyme Prozesse. Es gehört im Gegenteil zu der Welt, die in die Hand der Handelnden, in den bewußten Austrag zwischen ihnen gelegt ist. Mit der politischen Identität ist ein Denken und Sein maßgebend geworden, das in hohem Maße vom bewußten, innerhalb beacht-

[69] Ferguson, *An essay on the history of civic society.* Edinburgh 1767, S. 187. In der zitierten Übersetzung S. 171.

licher Spielräume sich bewegenden Handeln bestimmt war und das sein Maß an den Könnern nahm. Man verstand sich folglich im spezifischen Selbstbewußtsein der Zeit im extremen Ausmaß als Handelnder (oder Teilhaber an überschaubaren Handlungssubjekten, etwa Polis-Bürgerschaften). Dazu paßte es gut, daß auch am Vorankommen vor allem das Vermögen zu handeln und herzustellen, das heißt, sich in der Welt besser zu bewegen, bewußt wurde[70]. So waren die Griechen offenbar ganz ungeeignet, sich und andere in weiteren Zusammenhängen zu funktionalisieren, als Medien übergreifender Vorgänge zu verstehen.

Es muß an dieser Stelle mit diesen summarischen Erklärungen genug sein. Worauf sie gründen und worauf sie zielen, ließe sich nur in einem sehr weiten Kontext ausführen: es wäre die griechische Anthropologie, zumal der klassischen Zeit, zu bedenken, die ihr entsprechende besondere Art zwischenmenschlicher Beziehungen, die höchst eigenartige Ausprägung dieser »politischen« Gemeinwesen mit ihrer besonderen Form der Identität; aber auch die spezifisch griechische Vermittlung und Nähe zwischen dem Handeln und Leben der Einzelnen (sowie der Bürgerschaften) und dem erfahrenen Geschehen im ganzen, die besondere Empiriegebundenheit, die daraus resultiert[71], das besondere Zeiterleben und -verständnis, die umfassende Gegenwärtigkeit der Griechen. Selbst an einem so großen, lange Zeit »blinden« Prozeß wie dem der Herausbildung der griechischen Demokratie wurde vermutlich vor allem das hohe Vermögen derer, die die wichtigsten Institutionen einführten, bewußt.

Ich vermute, daß der Zusammenhang dieser und anderer Züge in seiner Eigenart am ehesten in einer Theorie der spezifischen Handlungskonstellationen dieser Epoche begriffen und verstanden werden kann.

Der Wahrnehmung von Prozessen standen also eigenartige Hemmnisse entgegen. Und die prozessualen Zusammenhänge waren ihrerseits nicht stark genug, um diese Schwelle zu überschreiten.

[70] Vgl. Meier, *Ein antikes Äquivalent,* S. 292 ff.

[71] Vgl. Christian Meier, *Der Wandel der politisch-sozialen Begriffswelt im 5. Jahrhundert v. Chr.* Archiv für Begriffsgeschichte 21 (1977), S. 33, zur Begrenztheit der griechischen Abstraktionen (die nur je vom Gegebenen auf die dahinter liegenden Prinzipien gingen, nicht dagegen über das Gegebene in Richtung auf ein Anderes, Künftiges hinauszielten. Was als künftig anders angenommen wird, sind Einzelheiten. Sofern gründliche Verbesserung menschlicher Aktivität verdankt werden soll, etwa Philosophenkönigen, ist nicht an einen prozessualen Wandel, sondern an bewußte Einrichtungen gedacht).

So finden wir neben den additiven Prozessen der Kulturentstehung und der Zunahme der politisch-wirtschaftlichen Größenverhältnisse bei den Griechen der klassischen Zeit nur kurzfristige Prozesse aufgefaßt und dargestellt. Das berühmteste Beispiel liefert Herodots Verfassungsdebatte, in der behauptet wird, daß die Verhältnisse in Oligarchie und Demokratie geradezu mit Notwendigkeit einzelne Machthaber hervorbrächten, also zur Monarchie führten[72].

Rund 150 Jahre vorher hatte Solon schon einen prozessualen verfassungsgeschichtlichen Ablauf konstruiert, indem er soziale Mißstände über eine Reihe von Zwischenstufen mit Bürgerkrieg und der Errichtung von Tyrannis verknüpfte. Damit wurde erstmals das Unglück einer Stadt aus sozialimmanenten Wirkungszusammenhängen hergeleitet[73].

In beiden Fällen wird nicht ein nachträglicher historischer Bericht gegeben, sondern ein Erfahrungszusammenhang, der eine Prognose ermöglicht. Solon bezweckt damit, die Zeitgenossen durch Hinweis auf den »unentrinnbaren Ablauf« zu veranlassen, noch vor dem Punkt, von dem ab diese Unentrinnbarkeit eintritt, einen anderen Weg einzuschlagen. Solcherart Prognose insgesamt kurzfristiger Prozesse gehörte zu den Voraussetzungen der Entstehung der Demokratie.

Thukydides hat dann etwa in der Pathologie den »Wettlauf im Erfinden immer der neuesten Art ausgeklügelter Anschläge und unerhörter Racheakte« während des Peloponnesischen Kriegs wie den Prozeß der Institutionalisierung einer neuen Sprache, neuer (Un)Sitten und neuer Wertschätzungen in weiten Kreisen politisch Handelnder beschrieben. Auch die Weise, in der sich Belagerer und Belagerte gegenseitig in der Erfindung immer neuer Techniken übertreffen, hat Züge eines prozessualen Ablaufs[74]. Doch das sind Einzelheiten.

Im ganzen blieb die griechische Historie immer die Kunde vom politischen und militärischen Handeln und Sich-Ereignen in der Abfolge der Zeit[75]. Unter »Historie« verstand man in

[72] Herodot 3, 82.

[73] Werner Jaeger, *Solons Eunomie* (Sitzungsbericht der Preußischen Akademie 1926), S. 69ff.

[74] Thukydides 3, 82 (Übersetzung in Anlehnung an Landmann). 4, 26. Sehr schön ein Beispiel aus der späteren Historiographie: Tacitus, Historien 1, 7, 2: »et inviso semel principi seu bene seu male facta parem invidiam adferebant«.

[75] Hermann Strasburger, *Die Wesensbestimmung der Geschichte durch die antike Geschichtsschreibung*. Wiesbaden 1966.

Folge davon eben dieses Bühnengeschehen, und zwar innerhalb der Vergangenheit. Fachleute der Historie waren Politiker und Militärs sowie Schriftsteller, indem und soweit sie ein darstellendes Genus war[76]. Es ging nicht um das Verständnis einer andersartigen Vergangenheit (oder der Gegenwart auf deren Folie), sondern um das Nachvollziehen von politischem und militärischem Geschehen in der Vergangenheit. Deswegen konnten die Ereignisse auch nicht als Funktion eines tieferen Zusammenhangs verstanden werden[76a]. Herodots allgemeines Orientierungsinteresse ging noch am weitesten darüber hinaus.

Anders gesagt: Gegenstand der Historie war nicht – wie im modernen Geschichtsbegriff – oder nur bedingt der Wandel. Wohl bestehen die politischen Abläufe in ständigen Konfigurationsveränderungen zwischen politischen Subjekten. Insofern behandelte natürlich auch die griechische Historie stets Wandel. Allein, als Strukturwandel auf den verschiedensten Gebieten ist er höchstens als Folge oder als Voraussetzung des politisch-militärischen Geschehens impliziert. Er wird also nicht unter die Historie bezogen und nicht als Geschichte begriffen. Er steht auf einem ganz anderen Blatt.

Es ist bei den Griechen überhaupt nie gelungen, die verschiedenen Veränderungen in der Zeit konsequent und derart aufeinander zu beziehen, daß es möglich gewesen wäre, eine umfassende Vorstellung von Geschichte zu gewinnen. Wohl kommt es gelegentlich, etwa bei Platon, vor, daß Verfassung und Musik oder, bei Aristoteles, daß Demographie und Verfassungsgeschichte in Verbindung miteinander gebracht werden[77]. Aber das geschieht in vereinzelten Bemerkungen und vor allem: es geschieht im Zusammenhang anderer Fächer. Denn die verschiedenen Gebiete sachlichen und wissenschaftlichen Interesses, die sich damals herausbildeten, hatten durchaus eine historische Dimension. Wir kennen im 4. Jahrhundert die »Geschichte« der Philosophie in Aristoteles' *Metaphysik*, die der soziologischen Voraussetzungen der Verfassungsabfolge bei Platon und Aristoteles. Es gab – wie wir etwa Aristoteles' *Poetik* entnehmen können – literaturhistorische Interessen, und man beschäftigte sich vielfach mit der Geschichte der Technik, der Erfindungen, der

[76] Fritz Wehrli, *Die Geschichtsschreibung im Lichte der antiken Theorie*. In: *Eumusia*. Festgabe für Ernst Howald, Erlenbach 1947, S. 54ff.

[76a] Aron, *Dimensions*, S. 180.

[77] Christian Meier, Artikel ›Geschichte‹ In: *Geschichtliche Grundbegriffe*, Bd. 2, S. 604.

Medizin etc[78]. Aber das war nicht Historie, das fügen erst wir mit der Historie zur Geschichte in unserem Sinne zusammen. Wenn dabei Zusammenhänge zu anderen Gebieten beobachtet wurden (etwa die wirtschaftlichen Voraussetzungen der Philosophie)[79], so wird daraus noch nicht ein umfassender Zusammenhang in der Zeit.

Wenn die Kulturentstehungslehren und etwa Platon in seinen *Nomoi* die Entwicklung der τέχναι konstruieren, so haben sie im wesentlichen ein Nacheinander im Auge. Das gleiche gilt vom Kreislauf der Verfassungen in Platons *Politeia*.

Es gab also, obwohl deutliche Unterschiede in den Zuständen und Prozesse des Werdens wahrgenommen wurden, weder die Feststellung von Gleichzeitigkeit des Gleichzeitigen, noch die von Ungleichzeitigkeit des Gleichzeitigen; bestenfalls einige Beobachtungen, die wir mit diesen Kategorien deuten[80]. Es gab auch keine Ortsbestimmung der Gegenwart in umfassend sich ändernden Zeitläufen. Denn es gab nicht die Abstraktion der Zeit, die aus der Verkoppelung verschiedener Abläufe und Gleichzeitigkeiten entspringt. Es gab nur die vielen Bewegungen politischer Subjekte in einer – seit der Herstellung der Grundbedingungen der Zivilisation – im ganzen als gleichbleibend verstandenen Welt.

Wahrscheinlich kann man sagen, mit der politischen Identität dieser Gesellschaft, die eine so starke Gegenwärtigkeit impliziert, vertrage sich keine Verzeitlichung[81]; die Handlungskonstellationen der klassischen Polis schlossen die Funktionalisierung innerhalb der Geschichte aus und setzten damit der Wahrnehmung breit verwurzelter Prozesse enge Grenzen. In verschiedenster Hinsicht wird die Leistung der Griechen einer Bescheidung verdankt. So hat die delphische Lehre von der Schwäche und Hinfälligkeit der Menschen, die Devise, »Sterbliches zu sinnen«, entscheidend dazu beigetragen, daß der irdisch-politische Handlungsraum in seinen Möglichkeiten entdeckt und ausgefüllt wurde. So war in diesem Raum der Anspruch an den Sinn des Geschehens beschränkt und konnte dieses folglich wenigstens, soweit es politisch und militärisch war, in seiner Kontin-

[78] Klaus Thraede, *Lob des Erfinders*. Rheinisches Museum 105 (1962), S. 160ff.

[79] Aristoteles, Metaphysik 981 b 20ff.

[80] Etwa Reinhart Koselleck, *Zur historisch-politischen Semantik asymmetrischer Gegenbegriffe*. In: *Positionen der Negativität* (Poetik und Hermeneutik 6). Hrsg. von H. Weinrich, München 1975, S. 74f.

[81] Vgl. *Begriffsweltwandel* (wie o. Anm. 71), S. 40.

genz empirisch nachvollzogen werden. Eine » ethisierende Religion ... als Erkenntnisorgan für große Ereignisse«[82] wurde nicht gebraucht. Die Geschichte war nicht so wichtig, daß sie prozessual oder wenigstens in der Form aufgehobener Kontingenz hätte aufgefaßt werden müssen. Erst im 4. Jahrhundert trat darin teilweise eine Änderung ein.

Die Neuzeit hat diese Beschränkung durchbrochen. Sie hat auch die Prozesse in den Bereich der Empirie eingebracht. Der Lauf der Welt ist ihr zum Gegenstand von Geschichtsphilosophie geworden. Sie hat zugleich damit neue Formen der Aufhebung von Kontingenz gefunden. Verblüffend ist es – so Hannah Arendt –, »wie außerordentlich schnell und gleichsam übergangslos« sich die Enttäuschung der Generation, welche die Entwicklung von 1789 bis 1815 miterlebte, »in ein Gefühl ehrfürchtigen Staunens vor der Macht der Geschichte verwandelte. Wo noch eben, in den glücklichen Tagen der Aufklärung, nichts zwischen dem Menschen und seiner Freiheit des Handelns zu stehen schien als die despotische Macht des Monarchen, hatte sich nun plötzlich eine ungleich mächtigere Macht gemeldet, welche mit Menschen nach Belieben zu schalten und zu walten schien und vor der es kein Entkommen gab, weil ihr gegenüber Rebellion wie Flucht versagten. Die Macht der Geschichte und der historischen Notwendigkeit war auf dem Schauplatz der Politik erschienen, wo sie sofort alles und alle in ihren Bann schlug«[83]. Die politische Auffassung der Antike und die historische der Neuzeit stehen seitdem in vieler Hinsicht – und so selten man es wahrhaben will – in einem Gegensatz zueinander[84]. Es wäre interessant, dies näher aufzuschlüsseln und damit die vorstehende Betrachtung explizit in einen aktuellen Zusammenhang einzubringen.

[82] Gehlen, *Moral*, S. 57f. Kein Theodizee-Bedürfnis!

[83] *Uber die Revolution*. München 1968, S. 63.

[84] Vgl. Arendt, *Fragwürdige Traditionsbestände*, S. 101ff., 112ff.; dies., *Revolution*, S. 70f.

HANS BELTING

Vasari und die Folgen. Die Geschichte der Kunst als Prozeß?

1.

Daß Kunst eine Geschichte habe, womöglich eine Geschichte als Prozeß, wird bei jenem auf Widerspruch treffen, der Kunst als eine nur in den Kunst*werken* existierende Realität betrachtet. Denn das Kunstwerk ist je für sich vollendet. Im faktischen Bestand ist es nicht mehr veränderlich, in seiner authentischen Gestalt nicht wiederholbar und in seiner aktuellen Aussage nicht aus seiner Zeit herauszulösen. Wie kann ein solches Werk zugleich auch unvollendet sein? Die Schule Benedetto Croces hat denn auch das Modell einer geschichtlichen Entwicklung der Kunst abgelehnt und auf der »insularità« jeden Kunstwerks beharrt, das nur je für sich interpretiert werden könne und nicht aus einer Geschichte der Kunst.

In der Tat ist das Kunstwerk eine *Realität*, die Kunst dagegen ein *Begriff*. Der Begriff ist allerdings in die Definition des Werks eingegangen. Er stellt dieses nicht als Werk des *Künstlers* vor, sondern als Werk der *Kunst*. Das Wortgebilde »Kunstwerk« bringt eine andere Position in Sicht, die für das Werk den Status des Unvollendeten und damit Historischen in Anspruch nimmt. Insofern sie eine Geschichte hat, existiert die Kunst über das einzelne Werk hinaus und hebt dadurch zumindest partiell dessen Vollendung wieder auf, einerseits durch das Entstehen neuer Werke, welche die »Kritiken der vergangenen«[1] sind, andererseits durch die Entrückung auf einen geschichtlich werdenden Ort, an welchem das Werk nur in der Wirkungsgeschichte fortlebt.

Von den Möglichkeiten, das Kunstwerk innerhalb einer Geschichte der Kunst zu sehen, seien zwei genannt. Das Werk ist entweder Station auf dem Weg der Kunst, dessen Fortsetzung es womöglich determiniert. Oder es ist Einlösung einer Norm, an

[1] Theodor W. Adorno, *Ästhetische Theorie* (Gesammelte Schriften, Bd. 7). Frankfurt/Main 1970, S. 533: »Ist Valérys These wahr, das Beste im Neuen entspreche einem alten Bedürfnis, so sind die authentischen Werke Kritiken der vergangenen.«

der seine Realität gemessen wird. Hat es die Norm, als Wert und Ziel, noch nicht erfüllt, so ist es gegenüber dem angenommenen Ziel offen. Hat es sie erfüllt, so ist es Endglied einer angenommenen Entwicklung und zugleich Modell einer neuen. Das zweite Verständnismuster, dessen feste Größe eine Norm ist, wurde seit dem 19. Jahrhundert fragwürdig. Es scheint nur eine Variante zu sein und ist doch das ältere. Es war die Voraussetzung für ein Bild der Kunstgeschichte, das erst spät für alle möglichen Deutungen disponibel wurde.

Daß ausgerechnet eine Norm den statischen Charakter des Kunstwerks aufheben soll, erscheint paradox, ist sie doch selber per definitionem statisch. Dennoch kann sie Dynamik erzeugen, nämlich im Postulat ihrer Einlösung, die nur sukzessiv und näherungsweise erreicht wird und daher jedes Resultat »auf dem Wege« relativ setzt: als ein notwendig vorläufiges, das die Norm wiederum zum Motiv eines notwendigen Fortschritts deklariert. Die bekannteste Norm war der Typus einer Klassik, die als Ziel der Renaissance zunächst in der Antike bereits vorgegeben schien und erst bei dem Passieren der Zielmarke dahinter nochmals als Ziel abgesteckt wurde, bevor ihre endgültige Grenze in Sicht kam.

Hier stoßen wir auf das Modell eines Prozeßablaufs, von dem noch die Rede sein wird. Es ist die Entstehung der Kunst der Renaissance. Wer hat aber die Norm ins Spiel gebracht? Ist sie überhaupt ins Spiel selbst gebracht worden oder nur in dessen Beschreibung? Wer solchermaßen nach einer Norm fragt, hat zunächst nach »der Kunst« zu fragen, die die Norm erfüllen sollte. »Die Kunst« als Abstraktion ist ihrerseits als Begriff und Vorstellung geschichtlich *geworden,* ebenso wie sie heute, zumindest in der Bindung an die traditionellen Bildkünste, als ein geschichtlich *Gewesenes* erscheint, auch wenn sie weiter produziert wird. Die Begriffe einer ästhetischen Norm und einer Kunst, der die Norm aufgegeben wird, bedingen sich gegenseitig. Sie sind beide Frucht der Kunst der Renaissance und ihrer Theorie. »Die Kunst« ist später vorstellbar geworden als die Kunstfertigkeit dessen, der sie ausübt. Ihr Begriff wurde von der Renaissance bereitgestellt, aber erst in Aufklärung und Romantik mit jenem Inhalt versehen, der uns geläufig ist. Erst als der Begriff soweit entwickelt war, konnte eine »Geschichte« dessen konzipiert werden, was mit dem Begriff abgedeckt war: eine »Geschichte der Kunst«.

Johann Joachim Winckelmanns Werk, 1764 erschienen, trägt

den Titel *Geschichte der Kunst des Altertums*[2]. Es ist, streng genommen, der erste Versuch seiner Art. In der Vorrede heißt es, er wolle keine Geschichten erzählen, sondern »Geschichte in der weiteren Bedeutung, welche (das Wort) in der griechischen Sprache hat«. Und zwar sei »das Wesen der Kunst ... der vornehmste Endzweck«, den es darzustellen gelte. In dieser frühen Zeit sind schon extreme Formulierungen der l'art pour l'art möglich, so wenn Herder sagt: »Ein Kunstwerk ist der Kunst wegen da, aber bei einem Symbole ... ist die Kunst dienend.«[3] Und Winckelmann grenzt sein Werk gegen frühere Versuche mit dem Ausspruch ab: »Es sind einige Schriften unter dem Namen einer Geschichte der Kunst ans Licht getreten, aber die Kunst hat einen geringen Anteil an denselben.« Was können wir nun aussagen über eine historische Kunst, die noch keine geschichtliche Darstellung als Kunst in ihrer Zeit gefunden hat? Winckelmann verschweigt freilich, wieviel er Vasari verdankt, und von Giorgio Vasari soll dieser Beitrag handeln.

Der Beitrag steht unter dem Motto »Geschichte als Prozeß«[4]. Der Begriff Prozeß ist seit langem in der Kunstgeschichtsschreibung eingebürgert. Eine Bestandsaufnahme aller bis heute vorliegenden Sinngebungen würde aber eher seine Fragwürdigkeit als seine Berechtigung bestätigen. Die bekannteste Verwendung gehört nicht in unser Thema: es ist der »künstlerische Prozeß«, der nicht zur Geschichte der Kunst, sondern zum Kunstwerk führt. Das 20. Jahrhundert hat in der Kunstpraxis versucht, ihn zu verselbständigen und damit das Werk aufzusprengen, in dem er gleichsam aufbewahrt ist, eingefroren oder verdinglicht. Auch in der Kunsttheorie sollte der »immanente Prozeßcharakter des Gebildes entbunden« werden, nämlich durch Betrachtung. »Was irgend am Artefakt die Einheit seines Sinnes heißen mag, ist nicht statisch, sondern prozessual.«[5]

Der Prozeß der Genese ist ebenso wie jener der Rezeption des Kunstwerks qualitativ verschieden von dem Prozeß der geschichtlichen Veränderung von Kunst, der hier zur Debatte steht. Niemand wird die geschichtliche Veränderung in der

[2] Johann Joachim Winckelmann, *Geschichte der Kunst des Altertums* (1764). Hier zitiert nach der Ausgabe von L. Goldscheider, Wien 1934.

[3] Johann Gottfried Herder, *Kritische Wälder* (1769). Sämtliche Werke, hrsg. von B. Suphan, Bd. 3, Berlin 1878, S. 419.

[4] Dies war das Thema des Arbeitskreises »Theorie der Geschichte«, in welchem der vorliegende Text im November 1976 vorgetragen wurde.

[5] Adorno, *Ästhetische Theorie*, S. 262.

Kunstproduktion oder produzierten Kunst leugnen. Sie liegt in der künstlerischen Hinterlassenschaft gleichsam als eine »sichtbare Zeitform«[6], als »Bild« eines geschichtlichen Ablaufs vor, das in der Summe der überlieferten Werke materialisiert ist. Die Formel für die Zeitform, für die synchronische Konkordanz wie für die diachronische Differenz, liefert der Stilbegriff. Er ist ebenfalls ein spätes Produkt der Kunstgeschichtsschreibung. Zunächst war auch er normativ besetzt. Bekanntlich stellen die älteren Stilbegriffe Negationen dar. Sie waren »Masken« für die Kategorien des Klassischen, das sie verteidigen, und des Unklassischen, das sie verwerfen[7]. Seither sind sie vorwiegend Etiketten einer Klassifikation. Selten erklären sie mehr als sich selbst. Meist müssen sie ihrerseits erklärt werden.

Die Beschreibung der geschichtlichen Formenveränderung koinzidiert meist mit der Beschreibung einer Entwicklung. Die Entwicklung einer künstlerischen *Technik* ist für die Beschreibung heute so problemlos wie je. Eine Technik braucht Voraussetzungen, um zu entstehen, und Zeit, um entwickelt zu werden. Wenn die einzelnen Phasen überliefert sind, kennen wir auch den Verlauf der Entwicklung. Anders steht es mit der Entwicklung der künstlerischen *Form*. Sie ist nicht aus sich selbst begründet, sondern bedarf bereits als Vorgang der Erklärung. Aber sie wird der Erklärung erst zugänglich, wenn vorher diagnostiziert ist, welches denn die Veränderung zwischen einer alten und einer neuen Form war oder wie die Form definiert werden kann, die Objekt einer Entwicklung war.

Hier treten Erkenntnisprobleme auf, von denen wir eines nennen. Die Form ist mit der Kunstgattung, dem Material, der Technik, dem Inhalt, der Funktion und der Aufgabenstellung eines gegebenen Werks so verflochten, daß sie aus diesem Gewebe nicht ohne weiteres als »reine Form« herausgelöst werden kann, an der im Vergleich mit einer anderen Form geschichtliche Veränderung abgelesen werden soll. Gerade dies ist aber in den meisten einschlägigen Darstellungen geschehen, die eine Geschichte der Formen (*La vie des formes*[8]) aufzeichnen wollen. Dabei wird eine Außen- oder Fremdbestimmung der Formver-

[6] George Kubler, *The shape of time. Remarks on the history of things* (1962). 8. Aufl. 1973, in diesem Sinne.

[7] Ernst H. Gombrich, *Norm and form. The stylistic categories of art history and their origins in Renaissance ideals.* In: *Norm and form. Studies in the art of the Renaissance.* London 1968, S. 81f. und 88.

[8] Henri Focillon, *La vie des formes.* Paris 1934.

änderung unterschieden von einer »inneren Geschichte«, wie sich Heinrich Wölfflin ausdrückt[9]. Wölfflins Diktum, daß »jede Form zeugend weiterarbeitet«[10], ist eine extreme Formel für das einseitige Modell einer immanenten Formgeschichte.

Die Formveränderung steht nach Wölfflin, der dafür »Grundbegriffe« aufstellte, unter einem inneren Gesetz, das sie als Prozeß qualifizierte, als »Prozeß des Vorstellungswandels«[11]. Ganz bestimmte Formtypen sind als Kontingenz angelegt. Sie kommen in dem Prozeß, der als ein finaler beschrieben wird, gesetzmäßig »zur Entfaltung«. Wölfflin war, wie Ernst H. Gombrich zeigte, Anwalt einer Klassik als Norm und daher, trotz zeitgemäßer Begrifflichkeit, als solcher ein unzeitgemäß später Vertreter jener Tradition, die in Hegels Werk zum letzten Mal als System vorgestellt worden war[12].

Das Prozeßmodell dieser Tradition wurde freilich von Wölfflin nicht mehr verwendet. Es war die Metapher vom biologischen Organismus und seinem Zyklus, die im vormaschinellen Zeitalter das Paradigma für jede Entfaltung, aber auch Begrenzung der Existenz gewesen war. Die Metapher setzt, wie Hegel formuliert, voraus, daß »jede Kunst ... ihre Blütezeit vollendeter Ausbildung als Kunst« hat, mit anderen Worten: eine Klassik, während »diesseits und jenseits ein Vor und Nach dieser Vollendung« liegt[13]. Hegel ist hier Erbe Vasaris und Winckelmanns, deren Schriften gleichsam das »Neue Testament« zur antiken Kunstschriftstellerei bildeten.

2.

Unser Thema lautet: Vasari und die Folgen. Vasaris Künstlerviten sind das erste Kompendium der Kunstgeschichtsschreibung[14]. Sie beschreiben auf ihre Weise einen Prozeß. Ohne daß

[9] Heinrich Wölfflin, *Kunstgeschichtliche Grundbegriffe. Das Problem der Stilentwicklung in der neuen Kunst* (1915), 8. Aufl. München 1943, S. 244ff. Abschluß: ›Die äußere und innere Geschichte der Kunst‹.

[10] Ebd., S. 249.

[11] Ebd., S. 245: »Nach seiner Breite ist der ganze Prozeß des Vorstellungswandels fünf Begriffpaaren unterstellt worden. Man kann sie Kategorien der Anschauung nennen ...«

[12] Gombrich, *Norm and form*, S. 90ff.

[13] Georg Friedrich Wilhelm Hegel, *Ästhetik*. Hrsg. von F. Bassenge, Berlin 1955, S. 9.

[14] Giorgio Vasari, *Le vite de' più eccellenti Pittori, Scultori et Architettori Italiani* (1550 und 1568). Hrsg. von G. Milanesi, Florenz 1878–85. Deutsche Ausgabe von G. Gronau, A. Gottschewski und E. Jaeske, *Die Lebensbeschreibungen der berühmtesten Architekten, Bildhauer und Maler*. Straßburg 1904–16. Aus der

diese Beschreibung als Modell noch gültig wäre, sind sie der Aufmerksamkeit wert, weil sie allem Anschein nach einen veritablen Prozeß beschreiben: die Entstehung der Kunst der Renaissance. Vasari, der bis tief ins 19. Jahrhundert die Vorstellung von der Geschichte der Kunst selbst im Widerspruch noch geprägt hat, ist aber auch aus anderem Grund hier gewählt worden: er liefert ein Exempel für die spezifischen Probleme mit einer Geschichtsschreibung der Kunst, die wir auch heute noch haben. Die Antworten vergehen schnell, die Fragen bleiben.

Die Legende will es, daß Vasari die Anregung zu seinem Werk in den literarischen Zirkeln von Rom erhielt, in denen auch Michelangelo verkehrte, Vasaris lebendes Leitbild der Kunst. Der gebürtige Aretiner Vasari war ein schriftstellernder Maler und Architekt, der vor allem für die Künstler schrieb. Er setzte in seinen Viten, die 1550 in der ersten und 1568 in einer zweiten Ausgabe erschienen, der Kunst von Florenz ein literarisches Denkmal. Die Bindung an Florenz, die die Auswahl der Künstler einschränkte und die Wahl der Quellen diktierte, hat ihm den Vorwurf eingetragen, mehr Patriot als Historiker zu sein – ein voreiliger Vorwurf, denn in der Beschränkung steckt Logik, die nicht Vasaris Logik war. In Florenz war Vasari ein fester Rahmen vorgegeben, in dem er sich selbst plazieren konnte. Hier erschien die Entwicklung der Kunst als kollektives Unternehmen oder als Hypothek auf die Zukunft, die in Vasaris Augen inzwischen durch die Bildung eines klassischen Kanons eingelöst worden war.

Vier Arten von Kunstschriftstellerei, die sämtlich antike Wurzeln haben, sind in Vasaris Viten vereinigt: Künstlerviten nach dem Muster von Plutarchs Biographien berühmter Männer; rhetorische Werkbeschreibungen nach dem Muster von Philostrats *Ekphrasis;* technische Anleitungen, nach dem Muster von Vitruvs Rezepten, in den Kapiteln über die Gattungen, und endlich

umfangreichen Literatur seien, außer den im folgenden zitierten Arbeiten von Ernst H. Gombrich und Svetlana Leontief Alpers, genannt: Wolfgang Kallab, *Vasaristudien.* Hrsg. von J. von Schlosser. Wien 1908; J. von Schlosser, *Die Kunstliteratur.* Wien 1924, S. 251–304 und ders., *La letteratura artistica.* Hrsg. von Otto Kurz. Wien 1956, S. 289–346; *Studi Vasariani* (Atti del Congresso Internazionale del IV Centennaio della prima Edizione delle Vite del Vasari). Florenz 1952; Jean Rouchette, *La Renaissance telle que nous a léguée Vasari.* Paris 1959; Ralf Reith, *Wissenschaftliche Begriffssprache und Systematik bei Vasari. Der Begriff »arte« nach den theoretischen Teilen der »Lebensbeschreibungen«.* Diss. Heidelberg 1966; *Il Vasari storiografo e artista* (Atti del Congresso Internazionale nel IV Centennaio della morte). Florenz 1976.

eine Lehre der Stilentwicklung nach dem rhetorischen Muster von Ciceros *Brutus*, die in die Einleitungen der Viten gelangte[15]. Wir gehen hier weder den Quellen Vasaris noch den Unterschieden zwischen den beiden Ausgaben der Viten nach, sondern nehmen Vasari in der zweiten Ausgabe beim Wort, um seine Beschreibung eines kunstgeschichtlichen Prozesses zu resümieren und auf ihren Realitätsgehalt zu prüfen, also an der »prozessualen Wirklichkeit« zu messen, von der Vasari handelt.

Die Viten sind in drei Teile gegliedert, die drei Zeitaltern der neueren Kunst eingeräumt werden. Die Künstler stehen an einem geradezu vorbestimmten Ort in der Kunstentwicklung, die sich in drei Zeitaltern vollzog: im Zeitalter Giottos als jenem der Kindheit, im Zeitalter Masaccios als jenem der Jugend und Erziehung und im Zeitalter Leonardos und Michelangelos als jenem der Reife und Vollendung. In der Einleitung zu Teil II beruft sich Vasari auf den Topos der »Historia magistra vitae«; Geschichte solle so erzählt werden, daß man aus ihr lernen könne[16]. Der exemplarische Wert der Viten war handgreiflich: sie sollten den Künstlern als Exempel dienen.

Ein exemplarischer Wert war auch dem biologischen Modell zugedacht, denn es sollte im Bild vom Wachstum anspornen und im Bild vom Verfall warnen. Das biologische Modell ist vor allem das Bild eines *Zyklus*. Es schließt die Wiederholbarkeit des Zyklus in der Formel der *Wiedergeburt* ein. Dadurch half es, sowohl das Ende des antiken Zyklus wie auch den Beginn des modernen Zyklus als ein Naturgesetz zu definieren[17]. Im Fortschritt der neueren Kunst erkannte Vasari den Fortschritt der Wiedergeburt der Antike. Auch auf die angebliche Analogie des Ablaufs legte Vasari Wert. Wenn man die Namen der Künstler vertauschte, »würde man die nämlichen Begebenheiten« bei den Griechen und Florentinern finden[18]. In dieser naturhaften Gesetzmäßigkeit des Ablaufs war die Kunstgeschichte buchstäblich auf den antiken Nenner gebracht. Antike und Natur waren die Idealtypen, an denen die Entwicklung der Kunst zu messen war.

[15] Svetlana Leontief Alpers, *Ekphrasis and aesthetic attitude in Vasari's Lives.* Journal of the Warburg and Courtauld Institutes 23 (1960), S. 190ff.; vgl. Ernst H. Gombrich, *Vasari's Lives and Cicero's Brutus.* Ebd., S. 309ff., und ders., *The Renaissance conception of artistic progress and its consequences* (1952). In: *Norm and form*, S. 1–10, bes. 5ff. sowie generell Schlosser, *La letteratura.*

[16] Vasari, *Le vite*, hrsg. von Milanesi, Bd. 2, S. 94 (Einleitung in Teil II).

[17] Das Zyklusmodell ist besonders in der Einleitung zu Teil II der Viten entwikkelt worden. Vgl. dazu Gombrich, *Artistic progress.*

[18] Vasari, *Le vite*, Bd. 2, S. 96.

Ebenso aufschlußreich wie das, was Vasari in sein Modell aufnimmt, ist jenes, was er verwirft. Die gotische und die byzantinische Kunst bleiben außerhalb des Zyklus. Die Ablehnung der »maniera tedesca« hängt damit zusammen, daß diese ordnungslos erscheint, weil sie nicht die antiken Sprachregeln anwendet[19]. Sie ist gleichsam grammatikalisch falsch, denn es gibt nur die *antike* Grammatik, und diese liefert den Maßstab für die Kritik, nämlich jene Normen, die Vasari neu definiert in den fünf Begriffen Regel, Ordnung, Ebenmaß, »Zeichnung« und Stil[20]. Wir kommen darauf zurück.

Nur der Zyklus selbst war Objekt der Geschichtsschreibung, die alles dazwischen Liegende nur als »Vorgeschichte« des neuen Zyklus zuließ. Innerhalb des Zyklus war alles, was geschah, als sinnvolles Geschehen darzustellen. Hier hatte jedes Zeitalter seine kollektive »maniera«, die unabhängig von den individuellen »maniere« der einzelnen Künstler auf ein immanentes Entwicklungsgesetz bezogen wurde. Der Stilbegriff ist sowohl zeitlich wie normativ verstanden. Er dient dem Bemühen, »das Bessere vom Guten und das Beste vom Besseren zu sondern«[21]. Im dritten Zeitalter habe »die Kunst so viel erreicht, als überhaupt der Nachahmung der Natur erreichbar ist«, ja habe die Natur gar »besiegt«[22]. Im ersten Zeitalter will Vasari die Frühen, die er »wegen der Gleichartigkeit ihrer Manier« zusammengefaßt hat, zwar nicht loben im *Vergleich* mit den Späten, aber im *Hinblick* auf die Späten, denn man müsse sie als Wegbereiter nach ihren historischen Bedingungen beurteilen[23]. Sie waren Pioniere jener Unternehmung, die endlich zur vollkommenen Kunst führte. »Die Kunst« (arte) steht in der Doppelbedeutung des erlernbaren Metiers und der objektiven Wissenschaft[24]. Ihr Begriff ist zumeist noch entweder an eine Kunstgattung oder an einen Künstler, der sie beherrscht, gebunden. Was aber über den Begriff ausgesagt wird, machte ihn verfügbar als selbständiges Konzept, das für künftige Aufwendungen bereitstand.

[19] Ebd., Bd. 1, S. 232f. und Bd. 2, S. 95, 97.
[20] Ebd., Bd. 2, S. 96. Vgl. dazu Alpers, op. cit. passim.
[21] Ebd., Bd. 2, S. 94.
[22] Ebd., Bd. 2, S. 96 und 4, S. 12f.
[23] Ebd., Bd. 2, S. 102f.
[24] Dazu Gombrich, *Artistic progress,* und Reith, *Wissenschaftliche Begriffssprache.*

3.
Wir lassen es einstweilen bei dieser kurzen Vorstellung Vasaris bewenden und enthalten uns auch einer Kritik, die im übrigen seit der Romantik oft und gründlich geübt worden ist. Es liegt auf der Hand, daß die Renaissance nicht als Wiederholung der Antike gelten kann, und auch das Konzept der Kunst als Können ist längst im Archiv der ausgebrauchten Konzepte abgelegt. Die Kunst an der Leistung ihrer Spiegelung der Natur zu messen, war spätestens mit der Krise der gegenständlichen Kunst obsolet geworden. Seither ist Natur selbst eine offene Größe, auf welche die Definition der Kunst nicht mehr fixiert werden kann, und hier liegt auch schon in der Romantik ein Einbruch, seit die Regeln für das Naturstudium zurückgewiesen wurden. Es geht aber gar nicht so sehr darum, was Vasari uns zu sagen hat, als vielmehr darum, was er über sein Zeitalter zu sagen hatte. Damit kommen wir von der Chronik zum Geschehen selbst.

Von diesem Geschehen berichtet Vasari, ohne daß wir ihm den Kredit als Theoretiker zurückgeben müssen, um so authentischer, als er Handelnder war und nicht nur Chronist. Er war seit seiner Ausbildung als Künstler in jene Tradition hineingewachsen, die er zum Thema seiner Viten gemacht hat. Seine Aussagen legen folglich das Selbstverständnis offen, welches die Träger der Tradition von ihrer Rolle besessen haben. Da Vasari als Insider spricht, ist er auch Zeuge für das Bewußtsein der Beteiligten.

Dieses Bewußtsein ist nicht mehr, aber auch nicht weniger als eine Quelle, die für das Geschehen zeugt. Es charakterisiert eine Künstlerschaft, die sich, wie Adorno formulieren würde, »unter der Einheit des Problems«[25] zusammenfand. Jedes erfolgreiche Werk ist ein Beitrag zur Lösung der gemeinsamen Probleme und daher ein »Fortschritt« auf einem gemeinsamen Wege. In dem Verständnis der Kunst als *Problem-Lösung* sind wir einer wichtigen Antriebskraft dessen auf der Spur, was Vasari als *Zyklus* gedeutet, aber als *Prozeß* beschrieben hat[26]. Für das Problem wie für die Lösung hat er Begriffe, die er nicht einmal erfunden hat. Die Kunst ist »schwierig«. Das zu lösende Problem ist ihre »Schwierigkeit«. Es wurde sukzessiv und kollektiv gelöst, in

[25] Adorno, *Ästhetische Theorie*, S. 310f.

[26] Zum Folgenden Alpers, *Ekphrasis*, S. 206ff. sowie Gombrich, *Artistic progress*, S. 6ff. und ders., *The leaven of criticism in Renaissance art*. In: *Art, science and history in the Renaissance*. Hrsg. von Ch. S. Singleton, Baltimore 1968, bes. S. 20ff. Zur Problemlösung als allgemeines Modell künstlerischer Entwicklung vgl. Kubler, *Shape of time*, S. 33ff.

Form einer gemeinsamen Suche nach der Ideal-Lösung oder »Vollkommenheit«.

Alle, so Vasari, sind daran beteiligt gewesen, »die Zweckbestimmung und die Vollendung der Kunst zu finden« (trovar il fine e la perfezione dell' arte)[27]. »Die Schwierigkeit der so schönen, schwierigen und ruhmreichen Künste« (la difficultà di sì belle, difficili ed onoratissime arti)[28] ist Objekt und zugleich Impuls des Fortschritts. Michelangelo und seine Zeitgenossen »zerrissen den Schleier der Schwierigkeiten« dessen, was man in den Künsten vollbringen und ersinnen kann[29]. Andere haben keinen Beitrag zu diesem Unternehmen geleistet, so Bocaccino, dem Vasari vorwirft, er habe 58 Jahre gelebt, ohne je etwas für die Verbesserung der Kunst getan zu haben[30]. Aber der Prozeß war dennoch unaufhaltsam und vollzog sich in der Bewegung auf die Einlösung der Norm autonom, ohne daß die Beteiligten darüber entschieden. Die Kunst der Malerei sei »heute so perfekt und leicht für den gemacht, welcher den ›disegno‹, die ›invenzione‹ und das Kolorit beherrscht, daß, während früher unsere Meister *eine* Bildtafel in sechs Jahren malten, sie heute in einem Jahre *sechs* Tafeln malen«[31]. Michelangelo »besiegte« sogar diejenigen, die bereits die Natur »besiegt« hatten: die antiken Meister[32].

Die Natur und die Antike waren die Idealtypen, an denen man die Lösung des Problems festmachen und zugleich als Ziel des Fortschritts fixieren konnte. So wird der Eintritt in das dritte oder moderne Zeitalter in kausalen Zusammenhang gebracht mit der damals erfolgten Entdeckung antiker Statuen, also der Exempla jenes Kanons, in dem die Natur prototypisch »besiegt« schien[33].

Diese Bemerkung hat bei dem Michelangelo-Jünger Vasari einen besonderen Sinn. Träger des Prinzips und auch der Entwicklung der Kunst ist der »disegno«. Das ist zunächst die Umrißzeichnung des nackten Körpers als der eigentlichen, zu reproduzierenden Naturform, für welche die antiken Statuen Lehrstücke waren. Das ist sodann der visuelle Ausdruck des »concetto« oder der »idea« der Kunst schlechthin, in welchem

[27] Vasari, *Le Vite*, Bd. 4, S. 26. Diese Äußerung gilt hier zwar Leonardo, läßt sich jedoch als Ausdruck für ein allgemeines Beschreibungsmuster erkennen.

[28] Ebd., Bd. 2, S. 107.

[29] Ebd., Bd. 7, S. 215.

[30] Ebd., Bd. 4, S. 584.

[31] Ebd., S. 13.

[32] Ebd.

[33] Ebd., S. 10.

die vollkommensten *Natur*formen zur vollendeten *Kunst*form gefiltert waren. Diese Kunstform galt, wie Svetlana Leontief Alpers gezeigt hat, als eigentlicher Träger der Stilentwicklung. Als Darstellungs*mittel*, das verbessert werden konnte, war sie zu unterscheiden von der permanenten Darstellungs*aufgabe* der Kunst, die in der »invenzione« gesehen wurde, als der angemessenen Komposition eines Themas[34]. In der Unterscheidung von »disegno« und »invenzione« scheint eine erste Gleichung zwischen der Offenheit des Kunstwerks auf die Kunstgeschichte und andererseits dessen Abgeschlossenheit, als einer jederzeit möglichen Vollendung, gefunden zu sein.

4.

Zwei Fragen verlangen jetzt eine Antwort: Stand Vasari mit seiner Auffassung vom Sinn der Kunstgeschichte in einer Tradition, in welcher diese Auffassung bereits Ferment und Impuls des Geschehens selber war? Und ferner: Wie ist es zu einer Auffassung vom Gang der Kunstentwicklung gekommen, die als Lösung von Problemen zwar nicht im handwerklichen, aber konzeptuellen Sinn begriffen wurde, als Entwicklung einer universalen Regel für das Schöne?

Die Frage nach der Tradition läßt sich positiv beantworten. Leonardos Schriften sind dafür eine wichtige Quelle. Der Künstler, so Leonardo, habe sich nicht an dem Kunden, sondern an der Kritik der besten Künstler zu orientieren, wenn ihm gelingen solle, »Verkürzung, Relief und Bewegung darzustellen, die der Ruhm der Malerei sind«[35]. Bekannt ist die Anekdote über Uccello, der über dem Problem der Perspektive keinen Schlaf finden konnte. Sie lenkt den Blick auf den florentinischen Zirkel zurück, in dem im frühen Quattrocento nicht nur die Planperspektive erfunden, sondern überhaupt die Weichen für die Folgeentwicklung neu gestellt wurden. Die *Commentarii* des Lorenzo Ghiberti sind das wichtigste Selbstzeugnis eines Künstlers aus dieser Zeit[36]. Sie gehören zu Vasaris Quellen[37]. Hier definiert Ghiberti die Darstellung der Realität in der Kunst als einen autonomen Wert. Er kommentiert den Bericht des Plinius über

[34] Alpers, *Ekphrasis*, S. 206f.

[35] Leonardo da Vinci, *Treatise on painting* (Cod. Urb. lat. 1270). Hrsg. von A. Philip McMahon, Bd. 2, Princeton 1956, fol. 33v.

[36] Lorenzo Ghiberti, *Denkwürdigkeiten* (I Commentari). Hrsg. von J. von Schlosser. Bd. 1, Berlin 1912.

[37] Zu Vasaris Quellen Kallab, *Vasaristudien*.

den Wettstreit von Apelles und Protogenes als »Demonstration« der Lösung für ein Problem, die dem Kenner eingeleuchtet habe[38]. Filippo Brunelleschis verlorene Bilder, die in der planperspektivischen Darstellung des Blicks auf das Baptisterium die »costruzione legittima« des *Bild*raums als *Seh*raum vorgeführt hatten, waren Lehrstücke applizierter Geometrie. Leon Battista Alberti und Brunelleschis Biograph nennen sie Übungen oder »dimostrazioni«, Lösungen für ein Problem, deren Wesen darin bestand, daß sie demonstriert und erlernt werden konnten[39]. Das in ihnen vermittelte Wissen war nicht nur eines der Maltechnik, es war eine theoretisch fundierte »Wissenschaft«. Folglich partizipierte die Malerei an einer Fortschrittsidee, die der Wissenschaft eignet. Sie wurde, wie Arnold Gehlen sagt, eine mit der Wissenschaft »eng verbundene Form der Daseinsbemächtigung«[40]. Andererseits existierte der Idealtypus einer Wissenschaft zunächst »im Gewand einer Kunstlehre«[41].

Mit dieser Erkenntnis haben wir bereits die Antwort für die Frage vor Augen, wo die Voraussetzungen für Vasaris Entwicklungskonzept liegen. Technik ist nicht mehr nur handwerkliche Technik, sondern eine entwicklungsfähige Wissenschaft der Naturreproduktion, die nicht auf das Problem der Perspektive beschränkt blieb, aber darin ihr erstes Paradigma erhielt. Das neue Paradigma veränderte den Sinn der Kunstproduktion. Es ist aber seinerseits auch Produkt eines Prozesses, der sogar bei Vasari früher begonnen hat, in Giottos Zeit. Dazu sind einige Bemerkungen angebracht.

Die Kunstproduktion der Renaissance wurzelt in einem Metier, in dessen handwerklicher Ausbildungspraxis Kontinuität und Fortschritt zugleich angelegt waren[42]. Mit dem Metier

[38] Ghiberti, *Denkwürdigkeiten*, S. 25. Dazu Gombrich, *Artistic progress*, S. 7, und ders., *Leaven of criticism*, S. 20ff.

[39] *Leon Battista Alberti's Kleinere Schriften.* (Quellenschriften für Kunstgeschichte und Kunsttechnik des Mittelalters und der Renaissance XI). Hrsg. von H. Janitschek. Wien 1877, S. 228f.

[40] Arnold Gehlen, *Zeit-Bilder. Zur Soziologie und Ästhetik der modernen Malerei.* Frankfurt a. M. 1960, S. 29. Vgl. auch James S. Ackermann, *Ars sine scientia nihil est.* The Art Bulletin 31 (1949). – Zur Idee des Fortschritts durch Problemlösung in der »normalen Wissenschaft« s. Thomas S. Kuhn, *The structure of scientific revolution.* Chicago 1962.

[41] Gehlen, *Zeit-Bilder*, S. 30.

[42] Zur Emanzipation des Künstlers aus mittelalterlichen Bindungen Martin Wackernagel, *Der Lebensraum des Künstlers in der florentinischen Renaissance.* Leipzig 1938; und Rudolf und Margot Wittkower, *Born under saturn. The character and conduct of artists.* 1963. Zum mittelalterlichen Künstler zuletzt John Har-

wurde ein spezifisches Wissen um die Beherrschung der Werkmaterialien und um die Technik der Naturreproduktion von Hand zu Hand weitergereicht – ein erlernbares Wissen, das lange durch Zunftregeln geschützt war. Der Unterschied zwischen der bildenden Kunst, als der einstigen »ars mechanica«, und der Literatur ist offenkundig. Die Zunft war jedoch dem Fortschritt eher verschlossen als offen. Auch den Fortschritt verwaltete sie als Zunftgeheimnis. Hier liegt die Differenz zur Umwertung der Kunst als Wissenschaft, an der alle partizipieren und über die nicht mehr nur für den internen Gebrauch, sondern für die Öffentlichkeit geschrieben wird. Die Umwertung tritt plötzlich in Erscheinung, ist aber von langer Hand vorbereitet: seit den Veränderungen in Giottos Zeit, unter denen hier nicht die psychologischen und sozialen Veränderungen der Kunstproduktion, sondern nur jene im Arbeitsprozeß der Kunstentstehung wenigstens genannt seien.

Die Bedeutung, die der Begriff des »disegno« in der Kunstlehre erhielt, ist in der sukzessiven Verselbständigung des »disegnamento« als der »nackten« Entwurfszeichnung im Produktionsgang der Kunst grundgelegt. Robert Oertel hat hierzu Wesentliches gesagt[43]. Der Entwurf wurde zum Träger der Idee eines Werkes aufgewertet und isoliert. Auch das Publikum war schließlich bereit, ihn als selbständiges Produkt sogar materiell zu honorieren und ihn in die Rolle des Wesentlichen und Endgültigen einzuweisen, neben dem das fertige Werk in extremen Fällen zur bloßen Ausführung, wenn nicht »Anwendung« des Entwurfs degradiert wurde. Ob »nur Florenz zu dieser Abstraktion fähig (war), den ›disegno‹ zum Träger schöpferischer Kräfte zu machen«[44], sei dahingestellt. Doch wird mit dieser Bemerkung Oertels der Blick auf die Florentiner Szene als soziales Milieu und als Öffentlichkeit gelenkt, eine Szene, auf welcher in der Tat der hier beschriebene Prozeß beheimatet oder doch zentriert war.

Damit gelangt ein Panorama von Interaktionen in den Blick, das mit den überlieferten Begründungen der dort ansässigen Kunstschriftstellerei nicht mehr abgedeckt ist. Wir können dazu

vey, *Mediaeval craftsmen.* London 1975, zu den mechanischen und freien Künsten J. Seibert in *Lexikon der christlichen Ikonographie*, Bd. 2., Freiburg i. Br. 1970, Sp. 702 ff.

[43] Robert Oertel, *Wandmalerei und Zeichnung in Italien.* Mitteilungen des Kunsthistorischen Instituts in Florenz 5 (1940), S. 217 ff., bes. 239 ff., 255 ff.

[44] Ebd., S. 255 ff.

nur wenige Andeutungen machen. Zu den langfristigen Bedingungen auf der Szene, welche einen langfristigen Prozeß trugen, gehörten wohl wirtschaftliche Stabilität, soziale Mobilität und politische Kontinuität. Die Florentiner Szene bietet das Bild eines *Systems*, das unverwechselbare Eigenart hat. Erwähnt sei nur die eigentümliche, trotz aller Wechselfälle so »resistente« Rolle der Medici, die in das System »eingebettet« war. Erwähnt sei auch das dialektische Verhältnis zwischen dem starken Identitätszwang des exklusiven und räumlich begrenzten Stadtgebildes und andererseits dem starken Austausch mit der Außenwelt in den Weltbeziehungen des Handelszentrums. Expansion und Mobilität erzeugten einen Fortschrittsoptimismus, der sich trotz vieler Krisen immer wieder regenerierte. In diesem Klima stand die Kunst unter der Prämisse, einer kulturellen Selbstdefinition der jungen Stadtrepublik und ihrer Macht zu dienen. Tradition mußte erst geschaffen und auch fingiert werden, und hier stoßen wir auf eine tiefreichende Wurzel der Renaissance, die für die Republikaner auch die Inanspruchnahme antiker Ahnen bedeutete: auch in diesem Sinne kann von einer Inkubationszeit der Renaissance gesprochen werden[45].

Die »bürgerliche Öffentlichkeit« war der Rahmen, in dem sich der soziale Aufstieg des Künstlers vollzog. Zwischen Leistung und Ansehen eröffneten sich Zusammenhänge, zumal dann, wenn Leistung als Beitrag zur Gemeinschaft, wie immer er auch benannt werden mochte, verstanden wurde. Die Öffentlichkeit war vor allem für jeden überschaubar, weil begrenzt und strukturiert. In der Gesellschaft fand der einzelne seinen Platz und trat mit anderen in einen Wettbewerb oder nahm als Akteur auf das Geschehen Einfluß. Hier formierte sich auch das Bewußtsein von der »Einheit des Problems« in der Entwicklung einer neuen Kunst. Wettbewerb wurde hier auf einem bestimmten Stand der Dinge nicht mehr primär von Marktmechanismen gesteuert, die in der Zwischenzeit die mittelalterliche Auftragsproduktion ganz zweifellos verändert hatten. Die Wandlung der Kunst zum Träger einer sich selbst regulierenden Entdeckung von Realität und Idealschönheit schuf im Zwang nach Vollendung auf dem Markt neue Bewertungen. Künstlerische Qualität, deren Kriterien abseits des Marktes diskutiert wurden, konstituierte sich zu einem quasi-sakralen Wert, der erst definiert werden mußte.

[45] Zu diesem Zusammenhang vor allem Hans Baron, *The crisis of the early Italian Renaissance*. Princeton 1955.

Auch im Wandel der Themen und Aufträge liegen Symptome bereit für den Wandel der Kunst, deren Funktion auf lange Sicht ihre Funktionslosigkeit, also ästhetische Autonomie, werden konnte[46]. Der soziale Aufstieg des Handwerkers zum »Priester der Kunst« bildet einen besonderen Strang des Geschehens mit ausgeprägt prozessualen Merkmalen. Er bedingt vieles in dem Geschehen, ist aber seinerseits wieder von anderem bedingt. Die »platonische Akademie« hat dann für die neue Rolle des Künstlers philosophische Begründungen gefunden: im Kreis des Marsilio Ficino nahmen die Vorstellungen von der Inspiration des Künstlers erste Gestalt an[47]. Mit der Gründung der Kunstakademie sollte Vasari in diesem Zusammenhang vorläufig das letzte Wort haben. In seinen Viten hatte er bereits Raffael als Archetypus des »gentiluomo« im Kreise der Künstler gefeiert[48].

5.

Wir lassen es bewenden bei dem flüchtigen Blick auf die Szene, auf der der von Vasari beschriebene Prozeß ablief. Ein solcher Blick verhütet das Mißverständnis, als habe die humanistische Kunstlehre unseren Prozeß *ausgelöst*, und auch das ganz andere Mißverständnis, sie habe ihn nur *fingiert*. Ihr Beitrag lag vielmehr darin, in ihren Kommentaren zum Geschehen und im Rückverweis auf die Antike Verständnismuster und deren Begrifflichkeit geliefert zu haben[49]. Insofern erzeugte sie aber auch Impulse eigener Art, denn sie förderte das Bewußtsein, daß eine neue Zeit begonnen habe und in eine große Zukunft von antikem Format führe. Auch im Kreise der Künstler konnte sie, wie Ghiberti bezeugt, ein neues Selbstverständnis wecken oder legitimieren.

Es ist ein faszinierender Vorgang, wie dieses Selbstverständnis andernorts akzeptiert wurde. Der Prozeß mit seinen Ausstrahlungen in andere italienische Zentren produzierte für die Kunst der übrigen, wenn nicht aller übrigen Länder Normen, deren Import dort freilich mehr Schwierigkeiten erzeugte als löste. Die

[46] Adorno, *Ästhetische Theorie*, S. 336f.

[47] André Chastel, *Marsile Ficin et l'art*. Genf 1954, S. 129ff., sowie Raymond Klibansky, Erwin Panofsky und Fritz Saxl, *Saturn and melancholy. Studies in the history of natural philosophy, religion and art*. London 1964, S. 241ff.

[48] Vasari, *Le vite*, Bd. 4, S. 315f. und S. 384f. (»Egli, in somma, non visse da pittore, ma da principe.«)

[49] Zur humanistischen Kunstlehre und ihren antiken Wurzeln zuletzt Michael Baxandall, *Giotto and the orators. Humanist observers of painting in Italy and the discovery of pictorial composition 1350–1450*. Oxford 1971.

Italienreise wird für den Künstler nördlich der Alpen zur Entdeckungsreise in die Heimat der Kunst. Albrecht Dürer, der zu den ersten Italienreisenden dieser Art gehört, gibt dem Bewußtsein von dem paradigmatischen Prozeß einer Erneuerung der Kunst in dem Satz Ausdruck: »Die Kunst hat sich erst in anderthalbhundert Jahren wieder angespunnen. Und ich hoff, sie soll fürbaß wachsen, auf daß sie ihre Frucht gebär, und sunderlich in welschen Landen, das dann auch zu uns mag kummen.«[50] Hier ist die Essenz von Vasaris Geschichtsbild bereits früher und von einem Outsider formuliert worden.

Wie immer der Prozeß, von dem die Rede ist, analysiert werden mag, so sind doch bereits jetzt genug Aspekte gesammelt, um die These zu rechtfertigen, daß Vasaris Thema oder Objekt ein veritabler Prozeß war, wenn irgend dieser Begriff in der Kunstgeschichte sinnvoll angewandt werden kann. Sein Resultat erlangte über die Grenzen von Florenz und seiner Filiationen hinaus Gültigkeit. Es besteht nicht nur in einer neuen Physiognomie der Kunst, die zu einem System eigener Art entwickelt wurde, sondern auch in der Theorie von ihren normativen Gesetzen, die auf einem geschichtlichen Weg »gefunden« worden waren. Die Kunst und die Theorie von der Kunst waren in ein Wechselverhältnis zueinander geraten, das fortan nicht mehr in die ursprünglichen Komponenten einer bloßen Praxis und einer bloßen Theorie aufgelöst werden sollte, sosehr es dem Wandel unterlag.

6.

Vasaris Bewußtsein, daß der Prozeß im wesentlichen abgeschlossen sei, liefert die Probe aufs Exempel, daß er sich einen Prozeß vorgestellt hat. In der Einlösung der Normen schien ein Grad der Sättigung erreicht, der den Fortschritt in Frage stellte, ja zur Gefahr werden ließ. Die Kunst hatte für Vasari erreicht, was sie nach den aufgestellten Kriterien erreichen sollte und zu erreichen imstande war, und die Fortsetzung des Weges war im Rahmen von Vasaris Kunstlehre nicht mehr vorstellbar, es sei denn als Verlust oder Dekadenz[51]. Der sogenannte Manierismus kann

[50] In Dürers Entwürfen zur Einleitung in die Proportionslehre. Zitiert bei Arthur Haseloff, *Begriff und Wesen der Renaissancekunst.* Mitteilungen des Kunsthistorischen Instituts in Florenz 3 (1919), S. 374.

[51] Zum Folgenden Ernst H. Gombrich, *Mannerism. The historiographic background.* In: *Norm and form.* Die Versuche Vasaris, durch Warnung vor blinder Nachahmung Michelangelos und mit Lob für Raffaels Selbständigkeit der kunst-

auch als Krise des Konzepts der von Vasari verwalteten Kunstlehre verstanden werden[52]. Wenngleich die Krise noch lange keinen adäquaten literarischen Ausdruck fand, so kam sie doch in gewissen Merkmalen der Werke selber zum Ausdruck, nämlich dort, wo die »geistige Beherrschung« und technische Reproduktion der Natur kein autonomer Wert mehr ist, sondern abgelöst wird durch eine sich selbst reproduzierende Kunstform oder die Spannung zwischen einer im seelischen Ausdruck dominierenden »invenzione« und der Naturform. Wir können auf diese Vorgänge hier nicht eingehen.

Kommen wir noch einmal auf Vasari zurück. Aus dem Bewußtsein, daß der Prozeß abgeschlossen und die Normen eingelöst seien, ergaben sich praktische Konsequenzen für die historische Rolle des Akteurs Vasari. Zu ihnen gehören schon die Viten selber, welche einen Kanon formulieren und kodifizieren. Die Exempelsammlung, d. h. die Sammlung der Viten, vermittelt den Kanon einerseits direkt durch die Normen der Kunstlehre und andererseits indirekt durch die Schilderung des geschichtlichen Weges der »Erziehung« zu den Normen, von welchem man die »Lehre der Geschichte« lernen soll: Die Künstler sind selbst dafür verantwortlich, wenn die Normen wieder in Vergessenheit geraten, so wie sie auch dafür verantwortlich waren, daß sie einst der Vergessenheit entrissen wurden. Vasaris Werk ist eine Geschichte der Künstler für die Künstler. Es konstruiert eine Geschichte der Kunst, in der allein die Künstler die Handelnden sind. Hier ist auch der »historische Ort« dieses Prozeß-Modells, das Vasari im Namen des Zyklus vortrug, deutlich. Es bietet das einseitige Bild einer bloß immanenten Kunstentwicklung und das altertümliche Bild von einem Geschehen, auf das die Akteure Einfluß nehmen.

Wieder ergibt sich ein dialektisches Verhältnis zwischen dem, was Vasari nur denkt und beschreibt, und jenem, von dessen Wirklichkeit er gerade dadurch zeugt. Die Auffassung, daß »die Zeit erfüllt« sei, ist selber wiederum Symptom für das, was sie behauptet. Der Vorgang des Sammelns und Resümierens kenn-

geschichtlichen Entwicklung einen Weg in die Zukunft zu bahnen, sind kein Ersatz für das fehlende Modell, wie der Weg der Kunst fortzusetzen sei.

[52] So Gombrich, *Mannerism*, S. 103. Zu den Problemen der Bewertung des Manierismus s. auch die Beiträge zu der Sektion ›Recent concepts of mannerism‹ in: *The Renaissance and mannerism* (Studies in western art. Acts of the XXth Internat.Congress of the History of Art II). Princeton 1963, sowie W. Tatarkiewicz, *Wer waren die Theoretiker des Manierismus?* Zeitschrift für Ästhetik und allgemeine Kunstwissenschaft 12 (1967), S. 90ff.

zeichnet die Spätphase eines kulturgeschichtlichen Zyklus. Das historische Interesse nimmt dann defensive Züge an. Auch in der Antike koinzidierte die Sammel- und Kodifikationstätigkeit in der Kunsthistoriographie mit einer Kunstentwicklung retrospektiven Einschlags und der Anerkennung absoluter Vorbilder. In Byzanz kam es zum *Malerbuch vom Berge Athos* mit seinen ikonographischen Regeln gar erst in postbyzantinischer Zeit.

Aus der gleichen Haltung, die die Viten hervorbrachten, ist die Gründung der ersten Kunstakademie zu begreifen, deren geistiger Vater Vasari selber war[53]. In ihr wurde die Kunstlehre institutionalisiert, und zwar nicht nur als Lehre für die dort Lernenden, sondern auch in einer Beispielsammlung, die nach der ursprünglichen Idee in einer idealen Sammlung von historischen Kunstwerken materialisiert werden sollte. Was in den Viten die einzelnen Biographien, sollten in der Akademie die einzelnen Werke sein: idealiter, aber in der Praxis unerfüllbar, jene Werke, die in den Viten beschrieben wurden. Die Idee ist nur durchgeführt worden in Vasaris sogenanntem *Libro*, einem Album mit graphischen Originalblättern von den Künstlern der Viten[54]. Es war nach historischen Gesichtspunkten geordnet und am Anfang gar mit historisierenden Rahmenformen versehen, die die Zeitstellung der Blätter »angemessen« ausdrücken sollten[55]. Und auf dem Passepartout war, wie im künftigen Kupferstichkabinett, die genaue kunsthistorische Einordnung angegeben.

1563 kam es zur Gründung der »Accademia del Disegno« in Florenz, zeitlich zwischen den beiden Ausgaben der Viten. Wurden in den Viten die »maniere« des Goldenen Kunstzeitalters, insbesondere jene des Dreigestirns Leonardo, Raffael und Michelangelo, absolut gesetzt, so war in der Akademie eine Erziehung zu den Stilidealen der Viten geplant, durch einen praktischen wie auch theoretischen Unterricht. Durch eine Verbindung von Erziehung und Nachlaßverwaltung war das Programm gekennzeichnet. Die Übereinstimmung zwischen den Absichten der Viten und der Institutions-Gründung ist evident. In den Statuten der Akademie war ein Fries mit den Porträts der Mitglieder und der Vorbilder gefordert, eine Art Pantheon der Florentiner Künstler[56]. Entsprechend wurden in der zweiten Ausga-

[53] Nikolaus Pevsner, *Academies of art past and present.* Cambridge 1940.

[54] Licia Ragghianti Collobi, *Il libro de'Disegni del Vasari.* 2 Bde, Florenz 1974.

[55] Erwin Panofsky, *Das erste Blatt aus dem »Libro« Giorgio Vasaris.* Städel-Jahrbuch 6 (1930), S. 25ff.

[56] In den Statuten fordert § 22 am Sitz der Akademie einen gemalten oder

be der Viten Porträts der insgesamt 250 Künstler in Form von Holzschnitten beigegeben, die, wenn möglich, nach historischen Vorlagen authentisch gemacht worden waren. Wichtiger noch war die Forderung der Satzung nach einer Bibliothek der Akademie, in der die nötigen Vorbilder in Form von Zeichnungen und Modellen von Kunstwerken aufbewahrt werden sollten, als Studienmaterial »für die Jugend zur Bewahrung dieser Künste«. Die »Anwendung« der Geschichtsschreibung in den Instituten des Museums und der Erziehungsanstalt ist hier modelltypisch vorweggenommen.

Die zweieinhalb Jahrhunderte zwischen der ersten Akademiegründung und der Sezession der späteren Nazarener von der Wiener Akademie können in diesem Zusammenhang als Zeitalter der Akademien gelten. Diese wurden die Tempel jener Kunstlehre, die Vasari für alle Zeit auf die Normen seiner eigenen Zeit hatte festlegen wollen. Sie bezeichnen auch das Zeitalter von Vasaris unbestrittener Autorität. Die zahlreichen Nachahmungen oder Fortsetzungen seiner Viten führen nach deren Muster die Geschichtsschreibung der Kunst in die Folgezeit fort oder erweitern sie über die Grenzen Italiens hinaus[57]. Ich nenne nur Karel van Manders *Schilderboek* von 1604 oder Sandrarts *Teutsche Akademie* von 1675. Zwischen Faktensammlung, Plagiat oder selbständiger Aneignung von Vasaris Geschichtsmodell sind in diesem postvasarianischen Corpus fast alle Spielarten vertreten.

Immer aber war das Problem präsent, wie man die Folgegeschichte dessen, was in Vasaris »Bibel« als Erfüllung der Geschichte der Kunst bereits abgeschlossen erschien, konzipieren sollte. Die Doppelklassik der Griechen und der Florentiner stand bei der Fortschreibung der Geschichte der Kunst überall im Wege. Eine Theorie der barocken Kunst ist auf dieser Ebene nicht zustande gekommen, sieht man von Diskussionen von reiner Begrifflichkeit und entsprechender Unverbindlichkeit einmal ab. Die Kunstschriftstellerei hat eine deutliche Schlagseite zu parteiischem Klassizismus und neigt zur Selektion oder zur

reliefierten Fries mit Porträts aller Mitglieder und berühmten alten Maler seit Cimabue; § 30 sieht einen Ausstellungsraum vor, § 31 eine »libreria« für die ererbten »disegni, modelli di statue, piante di edifizii, ingegni da fabbricare ...«, um Studienmaterial »pe i giovani per mantenimento di quest'arti«.

[57] Dazu ausführlich die in Anm. 14 angeführten Arbeiten Julius von Schlossers sowie Erwin Panofsky, *Idea* (1924). 2. Aufl. Berlin 1960, S. 39ff. und Denis Mahon, *Studies in seicento art and theory*. London 1947.

bewußten wie auch unbewußten Entfremdung von der produzierten Kunst. Das Geschehen selbst wird zu einer Kette von Wiedergeburten, welche den fortwährenden Verfall der Klassik rückgängig machen. Die Inflation der Regenerationen schwächte zwangsläufig deren historische Bedeutung, ebenso wie sie die stationären Züge des Geschichtsverlaufs kaum verschleierte. Vasaris Viten lieferten eher Normen der Kunst als ein Muster der Geschichtsschreibung. Die Normen dienten noch bei Winckelmann zur Polemik gegen zeitgenössische Kunst.

7.
Es wäre lohnend, durch einen Vergleich zwischen Vasari und Winckelmann beider Werk in den Gemeinsamkeiten wie den Unterschieden zu erschließen. Wenige Beobachtungen müssen hier genügen. Sicherlich beherrschen die Unterschiede den ersten Blick so sehr, daß die Andeutung von Gemeinsamem erstaunen mag. Neu ist Winckelmanns Unternehmen darin, daß es nicht die Kunst der eigenen Zeit, sondern jene des Altertums beschreibt[58]. Neu ist es auch darin, daß es nicht Künstlerviten, sondern eine »Geschichte der Kunst« vorlegt. In deren erstem Teil ist die Stillehre, die im Kapitel ›Wachstum und Fall der griechischen Kunst‹ kulminiert, eine bemerkenswerte Neuauflage dessen, was schon Vasari nach antiken Quellen in einfacherem Raster versucht hat. Der zweite Teil beschreibt die Kunst unter ihren geschichtlichen Bedingungen, denn die Kunst hängt »von der Zeit und ihren Veränderungen ab«[59]. Die Zuordnung der Kunst zur allgemeinen Geschichte läuft nicht nur darauf hinaus, daß die Kunst der Gelegenheit und der Förderung bedarf, einer sowohl materiellen wie moralischen Förderung. Sie zielt vor allem auf die Parallelsetzung von politischer Freiheit und Blüte der Kunst. »Aus dieser ganzen Geschichte erhellt, daß es die Freiheit gewesen, durch welche die Kunst emporgebracht« wurde[60]. Freiheit meint nicht Freiheit der Kunst, die ja gerade an Normen gebunden ist, sondern freie Entfaltung des Menschen zu seinen natürlichen Anlagen. In dieser »rückgewandten Utopie« ist der aktuelle Sinn dieser Geschichtsbetrachtung begründet. Deren Form besteht jedoch vor allem in bloßer Nacherzählung des lehrreichen

[58] Vgl. Anm. 2. Zu Winckelmann s. das dreibändige Werk von Carl Justi, *Winckelmann und seine Zeitgenossen.* 2. Aufl. Leipzig 1898, das immer noch als Standardwerk gelten kann.
[59] Winckelmann, *Geschichte*, S. 295.
[60] Ebd.

Geschichtsablaufs, in der die aktuellen Ideen von organischem Wachstum und den Naturkräften des Volks kaum zum Tragen kommen, es sei denn in der Idee der Naturveranlagung der Griechen zur Kunst.

Ein Prozeßablauf erscheint jedoch dort, wo wir ihn auch von Vasari kennen, in der »inneren Geschichte« der Kunst, die als immanenter Vorgang mit dem Bild vom organischen Wachstum beschrieben wird, getreu der postvasarianischen Tradition. Die Kunst zählt zu den »Wirkungen der Natur«; so wird der Umschlag von der Klassik, in der endlich alle Formen der Schönheit »ausstudiert« sind, zur Dekadenz als zwangsläufig gesehen: »Es mußte also die Kunst, in welcher, wie in allen Wirkungen der Natur, kein fester Punkt zu denken ist, da sie nicht weiter hinausging, zurückgehen«, und so wurde »der Nachahmung der Weg geöffnet«[61]. Schon Vasari hatte vor der blinden Nachahmung Michelangelos gewarnt. Für Winckelmann, der auf zwei weitere Jahrhunderte der Kunstproduktion zurückblickte, war unschöpferische Nachahmung in der Kunst zu einem Faktor von solcher Bedeutung geworden, daß er in der antiken Kunstentwicklung gar einen eigenen Stil mit diesem Begriff belegte[62].

Ich möchte das Werk Winckelmanns nicht auf jenes des Vasari reduzieren, aber die Normen der Kunstlehre Vasaris, die auf antiken Füßen steht, sind omnipräsent. Sie liefern nicht nur Begriffe und Kriterien der Darstellung, sondern auch Orientierungen des Kunstkritikers Winckelmann. In der »Zeichnung des Nackenden«, welche die »Wahrheit und Schönheit der Form«[63] erschließt, kommt der alte »disegno« zu neuen Ehren. »Die Quelle und der Ursprung in der Kunst ist die Natur«[64], aber der Körper des Torso vom Belvedere ist »über die Natur erhaben«[65], und der Apoll vom Belvedere ist »gänzlich auf das Ideal gebaut«[66]. Wir erkennen den ambivalenten Naturbegriff Vasaris wieder, wenngleich abgerückt vom »Lehrgebäude« der Regeln, in dem Winckelmann die zeitgenössischen Akademien tadelt. Die Idealtypen Antike und Natur bleiben ungebrochen gültig. Winckelmann hat sie im Auge, als er Künstler vom Schlage

[61] Ebd., S. 225.
[62] Ebd., S. 207 (Hervorhebung von uns).
[63] Ebd., S. 139.
[64] Ebd., S. 321.
[65] Ebd., S. 345.
[66] Ebd., S. 364.

Berninis mit dem lapidaren Satz verurteilt: sie »verließen die Natur und das Altertum«[67].

Der puritanische Klassizismus Winckelmanns ist auch ein Produkt der Krise in der postvasarianischen Kunstgeschichtsschreibung. Winckelmann ist deutlich darum verlegen, Aussagen über die Kunst seit Vasari zu machen. Die Abwendung von der Kunst der Gegenwart ist ebenso wie die Hinwendung zur Kunst der verlorenen Antike eine mögliche Konsequenz des Konzepts vom Monopol der florentinischen Klassik auf das Erbe der antiken Klassik. Die letztere ist jetzt gleichsam das Original, die andere nur eine Reinkarnation, die das Original aber nicht erreicht. Winckelmann bricht das Monopol zwar nicht in der *künstlerischen*, aber in der *historischen* Aneignung der Antike. Aus der Distanz der zweckfreien Kontemplation sucht er nach dem Verständnis der »echten« Antike, indem er deren »echte« Kunstdokumente entdeckt und »nach der Kunst betrachtet«[68]. Aber der Winckelmann, der die »Kunstgeschichte von der Kunst« abtrennt[69] oder in seinem Geschichtswerk das »Surrogat« einer nicht mehr vorhandenen Kunst[70] liefert, ist nicht der ganze Winckelmann. Da ist ebenso der Freund des Malers Anton Raphael Mengs, jenes »deutschen Raffael« und »Wiederherstellers der Kunst«, der »als ein Phönix gleichsam aus der Asche des ersten Raffaels erweckt« wurde, »um der Welt in der Kunst die Schönheit zu lehren«. In dessen Werken findet Winckelmann den »Inbegriff aller beschriebenen Schönheiten in den Figuren der Alten«[71]. Hier äußert sich der geistige Vater des letzten gesamteuropäischen Kunststils, den er damals mit aus der Taufe hob. So ist er wieder auf Vasaris Spuren, als er, im Blick auf den künftigen Neoklassizismus, schreibt, er wolle mit der griechischen Kunst als »würdigstem Vorwurf zur Betrachtung und Nachahmung« nicht nur »Kenntnisse zum Wissen, sondern auch Lehren zum Ausüben« vermitteln[72]. Die Äußerung klingt ähnlich wie jene Vasaris, doch hat sie in dem polemischen Kontext,

[67] Ebd., S. 335.

[68] Ebd., S. 295.

[69] Ladendorf machte diese Aussage für das 19. Jahrhundert im Zusammenhang mit der von Winckelmann inaugurierten »Formbetrachtung« als historisch ausgerichteter Kontemplation. Heinz Ladendorf, *Antikenstudium und Antikenkopie.* 2. Aufl. Berlin 1958, S. 48.

[70] Hermann Bauer, *Kunsthistorik. Eine kritische Einführung in das Studium der Kunstgeschichte.* München 1976, S. 71.

[71] Winckelmann, *Geschichte,* S. 179.

[72] Ebd., S. 128.

in dem sie entstand, einen anderen Sinn, nicht den Sinn der Bewahrung, sondern den Sinn radikaler Änderung der zeitgenössischen Kunst.

8.

Es wäre ein eigenes Thema, die Krise der Vasari-Rezeption in der Romantik darzustellen. Sie endete damit, daß die Viten zur nützlichen Quellensammlung wurden[73]. In ihrer Quellenkritik fand die junge kunstgeschichtliche Disziplin eine ihrer ersten Aufgaben. Zuvor waren verschiedene Wege der Auseinandersetzung mit Vasari gesucht worden. Dabei wurde Vasaris Autorität gegen seine eigenen Thesen ins Feld geführt, Vasari mit Vasari geschlagen. Mit Vasaris Behauptung, die gotische Kunst sei deutscher Import gewesen, ließ sich »beweisen«, wo die Nationalkunst der Deutschen war[74]. Diese war zwar, als Kunst des Mittelalters, ebenso fern gerückt wie Winckelmanns Kunst des Altertums, gegen die sie ausgespielt wurde. Aber sie schien auch ebenso wie Winckelmanns Antike prädestiniert zur Quelle der Erneuerung der zeitgenössischen Kunst. Endlich ließ sich von ihr das Bild einer vom Naturgefühl inspirierten und vom Regelgesetz nicht »verdorbenen« Kunst herstellen. Unter umgekehrten Vorzeichen wurde also Vasaris Modell neu in Dienst genommen.

Als Beispiel für die fortbestehende Bindung an Vasari und die Mühe, sich davon zu lösen, eignen sich die 1820 anonym »von einem deutschen Künstler in Rom« veröffentlichten *Ansichten über die bildenden Künste und Darstellung des Ganges derselben in Toscana.* Ihr Autor war der Maler Johann David Passavant, später Inspektor des Städel in Frankfurt. Schon die Wahl des Stoffs ist bezeichnend. Die »allgemeine Darstellung des Ganges der bildenden Künste von ihrem Aufschwung bis zu ihrem Verfall« wird deswegen am Beispiel der Toscana vorgeführt, weil

[73] Carl Friedrich von Rumohr, *Italienische Forschungen (1827–31).* Hrsg. von J. von Schlosser, Frankfurt a.M. 1920, besonders S. 179ff.; man möge dem Vasari nicht vorwerfen, »daß er seinen Stoff nicht gelehrt und kritisch, sondern künstlerisch und dichterisch aufgefaßt. Nur den Compilatoren, welche ihn ausgeschrieben, den Kritikern, die ihm widersprochen, ohne ihn zu berichtigen, darf man vorwerfen, den einen, daß sie ihn jemals in weitentlegenen Dingen als Quelle angesehen, den anderen, verkannt zu haben, daß Vasari's Irrthümer ... nicht absichtliche Lügen ..., vielmehr bloß mißverstandene historische Wahrheiten sind, welche, wenn der oberflächliche Kritiker sich begnügt, sie zu bestreiten, den ächten auffordern, ihnen auf den Grund zu gehen ...« S. 460f., 482f.

[74] Zur Umwertung des Gotischen im Lauf der Zeiten Paul Frankl, *The Gothic. Literary sources and interpretations through eight centuries.* Princeton 1960.

»die Kunst in diesem Lande eine ganz vorzügliche Ausbildung erhielt und durch das vortreffliche Werk des Vasari ... auch am allgemeinsten gekannt ist«[75]. Die geschichtliche Darstellung ist wieder oder noch einmal zur Nutzanwendung bestimmt, denn diese ist der Sinn der »Lehren aus der Geschichte«, die der Autor vermitteln will. Die überlieferte Kunst ist der Spiegel der Größe eines Volks in der Geschichte. »Die Geschichte ist das Weltgericht, und an den Früchten erkennt man den Baum.«[76] Die Früchte sind die historischen Kunstwerke. Sie zeugen von der Größe des deutschen Volkes im Mittelalter und sollen daher für die Erneuerung dieser Größe die Normen der Kunst liefern. Hier ist die Mittelalter-Renaissance auf den Begriff gebracht. Da Passavant jedoch innerhalb Vasaris Schema bleibt, muß er dieses begrifflich umrüsten, um seinen Zweck zu erreichen.

So weist er den Sammelbegriff der gotischen Architektur zurück, mit dem Vasari die Zeit vor Entstehen des modernen Zyklus bedacht hatte. Den Stil der Gotenstämme nennt er nun vor-gotisch und byzantinisch, den Stil des staufischen Mittelalters den deutschen, da damals Deutschland die Hegemonie erlangt habe. Das Ringen um die Begriffe ist evident, ebenso die Suche nach ihrem Zusammenhang mit den wirklichen Phänomenen. Das negative Urteil Vasaris über die gotischen Bauten in Italien erkennt Passavant an, erklärt aber die Mängel auf überraschende Weise damit, daß die Italiener »nicht gehörig von den Grundsätzen unserer Bauart unterrichtet waren«[77]. Ähnlich überraschend wie die Erklärung der »mißverstandenen« Gotik ist die Begründung für das Antikenstudium in der Renaissance-Architektur, das notwendig geworden sei, nachdem im Ablauf des Zyklus die Gotik »zu erschlaffen« begonnen habe[78]. Die Zyklen verschieben und vermehren sich, und die Antike wird zur Alternative der Gotik. Die Geschichte der Kunst als unendlicher Prozeß, aus welchem die Lücken verschwinden, tritt in den Blick.

Aber die Aufwertung der Gotik bedingte die Umwertung von Vasaris Normen. Auch vor der Antike wird die Nachahmung aus

[75] Johann David Passavant, *Ansichten über die bildenden Künste und Darstellung derselben in Toscana.* Heidelberg und Speyer 1820, S. 9. Die Formulierung nimmt den damals weitverbreiteten Halbvers aus Schillers *Resignation* auf: »Die Weltgeschichte ist das Weltgericht«; vgl. Reinhart Koselleck in: *Geschichtliche Grundbegriffe* 2, Stuttgart 1975, S. 667.

[76] Passavant, *Ansichten,* S. 6.

[77] Ebd., S. 18; vgl. auch S. 14ff.

[78] Ebd., S. 19.

dem Geist und nicht aus dem Buchstaben beschworen. Eine neu definierte Natur wird gegen die bloß eingebildeten Regeln in den Zeugenstand gerufen. Schwieriger war der Beweis in den Bildkünsten zu führen. Hatte Passavant in der Baukunst gerade die Vorgeschichte von Vasaris Zyklus zur eigentlichen Geschichte erhoben, so konnte er Vasari in den anderen Künsten nur auf dem eigenen Boden schlagen, in einer Geschichte der Renaissance. Hier werden in der Bildhauerei die drei Zeitalter anders bewertet als bei Vasari. Schon im zweiten Zeitalter wurde »die Stufe der Vollkommenheit« erreicht. Die Künstler »verließen noch nicht den großen Zweck einer lebendigen Kunst«, nämlich Themen der Religion und der vaterländischen Geschichte zu wählen. Sie vermieden es noch, »sich gelehrt in der Nachbildung des Nackten zu zeigen«, und verfielen in der Themenwahl noch nicht einer »unbedingten Nachahmung der Antike ..., sondern blieben volkstümlich«[79]. Mit der anderen Bewertung verändert sich auch der Sinn des Geschehens. Der Fortschritt zur Norm der Antike wird als Modell des Prozesses abgelehnt, weil »eine lebendige Kunst nicht durch das Nachtreten einer schon vollkommner vorhandenen« entstehen kann, sondern sich »nur in ihrer Weise entwickeln« wird[80]. In der Malerei sei Giotto wohl nie »übertroffen worden in der Größe und Wahrheit der Idee«, wenn er auch um die Darstellungsmittel »weniger bekümmert« war[81]. Der »disegno« degeneriert zum »täuschenden Effecte und der correcten Zeichnung«, die nicht mehr Meßwert für die Kunst sein kann[82]. Die »invenzione« dagegen, als die »klare Darstellung eines gefaßten Gedankens oder einer Handlung«, ist höher zu bewerten[83]. An dieser Stelle wendet Passavant Vasaris eigene Waffen gegen Vasari.

Dennoch ließ sich das Modell nicht mit beliebig neuem Inhalt füllen. Die Schwäche der neuen Darstellung liegt z.B. in der Schwierigkeit der Begründung des dritten Zeitalters, das der Autor zwar nicht zu annullieren wagt, aber auch nicht mehr absolut setzen will. Die klassische Trias unter den Malern der Hochrenaissance wird nur zögernd um anderer Werte willen

[79] Ebd., S. 27. Wenn Vasari (*Le vite*, Bd. 2, S. 106) schwankte, ob er Donatello schon unter die Meister des dritten Zeitalters, dem er chronologisch noch nicht angehörte, einreihen sollte, so ändert ein solches Einzelurteil nichts an der für ihn fraglosen Gültigkeit dreier Zeitalter, die im dritten kulminierten.

[80] Passavant, *Ansichten*, S. 27.

[81] Ebd., S. 37f.

[82] Ebd., S. 38.

[83] Ebd., S. 46.

anerkannt, so wegen der tiefen Bindung an die Lehren ihrer Vorfahren, deren beste Gedanken sie mit den besten Naturformen vereinigt hätten. Sie alle waren noch nicht der Kunst als Selbstzweck verfallen, für die das Thema nur Vorwand der »äußerlichen« Form war[84]. Um so vernichtender fällt das Urteil aus über die Folgezeit. In der Korrumpierung des guten Stils »zu einer gewissen Manier« ist die These vom Manierismus schon vorgedacht[85].

Es ist evident, daß wir hier mehr von dem Nazarener erfahren als von der Renaissance, die er umdeuten will. Es ist auch evident, daß das Modell Vasaris eine Struktur hat, die man nicht verändern kann, ohne auch das Modell fallenzulassen. Um so bedeutsamer ist der Umstand, daß das Modell trotz aller Angriffe, Widersprüche und Korrekturen bis heute eine gewisse Faszination bewahrt hat, und sei sie auch unausgesprochen. Der Zusammenhang zwischen der Prozeßbeschreibung und ihrem Objekt ist um so enger, als Vasari ein Primärzeuge war, zumindest für die Auffassungen vom Geschehen unter den Zeitgenossen. Und noch ein Umstand tritt hinzu, und sei es nur als glücklicher Zufall: Vasari wurde durch seine biographische Situation bzw. durch seine Stellung in der Geschichte instand gesetzt, die höchsten Werturteile über gerade jene Künstler abzugeben, die in der Bewertungsskala fast unangefochten die höchsten Plätze behalten haben, vielleicht weniger wegen als trotz Vasaris Werk, dessen Urteile wir widerstrebend anerkennen, nachdem die Begründungen Staub angesetzt haben.

9.

»Vasari und die Folgen« ist ein Thema, das man mit gutem Grund begrenzen kann mit Passavant, der einer der letzten Vertreter einer aktiven Vasari-Rezeption war. Passavant liefert auch eines der letzten Beispiele jener normativ ausgerichteten Kunstschriftstellerei, die ihren Wert als Quelle mehr in dem besitzt, was sie behauptet, als in dem, was sie beweist. Als Quelle ist ihr Wert unabhängig von ihrer wissenschaftlichen Bedeutung. Passavant hat den Wandel der Kunstschriftstellerei zur Wissenschaft von der Kunstgeschichte noch selbst mitvollzogen. Der Abschied von der Kunstgeschichte als Kunstkritik wurde mit Verlusten erkauft. Wo man sich vorher an den Werturteilen einer

[84] Ebd., S. 46ff.
[85] Ebd., S. 52f.

Kunstlehre orientiert hatte, war man nun auf Geschichtsbilder angewiesen, die man aus der Geschichtsforschung auslieh.

Der Zusammenhang zwischen Kunst und Geschichte ist aber ebenso unbestritten wie unerklärt. Er kann nur mit Theorien gedeutet werden. Zweifellos ist das Kunstwerk das geschichtliche Produkt des geschichtlichen Menschen und als solches Träger einer Funktion und einer Kommunikation, die bestimmt werden können. Ebenso zweifellos ist es in seiner *Form*, wie immer man das formulieren mag, dazu befähigt, seine Geschichtlichkeit zu transzendieren. Aber gerade diese Form ist auch geschichtlich sowohl bedingt wie bedingend. Wenn irgendwo, dann ist hier ein Geschichtsverlauf in der Kunst sichtbar. Freilich bedarf auch die Form, die im Sehen vermittelt und vom Menschen wahrgenommen wird, einer Erschließung durch Theorie. Dennoch ist sie, trotz dieser ihrer Eigenart, eine Geschichtsquelle, die von Geschichte zeugt und in einer »Formengeschichte« steht.

Was können wir nun über die Form als *geschichtliche* Form aussagen? Zu dieser allgemeinen Frage zum Schluß einige Vorbemerkungen. Dabei gehen wir wieder von Vasari aus. Er schildert die Entstehung der Kunst der Renaissance als kollektiven und gesetzhaften Fortschritt zur Einlösung der in Natur und Antike angelegten Normen. Insofern, als er die Normen objektiv vorgegeben sieht, ist er von Theoremen einer Kunstlehre abhängig, die er nur ausformt und appliziert. Insofern aber, als er den Weg zur Erfüllung dieser Normen als eine Kette folgerichtiger Problemlösungen sieht, beschreibt er ein Selbstverständnis künstlerischer Tätigkeit, dessen Voraussetzungen wir skizziert haben. Das aufgegebene Problem ist die Norm oder der Weg ihrer Einlösung.

Wer bestimmt aber diese Norm? Die Antwort Vasaris gibt darauf keine Auskunft. Sie verstellt die Einsicht, daß sich die Norm, simultan mit der Entwicklung der Kunst, immer weiter hinausschiebt. Sie war für Masaccio nicht das gleiche wie für Raffael, denn sie war nie eine absolute Norm, sondern jeweils das Ziel, das als nächstes Ziel oder nächstes Problem erkennbar wurde, nachdem das augenblickliche Problem gelöst war. Vasari spricht selbst von technischen Erfindungen, welche die Naturreproduktion erleichtern oder verbessern. Die Erfindungen wurden in Kunstwerken deponiert und demonstriert, deren Lösungen ihrerseits wieder neue Probleme aufgaben und alte überflüssig machten. Die Norm ist also selber in die Bewegung des Prozesses einbezogen und nicht dessen unverrückbar statisches

Ziel, an dem alle Bewegung endet. Nur im Rückblick erscheint die Distanz etwa der Kunst des Quattrocento zu den gegebenen antiken Vorbildern an jedem Punkt der Entwicklung gleichsam meßbar. Im Vorausblick waren aber die Aneignung und das Verständnis der Vorbilder eine stets veränderliche Größe. Und sogar Vasari bringt Zufälle ins Spiel wie die Entdeckung unbekannter Antiken.

Freilich läßt auch die Beschreibung der Entwicklung als einer Reihe anschließender Problemlösungen offen, wo die Folgerichtigkeit im Ablauf und wo der Abschluß eines solchen Prozesses liegt. Wir haben von der »Sättigung« in der Einlösung der Normen gesprochen, die sich Vasari vorgestellt hat. Wenn er glaubt, daß die Kunst an ihrem Ziel angelangt sei, so ist das mehr als ein epigonales Moment, nämlich seinerseits Indiz für einen bestimmten Stand einer abgelaufenen Entwicklung. Die Gegenprobe liefert die von der Forschung vollzogene Trennung der Hochrenaissance von der nachfolgenden Entwicklung, die auch von jenen akzeptiert wird, die mit dem Begriff Manierismus nicht glücklich sind. Die Trennung ist schon deswegen notwendig, weil man das eine und das andere nicht mit den gleichen Kriterien messen kann. So ist der Manierismus nicht mit dem Kriterium der Naturaneignung zu messen, die in gewisser Weise in der Hochrenaissance kulminiert, zumindest als Problem, das neue Lösungen unter den damals verfügbaren Bedingungen nicht mehr verheißt.

Es gibt also offenbar bestimmte *Sequenzen*, die unter der »Einheit des Problems« stehen. Sie erreichen einen Stand der Dinge, an dem sich das Problem ändert und die sukzessiv ausgebildeten Lösungen selbst zum Problem werden oder neue Probleme erzeugen. Die eine Sequenz schlägt in eine andere um. Wenn wir also trotz der Warnung René Welleks, »daß eine Geschichte ästhetischer Produkte sich weder mit Kategorien der Kausalität noch mit solchen der Evolution fassen läßt«[86], Zeitstrukturen in der Geschichte der bildenden Kunst untersuchen und dabei den Prozeßbegriff ins Spiel bringen, so kann es sich dabei nicht um einen einzigen, gleichgerichteten Prozeß handeln, sondern nur um viele sehr unterschiedliche Prozesse, die stets ihre Richtung ändern und sich auf anderer Ebene ablösen, aber sowohl in ihrem inneren Ablauf wie auch in der Abfolge unter-

[86] René Wellek, *Zur methodischen Aporie einer Rezeptionsgeschichte*. In: *Geschichte – Ereignis und Erzählung* (Poetik und Hermeneutik V). Hrsg. von R. Koselleck und W.-D. Stempel, München 1973, S. 517.

einander eine gewisse Folgerichtigkeit erreichen, die nur im Einzelnen bestimmbar und überhaupt erkennbar ist. Diese Folgerichtigkeit liegt um so weniger von vornherein als Programm fest, als sie ständig beeinflußt wird von unzähligen Faktoren, die auf die Dauer, das Tempo und die Richtung des Ablaufs einwirken. Hier stehen wir auf dem Boden einer anthropologisch begründeten Auffassung von künstlerischer Produktion als Paradigma menschlicher Tätigkeit, die zuletzt George Kubler in einer allgemeinen Theorie von der Geschichtlichkeit der Kunst und ihrer Produkte untersucht hat[87].

[87] Vgl. Anm. 6.

Jochen Schlobach

Die klassisch-humanistische Zyklentheorie und ihre Anfechtung durch das Fortschrittsbewußtsein der französischen Frühaufklärung

»Geschichte als Prozeß«: dieses Rahmenthema läßt einen Blick auf jene Verlaufsmodelle der Geschichte sinnvoll erscheinen, mit deren Hilfe frühere Epochen historische Entwicklungen, Veränderungen, Prozesse gedacht haben. Denn zu schnell wird im allgemeinen von der schon von Voltaire zu Recht scharf kritisierten anekdotischen, auf Ereignisse und Daten der Dynastien beschränkten voraufklärerischen Historiographie auf die Abwesenheit einer abstrakteren Reflexion über den Verlauf der Geschichte geschlossen. Von der französischen Renaissance (des 16. Jahrhunderts) über die Klassik (des 17. Jahrhunderts) bis zur Frühaufklärung (um 1700) haben sich jedoch in direkter und indirekter Form Philosophen, Poeten und Historiographen mit Modellen über den Verlauf der Universalgeschichte auseinandergesetzt und jeweils den Versuch unternommen, auch den eigenen Standort zwischen Vergangenheit und Zukunft qualitativ zu bestimmen.

Zwei Theorien vom Verlauf der Geschichte sollen uns hier näher beschäftigen: die historische Zyklentheorie, die sich von der Renaissance bis zum Ausgang der Klassik gegen das aus dem Spätmittelalter überlieferte Verfallsdenken durchgesetzt hat. In einem zweiten Schritt soll die Anfechtung dieses Modells durch die französischen Frühaufklärer, insbesondere durch Fontenelle, skizziert werden, der in diesem Streit eine erste kohärente Darstellung der Fortschrittstheorie bietet. Schließlich werden wir den Prozeß der Ablösung der Kreislauf- durch die Fortschrittstheorie beispielhaft auch an der diesen Geschichtsmodellen zuzuordnenden Metaphorik illustrieren, die zugleich auf den naturphilosophischen Hintergrund des humanistischen Zyklendenkens verweist.

Die starke Präsenz von Zyklendenken in der Geschichtsreflexion der französischen Renaissance und Klassik ist bis vor kurzer Zeit in der Forschung kaum zur Kenntnis genommen worden. Die Kreislauftheorie galt als eine Art bedauerlichen Rückfalls in primitives ahistorisches Denken und schien eine genaue Analyse nicht zu lohnen. Erst neuere Arbeiten über das Geschichtsbewußtsein der frühen Renaissance, vor allem von Franco Simone[1], und über die »Querelle des Anciens et des Modernes« – hier ist insbesondere Hans-Robert Jauß zu nennen[2] – betonen übereinstimmend die Bedeutung der Zyklentheorie als des zentralen geschichtstheoretischen Hintergrundmodells für die klassisch-humanistische Ästhetik, verfolgen allerdings ihre Geschichte nicht im einzelnen. In einer größeren Untersuchung über *Zyklentheorie und Epochenmetaphorik*[3] haben wir deshalb die Geschichte der Zyklentheorie in Frankreich im 16. und 17. Jahrhundert systematisch verfolgt und gleichzeitig die mit ihr verbundene Metaphorik zur Bezeichnung von Geschichtsepochen analysiert.

Unter dem Begriff klassisch-humanistische Zyklentheorie ist jenes Verlaufsmodell der Geschichte zu verstehen, nach dem der Staat oder die Kultur – meist wird beides parallel gesehen – nach primitiven Anfängen mit der Zeit zu einem Höhepunkt gelangen, dann jedoch nach einem fatalen Gesetz zur Dekadenz, ja zum Untergang verdammt sind. Dieser Halbkreis des Auf und Ab wird durch eine finstere, tote Zwischenzeit geschlossen, bevor dann ein neuer Zyklus beginnt.

Rezipiert wurde Zyklendenken im Frankreich des 16. Jahrhunderts zusammen mit der antik-humanistischen Ästhetik auf dem Umweg über Italien. Denn das für die klassische Kunst- und Literaturtheorie grundlegende Prinzip der »imitatio« der Antike basiert auf der zyklischen Geschichtsauffassung. Nachahmung hat nur Sinn, wenn die Kunstwerke früherer Epochen als wertvoller empfunden werden. Die Entdeckung der antiken Kunst und Literatur war für die Humanisten der italienischen und später der französischen Renaissance bekanntlich ein prägendes Erlebnis. Die hohe Blüte der Kultur in der Antike, ihr Verlust in der darauffolgenden, als finster deklarierten Zeit des Mittelalters und ihre Wiederentdeckung stimulierten die literarische und künstlerische Aktivität der eigenen Zeit mit dem Ziel, einen neuen, der Antike vergleichbaren Höhepunkt zu erreichen.

[1] Vor allem ein Artikel *Il Petrarca e la sua concezione ciclica della storia*. In: *Arte e storia*. Studi in onore di L. Vicenti. Torino 1965.

[2] Hans-Robert Jauß, *Ästhetische Normen und geschichtliche Reflexion in der »Querelle«*. Einleitung zur Neuausgabe von Perrault, *Parallèle des anciens et des modernes*. München 1964.

[3] Jochen Schlobach, *Zyklentheorie und Epochenmetaphorik. Studien zur bildlichen Sprache der Geschichtsreflexion in Frankreich von der Renaissance bis zur Frühaufklärung*. München 1978.

Beispielhaft sei hier für diese weitgehend im ästhetischen Bereich von sehr vielen Renaissanceautoren geäußerte zyklische Geschichtsauffassung Joachim du Bellay zitiert, der in seiner grundlegenden theoretischen Schrift *Deffence et illustration de la langue françoyse* (1549) die Hoffnung auf eine Blüte der französischen Sprache und Literatur ausdrückt: »Die Zeit wird (vielleicht) kommen, und ich hoffe es dank der guten Vorbestimmung Frankreichs, wo dieses edle mächtige Königreich seinerseits die Zügel der Monarchie [offenbar der vierten Weltmonarchie, Roms also] erhalten wird und wo unsere Sprache (wenn mit François nicht auch die französische Sprache zugrunde geht), die noch dabei ist, Wurzeln zu schlagen, aus der Erde wachsen und sich zu einer Höhe und Breite erheben wird, daß sie sogar den Griechen und Römern vergleichbar werden und wie diese einen Homer, Demosthenes, Vergil und Cicero hervorbringen kann.«[4]

Die Nachahmung, die du Bellay parallel dazu in seiner Schrift[5] fordert, soll einen neuen Höhepunkt garantieren. Der zitierte Text macht mit dem Hinweis auf die politische Macht Frankreichs und auf Franz I. zugleich deutlich, daß die Hoffnung auf eine zyklische Wiederkehr der antiken Kulturblüte auch motiviert wird durch eine neue selbstbewußte Einschätzung der französischen Monarchie.

Jean Bodin ist es, der die Zyklentheorie im Bereich der Geschichtsreflexion im engeren Sinne des Worts durchsetzt. Er wagt – wie er meint, als erster –, das tiefverwurzelte traditionelle Schema der vier Weltmonarchien und die »translatio-Theorie« im siebten Kapitel seines *Methodus ad facilem historiarum cognitionem* (1566) anzufechten, und ist überzeugt davon, daß alle Staatsgebilde den Kreis von »origine« (Ursprung), »accroissement« (Wachstum), »estat fleurissant« (Blüte), »changement« (Veränderung), »decadence« (Dekadenz) und schließlich »ruine« (Untergang) durchlaufen[6].

Louis Le Roy macht in seiner *Vicissitude ou variété des choses*

[4] Joachim du Bellay, *Deffence et illustration de la langue françoyse.* Hrsg. von H. Chamard. Paris 1948, Kap. I, 3, S. 27f.: »Le tens viendra (peut estre), et je l'espere moyennant la bonne destinée Françoyse, que ce noble puyssant Royaume obtiendra à son tour les resnes de la monarchie, et que nostre Langue (si avecques Françoys n'est du tout ensevelie la Langue Françoyse) qui commence encor' à jeter ses racines, sortira de terre, et s'élèvera en telle hauteur et grosseur qu'elle se pourra égaler aux mesmes Grecz et Romains produysant comme eux des Homères, Démosthènes, Virgiles et Cicérons.« (Übersetzungen vom Verfasser).

[5] Ebd., Kap. I, 8.

[6] Jean Bodin, *Six livres de la Republique.* Paris 1583, S. 3.

de l'univers (1576) die Zyklentheorie zum alles beherrschenden Gesetz. Nicht nur entwickelt er mit Hinweis auf den platonischen Palingenesegedanken das Dreiteilungsschema der Universalgeschichte in Antike, Mittelalter und Neuzeit[7], auch für die Zukunft rechnet er mit Zeiten, in denen wie beim Untergang Roms Barbareneinfälle und andere Katastrophen die bestehende Kultur vernichten werden[8]. Gleichzeitig ist er sich als guter Kenner der Geschichte jedoch bewußt, daß dieses Periodisierungsschema der Universalgeschichte zu verfeinern ist – die Kulturblüte der Araber z. B. paßt nicht in das Klischee vom finsteren Mittelalter. So konstruiert er neben den beiden epochalen Kulturen Antike und Moderne nationale Zyklen kürzerer Dauer, die sich ständig überschneiden und in den verschiedensten Formen ablösen[9].

In der zweiten Hälfte des 16. Jahrhunderts ist Zyklendenken in Frankreich also – die zitierten Autoren stehen hier für viele andere – weitgehend durchgesetzt.

Trotz der großen Nachwirkung Bodins und Le Roys scheint nun jedoch im Geschichtsdenken des 17. Jahrhunderts ein völlig anderes, christlich geprägtes Geschichtsbild vorherrschend zu werden, das der konsolidierten absolutistischen Staatsform gemäßer war und unter dem Einfluß der Gegenreformation neue, gegen das spätmittelalterliche Korruptionsdenken gerichtete optimistischere Geschichtsdeutungen brachte. So vertritt etwa Desmarets de Saint-Sorlin in seinem Epos *Clovis, ou la France chrestienne* (3. Aufl. 1673) entsprechend der christlichen Eschatologie die These, nach den vier Weltreichen und einer tausendjährigen Zwischenzeit der Allianzen und Kriege seien nun mit Ludwig XIV. die Prophezeiungen des Buches Daniel und der Apokalypse in Erfüllung gegangen und das Gottesreich auf Erden errichtet[10]. Charles Sorel ist weniger apologetisch, aber er-

[7] Louis Le Roy, *Le Timée de Platon*. Paris 1551, ›l'Argument‹, und in *De la vicissitude ou variété des choses de l'univers*. Paris 1576, z. B. S. 74 A.

[8] Ebd., S. 16 A.

[9] Ebd., S. 15 B; 29 A; 30 ff.

[10] Desmarets de Saint-Sorlin, *Clovis ou la France chrestienne*. Paris 3. Aufl. 1673, S. 13–15: »Il y a dans la Sainte Ecriture des propheties toutes faites, & déja accomplies en partie selon l'ordre des temps, qui ont annoncé les quatre grands Empires du monde distinctement; & que des Rois devoient venir ensuite, qui feroient tantost guerre, & tantost alliance, comme il s'est fait depuis mille ans entre la France, l'Espagne, l'Angleterre, l'Allemagne, l'Italie, & les autres Etats, après lesquels doit estre enfin l'Empire vniversel des Fideles, qui regneront avec JESUS CHRIST; de qui vn grand Prince doit estre l'image precedente. ... Il n'est pas

wartet doch voller Optimismus für die Zukunft, daß eine allgemeine Vollendung (»perfection«) erreicht werden kann[11]. Der christliche Charakter seines Geschichtsbildes wird vor allem daran deutlich, daß der ideale Gesellschaftszustand für ihn schon am Anfang der Geschichte in einer paradiesischen Zeit verwirklicht war[12]. Der Weg der Menschheit von ursprünglicher Vollkommenheit über Korruption und langsamen Wiederaufstieg zu neuer Perfektion entspricht dem christlichen Schema von Schöpfung, Sündenfall, guten Werken und Erlösung.

Bei beiden Autoren hat man zu Recht Ansätze für Fortschrittsdenken gesehen[13]. Dennoch wäre es unzutreffend, daraus auf eine direkte Filiation oder gar auf den christlichen Ursprung der Fortschrittstheorie zu schließen. Desmarets de Saint-Sorlin und Sorel bleiben im Grunde mit ihren Ansichten isoliert und ohne Nachwirkung. Denn sie versuchen nicht einmal die Auseinandersetzung mit der durch die Klassik allmächtig gewordenen Imitatio-Ästhetik und der ihr zugrundeliegenden Zyklentheorie.

Diese prinzipielle Auseinandersetzung leistet innerhalb der »Querelle des Anciens et des Modernes« (des Streites der Altertumsfreunde und der Modernisten) Fontenelle, dessen Argumentation uns hier besonders beschäftigen soll. Zunächst ist jedoch der geschichtstheoretische Kern dieser zunächst nur im ästhetischen Bereich geführten Debatte zu explizieren.

Auf dem Höhepunkt der kulturellen und politischen Machtentfaltung des absolutistischen Staates Ludwigs XIV. löst Charles Perrault, hoher königlicher Beamter und Mitglied der »Académie française«, 1687 den Konflikt aus durch sein panegyrisches Gedicht auf den Monarchen, in dem er zu schreiben wagt, das »siècle de Louis« (das Jahrhundert Ludwigs) übertreffe selbst die Blütezeiten der Antike[14].

Es mag den modernen Betrachter verwundern, warum Perraults Feststellung als so unerhört empfunden wurde. Aber mit

difficile de juger sur ces marques, qui sera ce Roi si merveilleux, qui aura l'honneur d'estre l'image de JESUS CHRIST son Maistre: & la poësie Heroïque est tres-heureuse de trouver pour Vostre Majesté de propheties si magnifiques & si certaines, sans se mettre en peine pour en inventer.«

[11] Charles Sorel, *De la perfection de l'homme.* Paris 1655; ders., *La science universelle.* 4 Bde, Paris 1647ff.; vgl. zu Sorel: H.-R. Jauß, *Ästhetische Normen*, S. 30ff.

[12] Sorel, *De la perfection*, S. 2.

[13] Jauß, *Ästhetische Normen*, S. 32; bzw. H. Rigault, *Histoire de la querelle des anciens et des modernes.* Paris 1856, S. 85–120.

[14] Charles Perrault, *Le siècle de Louis Le Grand.* Paris 1687.

ihr war eben gleichzeitig die klassische Doktrin von der Nachahmung der Antike grundsätzlich in Frage gestellt. Denn wenn die Leistungen der eigenen Zeit über die Antike hinausreichten, waren damit mindestens die künstlerischen und literarischen Produktionen zur Zeit der Kulturblüte ohne Vergleich und ohne Vorbild in der Antike. Die weitreichenden Folgen, die diese Anfechtung der Imitatio-Doktrin im Bereich der Ästhetik nach sich zog (Ansatz zu einer Ästhetik, die den Perfektionsbegriff zugunsten einer »historischen« Sicht relativiert), haben Kristeller und Hans-Robert Jauß näher untersucht[15]. Dieser Aspekt kann uns hier nicht im einzelnen beschäftigen. Aber auch für die historische Selbsteinschätzung der Zeit im Rahmen größerer historischer Verlaufsmodelle hat die »Querelle des Anciens et des Modernes« erhebliche Konsequenzen. Das beiden Parteien gemeinsame Bewußtsein, einen Höhepunkt der Kulturentwicklung erreicht zu haben, zwang nach der Zyklentheorie zu einer neuen Standortbestimmung für die Zukunft. Befand sich nach ihrer bisherigen Auslegung der eigene Platz am Beginn des Zyklus, so wurde nun eine radikal andere Prognose für die Zukunft notwendig.

Drei verschiedene Positionen sind für unsere Problemstellung in der »Querelle« zu unterscheiden.

1. Die Antikeverehrer sagen als strenge Zyklentheoretiker die Dekadenz nach dem Höhepunkt voraus und leiten damit die Entwicklungslinie klassizistischer Dekadenztheorien des 18. Jahrhunderts ein, nach denen die französische Klassik mit ihren unübertreffbaren künstlerischen Leistungen nun neben der Antike zu einem Modell der normativen Nachahmungsästhetik wird. Die Verfechter dieser These schienen eine Bestätigung für ihre Geschichtsdeutung in der Tatsache zu finden, daß nach dem Tod der großen Klassiker keine vergleichbaren Meisterwerke mehr entstanden, offenbar das Zeitalter der Epigonen angebrochen und so in der Tat eine Art Dekadenz nach der Blüte eingetreten war. In der letzten Phase der »Querelle des Anciens et des Modernes« beklagen die Antikeverehrer denn auch immer wieder die literarische Dekadenz. Madame Dacier löst mit ihrem *Traité de la corruption du goût* (Über den Niedergang des Geschmacks; 1714) eine Flut von Traktaten und Akademiereden

[15] P. O. Kristeller, *The modern system of the arts. A study in the history of aesthetics.* Journal of the history of ideas 12 (1951) und 13 (1952); sowie Jauß, *Ästhetische Normen.*

aus, in denen der gute Geschmack seit der Klassik für verloren erklärt und der »bel esprit« mit seinem schwülstigen Stil für diesen Verlust verantwortlich gemacht wird.

2. Eine zweite Neubestimmung des eigenen historischen Platzes im Rahmen des zyklischen Geschichtsmodells wird von Charles Perrault vorgenommen. Er variiert die Kreislauftheorie als Modernist in einem entscheidenden Punkt, wenn er den jeweils letzten Kulturzyklus mit seinem Höhepunkt den vorangegangenen im Wert für überlegen erklärt. Demnach bezeichnet die Entwicklung der Menschheitsgeschichte eine Art aufsteigende Wellenlinie. Perrault hält zwar noch an dem zyklischen Modell des Wechsels von Auf- und Abstieg der Kulturen fest, aber die immer vollkommener werdenden Blütezeiten ergeben trotz der Rückschläge und finsteren Zwischenzeiten insgesamt so etwas wie stufenweisen Fortschritt. Dekadenz nach dem Höhepunkt bleibt aber für Perrault letztlich unvermeidbar[16]. Diese Perraultsche Kombination von Zyklen- und Fortschrittstheorie wird später von vielen Aufklärern aufgenommen[17].

3. Eine dritte, grundsätzlich neue Geschichtstheorie bildet sich aus den Diskussionen der »Querelle des Anciens et des Modernes« heraus: Die *Fortschritts*theorie, die zuerst von Fontenelle entwickelt wird. Er erkennt, daß eine langfristig optimistische Zukunftsprognose innerhalb des zyklischen Modells nicht mehr möglich ist, und versucht deshalb, den Rahmen dieses Denksystems aufzubrechen.

Fontenelle stößt bereits mit seiner 1688 erschienenen *Digression sur les Anciens et les Modernes* zum eigentlichen Kern der Auseinandersetzung vor. Alle Detailvergleiche einzelner künstlerischer Produktionen in Antike und Moderne übergehend, wie sie eine Unzahl von Beiträgen zur »Querelle« in ermüdender Langatmigkeit wiederholen, stellt er die entscheidende Frage, was auf den Höhepunkt der Klassik folgen wird und welche Prognose der kulturellen und gesellschaftlichen Entwicklung für die unmittelbare Zukunft gegeben werden kann. Nach der Zyklentheorie konnte dem Höhepunkt nur unaufhaltsame Dekadenz folgen. Diesen Abstieg nach dem Höhepunkt leugnen, hieß in der letzten Konsequenz – die Fontenelle zieht –, das zyklische Modell insgesamt in Frage stellen.

[16] Vgl. Perrault, *Parallèle*, S. 125 (Bd. 1, S. 99 der Originalausgabe).

[17] Vor allem Montesquieu, Voltaire, Mirabeau, Helvétius, Raynal; vgl. dazu J. Schlobach, *Pessimisme des philosophes? La théorie cyclique de l'histoire au 18e siècle*. Studies on Voltaire and the eighteenth century 155 (1976).

Er betont zunächst die natürliche Gleichheit der Menschen aller Zeiten, die aber nicht auch die Gleichheit ihrer Leistungen bedeute. Die qualitative Unterscheidung von Produzent und Produkt ist von entscheidender Bedeutung. Denn auf diese Weise können sich bei aller Gleichartigkeit des Menschengeschlechts die Leistungen der einzelnen Generationen und Epochen durch Vermehrung von Erkenntnis und, was dasselbe ist, durch Erschöpfung des Irrtums addieren[18]. »Veritas, filia temporis«, diese alte, auf Aulus Gellius zurückgehende Weisheit[19] wendet Fontenelle auf den Streit um den Vorrang der Antike an und leitet aus ihr den Fortschritt des Wissens ab. Zwar verallgemeinert er die Fortschrittshypothese nicht undifferenziert, sondern betont etwa, daß Beredsamkeit und Poesie früh zu einem Endpunkt der Vollkommenheit gelangt sind[20]. Diese Nuancierung schränkt jedoch die Allgemeingültigkeit des Fortschritts für ihn im Grunde nicht ein. Denn Wissen, Erkenntnis und Philosophie sind – schon ganz im Sinne der Aufklärer – der qualitativ wertvollere Bereich[21]. Die Epoche der Philosophie bedeutet folglich auch einen Fortschritt gegenüber den Zeiten künstlerischer Vollkommenheit.

Die Betonung zunehmender Erkenntnis als Hauptkriterium für allgemeinen menschlichen Fortschritt zeigt sich vor allem in Fontenelles Haltung zum humanistischen Dreiteilungsschema der Universalgeschichte. Die Überlegenheit der Moderne gegenüber der Antike nach dem Vergleich ihrer Leistungen herauszustellen, das ließ sich mit dem Fortschrittsmodell vereinbaren, ja wurde von ihm sogar motiviert. Die Einbeziehung des Mittelalters, einer Epoche, die im humanistischen zyklischen Geschichtsbild als Tiefpunkt nach der antiken Kulturhöhe gedeutet wurde, zwang jedoch zu einer grundsätzlichen Entscheidung über die Anwendbarkeit des Fortschrittsmodells auf die Universalgeschichte.

In diesem Punkt deutet sich denn auch eine Schwierigkeit für Fontenelles Beweisführung an. Die negative Deutung des Mittel-

[18] Fontenelle, *Digression sur les anciens et les modernes.* Hrsg. von R. Shackleton, Oxford 1955, S. 165: »Nous avons l'obligation aux anciens de nous avoir épuisé la plus grande partie des idées fausses.«

[19] Vgl. dazu August Buck, *Aus der Vorgeschichte der Querelle des anciens et des modernes in Mittelalter und Renaissance.* Bibliothèque d'humanisme et de la renaissance 20 (1958), S. 535, mit der Quellenangabe aus den *Noctes Atticae,* XII, 11, 7.

[20] Fontenelle, *Disgression,* S. 166, 174, 175.

[21] Ebd., S. 170f.

alters konnte für die reine Fortschrittshypothese nur hinderlich sein. Andererseits vermochten die Modernisten des 17. Jahrhunderts sich dem historischen Dreiteilungsschema, das ihrer Frontstellung gegen Scholastik, Autoritätsglauben und religiös motivierte Korruptionstheorien entsprach, nicht zu entziehen. Eine Umdeutung des Mittelalters schien innerhalb dieses humanistischen Schemas unmöglich. Die sinnvolle Einordnung des Mittelalters in die als Fortschritt konzipierte gesamte Menschheitsgeschichte ist das Dilemma der Fortschrittstheoretiker des ausgehenden 17. und des 18. Jahrhunderts. Fontenelle ist sich der Problematik voll bewußt: »Die barbarischen Zeitalter, die dem des Augustus gefolgt sind, und die dem jetzigen, dem Ludwigs, vorausgegangen sind, liefern den Anhängern der Antike dasjenige ihrer Argumente, das in der Tat höchst zutreffend scheint. Woher kommt es, sagen sie, daß in jenen Jahrhunderten die Unwissenheit so undurchdringlich und tief war? Weil man die griechischen und lateinischen Autoren nicht mehr kannte und las: als man sich diese überragenden Vorbilder dagegen wieder vor Augen führte, sah man die Wiedergeburt der Vernunft und des guten Geschmacks.«[22]

Fontenelle will nicht die Tatsache der Ignoranz dieser Jahrhunderte bestreiten, hält jedoch die daraus abgeleitete übertriebene Verehrung der Antike mit der dahinterstehenden Zyklentheorie für wenig berechtigt. Er deutet das Mittelalter im Vergleich der Weltalter mit dem Verlauf des Menschenlebens als Krankheit des Gedächtnisverlustes. Krankheit schließe einen Neubeginn der Wissensaneignung nicht aus; und wenn das Gedächtnis (die überlieferten Texte der Antike) plötzlich wiederkehre, so könne die Menschheit an den Stand ihres Wissens vor der Krankheit anknüpfen. Wie junge Menschen ihre Bildung für eine gewisse Zeit vernachlässigen, weil sie mit der »passion de la guerre« beschäftigt seien, so wäre auch die Menschheit insgesamt sehr viel weiter, wenn es nicht die Entwicklungsstörung des Mittelalters gegeben hätte[23].

Die Menschheit wird also mit einem einzelnen Menschen verglichen, und Fontenelle baut das Bild systematisch aus:

[22] Ebd., S. 171: »Les siècles barbares qui ont suivi celui d'Auguste, et précédé celui-ci, fournissent aux partisans de l'antiquité celui de tous leurs raisonnemens qui a le plus d'apparence d'être bon. D'où vient, disent -ils, que dans ces siècles-là l'ignorance était si épaisse et si profonde? C'est que l'on n'y connaissoit plus les Grecs et les Latins, on ne les lisoit plus: mais du moment que l'on se remit devant les yeux ces excellens modèles, on vit renaître la raison et le bon goût.«

[23] Ebd.

»Unser Vergleich der Menschen aller Jahrhunderte mit einem einzigen Menschen kann auf unsere Frage der Antike und Moderne insgesamt ausgedehnt werden. Ein gut gebildeter Geist ist gewissermaßen aus den ›Geistern‹ der vorangegangenen Jahrhunderte zusammengesetzt. Es ist ein und derselbe Geist, der sich während dieser ganzen Zeit gebildet hat. So hat dieser Mensch, der vom Anfang der Welt bis jetzt gelebt hat, seine Kindheit gehabt, in der er sich nur mit den dringlichsten Bedürfnissen des Lebens beschäftigte, dann seine Jugend, in der er recht erfolgreich im Bereich der Imagination, etwa der Dichtung und Beredsamkeit, war und in der er sogar angefangen hat zu denken, aber mit weniger Solidität als mit Feuer. Jetzt ist er im Mannesalter, in dem er kraftvoller zu denken versteht, und er hat mehr Wissen denn je: aber er wäre bereits viel weiter fortgeschritten, wenn die Leidenschaft des Krieges ihn nicht länger beschäftigt und ihn die Wissenschaften hätte verachten lassen, zu denen er nun endlich zurückgekehrt ist.

Es ist ärgerlich, einen Vergleich nicht bis zu Ende führen zu können, der sich so gut angelassen hat: aber ich muß zugeben, daß jener Mensch nicht alt werden wird; er wird stets in gleicher Weise fähig sein zu den Dingen, die er in seiner Jugend konnte, und er wird es immer mehr werden in den Dingen, die dem Mannesalter gemäß sind. Das heißt, um nun die Allegorie zu verlassen, daß die Menschen niemals degenerieren und daß die richtigen Erkenntnisse aller großen ›Geister‹, die aufeinander folgen, stets vermehrt werden.«[24]

[24] Ebd., S. 171ff.: »La comparaison que nous venons de faire des hommes de tous les siècles à un seul homme, peut s'étendre sur toute notre question des anciens et des modernes. Un bon esprit cultivé est, pour ainsi dire, composé de tous les esprits des siècles précédens; ce n'est qu'un même esprit qui s'est cultivé pendant tout ce tems-là. Ainsi cet homme qui a vécu depuis le commencement du monde jusqu'à présent, au eu son enfance, où il ne s'est occupé que des besoins les plus pressans de la vie; sa jeunesse, où il a assez bien réussi aux choses d'imagination, telles que la poésie et l'éloquence, et où même il a commencé à raisonner, mais avec moins de solidité que de feu. Il est maintenant dans l'âge de virilité, où il raisonne avec plus de force, et a plus de lumières que jamais: mais il seroit bien plus avancé, si la passion de la guerre ne l'avoit occupé long tems, et ne lui avoit donné du mépris pour les sciences auxquelles il est enfin revenu.

Il est fâcheux de ne pouvoir pas pousser jusqu'au bout une comparaison qui est en si beau train: mais je suis obligé d'avouer que cet homme-là n'aura point de vieillesse; il sera toujours également capable des choses auxquelles sa jeunesse étoit propre, et il le sera toujours de plus en plus de celles qui conviennent à l'âge de virilité; c'est-à-dire, pour quitter l'allégorie, que les hommes ne dégénèront jamais, et que les vues saines de tous les bon esprits qui se succéderont, s'ajouteront toujours les unes aux autres.«

Es wurde hier in dieser Ausführlichkeit zitiert, weil der Text in zweifacher Hinsicht von großem Interesse ist. Zum ersten drückt er in aller Klarheit Fontenelles Geschichtsbild eines ständigen, wenn auch nicht immer kontinuierlichen Fortschritts aus. Die Menschheit wird in der Zukunft nie altern, sondern die Erkenntnisse aller Generationen in Vergangenheit und Zukunft addieren sich in einem unaufhaltsamen Prozeß. Fontenelles inhaltlicher Beitrag zur »Querelle des Anciens et des Modernes« – der hier nur kurz skizziert werden konnte – bedeutet also den Durchbruch zu einem neuen Geschichtsdenken. Die Zyklentheorie als universales Gesetz der Naturentwicklung und der Menschheitsgeschichte ist in ihren Grundlagen erschüttert. Im epochalen Prozeß der Ablösung des Kreislaufdenkens durch die Fortschrittstheorie ist Fontenelle als Wendepunkt zu bezeichnen.

Aus einem zweiten Grund jedoch ist der zitierte Text einer genaueren Interpretation wert. Fontenelle benutzt und reflektiert eine Bildlichkeit, in der er sein neues Geschichtsbild auszudrücken versucht und dabei auf Schwierigkeiten stößt. Nach einer bis in die Antike reichenden Tradition bezeichnete das Bildfeld Weltalter die zyklisch-organische Geschichtsauffassung des Auf- und Abstiegs mit der Bildfolge Geburt, Kindheit, Jugend, Mannesalter, Greisenalter, Tod eines Staates oder einer Kultur. Der Vergleich zwischen Menschenleben und Geschichtsverlauf basierte dabei auf der Annahme einer grundsätzlichen Analogie zwischen Mikrokosmos und Makrokosmos, zwischen Natur und Geschichte. Fontenelle beginnt seine Reflexion über den Verlauf der Geschichte des menschlichen Geistes wie selbstverständlich in dieser traditionellen Bildlichkeit, begreift aber, daß die Überwindung der humanistischen Zyklentheorie von einer Korrektur der mit ihr verbundenen organischen Metaphorik begleitet sein muß. Erst die Befreiung aus der inneren Logik des zyklischen Bildfeldes Weltalter macht das neue Geschichtsbild möglich. Der geschichtstheoretische Hintergrund, auf dem sich der Prozeß der Anfechtung organisch-zyklischer Metaphern vollzieht, besteht dabei, wie Hans Blumenberg feststellt, in ihrer Loslösung von der »Biologie der Geschichte zugunsten ihrer Rationalität«[25].

Das Geschichtsbild des Fortschritts sucht sich eine neue Begrifflichkeit; und wieder sind es vorwiegend Bilder, die zur

[25] Hans Blumenberg, *Kopernikus im Selbstverständnis der Neuzeit.* Akademie der Wissenschaften und der Literatur Mainz, Abhandlungen der Geistes- und Sozialwiss. Klasse, 1964/5. Wiesbaden 1964, S. 360, Anm. 1.

Kennzeichnung der verschiedenen Stadien von Geschichtsabläufen dienen. Teils handelt es sich dabei um Umdeutungen ursprünglich zyklischer Bildfelder, teils sind es andere, der Fortschrittstheorie gemäßere Bildspender, die auf Geschichtsepochen bezogen werden. In der gebotenen Kürze sollen hier Beispiele für beide Bildtypen angeführt werden, weil sie den Prozeß der Ablösung des zyklischen Modells durch die Fortschrittstheorie illustrieren und auch die Genese noch heute gängiger Epochenbegriffe erhellen können.

Neben der organischen Metaphorik, in der Menschenleben und Geschichtsverlauf analog gesetzt wurden, hatte auch die Lichtmetaphorik im Rahmen des zyklischen Modells zur Kennzeichnung von Geschichtsepochen gedient. Die Antike als Epoche des Lichts, das Mittelalter als Nacht oder finstere Zeit, die neue Zeit als Wiederaufgehen der Sonne oder Wiederbeginn des Tages: diese Bilder wurden von den Humanisten immer wieder benutzt. Und an dem Nebeneinander der einzelnen Stadien des Tageszyklus – vom Licht der Antike durch die Finsternis des Mittelalters zur Rückkehr des Lichtes in der Renaissance – zeigte sich eindeutig der zyklische Charakter dieser Metaphorik. Der natürliche Tageszyklus diente als Bild für die als Kreislauf verstandene Epochenfolge von der Antike über das Mittelalter bis zur Neuzeit.

Nun drückt bekanntlich eine Metapher aus dem Bereich der Lichtmetaphorik den Epochenbegriff für die »Aufklärung« (»siècle des lumières«) aus. Aber es ist sehr bezeichnend, daß der Epochenbegriff im Deutschen wie im Französischen in den Belegen des 18. Jahrhunderts, anders als die Lichtmetaphern in der Renaissance, die Vorstellung einer (ständigen) Vermehrbarkeit des Wissens beinhaltet. Jacques Roger hat die wichtige Beobachtung gemacht, daß besonders Fontenelle höchst selten von dem Licht im Singular, sondern – bereits wie im heutigen Epochenbegriff – fast durchgehend von »lumières« im Plural spricht, wenn er den Fortschritt der Erkenntnis bezeichnen will: »Au pluriel les lumières sont surtout les lentes acquisitions de l'humanité au cours de son histoire.«[26] (»Im Plural bedeuten die ›lumières‹ vor allem die langsamen Errungenschaften der Menschheit im Ver-

[26] J. Roger, *La lumière et les lumières.* Cahiers de l'association internationale des études françaises 20 (1968), S. 170; vgl. zur Lichtmetaphorik des 17. und 18. Jahrhunderts auch Roland Mortier, *Clartés et ombres du siècle des lumières.* Genf 1969 und Fritz Schalk, *Zur Semantik von Aufklärung in Frankreich.* In: Festschrift Walther von Wartburg, Tübingen 1968.

lauf ihrer Geschichte.«) An dem Plural »lumières« ist eine »Quantifizierung« der traditionellen zyklischen Lichtmetaphorik im Sinne der Fortschrittstheorie abzulesen. Auch die deutsche Form des Epochenbegriffs (»Aufklärung«) spiegelt den Gedanken einer ununterbrochenen Vermehrbarkeit des Wissens, was an einer klaren Unterscheidung Kants in seiner Schrift *Beantwortung der Frage: Was ist Aufklärung?* deutlich wird: »Wenn denn nun gefragt wird: Leben wir in einem aufgeklärten Zeitalter? So ist die Antwort: Nein, aber wohl in einem Zeitalter der Aufklärung.«[27]

Die zyklische Lichtmetaphorik zur Kennzeichnung von Geschichtsepochen wird also schon von den Frühaufklärern dem Fortschrittsmodell angepaßt und kann in der Folge sogar zum Schlüsselwort des historischen Selbstverständnisses der Aufklärungszeit werden.

Auch das pflanzlich-organische Bildfeld, nach dem die Staaten und Kulturen keimen, wachsen, reifen und welken, erfährt in der Frühaufklärung eine entsprechende Umdeutung. Der Akzent wird nun nicht mehr auf die organische, von menschlicher Intervention unabhängige Gesetzlichkeit des pflanzlichen Lebens gelegt. Vielmehr kann jetzt Arbeit, produktive Tätigkeit die Quantität des Wissens – wie beim Ackerbau die Erträge – vermehren. Wie Niedermann gezeigt hat, geht der moderne »Kultur«begriff bei Bacon, Hobbes und Pufendorf nicht zufällig aus bildlichen Übertragungen aus den Bereichen des Ackerbaus (»cultura« = Pflege der Saaten) und des Menschenlebens (»cultura« = Erziehung) hervor[28].

Eine der Fortschrittstheorie von der Evidenz des Bildspenders her adäquatere Bildlichkeit wird von den Aufklärern vor allem in der Wegmetaphorik gefunden, die insbesondere bei den bekannten Fortschrittstheoretikern des 18. Jahrhunderts (wie Turgot und Condorcet) mit offensichtlicher Vorliebe verwendet wird. Nur einige signifikante Beispiele können hier zitiert werden. Turgot schreibt: »La masse totale du genre humain [...] marche toujours, quoiqu'à pas lent, à une perfection plus grande.«[29] (»Die Gesamtheit des Menschengeschlechts geht stets, wenn

[27] Immanuel Kant, *Gesammelte Schriften*. Akademie-Ausgabe, Bd. 8, S. 40.

[28] J. Niedermann, *Kultur. Werden und Wandlungen des Begriffs und seiner Ersatzbegriffe von Cicero bis Herder*. Florenz 1941 (Biblioteca dell'»Archivum Romanicum«, Ser. I/28), S. 129ff.

[29] A. R. J. Turgot, *Tableau philosophique des progrès successifs de l'esprit humain*. Oeuvres, hrsg. von G. Schelle, Bd. 1, Paris 1913, S. 215f.

auch mit langsamen Schritten, auf eine größere Vollendung zu.«) Oder er spricht von der »route qui est tracée aux hommes«[30], der den Menschen vorgezeichneten Straße, der »carrière de la vérité«[31], dem Weg der Wahrheit. Condorcet sieht schnellere oder langsamere »Fortschritte«[32] und findet allenfalls Hindernisse (»obstacles«) oder Abweichungen vom Weg (»labyrinthe«[33]) der Menschheit.

Das Bild eines Menschen, der auf einem Weg zielgerichtet vorangeht, wobei dieses Fortschreiten einen ständigen quantitativen Erkennungsgewinn – damit aber auch eine qualitative Veränderung – impliziert, ist in der Tat sehr geeignet zum Ausdruck des neuen Geschichtsmodells eines ständigen Fortschritts.

Es wäre nun aber gewiß verfehlt, die hier sehr knapp und typologisch vereinfacht dargestellte Ablösung der Zyklen- durch die Fortschrittstheorie als einen plötzlichen Vorgang zu betrachten. Auch bei der metaphorischen Kennzeichnung von Geschichtsepochen ist die traditionelle organisch-zyklische Bildlichkeit nicht immer säuberlich zu trennen von der aufklärerischen Wegmetaphorik. Wie gezeigt, werden zyklische Metaphern im Sinne des neuen Geschichtsbildes umgedeutet, andererseits sind bereits in der Begrifflichkeit des zyklischen Geschichtsmodells Wörter festzustellen, die mindestens von ihrer etymologischen Bedeutung her der Wegmetaphorik zuzuordnen sind.

Ein Beispiel dafür ist insbesondere das Schlüsselwort der Fortschrittstheorie selbst: »progrès«. Es bezeichnet bei den Zyklentheoretikern das aufsteigende Stadium innerhalb eines halbkreisförmigen Schemas vom Anfang bis zum Ende der Kulturentwicklung und erscheint bereits im Titel vieler historiographischer und kulturgeschichtlicher Werke des 17. Jahrhunderts: »origine, progrès, perfection, décadence«[34]. Der zunehmende Einfluß der Fortschrittstheorie zeigt sich im 18. Jahrhundert daran, daß dieses Schema um die Dekadenzphase verkürzt wird und in den Titeln nur die Phase vom Ursprung bis zum Höhe-

[30] Ebd., S. 217.

[31] Ebd., S. 235.

[32] J. A. N. Caritat de Condorcet, *Esquisse d'un tableau historique des progrès de l'esprit humain.* Hrsg. von Hincker, Paris 1966, S. 77.

[33] Ebd., S. 217–219.

[34] Nur ein Titel für viele: P. F. Monier, *Histoire des arts, où il est traité de son origine, de son progrès, de sa chute et de son rétablissement.* Paris 1698.

punkt erscheint[35]. Die Ablösung zweier epochaler Geschichtsmodelle und der ihr zuzuordnenden Bildlichkeit ist folglich als ein differenzierter Prozeß zu sehen, bei dem die im einzelnen schon aus der Antike überlieferten Inhalte und sprachlichen Ausdrucksformen jeweils entsprechend dem geschichtlichen Selbstverständnis Verwendung finden.

Im Bewußtsein eines nicht mehr umkehrbaren Fortschritts der Erkenntnis, der für die Frühaufklärer das wesentliche Kriterium ihres geschichtstheoretischen Optimismus war, empfinden Fontenelle oder später Turgot jedenfalls die Zyklentheorie und die von den Naturzyklen des Tages, der Pflanzenwelt und dem Menschenleben abgeleitete Metaphorik als überholt. Damit ist die von der griechischen Antike bis zur französischen Klassik als selbstverständlich akzeptierte Analogie von Naturgesetz und Geschichtstheorie überwunden. Das historische Denken hat sich aus den Zwängen des zyklischen Naturbildes befreit. Turgot ist es, der dieses Ergebnis gleich zu Beginn seines *Tableau philosophique des progrès successifs de l'Esprit humain* in aller Klarheit formuliert: »Die Phänomene der Natur sind gleichbleibenden Gesetzen unterworfen und in einen Kreislauf ständig gleicher Umwälzungen eingeschlossen; alles wird wiedergeboren, alles geht wieder zugrunde; und in diesen aufeinanderfolgenden Generationen, in denen sich die Pflanzen und Lebewesen reproduzieren, bringt der Ablauf der Zeit in jedem Augenblick nur das Bild dessen wieder hervor, das er vorher hat zugrundegehen lassen.

Die Folge der Menschen dagegen bietet von Jahrhundert zu Jahrhundert ein ständig sich änderndes Schauspiel. Die Vernunft, die Leidenschaften, die Freiheit erzeugen ohne Unterbrechung neue Ereignisse: alle Zeitalter sind miteinander verkettet in einer Folge von Ursachen und Wirkungen, die den gegenwärtigen Weltzustand mit all denen verbinden, die ihm vorangegangen sind. Die willkürlichen Zeichen der Sprache und der Schrift haben – dadurch, daß sie den Menschen ein Instrument in die Hand geben, sich den Besitz ihrer Ideen zu sichern und sie andern mitzuteilen – aus allen Einzelkenntnissen einen gemeinsamen Schatz geschaffen, den eine Generation an die andere weitergibt wie eine Erbschaft, die durch die Entdeckungen jedes Jahrhunderts ständig vermehrt wird.«[36]

[35] Z.B. Noblet de la Clayette, *L'origine et les progrès des arts et des sciences*. Paris 1740.

[36] Turgot, *Tableau philosophique*, S. 214f.: »Les phénomènes de la nature,

In der Gewißheit ständigen Fortschritts der Menschheit betont Turgot die Unabhängigkeit der historischen Entwicklung vom organisch-zyklischen Naturgesetz. Darin ist eine der wichtigsten Ergebnisse der Auseinandersetzung der Frühaufklärung mit dem zyklischen Weltbild der Renaissance und der Klassik zu sehen.

Unser hier notwendigerweise auf die Darstellung wesentlicher Entwicklungslinien beschränkter Überblick über die klassisch-humanistische Zyklentheorie und ihre Anfechtung durch die frühaufklärerische Fortschrittstheorie sollte deutlich machen, daß die Geschichtsreflexion des 16. und 17. Jahrhunderts und ihre bildliche Sprache eine genauere Analyse wert sind. Dabei zeigt sich insbesondere der enge Zusammenhang zwischen Naturphilosophie, Ästhetik und Geschichtsreflexion, der für das klassisch-humanistische Denken kennzeichnend ist. Die immensen Fortschritte der Naturwissenschaften im 17. und 18. Jahrhundert begründen für die Frühaufklärer nicht nur ihren historischen Optimismus, sondern zwingen sie zur Herauslösung der Geschichte aus den Bereichen der Naturphilosophie und der Ästhetik. Damit bereiten sie den Weg für die großen geschichtsphilosophischen Leistungen der Aufklärung und der Romantik.

soumis à des lois constantes, sont renfermés dans un cercle de révolutions toujours les mêmes; tout renaît, tout périt; et, dans ces générations successives par lesquelles les végétaux et les animaux se reproduisent, le temps ne fait que ramener à chaque instant l'image de ce qu'il a fait disparaître.

La succession des hommes, au contraire, offre de siècle en siècle un spectacle toujours varié. La raison, les passions, la liberté produisent sans cesse de nouveaux événements: tous les âges sont enchainés les uns aux autres par une suite de causes et d'effets qui lient l'état présent du monde à tous ceux qui l'ont précédé. Les signes arbitraires du langage et de l'écriture, en donnant aux hommes le moyen de s'assurer la possession de leurs idées et de les communiquer aux autres, ont formé de toutes les connaissances particulières un trésor commun qu'une génération transmet à l'autre, ainsi qu'un héritage toujours augmenté des découvertes de chaque siècle.«

RUDOLF VON THADDEN

Geschichte als Prozeß bei Alexis de Tocqueville

1831 – ein Jahr nach der Julirevolution und vier Jahre vor der Veröffentlichung der ersten beiden Bände seiner *Demokratie in Amerika* – schrieb Tocqueville in einem Brief aus Amerika an seinen Freund Louis de Kergolay, daß die Geschichte seiner Meinung nach auf eine Demokratie ohne Grenzen zusteuere. »Ich sage nicht, daß dies gut sei; im Gegenteil, was ich in diesem Lande sehe, überzeugt mich, daß Frankreich schlecht damit fertig werden wird. Aber wir werden auf diesem Weg von einer unwiderstehlichen Gewalt vorwärts getrieben. Alle Anstrengungen, diese Bewegung anzuhalten, werden höchstens Pausen verschaffen.«[1]

Fast mit den gleichen Worten leitete Tocqueville 25 Jahre später, drei Jahre vor seinem Tode, sein Spätwerk *Das Ancien Régime und die Revolution* ein: »Inmitten der Dunkelheit der Zukunft lassen sich schon drei sehr klare Wahrheiten erkennen. Die erste ist die, daß alle Menschen heute von einer unbekannten Gewalt mitgerissen werden, einer Gewalt, die sich vielleicht zügeln und dämpfen, aber nicht besiegen läßt, und die sie bald sachte stößt, bald stürmisch drängt zur Zerstörung der Aristokratie.«[2]

Diese beiden Äußerungen Tocquevilles am Anfang und am Ende seines Wirkens bezeichnen das Thema, das sich wie eine Leitlinie durch sein ganzes Werk zieht: die fortschreitende Entwicklung der menschlichen Gesellschaft auf eine fundamentale Gleichheit hin, die vor keinen Barrieren, und seien sie noch so tief historisch begründet, haltmacht. Tocqueville nennt diese Entwicklung je nach den Umständen »développement«, »évolution« oder »mouvement social«; in bestimmter Beziehung spricht er auch von einer »marche de la société« oder einer »tendance continue des événements«, die es zu beobachten gelte[3]. Gelegentlich bedient er sich ferner des Begriffs »révolu-

[1] Brief an Louis de Kergolay, ohne Datum (wahrscheinlich Anfang Juli 1831). Oeuvres et correspondance, hrsg. von G. de Beaumont, Bd. V, Paris 1861, S. 315f.

[2] *L'Ancien Régime et la Révolution*, Avant-propos. Oeuvres complètes, hrsg. von J.-P. Mayer, Bd. II, 1, Paris 1952, S. 73f.

[3] So in der Einleitung zu *De la démocratie en Amérique*. Oeuvres complètes, Bd. I, 1, Paris 1951, S. 1ff.

tion«, wenn er die besondere Tragweite des geschichtlichen Wandels betonen will[4]. Von »progrès« spricht er im genannten Zusammenhang niemals.

Fragt man nach den Vorstellungen, die sich mit Tocquevilles Begriffen für die von ihm beobachtete geschichtliche Entwicklung verbinden, so springt zweierlei ins Auge: weder laufen sie auf eine Evolutionstheorie im Sinne der Fortschrittskonzepte des 19. Jahrhunderts hinaus, noch drücken sie eine bloße Anschauung von allgemeinem sozialen Wandel im Vorgriff auf entsprechende Entwürfe des 20. Jahrhunderts aus. Wenn Tocqueville von einer unaufhaltsam fortschreitenden Entwicklung der menschlichen Gesellschaft auf eine fundamentale Gleichheit hin spricht, meint er einen strukturierten Wandel, eine »gerichtete Strukturwandlung« im Sinne des Prozeßbegriffs von Norbert Elias[5]. Ihm geht es weder um eine deterministisch festgelegte noch um eine beliebig angenommene Entwicklung, sondern um einen Vorgang, der eine Räson und eine Richtung hat.

Dieser zugleich begründete und ausgerichtete Vorgang, den Tocqueville nicht Prozeß nennt, der sich aber in diesem Begriff angemessen darstellt, findet in der Einleitung zur *Demokratie in Amerika* eine differenzierte Inhaltsbeschreibung: »er ist universal, er ist dauerhaft, er entzieht sich täglich der menschlichen Macht; alle Ereignisse wie alle Menschen dienen seiner Entwicklung.«[6] In diesem Sinne ist die allmähliche Entwicklung zur Gleichheit der gesellschaftlichen Verhältnisse, zur »égalité des conditions«, ein geschichtlicher Prozeß. Sie greift über die Grenzen eines Landes hinaus, sie hält über eine einzelne historische Konstellation hinaus an, sie vollzieht sich unabhängig von den Machtbestrebungen einzelner Herrscher und sie macht sich sowohl Entgegenkommendes als auch Widerstrebendes dienstbar.

Tocqueville macht diesen Vorgang, noch ehe er zu seinem großen Thema der Entwicklung der Demokratie in Amerika kommt, am Beispiel der französischen Geschichte deutlich. Hier zeige sich, daß seit 700 Jahren, seit den Anfängen der Konzentration der Macht im Bereich der Krone, alle Kräfte zur Beförderung der Gleichheit beigetragen haben. »In Frankreich haben

[4] So spricht er beispielsweise in der Einleitung zu *De la démocratie en Amérique* von der »grande révolution sociale«, die sich ohne Revolution im engeren Sinne in Amerika vollzogen habe. Ebd., S. 11.

[5] Norbert Elias, *Über den Prozeß der Zivilisation. Soziogenetische und psychogenetische Untersuchungen.* 2. Aufl. Bern 1969, Bd. 1, S. XII.

[6] De la démocratie en Amérique, Bd. I, 1, S. 4.

sich die Könige als die rührigsten und ausdauerndsten Gleichmacher erwiesen. Als sie ehrgeizig und stark waren, bemühten sie sich, das Volk auf die Höhe des Adels zu heben; und als sie maßvoll und schwach waren, ließen sie es zu, daß das Volk sich über sie selbst erhob. Die einen haben der Demokratie durch ihre Talente, die anderen durch ihre Laster geholfen.«[7]

Die schrittweise Egalisierung der Verhältnisse ist also ein langfristiger Prozeß, dem alle Kräfte dienen, unabhängig von ihren Intentionen. In diesem Sinne ist sie ein »fait providentiel«, dem sich niemand verschließen kann. Da sie weit in die Geschichte zurückreicht und entsprechend Aussicht hat, auch in der Zukunft anzudauern, kommt ihr der Charakter eines Willensausdrucks des Herrn der Geschichte zu, des »souverain maître«. »Die Demokratie aufhalten zu wollen, erschiene als ein Kampf gegen Gott selbst.«[8]

In diesem Zusammenhang gewinnt ein Begriff Bedeutung, den Tocqueville bei der Erörterung des Gleichheitsthemas immer wieder bemüht: der Begriff der »Unwiderstehlichkeit« der Entwicklung. Als »irrésistible« erscheint ihm der große Prozeß der Egalisierung, die »Revolution, die seit so vielen Jahrhunderten über alle Hindernisse hinwegschreitet und die wir auch heute noch inmitten der Trümmer, die sie hinterlassen hat, weiter vordringen sehen«[9]. Keine Anstrengung einer Generation kann eine gesellschaftliche Bewegung, die so weit herkommt, aufhalten, kein Mensch hat die Macht, sie zum Stehen zu bringen. Die Entwicklung zur Gleichheit ist unaufhaltsam und unumkehrbar.

Damit ist jedoch ein Problem gegeben: Wenn der Prozeß der Egalisierung unaufhaltsam ist, von einer »unwiderstehlichen Gewalt« vorangetrieben wird, dann ist er möglicherweise auch bis in Einzelheiten hinein determiniert, ohne Optionsmöglichkeiten für die von ihm betroffenen Menschen. Wenn er in seinem Verlauf nicht mehr beeinflußbar zu sein scheint, dann hat dies Folgen für das Verhalten der Menschen. Eine Entwicklung, die wie »ein reißender Fluß« vorantreibt, kann entmutigen, die moralischen Kräfte erlahmen lassen.

Hier stellt sich also drängend die Frage nach dem Handlungs- und Freiheitsspielraum im geschichtlichen Prozeß. Tocqueville ist ihr wie wenigen anderen Fragen mit anhaltender Leidenschaft nachgegangen; bis ins Alter erörterte er sie in seinen Werken,

[7] Ebd., S. 2f.
[8] Ebd., S. 5.
[9] Ebd., S. 4; ähnlich S. 11.

Gelegenheitsschriften und Briefen. So griff er in seinem Briefwechsel mit John Stuart Mill nach der Lektüre von dessen Studie über das System der Logik genau die Stelle über das Verhältnis von Freiheit und Notwendigkeit auf und zeigte sich beeindruckt von Mills Unterscheidung zwischen »necessity« und »irresistibleness«[10]. Offenbar sah er hier einen Weg zur Lösung des Freiheitsproblems, denn die Millsche Unterscheidung bot die Möglichkeit, notwendige Entwicklungen ohne Fatalismus anzunehmen.

Dies aber rührte an den Nerv seines Geschichtsverständnisses. Wenn es nicht gelang, fatalistische Deutungen seiner Sicht eines gerichteten, nicht beliebigen Ganges der Geschichte auszuschließen, war der Sinn seiner analytischen Anstrengungen verfehlt. So ließ er sein Werk *Über die Demokratie in Amerika* in beschwörenden Sätzen gipfeln: »Ich verkenne nicht, daß mehrere meiner Zeitgenossen den Gedanken geäußert haben, die Völker seien auf dieser Welt niemals Herren ihrer selbst, sie seien zwangsläufig irgendeiner unüberwindlichen und vernunftlosen Macht unterworfen, die von früheren Ereignissen, der Rasse, dem Boden oder dem Klima herkommt. Dies sind jedoch falsche und faule Lehren, die nur schwache Menschen und kleinmütige Nationen hervorzubringen vermögen. Die göttliche Vorsehung hat das menschliche Geschlecht weder ganz unabhängig noch ganz sklavisch geschaffen. Sie zieht, es ist wahr, um jeden Menschen einen Schicksalskreis, aus dem er nicht heraustreten kann; aber in diesen weiten Grenzen ist der Mensch mächtig und frei; so auch die Völker.«[11]

Wo die Grenzen des Schicksalskreises, des »cercle fatal«, verlaufen, sagt Tocqueville jedoch nur umrißhaft. Zwar kreist sein ganzes Denken um die Frage, wie inmitten einer immer engmaschiger werdenden Welt Freiheitsspielräume und Freiheitsantriebe erhalten werden können, aber konkrete Aussagen zu dem Ausmaß der Determiniertheit des Menschen in seinem Handeln macht er nur wenige. Im Grunde ist er nie über die Aussagen in

[10] Brief an John Stuart Mill vom 8. Oktober 1843. In: *Correspondance anglaise.* Oeuvres complètes, Bd. 6, Paris 1954, S. 345. Die Äußerung bezieht sich auf Gedanken Mills in seinem im selben Jahr erschienenen Werk *A system of logic, ratiocinative and inductive. Being a connected view of the principles of evidence and the methods of scientific investigation.* Dort u.a. der Satz im Kapitel ›Of liberty and necessity‹: »That word [necessity] in its other acceptations, involves much more than mere uniformity of sequence: it implies irresistibleness.« Zitiert nach: *Collected works of John Stuart Mill,* Bd. 8, Toronto 1974, S. 839.

[11] *De la démocratie en Amérique,* Bd. I, 2, S. 339.

der *Demokratie in Amerika* hinausgegangen, die sich in einem Satz zusammenfassen lassen: Nur wer den Gang der Geschichte in seinen großen Linien als gegeben hinnimmt, gewinnt die Freiheit zu sinnvollem Handeln. Wer sich jedoch dagegen stemmt, läuft Gefahr, eben diese Freiheit zu verlieren[12].

Dieses an Hegel und Marx erinnernde Verständnis von Freiheit als Einsicht in die Notwendigkeit ist allerdings ohne jeden teleologischen Zug. Weder stilisiert Tocqueville den von ihm erkannten Gang der Geschichte zu einer höheren Qualität von Geschichte empor, noch leitet er aus seiner Einsicht irgendwelche Freiheitsrelativierungen im Interesse angeblich höherer Notwendigkeiten ab. Ihm geht es lediglich – und das ist sehr viel – um die Gewinnung eines vernünftigen Ansatzpunktes zu verantwortlichem Denken und Handeln, jenseits von Naivität und diesseits von Fatalismus.

Praktisch bedeutet dies, daß Tocqueville ebenso sorgfältig auf die Modalitäten des Prozeßverlaufs achtet wie auf dessen Richtung. Die Freiheit des Menschen beruht für ihn darin, daß er auf die Art und Weise des Ablaufs geschichtlicher Entwicklungen einwirkt, sie vor »barbarischen« Ausformungen zu bewahren sucht. »Die Demokratie belehren, wenn möglich ihre Ideale beleben, ihre Sitten läutern, ihre Bewegungen regulieren, nach und nach ihre Unerfahrenheit durch sachkundiges Wissen, ihre blinden Instinkte durch die Kenntnis ihrer wahren Interessen ersetzen, ihre Regierung den Verhältnissen von Zeit und Ort anpassen, sie den Umständen und den Menschen gemäß ändern: das ist die erste Pflicht, die in unseren Tagen den Führungskräften der Gesellschaft auferlegt ist.«[13]

Die Tragweite dieser Folgerung macht Tocqueville an einer kritischen Beobachtung deutlich. Nach seiner Meinung haben

[12] In diesem Sinne etwa die Sätze im Schlußkapitel aus der *Demokratie in Amerika:* »Ich bemerke eine große Zahl von Zeitgenossen, die unter den Einrichtungen, Ansichten und Vorstellungen, die der aristokratischen Verfassung der alten Gesellschaft entstammten, eine Auswahl treffen möchten; sie würden gern die einen preisgeben und die anderen bewahren, um sie mit sich in die neue Welt hinüberzunehmen. Ich meine, daß sie ihre Zeit und ihre Kräfte an eine zwar ehrenwerte, aber fruchtlose Arbeit verschwenden.« Ebd., S. 338.

[13] *De la démocratie en Amérique*, Bd. I, 1, S. 5. – Es ist unverständlich, wie Otto Vossler dieses Bemühen Tocquevilles um die Art und Weise der geschichtlichen Entwicklung zur Gleichheit als »Kompromiß« bezeichnen kann, wenn er den bekannten Schlußsatz der *Demokratie in Amerika* über die verschiedenen Perspektiven der Gleichheit interpretiert (*Alexis de Tocqueville. Freiheit und Gleichheit.* Frankfurt 1973, S. 239).

die Häupter der Staaten nie daran gedacht, Vorsorge für die »große gesellschaftliche Revolution« zu treffen, die sich mit der Herausbildung der modernen Demokratie vollzogen hat; sie habe sich gegen ihren Willen oder ohne ihr Wissen durchgesetzt. Die mächtigsten, aufgeklärtesten und sittlich reifsten Klassen der Nation seien nicht bemüht gewesen, sich der Entwicklung anzunehmen, um sie zu lenken. »So blieb die Demokratie ihren ungezügelten Instinkten überlassen; sie ist aufgewachsen wie eines jener Kinder, die, ohne elterliche Fürsorge, allein in den Straßen unserer Städte groß werden und von der Gesellschaft nichts kennen als ihre Laster und ihr Elend.«[14]

Tocqueville kritisiert also die Träger politischer Verantwortung dafür, daß sie die geschichtliche Entwicklung hätten treiben lassen. Der Erfolg sei gewesen, daß die demokratische Revolution sich in den Rohelementen der Gesellschaft vollzogen habe, ohne daß in den Gesetzen, Ideen, Gewohnheiten und Sitten der Wandel stattgefunden hätte, der nötig gewesen wäre, um diese Revolution nützlich zu machen. »So haben wir die Demokratie ohne alles, was ihre Laster mildern und ihre natürlichen Vorzüge zur Geltung bringen könnte; und während wir schon die Übel sehen, die sie nach sich zieht, wissen wir noch nichts von den Wohltaten, die sie mit sich bringen kann.«[15]

Hier liegt der Ansatzpunkt für die hohe Bedeutung, die Tocqueville der Existenz von Institutionen zumißt. Er beobachtet mit Sorge, daß sich die geschichtliche Entwicklung ohne Korrektive vollzieht, ohne Regulierung ihres quasi naturwüchsigen Laufs. Regulierungen aber erscheinen ihm notwendig, wenn vermieden werden soll, daß die Entwicklung einem verhängnisvollen Ende zutreibt, ja selber zum Verhängnis wird. Deswegen kommt alles darauf an, Einrichtungen zu schaffen, die den Menschen instandsetzen, auf den Lauf der Dinge einzuwirken und Auswüchsen zu begegnen[15a].

Diese Einrichtungen, die Institutionen, haben nach Tocqueville auch den Zweck, Widrigkeiten zu überstehen und Dauer im Wandel zu sichern. »Es gibt Zeiten«, so formuliert er in einem Aufsatz über *Die gesellschaftlichen und politischen Zustände in*

[14] *De la démocratie en Amérique*, Bd. I, 1, S. 5.

[15] Ebd., S. 6.

[15a] Vgl. dazu auch meine Ausführungen über das Tocquevillesche Verständnis der Bedeutung von Institutionen in meinem Vortrag vor dem Europäischen Theologenkongreß in Wien 1976: *Wahrheit und institutionelle Wirklichkeit der Geschichte*. Kerygma und Dogma 23 (1977), S. 117ff.

Frankreich vor und nach 1789, »in denen die auf ihre Unabhängigkeit am stärksten bedachten Völker sich dahin treiben lassen, diese als nur zweitrangiges Ziel ihrer Anstrengungen zu betrachten. Der große Nutzen freier Institutionen besteht darin, die Freiheit auch in der Zwischenzeit aufrechtzuerhalten, in der die Gedanken der Menschen mit anderen Dingen beschäftigt sind, und ihr eine Art vegetatives Leben zu sichern, das ihr entspricht und Zeit läßt, zu ihr zurückzukehren. Die Formen erlauben es den Menschen, der Freiheit vorübergehend überdrüssig zu werden, ohne sie dabei zu verlieren.«[16]

Es ist deutlich, daß es Tocqueville hier nur um freiheitsbezogene Institutionen zu tun ist, um »Formen«, die den Freiheitswillen des Menschen nicht ersticken. Institutionen, die nur Anpassung an die gesellschaftliche Entwicklung fördern, nur Konformität des Verhaltens produzieren oder gar intendieren, können nach seiner Meinung keine korrektive Funktion erfüllen. Sie begünstigen nur die Erschlaffung der moralischen Kräfte, die Resignation[17].

Solche für die moralischen Kräfte verderblichen Institutionen sind für Tocqueville die des modernen Verwaltungszentralismus[18]. Sie schwächen die Bereitschaft zur Initiative, mindern den Sinn für öffentliche Verantwortung und zehren die moralischen Energien aus. Im Grunde sind sie Produkte eines den Prozeß der Egalisierung unter bestimmten Umständen begleitenden Prozesses: desjenigen der Zentralisation. Auch dieser Prozeß ist ein lang anhaltender, Generationen umspannender Vorgang, auch er übersteigt den Willen eines Einzelnen oder die Macht eines Er-

[16] *Etat social et politique de la France avant et depuis 1789*. Oeuvres complètes, Bd. II, 1, S. 64.

[17] Sehr schön beschreibt John Stuart Mill die Intention der Tocquevilleschen Geschichtsanalyse in einem Brief an Tocqueville vom 15. Dezember 1856: »si l'on peut regarder comme le but principal de votre vie philosophique, celui de caractériser la nature et les tendances de l'époque actuelle, pour mieux diriger ces tendances dans ce qu'elles ont de bon et les corriger autant que possible dans ce qu'elles ont de mauvais, je trouve que vous avez fait un pas important dans l'explication de cet état de choses actuel, en montrant ses racines dans le passé.« *Correspondance anglaise*, a.a.O., S. 349f.

[18] Hier steht Tocqueville in der Tradition der in der Restaurationszeit in Frankreich vielseitig erörterten Kritik am Verwaltungszentralismus. So hat auch sein eigener Vater, Hervé Clérel de Tocqueville, eine zentralismuskritische Schrift *De la Charte Provinciale* verfaßt (Paris 1829), die mehr als eine bloße Studie zur Verwaltungsreform war. S. dazu meine Arbeit *Restauration und napoleonisches Erbe. Der Verwaltungszentralismus als politisches Problem in Frankreich (1814–1830)*. Wiesbaden 1972, S. 264f.

eignisses. »Es war mehr ein Werk der Geduld, der Geschicklichkeit und der Zeitdauer als eines der Gewalt und der Machtbefugnis.«[19]

Dieser Prozeß der Zentralisation ist so konsistent, daß er nicht einmal von dem weltgeschichtlichen Ereignis der großen Revolution von 1789 aufgehalten werden konnte. Ja mehr noch: er ist so mächtig, daß er schließlich auch die Revolution auf seine Bahn zu lenken vermochte. »Wenn ich gefragt würde«, so faßt Tocqueville seine Gedanken zur Dauerhaftigkeit der Verwaltungszentralisation zusammen, »wie dieser Teil des Ancien Régime als Ganzes in die neue Gesellschaft hinübergenommen werden und sich dort einfügen konnte, so würde ich antworten, daß die Zentralisation in der Revolution nicht untergegangen ist, weil sie selbst deren Anfang und Vorzeichen war.«[20]

Die hier zum Ausdruck kommende Theorie Tocquevilles von der Kontinuität zwischen dem vorrevolutionären und dem nachrevolutionären Frankreich implizierte von Anfang an eine Fülle von Streitfragen. Sie relativierte nicht nur den Stellenwert der Französischen Revolution in der Geschichte der modernen Welt, sie ließ auch ganz selbstverständlich die Frage aufkommen, welche Möglichkeiten der Veränderung oder Erneuerung es angesichts so stark sich durchhaltender Linien in der Geschichte überhaupt gebe. Vor allem aber löste sie verstärkt die Frage nach dem Grad der Determination geschichtlicher Abläufe aus. Denn mit der Feststellung eines unaufhaltsamen Prozesses der Zentralisation war offenbar auch auf der Ebene der Institutionen ein Moment der Zwangsläufigkeit gegeben, auf der Ebene also, die Korrektive zur fundamentalen gesellschaftlichen Entwicklung bieten sollte.

Die Diskussion über diese Streitfragen führte Tocqueville insbesondere mit einem Zeitgenossen, der ihm von Herkommen und Milieu her nahestand, aber geistig absolut fremd war: mit Arthur de Gobineau[21]. Der Autor des *Essai sur l'inégalité des races humaines,* der seine Theorie von der unaufhebbaren Ungleichheit der Menschen mit ähnlicher Leidenschaft verfocht wie

[19] *L'Ancien Régime et la Révolution,* a.a.O., S. 127.

[20] Ebd., S. 129.

[21] Der entsprechende Briefwechsel liegt in einem eigenen Band der *Oeuvres complètes* (Bd. 9) mit einer vorzüglichen Einleitung von J.-J. Chevallier vor: *Correspondance d'Alexis de Tocqueville et d'Arthur de Gobineau.* Paris 1959. Dort schreibt Tocqueville in einem Brief vom 17. November 1853: »Il y a un monde intellectuel entre votre doctrine et la mienne.« (S. 203).

Tocqueville die seine von der unaufhaltsamen Entwicklung zur Gleichheit[22], zeigte keinerlei Verständnis für den Versuch seines Diskussionspartners, freiheitliche Institutionen für ein Land zu fordern, das offensichtlich zum bürokratischen Zentralismus verurteilt war. »Es erscheint mir schwierig«, so argumentiert er in einem Brief nach Lektüre von Tocquevilles *Ancien Régime und die Revolution*, »den mehr oder weniger komplizierten Mechanismus, den man auf eine Gesellschaft wie die unsere aufsetzt, um sie beweglich zu machen, als freie Institutionen zu bezeichnen. Ein Volk, das mit der Republik, der konstitutionellen Monarchie oder dem Kaiserreich immer pietätvoll eine unmäßige Leidenschaft für Eingriffe des Staates in allen Angelegenheiten bewahrt ..., das die Selbstverwaltung nicht mehr versteht und dem die absolute und widerspruchslose Zentralisation der letzte Ausdruck des Guten ist, wird nicht nur niemals freie Institutionen haben, sondern wird auch niemals begreifen, was dies ist. Im Grunde wird es immer dasselbe Regierungssystem unter verschiedenen Namen haben, und da es offenbar so sein muß, ist es besser, daß dieses prinzipiell immer gleiche Regierungssystem in der Praxis so einfach wie möglich ist.«[23]

Dieses Plädoyer Gobineaus für die Beibehaltung des bürokratischen Zentralismus ist nicht nur eine situationsgebundene Befürwortung des Regierungssystems Napoleons III., das auf der Linie des monarchischen Absolutismus allen Formen einer freien politischen Mitwirkung der Bürger entgegenstand. Vielmehr ist es eine grundsätzliche Infragestellung des Tocquevilleschen Denkansatzes, der allen Nachweisen einer freiheitsfeindlichen Entwicklung zum Trotz an seinen Bemühungen um Korrektivkräfte festhält. Deswegen sieht sich Tocqueville veranlaßt, mit Sarkasmus und Schärfe auf Gobineaus Kritik zu antworten und seine eigene Position unter Rekurs auf letzte Überzeugungen zu verdeutlichen: »Da Sie die Freiheit nicht so haben können, wie sie vor fünfhundert Jahren bestand, ziehen Sie es vor, gar keine zu haben. Sei es. Aus Angst, den Despotismus der Parteien zu erleiden, unter denen man wenigstens noch mit dem Wort und der Presse seine Würde und Unabhängigkeit verteidigen konnte, finden Sie es gut, auf eine einzige Weise und zugleich von einem einzigen Menschen unterdrückt zu werden ... Sei es nochmals.

[22] Das 1853 erschienene Werk erlebte mehrere deutsche Ausgaben. Die letzten wurden von Ludwig Schemann besorgt und erschienen unter dem Titel *Versuch über die Ungleichheit der Menschenrassen;* zuletzt Stuttgart 1939!

[23] Brief an Tocqueville vom 29. November 1856. *Correspondance*, S. 274.

... Aber in meinen Augen sind die menschlichen Gesellschaften wie auch die Individuen nur etwas durch den Gebrauch der Freiheit. Daß die Freiheit in demokratischen Gesellschaften ... schwerer zu begründen und aufrechtzuerhalten ist als in manchen aristokratischen ..., habe ich immer gesagt. Aber daß dies unmöglich sei, würde ich niemals zu denken wagen. Selbst wenn ich am Gelingen verzweifeln müßte, würde ich doch Gott bitten, mir niemals diesen Gedanken einzugeben.«[24]

Tocqueville wendet sich hier also wie im Falle seiner Erörterung der unaufhaltsamen Entwicklung zur Demokratie gegen die konformistisch-fatalistischen Konsequenzen, die sein Diskussionspartner aus der Deutung der Geschichte als eines weder richtungslosen noch beliebigen Prozesses zieht. Während er jedoch in seinem Werk *Über die Demokratie in Amerika* und in den anderen frühen Schriften Handlungs- und Freiheitsspielräume noch ziemlich zuversichtlich im Bereich der Institutionen finden zu können glaubt, ist er nach seiner kritischen Analyse des institutionellen Zentralisationsprozesses in seinem Spätwerk *Das Ancien Régime und die Revolution* stärker auf die moralischen Anstrengungen des Menschen zur Freiheitsbehauptung zurückgeworfen, wenn er nach Korrektivmöglichkeiten im Gang der geschichtlichen Entwicklung sucht. Gewiß, auch schon in der *Demokratie in Amerika* mißt Tocqueville den moralischen Energien des Menschen eine zentrale Bedeutung im Kampf gegen fatalistische Deutungen der Geschichte zu, und auch hier ist die Kritik am institutionellen Zentralismus im Ansatz bereits voll entwickelt[25]. Aber erst später, im Kontext seiner großen Auseinandersetzung mit der Entstehung der Französischen Revolution, gewinnt jene pessimistische Sicht der Dinge die Oberhand, die schließlich nur noch im Rückgriff auf letzte moralische Energien und Kategorien eines höheren Sinnvertrauens zu korrigieren ist.

Dieses von tiefem Pessimismus erfüllte Geschichtsverständnis des späten Tocqueville ist freilich nicht ablösbar von den Erfahrungen der fünfziger Jahre in Frankreich. Er selbst reflektiert sie wiederholt und führt sie in der Diskussion mit Gobineau als Grund für die fatalistischen Neigungen der Zeit an. So konzediert er seinem Gesprächspartner im Streit um dessen These von der rassischen Determinierung der geschichtlichen Entwicklung

[24] Brief an Gobineau vom 24. Januar 1857, ebd., S. 280.

[25] Etwa in dem Kapitel, in dem er die »zwei Arten des Zentralismus« beschreibt: Bd. I, 1, S. 86ff.

eine gewisse Zeitgebundenheit der pessimistischen Geschichtsdeutung und schreibt: »Das letzte Jahrhundert hatte ein übertriebenes und etwas kindliches Zutrauen zu den Möglichkeiten des Menschen und der Völker, über sich und ihr Schicksal zu bestimmen. Das war der Irrtum der Zeit, gewiß ein nobler Irrtum, der, wenn er auch viele Torheiten bewirkt hat, doch auch zu großen Dingen Anlaß gegeben hat, neben denen die Nachkommenschaft uns heute sehr klein finden wird. Die Revolutionsmüdigkeit, der Überdruß an Emotionen, das Scheitern so vieler hochherziger Ideen und weitgespannter Hoffnungen haben uns jetzt in das entgegengesetzte Extrem getrieben. Nachdem wir geglaubt haben, uns wandeln zu können, halten wir uns nun für unfähig, uns zu bessern. ... Wir haben geglaubt, alles zu können, und meinen heute, nichts zu können, und neigen zum Glauben, daß der Kampf und die Anstrengungen nunmehr nutzlos sind.«[26]

Aber Tocqueville bleibt nicht bei der Situationsanalyse stehen. Er geht weiter und greift in Gobineau den Verfechter einer, wie er meint, verderblichen Lehre an. Was ihn an der Rassentheorie seines Gesprächspartners beunruhigt, ist nicht nur ihre sachliche Anfechtbarkeit, sondern auch und vor allem ihre problematische moralische Wirkung. Nach Tocqueville läuft die Theorie Gobineaus auf eine Bestärkung fatalistischer Neigungen hinaus, auf eine Schwächung des Freiheitswillens im Menschen[27]. Wenn eine »fatalité de la constitution«, eine Unentrinnbarkeit der physischen Beschaffenheit der Menschen behauptet werde[28], so bestehe kein Beweggrund mehr, gegen Widrigkeiten anzugehen und Anstrengungen zur Verbesserung schlechter Verhältnisse auf sich zu nehmen. »Welchen Sinn kann es haben«, so fragt er Gobineau ganz direkt, »kraftlose Völker, die in der Barbarei, in der Verweichlichung oder in der Knechtschaft leben, davon zu überzeugen, daß angesichts ihres rassenbedingten Zustandes keine Chance für sie besteht, ihre Lage zu verbessern, ihre Sitten zu wandeln oder ihre Regierungsform zu ändern?«[29]

Dieses bohrende Fragen Tocquevilles nach dem moralischen Wert von geschichtstheoretischen Deutungsversuchen ist frei-

[26] Brief an Gobineau vom 20. Dezember 1853. *Correspondance,* S. 205.

[27] In einem Brief vom 17. November 1853 an Gobineau befürchtet Tocqueville »un très grand resserrement sinon ... une abolition complète de la liberté humaine«, auf die die Rassentheorie Gobineaus hinauslaufe. Ebd., S. 202.

[28] Ebd., S. 201.

[29] Ebd., S. 203.

lich weder Ausdruck eines platten utilitaristischen Denkens noch Flucht vor den logischen Unausweichlichkeiten seines eigenen theoretischen Ansatzes. Es gehört zu den gröbsten Mißdeutungen des Autors der *Demokratie in Amerika*, wenn ihm eine Art Moralismus aus Verlegenheit unterstellt wird[30]. Wenn Tocqueville glaubt, vor den verderblichen Folgen ungeistiger deterministischer Lehren wie der Rassentheorie Gobineaus warnen zu müssen, so tut er dies nicht, weil er keine anderen Argumente dagegen hätte, weil er nur noch praktische Gründe anführen könnte, wo er theoretische nicht mehr vorzubringen imstande wäre. Nein, er warnt vor den Folgen solcher Lehren, weil und insofern sie unmittelbarer Ausfluß eines falschen theoretischen Ansatzes sind, auf ein fragwürdiges Verständnis der Geschichte selbst zurückweisen. Für ihn gibt es keine abstrakten Determinanten der Geschichte, denen der Mensch rückwirkungslos gegenübersteht. Bei ihm treten Gedanke und Tat nicht auseinander – etwa in dem Sinne, daß das Schicksal in der großen theoretischen Perspektive unentrinnbar ist, dafür aber das Leben in der Praxis beliebig und lax sein mag. Diese Verbindung von theoretischem Fatalismus und praktischem Libertinismus ist das genaue Gegenteil von Tocquevilles Konzeption einer Zuordnung von Freiheit und Notwendigkeit[31].

Im Vergleich mit Gobineaus Theorie von der Unaufhebbarkeit der rassenbedingten Ungleichheit der Menschen gewinnt Tocquevilles Deutung der Geschichte als eines unaufhaltsamen Prozesses zur Gleichheit ihr eigentliches Profil. Während bei Gobineau die Freiheit zu einem Beliebigkeitsmoment einer als Verhängnis verstandenen Geschichte degeneriert – mit der Folge,

[30] So vor allem Otto Vossler in seiner Abhandlung über Tocqueville: »Daß die Wahrheit nie trostlos ist, das weiß er offenbar nicht. Er sieht da einen Widerspruch und gerät in ein Dilemma zwischen Theorie und Praxis, zwischen Gedanke und Tat, und vor die – scheinbare – Wahl gestellt, ist er bereit, die Erkenntnis, die mögliche Wahrheit, beiseite zu lassen, und er entscheidet sich für das in dieser unserer Zeit Ungefährliche, für das moralisch und praktisch Dienliche.« *Alexis de Tocqueville*, S. 230.

[31] Seine Abneigung gegen abstrakte, die moralischen Folgen nicht mitbedenkende Theorien bringt Tocqueville mehrfach in kritischen Bemerkungen über deutsche Eigenheiten zum Ausdruck. So etwa in einem Brief an Gobineau vom 30. Dezember 1853: »Mais je ne suis pas devenu assez allemand en étudiant la langue allemande pour que la nouveauté ou le mérite philosophique d'une idée me fasse oublier l'effet moral ou politique qu'elle peut produire.« *Correspondance*, a. a. O., S. 205. Oder in einem Brief vom 30. Juli 1856: »Les Allemands qui ont seuls en Europe la particularité de se passionner pour ce qu'ils regardent comme la vérité abstraite, sans s'occuper de ses conséquences pratiques ...« Ebd., S. 267.

daß er nur noch verächtlich von ihr sprechen kann[32] –, ist Freiheit für Tocqueville ein konstitutiver Bestandteil der Geschichte als Prozeß. Sie ist bedeutsam für die Qualität des geschichtlichen Prozesses, auch noch im Scheitern. Indem Freiheit intendiert wird, ändert sich die Art des Ablaufs der Geschichte; bereits ihre Möglichkeit gibt den Notwendigkeiten einen anderen Charakter. So wie – um es im Bilde zu sagen – es für das Leben nicht indifferent ist, wie es sich zu dem unabwendbar am Ende stehenden Tod verhält, so ist es für den Gang der Geschichte nicht belanglos, ob und wie die Menschen ihn begreifen, ihn annehmen.

So gesehen, kann die Freiheit geradezu eine sinnstiftende Kraft haben. Obwohl Tocqueville sich hütet, den von ihm erkannten Prozeß der Geschichte teleologisch zu deuten und die Entwicklung zur Gleichheit als Ziel der Geschichte auszugeben, ist für ihn dieser Prozeß nicht sinnlos. Im Gegenteil: die Zurückhaltung gegenüber teleologischen Fixierungen der Geschichte drängt ihn dazu, verstärkt nach einem Sinn des Lebens zu suchen, der offenbar zentral in der Entfaltung aller moralischen Energien für die Freiheit, für das Wagnis einer menschenwürdigen Existenz liegt. Insofern ist es ebenfalls eine grobe Mißdeutung Tocquevilles, wenn ihm ein nicht sinnorientiertes Geschichtsverständnis unterstellt wird[33].

Wenn irgendwo, so wird im Zusammenhang der Frage nach einem Sinn in der Geschichte deutlich, daß geschichtliche Prozesse für Tocqueville keine mechanischen Abläufe sind. Sie werden von keinen Abstraktionen bestimmt, sondern von Menschen getragen, von handelnden, leidenden, lebenden Menschen. Wenn diese Prozesse auch gerichtet sind, von »einer unwiderstehlichen Gewalt« getrieben werden, so sind sie doch nie vom Menschen abgelöst. Sie sind anthropozentrisch[34]. Deswegen

[32] »Je suis de ceux qui méprisent ...«, Brief an Tocqueville vom 29. November 1856, ebd., S. 275.

[33] In diesem Sinne verzeichnet wiederum Vossler Tocquevilles Geschichtsverständnis: »Ein Rätsel aber bleibt es, warum man sich mit einer Geschichte noch beschäftigen soll, die steril ist, unnötig, ohne Wert, ohne Sinn, ohne Ergebnis.« *Alexis de Tocqueville*, S. 228. Deswegen kann er auch in seiner Schlußbetrachtung den gänzlich abwegigen Satz schreiben: »Wir wollen nun Tocqueville nicht mit der Frage behelligen, was denn in einer Geschichte, die keinen erkennbaren Sinn hat, das Leben für einen Sinn haben soll, und was für einen Sinn es haben kann, sich mit einer sinnlosen Geschichte noch zu beschäftigen.« Ebd., S. 253. Weil hier die Prämisse falsch ist, sind auch alle Folgerungen falsch.

[34] Wiederum gegen Vossler, der meint, daß Tocqueville »eine kollektivistische, generalisierende, schematisierende, kausale Erklärung« für den historischen Pro-

lohnt es sich für Tocqueville, immer wieder nach Einwirkungsmöglichkeiten auf den Gang der Dinge zu suchen, an die menschliche Verantwortung zu appellieren. Auch wenn der Prozeß der Egalisierung die Handlungs- und Freiheitsspielräume gefährlich einzuengen droht, bleibt doch eine Chance für die Freiheit als Postulat, weil der Mensch weder restlos aus dem Prozeß der Geschichte hinausgedrängt noch völlig von ihm aufgesogen werden kann. Der Mensch ist nicht gleichgültig für den Gang der Geschichte; er ist nach Tocquevilles fester Überzeugung nicht zu einem bloßen Herdentier-Dasein verurteilt[35].

Tocquevilles Geschichtsbild entspricht also letzten Endes seinem Menschenbild. Weil Freiheit für ihn, unbeschadet einer wachsenden Skepsis, potentiell zum Menschen gehört, ist sie für ihn auch als Möglichkeitsmoment der Geschichte gegeben. Sie mag eingeengt, bedroht, verdunkelt werden – sie behält Bedeutung als im Menschen begründete Forderung. Während jedoch Jacob Burckhardt angesichts der sich verdunkelnden Horizonte der Geschichte zu Kategorien der ästhetischen Betrachtung Zuflucht nimmt, bleibt Tocqueville unbeirrt auf dem Kampffeld des moralisch-politischen Einsatzes. Wenn der Verlauf des geschichtlichen Prozesses auch nicht in die Macht des Menschen gestellt ist, so liegt es doch bei diesem, ob der Prozeß sich human oder inhuman vollzieht.

zeß suche »mit dem Erfolge, daß schließlich statt der Menschen Abstraktionen als die wirklich treibenden Kräfte der Geschichte erscheinen.« Ebd., S. 223.

[35] Im Brief an Gobineau vom 24. Januar 1857 schreibt er: »je ne croirai point que cette espèce humaine qui est à la tête de la création visible soit devenue ce troupeau abâtardi que vous nous dites et qu'il n'y ait plus qu'à livrer sans avenir et sans ressource à un petit nombre de bergers qui, après tout, ne sont pas de meilleurs animaux que nous et souvent en sont de pires.« *Correspondance,* S. 280f.

Helmut Fleischer

Zur Analytik des Geschichtsprozesses bei Marx

Anders als Historiker, die dem Geschichtsprozeß in der Hauptsache als Prozeßbeobachter gegenüberstehen und auch ihre gegenwärtige Zeitgeschichte mehr als Mitbetroffene erleben denn als Mitwirkende in sie eingreifen, war Marx an der Geschichte von Anfang an als Prozeßbeteiligter interessiert. Daß sich seine Prozeßbeteiligung nicht eng pragmatisch im Rahmen des geschichtlich Vorgegebenen bewegte, sondern mit größter Radikalität die maßgebenden Rahmenbedingungen bisheriger Geschichte anfocht, machte eine ebenso radikale Besinnung auf die Grundmodi und den Gesamtinhalt der geschichtlichen Existenzweise des Menschen erforderlich, so sehr, daß sich die allgemeine Theorie überhaupt als eine »Geschichtsauffassung« darstellte.

Das Herausarbeiten eines Konzepts vom Geschichtsprozeß und seiner Prozeßordnung unterlag nun seinerseits bei Marx einem geschichtlichen Prozeß, der sich über mehrere Jahre erstreckte (etwa von 1842 bis 1850); er ist mit dem Fortgang seiner eigenen Praxis im Geschichtemachen verknüpft und hat in der Umbruchsdramatik jener Jahre eine ganze Reihe von Versuchsstadien durchlaufen. Darin liegen auch die erheblichen Ambivalenzen begründet, die eine ganzheitliche Interpretation der Marxschen Äußerungen über die Geschichte so sehr erschweren und zu äußerst gegensätzlichen Zuschreibungen Anlaß geben. Ambivalenz besteht vor allem insofern, als eine ziemlich idealistische Inhaltsbestimmung des Geschichtsprozesses, wie sie in den Frühschriften von 1842 bis 1844 anklingt und später gelegentlich noch nachklingt, neben einer betont materialistisch-naturalistischen Modusbestimmung geschichtlichen Prozedierens zu stehen scheint. Beide lassen sich schwerlich in ein gemeinsames Konzept integrieren, und ich verzichte denn auch auf jeden derartigen Versuch; vielmehr glaube ich bei Marx ähnlich wie bei Kant eine Differenz zwischen einer »vorkritischen« und einer »kritischen« (und eminent selbstkritischen) Theorieformation wahrnehmen zu können, den Weg von einer unbefangen expres-

Die Texte von Karl Marx sind nach der Ausgabe der Werke von Marx und Engels des Dietz-Verlages, Berlin (Ost), zitiert = MEW.

siven Bekundung des eigenen Selbstverwirklichungs-Impetus zu einer strengprüfenden Rechenschaft von Wirkungsmöglichkeiten seines Selbst in Interaktion mit den relevanten Anderen.

Diese Perspektivenverschiebung hatte für den Geschichtsbegriff weitreichende Folgen. Es waren damit nicht nur einige der geschichtsanthropologischen Grundaxiome zurückzunehmen, auch das thematische Aktualitätszentrum des Geschichtsdenkens verlagerte sich. Dieses Zentrum lag zunächst ganz augenfällig in den Sätzen über eine anthropogenetische Inhalts- und Sinnbestimmung des Gesamtprozesses einer Menschheitsgeschichte. Geschichte ist danach die Entstehungsgeschichte des Menschen, die – freilich eine Phase der »Entfremdung« durchlaufende – Hervorbringung des totalen Menschen, der menschlichen Gattungs-Totalität. Indem aber dieser ganze normativ-anthropologische Prämissensatz einer energischen Kritik verfiel, verlor die thematische Ebene, die anthropogenetische Problematik der Geschichte überhaupt ihre Dringlichkeit – es war nicht mehr nötig, hier eine eindeutige Festlegung zu erzielen. Um so wichtiger wurde das andere thematische Zentrum, die Erarbeitung eines Konzepts über den formalen Modus geschichtlichen Prozedierens. Den Bezugsrahmen der Geschichtsbetrachtung bilden nun eher die einzelnen Teilprozesse als der Gesamtprozeß, und die Prozesse sind von ihren Voraussetzungen her, nicht auf irgendwelche universalen Ziele hin zu bedenken; finale und intentionale Momente kommen wohl weiterhin in Betracht, doch erweisen sie sich stets als von begrenzter Reichweite und integrativer Kraft gegenüber den vielen und starken Kontingenz-Momenten und ihren Effekten. Gerade die Geschichte als Gesamtprozeß ist im höchsten Maße durch kontingente Resultate bestimmt und unterliegt nicht einer durchgängigen Teleologie; sie ist kein geschlossener, auf einen (zudem baldigen) Abschluß hinstrebender Verwirklichungsprozeß, sondern ein offener Prozeß, in seinem Fortgang von einer wechselvollen Vielfalt zusammengekommener, anderswo hingegen nicht zusammengekommener Voraussetzungen bestimmt. Ihrem Verlaufscharakter nach kommt so die Menschengeschichte, jedenfalls die bisherige, einem Naturprozeß mit seinem Ineinander und Durcheinander von organischen und außerorganischen Elementen näher als einem zielgerichteten Schöpfungsakt.

Auf einer traditionell-philosophischen Reflexionsstufe stellte sich die Gewinnung der neuen Geschichtsperspektive als Kampf der materialistischen gegen die »ideologische« Betrachtungsweise dar. Geht man von einem allzu traditionellen Verständnis von Materialität aus, so könnte der Materialismus als ein »reduktionistisches« Verfahren erscheinen: Rückführung der gegebenen Mannigfaltigkeit auf eines ihrer Momente. In der Kritik der ideologisch-idealistischen Geschichtsauffassung war jedoch das Gegenteil beabsichtigt: eine dort praktizierte Reduktion und Abstraktion in Richtung auf einen inhaltlich stark erweiterten Begriff von geschichtlicher Wirksamkeit zu überwinden. Die ideologische Denkweise arbeitet mit einem reduzierten Modell des Geschichtemachens als eines Verwirklichens von Ideen oder Sich-Auswirkens von epochenleitenden Gedanken oder »Prinzipien«. Was gegen diese Rückführung auf eine Bewußtseinsform neu geltend zu machen war, ist die ganze thematische und energetische Breite und Tiefe (nicht nur die gedankliche Höhe und Überhöhung) der geschichtlichen Handlungswirklichkeit. Man kann geradezu sagen, der Materialismus ist seiner Hauptbedeutung nach das Ausgreifen über die zunächst vordringlichen, bisweilen aufdringlichen Bewußtheitsweisen hinaus zur vollen Handlungsinhaltlichkeit – und erst dann auch eine Hervorhebung der im engeren Sinne materiellen, der stofflichen Momente dieser Wirklichkeit. Eine der pointierenden Formeln lautet: durch die Ideen hindurch die Interessen zu sehen, die das Handeln leiten; in einer anderen Blickrichtung besteht die Felderweiterung darin, den engeren Handlungssinn auf ein verzweigtes Ensemble von Handlungsbedingungen zu beziehen; ferner ist der intentionale Sinn von Handlungen auf die Fähigkeiten, die Qualifikationen und energetischen Potenzen der Handelnden hin zu relativieren.

Auf der Höhe seines Schaffens hat es Marx mit besonderem Nachdruck abgewehrt, seine regionale, auf die Entstehung des Kapitalismus in Westeuropa bezogene Geschichtsskizze als eine »geschichtsphilosophische Theorie des allgemeinen Entwicklungsganges« zu behandeln[1]. Das methodologische Stichwort lautet: jede der einzelnen Entwicklungen für sich studieren und danach miteinander vergleichen.

Nach so viel Restriktionen bedarf es einiger Anstrengung, die gleichwohl für das Begreifen von Geschichte in Betracht kommenden Generalien festzuhalten. Es können dies kaum allgemeine Gesetze sein, die eine Deduktion von geschichtlichen Effekten aus ihren Ausgangsdaten erlaubten. Die Rede von Gesetzen,

[1] MEW, Bd. 19, S. 111f.

welche die gesellschaftliche Bewegung als einen naturgeschichtlichen Prozeß »lenken«, kommt zwar im Text gelegentlich vor, sie hat bei Marx aber eigentlich keinen theoretisch streng ausgewiesenen Status. Das Allgemeine, das im Marxschen Geschichtsdenken die identisch wiederkehrenden oder durchlaufenden Bewegungscharaktere, Situationstypen und Interdependenzen festzumachen hat, sind vielmehr analytische Hilfsmittel der Deskription, nicht solche der Deduktion, allenfalls der Hinleitung auf mitinvolvierte Prozeßmomente. Es kommt eine Matrix von Kategorien zustande, in denen sich eine Generalkonstellation des gesellschaftlichen Lebensprozesses und des geschichtlichen Veränderungsprozesses gesellschaftlicher Lebensordnungen darstellt – sozusagen eine Geschichtsprozeßordnung. Die eigentliche Arbeit der Geschichte, das Herausarbeiten vielgliedriger sozialer Lebensordnungen und ihre multilineare Umarbeitung, ist dieser allgemeinen Prozeßordnung subordiniert, in ihrer Kontingenz und Singularität jedoch nicht von ihr präjudiziert.

Es sei im folgenden der Versuch gemacht, 1. die Generalien (oder Universalien) der von Marx herausgestellten Struktur geschichtlicher Transformationen, 2. das unter ihren Prämissen sich ergebende Konzept des geschichtlichen Prozeßgehalts zu skizzieren und 3. einige ergänzende Notizen über den Modus geschichtlicher Modifikation hinzuzufügen.

Insgesamt geht diese abermalige Recherche in diesem vielfach durchfurchten Terrain darauf aus, in einer etwas dem Lexikographischen angenäherten Verfahrensweise die analytisch-begriffliche Instrumentierung, die methodisch bedeutsamen kategorialen Dispositionen des Marxschen Geschichtsdenkens zu sichten. Das bedeutet negativ, daß seine Beiträge zur materialen Erschließung der Sozialgeschichte hier nicht zur Sprache kommen – es sei hierfür auf einen komplementären Text verwiesen[2].

1. Analytik der Bewegungsform »Geschichte«

Das Generelle der geschichtlichen Prozeßform läßt sich auf einer ganzen Reihe von analytischen Schnittlinien aufschlüsseln, von denen Marx einige systematisch herausgehoben hat, während andere und gleichermaßen bedeutsame jedoch mehr implizit ge-

[2] Vgl. den von Helmut Dahmer beigetragenen Abschnitt ›Soziale Evolution und Revolution‹ in dem mit mir gemeinsam verfaßten Marx-Artikel in *Klassiker des soziologischen Denkens.* Hrsg. von D. Käsler, Bd. 1, München 1976.

blieben sind. Von höchster Dringlichkeit beim Eintritt des Intellektuellen Marx in eine Wirksamkeit innerhalb der geschichtlichen Wirklichkeit war es, den spezifischen Wirkanteil seiner eigenen Tätigkeit und ihrer Produkte, des Denkens und der Gedanken, Ideen, an der geschichtlichen Gesamtaktivität kritisch-nüchtern zu definieren. Den systematischen Ertrag dieser Überlegungen, in der Kritik an der ideologischen Denkweise der Junghegelianer (und damit auch in der Selbstkritik an seinen eigenen Ausgangspositionen) gewonnen, faßte er (zusammen mit Engels) in einer Reihe höchst prägnanter Sätze zusammen, deren axiomatische Essenz lautet: das Bewußtsein der Menschen ist nichts Autarkes, sondern es ist das »bewußte Sein«; und das Sein, das in diesem Modus be-wußt (nicht durchgängig ge-wußt) wird, ist ihr »wirklicher Lebensprozeß«[3] in seinen Subjektpotenzen ebenso wie in seiner Objektbesetzung. Für die Geschichtsbetrachtung erwächst daraus die Direktive, durch die Bewußtheitsmodi (zumal die der unmittelbar Beteiligten) hindurch zu den Wirklichkeitsgehalten geschichtlicher Aktivitäten vorzudringen.

a. Analytik der thematischen Prozeßebenen

Die Analytik, welche bei der dichotomischen Gegebenheit von Sein und Bewußtsein ansetzt, wird im weiteren in eine mehrstellige Aufgliederung einbezogen, die den gesellschaftlichen Lebensprozeß trinitarisch als sozialen, politischen und geistigen faßt und innerhalb der Kategorie des Sozialen das strukturierende Moment der »Produktionsweise«, sozusagen die ökonomische, materiell-reproduktive Faktur des sozialen Lebensprozesses, besonders heraushebt – in dem Satz, daß die Produktionsweise des materiellen Lebens den sozialen, politischen und geistigen Lebensprozeß der Gesellschaft überhaupt bedinge[4].

Was sich zunächst als ein Ensemble von stationären Bewegungskreisen des gesellschaftlichen Lebensprozesses »überhaupt« darstellt, ist zugleich ein Ensemble von thematischen Linien geschichtlicher Transformationen.

Daß dabei das eine durch das andere »bedingt« sei, deutet vorsichtig eine strukturelle Querverbundenheit der Prozeßkomponenten an; die Rede von einer Bedingtheit, das ist hervorzuheben, bezeichnet nicht die stärkste, sondern eher eine minimale

[3] MEW, Bd. 3, S. 26.
[4] MEW, Bd. 13, S. 8.

Determinationsweise: Bedingungen sind immer »Bedingungen der Möglichkeit« (wie der Kantische Ausdruck lautet), d.h. etwas auf der einen Linie kommt nicht ohne etwas auf der anderen zustande. Soziale, politische und geistige Gestaltung und ihre Modifikation vollziehen sich unter ökonomisch-materiellen Möglichkeitsbedingungen. Gleichwohl wäre es verfehlt, hier von einem »ökonomischen Determinismus« oder von einer »ökonomischen Geschichtsauffassung« zu sprechen. Die kategoriale Mitte bildet ein synthetischer Inbegriff des Sozialen. Das sind die gesellschaftlichen Beziehungen zwischen den Menschen »als solchen«, und das »Ökonomische« ist eben in der Weise doppelt involviert, daß wesentliche soziale Beziehungen zwischen Menschen in der Sphäre der Arbeit stattfinden und daß überhaupt erarbeitete Dinge ganz buchstäblich be-dingend in verschiedenster Funktion in die Interaktionen zwischen Menschen eingehen.

Die sozialen Beziehungen, Funktionsdifferenzierungen und Interaktionsweisen, die sich als das Zentrum des gesellschafts- und geschichtstheoretischen Interesses von Marx herausheben, sind ihrerseits das Thema einer eigenen Analytik, auf die noch einzugehen sein wird. Einer ihrer kategorialen Knotenpunkte ist der Begriff der »Produktionsverhältnisse«, eine andere Pointierung liegt darin, daß die Subjekt- und Objektbeziehungen des sozialen Prozesses, sofern er Lebensprozeß ist, immer auch Thema von Interessen, sozial artikulierten, gruppierten und synthetisierten Bedürfnissen von Menschen sind. Die Generalthese über den Zusammenhang der »Sphären« oder Prozeßkomponenten – der ökonomischen, sozialen, politischen und geistigen – hat nicht nur den einen Aspekt, die Daten der Produktionsweise als Bedingendes für alles übrige darzutun, es geht auch um eine innere funktionale Einheit des Sozialen, Politischen und Geistigen. Das Soziale, die praktischen Positionalitäten und Interaktionsvaleurs der Menschen, ist dabei die übergreifende Einheit, und die politischen Formierungen und Institutionalisierungen bilden ebenso ein integriertes Moment wie die vielen Modalitäten einer geistig-kulturellen Aktivität. Sie sind ein je besonderes Ausdrucksmedium der sozialen Positions-, Beziehungs- und Interessengehalte.

b. Analytik der sozialen Beziehungsebenen

Der eigentlichen Analytik sozialer Beziehungsqualitäten ist in der formalen Disposition noch einiges vorgelagert, zunächst in besonderer Hervorhebung die »Produktionsverhältnisse«, die sozialen Beziehungen im Handlungsraum des materiellen Produktionsprozesses. Sie erscheinen in doppelter Dimension als Beziehungen der Produktionsagenten zu ihren materiellen Produktionsbedingungen und, durch diese vermittelt, als Beziehungen der Produktionsagenten als »Sozialpartner« zueinander. Das Substrat dieser Beziehungen sind auf der Objektseite die Produktionsmittel und die anzueignenden Produkte, und auf der Subjektseite sind es die Produzenten als Träger (möglicherweise) unterschiedlicher Funktionen und Qualifikationen und als Inhaber unterschiedlicher Anteile am Arsenal der Produktionsmittel und Produkte. Die Produktionsverhältnisse kurzerhand auf »Eigentumsverhältnisse« zu reduzieren wäre verfehlt. Marx selbst hat keinen Zweifel daran gelassen, daß sogar bei dem sehr ausgeprägten kapitalistischen Eigentumsverhältnis nicht so sehr der Besitz der sachlichen Produktionsvoraussetzungen als vielmehr die Verfügung über die Arbeitskraft (command of labour) den Kernpunkt ausmacht. Die Produktionsverhältnisse sind ihrer sozialen Qualität nach Kooperations-, Austausch-, Subordinations- und Herrschaftsverhältnisse. Und die Einheit des sozialen Gesamtverhältnisses besteht darin, daß die sozio-ökonomischen Stellensysteme, Gewichts- und Interessenverhältnisse zugleich auch politische Machtverhältnisse sind, die sozialen Energien sich in einer politischen Artikulation äußern und ihre Konflikte in politischen Formen ausgefochten werden. Dasselbe gilt für einen Kerngehalt von ideellen Manifestationen. Hier obwaltet ein weitaus strengeres Determinationsverhältnis, als wir es zuvor mit der »ökonomischen Bedingtheit« angetroffen hatten; es ist eine materiale Identität in Gestaltungen, die auf den ersten Blick von ganz verschiedener Thematik zu sein scheinen.

c. *Analytik der Basis-Überbau-Funktionalität*

Entgegen einer verbreiteten Manier ist festzuhalten, daß die Basis-Überbau-Relation für Marx nicht deckungsgleich mit derjenigen von Produktionsweise, sozialem, politischem und geistigem Lebensprozeß ist, sondern ein sehr spezifisches, eingegrenztes Bedeutungsfeld hat[5]. Das besagt schon der Wortlaut: die Produktionsverhältnisse sind es, die – in ihrer geschichtlich bestimmten Qualität – als »Basis« fungieren; und dieser Qualität entsprechen soundsoviele Daten der Staatsverfassung, der

[5] *Marxismus und Geschichte*. Frankfurt 1969, S. 129f.

Rechtsordnung und des sonstigen Feldes politischer Aktivitäten, und eben kraft dieser Entsprechung sind sie ein Überbaukorrelat der Produktionsverhältnisse, sie bilden deren politisch-juristischen Überbau. Ebenso stehen gewisse Daten der geistig-kulturellen Produktionen in Religion, Sozialdoktrin, Moral, Kunst, Wissenschaft in einer solchen Überbaufunktionalität zu diversen Daten der Produktionsverhältnisse. Marx unterstellt übrigens nicht, daß der gesamte Formen- und Inhaltsbestand des politischen und des geistig-kulturellen Lebens diesen Überbaucharakter hätte, also Ausdruck der Produktionsverhältnis-Qualitäten, Äußerung eines in der bestimmten geschichtlichen Produktionsweise begründeten Impulses wäre. Es ergeht nur ein heuristischer Hinweis, die Elemente jenes Bestandes daraufhin zu prüfen, ob sie etwa von solcher Funktionalität sind. Soweit sie das sind, haben wir es mit politischen und ideellen Formen zu tun, in denen sich das Produktions- und Sozialverhalten der Menschen »mit anderen Mitteln fortsetzt«, derselbe Sinngehalt sich in einem anderen Medium äußert.

d. Analytik der sozialen Qualität von Produktionsverhältnissen und gesellschaftlichen Beziehungen

Wie Menschen in geschichtlich bestimmten Weisen vergesellschaftet sind, macht das Hauptinteresse von Marx aus. Alles, was in den bisher zur Sprache gekommenen analytischen Schnittebenen zum Vorschein kam, gehört im Grunde zu den Präliminarien einer Analyse der Wertigkeiten, die den Beziehungen zwischen den Menschen, der interaktiv-wechselseitigen Ermöglichung und Abgrenzung ihrer Lebens-, Wirkungs- und Verwirklichungsmodalitäten eigen sind; es hat sozusagen den Sinn, die Lokalisation und Proliferation dieser Valeurs im Ganzen des gesellschaftlichen Handlungsraumes sichtbar zu machen.

Nun stehen wir allerdings vor einem eigenartigen theoriegeschichtlichen Tatbestand: Gerade für das, was eigentlich das Zentrum seines analytischen Interesses bildete, hat Marx in seiner zusammenfassenden Skizze keine systematischen Koordinaten benannt. Sie treten in der Gesamtheit seiner Äußerungen jedoch klar zutage. Es sind Aktualisierungen der traditionell vernunftphilosophischen Disjunktionen von Autonomie und Heteronomie, Selbstzweck und Mittelhaftigkeit, Anerkennung und Mißachtung, Brüderlichkeit und Kampf auf Leben und Tod in den mannigfachen geschichtlichen Konkretionsformen von Klassenherrschaft, Klassenunterdrückung und Ausbeutung, von

Eroberungs-, Unterwerfungs- und Befreiungskämpfen der Völker oder der Herrenklassen untereinander und zwischen Herrenklassen und arbeitenden Massen. Einen Teil dieser Problematik deckt die These von der Geschichte als einer Geschichte von Klassenkämpfen, deren Pendant die Völkerkriege sind – nur in archaischen Zeiten Kriege der Völker in ihrer Gesamtheit, in der Klassengesellschaft auch sie im wesentlichen eine Angelegenheit der herrschenden Klassen, ihrer besonderen Appetite und der Rivalitäten zwischen ihren regionalen Sektionen.

Marx gehört damit zu den Wegbereitern einer sozialgeschichtlichen Zentrierung des Geschichtsdenkens. Die Fixierung an der Territorialgeschichte ist hierin überwunden, diese stellt ungeachtet ihrer lauten Geschäftigkeit den Nebenschauplatz dar. Dieser Wechsel der materialen Geschichtsperspektive ist sichtlich die Retrospektive der eigenen praktischen Prozeßbeteiligung.

Wie sich unter dem Blickwinkel der sozialen Gliederungen nach Integrations- und Dissoziierungsweisen, Kooperations- und Rivalitätsverhältnissen, Herrschafts- und Subordinationsformen der Prozeß einer Geschichte abzeichnet, wird uns weiter unten noch beschäftigen.

e. Spezielle Analytik der Produktionsverhältnisse

Daß überhaupt die Gesellschaft als ein Ensemble von »Verhältnissen«, von sozialen »Beziehungen« zwischen den Menschen zum Gegenstand der Erörterung wird und daß dabei den sozialen Beziehungen im Betätigungskreis der materiellen Reproduktion eine Schlüsselfunktion zuzusprechen ist, kann indessen nicht der letzte Aufschluß sein. Verhältnisse gestalten sich aus der Substanz, der gerichteten Aktivität und Energie dessen, was sich aktiv zu seinem Umfeld verhält, aus der Daseinsqualität der vergesellschafteten Menschen. Die Marxsche Auseinandersetzung mit den idealistischen Fixierungen an der »Bewußtseinsform« hatte bereits zu der Gegendisposition geführt, die Handlungen der Menschen (auch gerade die geschichtlich verändernden) unter dem Blickpunkt der »Kräfte« zu würdigen, die sich in ihnen auswirken. Diese werden innerhalb der Produktionssphäre als »Produktivkräfte« faßbar, und mit diesem Begriff ist wohl die zentrale Schlüsselkategorie der Marxschen Analytik erreicht. Gegenüber manchen mehr am Äußeren haftenden Ausdeutungen und Nutzanwendungen ist – in aller Kürze und ohne den gebührenden exegetischen Aufwand – geltend zu machen, daß die Produktivkräfte in letzter Instanz nicht in der Produktivität einer gegebenen Maschinerie, sondern in den produktiven Kräften, den interessierten und qualifizierten Energien der als Produzenten (im weitesten Sinne) tätigen Menschen beschlossen liegen. Sie enthalten das Maß dessen, was die betreffenden Menschen nicht nur wünschen oder ersehnen, sondern effektiv wollen, machen oder durchsetzen können. Und die Marxsche Hauptthese ist, daß die produktiven Kräfte, über welche die Menschen in ihrem »Stoffwechsel mit der Natur« verfügen, die sie geschichtlich ausgebildet oder erworben haben und von Fall zu Fall modifizieren, erweitern oder spezifizieren, zugleich die Bildungskräfte ihrer gesellschaftlichen Beziehungen, also auch der geschichtlichen Modifikation dieser Beziehungen sind. Wie in einer gegliederten, besonders in einer in soziale Klassen gespaltenen Gesellschaft die eine Gruppe der anderen gegenüber ihren Rang, ihre Befugnisse und überhaupt ihre Lebens- und Selbstverwirklichungsinteressen praktisch (offensiv oder defensiv) zur Geltung bringen kann, wie sie zumal über eine andere Gruppe verfügen kann bzw. solcher Verfügung sich zu fügen genötigt oder nicht genötigt ist, das hängt davon ab, über welchen Anteil der gesellschaftlichen Gesamtproduktivkraft sie, und mit welcher Autonomie, zu gebieten hat. Politische Macht ist für die Gesellschaftsformung nutzbar gemachte materielle Produktivkraft.

Die begriffliche Abstraktion der Produktivkraft – auch das ist gegen einengende Deutungen zu betonen – ist auch insofern nicht bloß eine arbeitstechnische Größe, als sie nicht getrennt zu denken ist von den inhaltlichen Erfüllungen eines Handlungssinnes, der den Arbeitsverrichtungen ebenso wie den Akten sozialer Profil- und Beziehungsbildung die spezifische Gerichtetheit verleiht. Am sinnfälligsten wird diese gerichtete Handlungsintentionalität (mitsamt ihren Passiv- und Rezeptivitätsmodi) als die Artikulation von Bedürfnissen oder Interessen[6]. Dabei besteht der Marxsche Materialismus nicht darin, dem Bedürfnis nach Sicherung der physischen Existenz (bzw. ihrer Erweiterung) durch materielle Mittel eine absolute Priorität zuzuschreiben. Die soziale Konfiguration mit den anderen Menschen in ihrer spezifischen Qualität ist gleichfalls Sache eines nicht minder primären Interesses und gehört zur Materialität der menschlichen Existenzweise.

[6] Die Ausdrücke »Bedürfnis« und »Interesse« sind hier gleichbedeutend gebraucht.

f. Analytik der geschichtlichen Präformationen

Erreicht so die Marxsche Analytik ihre tiefste Radikalität[7] da, wo sie in die Subjektbasis des geschichtlichen Hervorbringens eindringt, so geht sie jedoch nicht so weit, daß alles Objektive sich als Objektivation einer vorgängigen Subjektivität dechiffrierte. Nicht nur behält die äußere Natur, die tief in die menschliche hineinreicht, ihre Priorität; selbst Objektivationen menschlicher Tätigkeit gewinnen eine Konsistenz, die derjenigen von Gegenständen der äußeren Natur gleicht und sich damit menschlichem Subjekthandeln vorordnet, wenn nicht gar überordnet. Marx gibt dafür einen generellen und einen geschichtlich spezifisch modifizierten Modus an.

Der gesellschaftliche Lebensprozeß bewegt sich zunächst in Kreisläufen einer qualitätsgleichen Reproduktion, beginnend mit der Reproduktion der Menschen selber in einer Generationenfolge. Dieses Grundverhältnis weitet sich auf die diversen Ausformungs- und Ausstattungsmomente menschlicher Lebenstätigkeit aus: die Masse von »Produktionskräften, Kapitalien und sozialen Verkehrsformen«, die jede Generation von der vorigen übernimmt und in die sie hineinwächst, steckt für ihre eigene Aktivitätsentfaltung einen Rahmen von ermöglichenden wie limitativen Bedingungen ab; dasselbe findet mit den zuvor ausgebildeten gesellschaftlichen Profilierungen und Beziehungen statt. Es entsteht damit ein Doppelverhältnis von Tradition und Modifikation: »Die Geschichte ist nichts als die Aufeinanderfolge der einzelnen Generationen, von denen Jede die ihr von allen vorhergegangenen übermachten Materiale, Kapitalien, Produktionskräfte exploitiert, daher also einerseits unter ganz veränderten Umständen die überkommene Tätigkeit fortsetzt und andrerseits mit einer ganz veränderten Tätigkeit die alten Umstände modifiziert ...«[8]

Irgendwo gibt es hier einen Transformationspunkt, an dem sich die »ganz veränderte Tätigkeit« (vielleicht auch: eine nur »etwas veränderte«) allererst anbahnt und profiliert. Marx unternahm es (zusammen mit Engels) zunächst, auch hierfür ein universales Modell anzugeben, indem er in der ersten geschichtlichen Tat, der Erzeugung der materiellen Existenzmittel, bereits eine Art von Differential-Aggregat wirksam sah: daß ein befrie-

[7] »Radikal sein ist die Sache an der Wurzel fassen. Die Wurzel für den Menschen ist aber der Mensch selbst.« MEW, Bd. 1, S. 385.

[8] MEW, Bd. 3, S. 45.

digtes erstes Bedürfnis, die Aktion seiner Befriedigung und das schon erworbene Instrumentarium zu neuen Bedürfnissen führt – wodurch die »erste geschichtliche Tat« erst zu einer geschichtlichen wird[9]. Diese Konstruktion eines autogenen Wachstumsmechanismus ließ sich jedoch vor der Empirie nicht aufrechterhalten. Die Konstellationen, in denen es zu Veränderungen des Tätigkeitsrepertoirs kommt, müssen von weit mehr spezifischer Art sein. Marx benennt u.a. für archaische Gesellschaften mit ziemlich eng gesetzten Naturschranken die Differenzierungen der geophysischen Umwelt als wesentliche Außenbedingungen für Entwicklung bzw. Nichtentwicklung[10]. Ferner kann – wie mit der Unterscheidung zwischen konservativen und revolutionären Produktionsweisen[11] angezeigt ist – in der Organisation von Gesellschaften selbst ein Ensemble von Determinanten »erweiterter Reproduktion« angelegt sein. Alles verweist darauf, daß wir es hier mit einem Bedingungsaggregat von hoher Kontingenz zu tun haben, das in jedem geschichtlichen Fall singulär geartet ist.

Mit dem Rekurs auf die natürlich und geschichtlich vorgefundenen »Bedingungen« ist der Aktionsradius möglichen geschichtlich verändernden Handelns sichtlich restringiert, nicht freilich so weit, daß nun alles Handeln einfach als Funktion seiner Bedingungen gelten könnte. Die Hauptlinie der Marxschen Analyse geht dahin, hinter allen konsolidierten »Verhältnissen« das Verhalten, das Handeln der Menschen sichtbar werden zu lassen; den reaktionären Charakter einer »objektiven Geschichtsschreibung« sah er – auf kategorialer Ebene – darin beschlossen, daß sie »die geschichtlichen Verhältnisse getrennt von der Tätigkeit« auffaßt[12]. Die konsolidierten Verhältnisse der bürgerlichen Gesellschaft und ihrer kapitalistischen Produktionsweise haben allerdings die Problematik ganz außerordentlich potenziert, indem das autonome Handeln von Menschen sich als weitgehend depotenziert darstellt. Sich an die frühen Reflexionen von Engels[13] anschließend, hat Marx an der Bewegung der kapitalistischen Warenproduktion einen Bewegungscharakter bloßgelegt, der kaum noch etwas mit intentionalem Handeln von Menschen gemein hat. In seinem Hauptwerk be-

[9] Ebd., S. 28.
[10] MEW, Bd. 23, S. 536.
[11] Ebd., S. 511.
[12] MEW, Bd. 3, S. 40, Fn.
[13] MEW, Bd. 1, S. 513f.

schreibt er schließlich, wie – hinter dem Kapitalisten als agierender Person – der sich verwertende Wert (von Waren und Investitionen) als das eigentliche Subjekt einer maßlosen Bewegung steht, worin die Zirkulation des Geldes als Kapital zum Selbstzweck geworden ist, und die Person des Kapitalisten zum funktionierenden und personifizierten, mit Bewußtsein und Willen ausgestatteten Kapital; sein subjektiver Zweck, wachsende Aneignung von Reichtum, ist vom objektiven Inhalt der Verwertung des Wertes nicht zu trennen[14]. Die Personen sind hier Personifikationen, »Charaktermasken« ökonomischer Verhältnisse, deren Produkt. Die Bewegung der ökonomischen Gesellschaftsformation stellt sich so als ein »naturgeschichtlicher Prozeß« dar, und Marx kann darum sein oberstes Erkenntnisziel darin sehen, das »ökonomische Bewegungsgesetz« der modernen Gesellschaft zu enthüllen[15]. Für die an diesem Prozeß beteiligten Menschen bedeutet dies, daß sie ihn nicht als ihr eigenes autonomes und autonom vergesellschaftetes Handeln erleben, sondern von ihm wie von einer fremden Macht beherrscht werden: Geschichte ist für sie Schicksal.

Genau genommen ist das nur die moderne Spezifikation eines allgemeinen Bewegungscharakters bisheriger Geschichte – und als solcher schon in der ersten Skizze der materialistischen Geschichtsauffassung vermerkt. »Dieses Sichfestsetzen der sozialen Tätigkeit, diese Konsolidation unsres eignen Produkts zu einer sachlichen Gewalt über uns, die unsrer Kontrolle entwächst, unsre Erwartungen durchkreuzt, unsre Berechnungen zunichte macht, ist eines der Hauptmomente in der bisherigen geschichtlichen Entwicklung«, heißt es in den Manuskripten zur Kritik der »Deutschen Ideologie«[16]. Und die Novität des bürgerlichen Zeitalters besteht eigentlich nur darin, daß die Kontingenz unberechenbarer Effekte, bis dahin eine äußere Angelegenheit im Nebeneinander der Völker, jetzt noch in einen Binnenbereich der tagtäglichen Lebensproduktion eingedrungen ist, die zuvor – bis auf die Wechselfälle der Natur – etwas klar Durchschaubares gewesen war. Arbeitsteilung und Marktkonkurrenz (wie zuvor schon die Separation und Interferenz von Völkern und Staaten) haben einen Prozeßmodus im Gefolge, der – wie es in der frühen Ökonomiekritik von Engels noch ausgedrückt ist – unter einem »Naturgesetz«, nicht unter einem »Gesetz des Geistes« (ver-

[14] MEW, Bd. 23, S. 167f.
[15] Ebd., S. 15f.
[16] MEW, Bd. 3, S. 33.

nünftiger Tätigkeit) steht[17]. Daß die gesellschaftliche Bewegung ein »naturgeschichtlicher Prozeß« ist, »den Gesetze lenken, die nicht nur von dem Willen, dem Bewußtsein und der Absicht der Menschen unabhängig sind, sondern vielmehr umgekehrt deren Wollen, Bewußtsein und Absichten bestimmen«, kommt in dieser von Marx selbst wiedergegebenen Formulierung eines russischen *Kapital*-Interpreten ebenso universal wie affirmativ heraus[18]; es ist näher besehen jedoch eine kritische Formel, die einen transitorischen Prozeßcharakter der »bisherigen« geschichtlichen Bewegung signalisiert, wie das die Erstformulierung von 1845/46 deutlich macht: »Die soziale Macht, d.h. die vervielfachte Produktionskraft, die durch das in der Teilung der Arbeit bedingte Zusammenwirken der verschiedenen Individuen entsteht, erscheint diesen Individuen, weil das Zusammenwirken selbst nicht freiwillig, sondern naturwüchsig ist, nicht als ihre eigne, vereinte Macht, sondern als eine fremde, außer ihnen stehende Gewalt, von der sie nicht wissen woher und wohin, die sie also nicht mehr beherrschen können, die im Gegenteil nun eine eigentümliche, vom Wollen und Laufen der Menschen unabhängige, ja dies Wollen und Laufen erst dirigierende Reihenfolge von Phasen und Entwicklungsstufen durchläuft.«[19] Das ist gesagt im Vorblick auf einen Zustand, in dem sich die »Macht des Verhältnisses« (von Nachfrage und Zufuhr) auflöst »und die Menschen den Austausch, die Produktion, die Weise ihres gegenseitigen Verhaltens wieder in ihre Gewalt bekommen«[20].

Die »Macht der Verhältnisse« zeigt sich noch unter einem anderen Aspekt: indem die Menschen, in bestimmte soziale Ordnungen und Positionen hineingewachsen, unter einer Art von Induktion ihrer assoziierten und antagonistischen Bezugspartner in eine Verhaltensweise eingewiesen werden. Unter den bisherigen Vergesellschaftungsformen wurden die Individuen zu »Klassenindividuen«, indem die »scheinbare Gemeinschaft«, zu der sich die Individuen innerhalb einer Klasse und als Klasse gegenüber einer anderen zusammenschlossen, sich ihnen gegenüber verselbständigte: indem »das gemeinschaftliche Verhältnis, in das die Individuen einer Klasse traten und das durch ihre gemeinschaftlichen Interessen gegenüber einem Dritten bedingt war, stets eine Gemeinschaft war, der diese Individuen nur als

[17] MEW, Bd. 1, S. 514.
[18] MEW, Bd. 23, S. 26.
[19] MEW, Bd. 3, S. 34.
[20] Ebd., S. 35.

Durchschnittsindividuen angehörten, nur soweit sie in den Existenzbedingungen ihrer Klasse lebten, ein Verhältnis, an dem sie nicht als Individuen, sondern als Klassenmitglieder teilhatten.« Als Klassenindividuen sind sie nicht »persönliche Individuen«, »ihre Persönlichkeit ist durch ganz bestimmte Klassenverhältnisse bedingt«, und eben darum, weil die Vereinigung in der Trennung eine nicht frei-persönliche, sondern eine fremdbestimmt-notwendige ist, Subsumtion der Individuen unter Klassen[21].

Wie sehr diese Gesamtheit von Abhängigkeiten der Menschen von vorgeordneten und übergeordneten Formungsinstanzen als ein Datum bisheriger Geschichte in ihrem ganzen Gewicht zu würdigen ist, so geht doch – in einer aktiven Veränderungsperspektive – die Intention der Analyse dahin, das Bestehen solcher verselbständigter »Verhältnisse« handlungstheoretisch zu dechiffrieren (wie es Marx im *Kapital* exemplarisch am »Warenfetischismus« demonstriert hat).

2. Hermeneutik des Prozeßinhalts der Geschichte

Bevor Marx mehr Klarheit über den prozeduralen Modus der Geschichte anstrebte, lagen bereits manche Formeln bereit, mit denen sich die Hauptsache prägnant aussprechen ließ, um die es in der Geschichte materialiter geht. Marx schloß sich damit zunächst an die Traditionen der Geschichtsphilosophie des deutschen Idealismus an, indem er in anthropologischen Termini die Genesis einer »vernünftigen«, d.h. auf freier Vereinigung mündiger Individuen beruhenden gesellschaftlichen Daseinsform der Menschen als ursprüngliche Inhalts- und Zielbestimmung eines geschichtlichen Gesamtprozesses faßte und die gegenwärtige sozialgeschichtliche Konstellation dazu in Beziehung setzte.

In den einleitenden Bemerkungen ist bereits umrissen, wie diese anthropogenetische Geschichtsschau bei Marx alsbald einer anderen Betrachtungsweise Platz gemacht hat, und wir kommen noch darauf zu sprechen, in welcher Transformation und Reduktion auch im materialistischen Konzept noch eine anthropologische Begrifflichkeit bedeutsam bleiben kann. Jede mögliche gattungsgeschichtliche Deutung des Gesamtprozesses ist jetzt aber in eine radikale Abhängigkeit von dem empirisch aufzunehmenden sozialgeschichtlichen Befund gesetzt, der für sich

[21] Ebd., S. 74f.

selbst steht. Wie sehr sich auch das eigene geschichtspraktische Interesse in fundamentalanthropologischen Indikatoren von vernünftiger Kooperation entfalteter und mündiger Individuen ausdrücken mag, es muß theoretisch eine ganz und gar offene Frage sein, ob sich diese Prospektive aus einem Gesamtsinn des Prozesses oder in einem engeren geschichtlichen Bezugssystem begründet. Den Primat der Empirie finden wir in der ersten Skizze des Geschichtsmaterialismus sehr entschieden geltend gemacht. An die Stelle der spekulativen Konstruktionen vormaliger Geschichtsphilosophie »kann höchstens eine Zusammenfassung der allgemeinsten Resultate treten, die sich aus der Betrachtung der historischen Entwicklung der Menschen abstrahieren lassen«; solche Generalien ergeben jedoch »kein Rezept oder Schema, wonach die geschichtlichen Epochen zurechtgestutzt werden können«[22].

a. Geschichte als Epochenfolge

Nur zögernd findet sich Marx schließlich überhaupt noch bereit, eine Formel für den Gesamtverlauf der Geschichte zu präsentieren. Eine höhere doktrinale Verbindlichkeit kommt diesem Schritt eigentlich nicht mehr zu; das Hauptinteresse für Marx bestand ohne Zweifel darin, die Genesis der bürgerlichen Gesellschaft in Westeuropa und ihre weitere Ausbreitung über die Welt als einen singulären geschichtlichen Akt zu erfassen. Exkursionen in andere Geschichtsräume haben mehr den Effekt, Material für vergleichende und kontrastierende typologische Studien einzuholen, in der Absicht, vor dem Hintergrund anders verfaßter Gesellschaften die Eigenart der bürgerlichen Epoche um so deutlicher hervortreten zu lassen[23]. Mit wieviel Zurückhaltung die Frage nach gemeinsamen, verbindlichen Prozeßlinien anzugehen ist, kann man exemplarisch daran sehen, wie schwer Marx selbst sich tat, als Zeitgenossen von ihm eine Evolutionsprognose für die Sozialstruktur Rußlands erfragten: Er holte in drei Entwürfen (zusammen an die 20 Druckseiten) weit aus und verfaßte schließlich einen knappen Antwortbrief von einer Seite, der 1. die Eingrenzung der im *Kapital* enthaltenen Verlaufsformeln auf Westeuropa betont, 2. die Unstatthaftigkeit einer darauf gegründeten Deduktion für andere Regionen deklariert, 3. für Rußland eine bestimmte Möglichkeit aus einem anderweitig angestellten

[22] Ebd., S. 27.

[23] Dahmer (vgl. Anm. 2), S. 74. Ferner Lucio Colletti, *Marxismus als Soziologie*. Berlin 1973, S. 28f.

»Spezialstudium« ableitet, doch 4. auch diese Möglichkeit – es ist die Aktivierung der Dorfgemeinde für eine sozialistische Entwicklung – an Teilbedingungen geknüpft sieht, die nicht einfach gegeben und wirksam sind, sondern aktiv herzustellen wären[24].

Verglichen mit den Aufstellungen der vorausgegangenen idealistischen Geschichtsphilosophie sind es also nur wenige und vorwiegend restriktive Sätze, in die sich die Marxsche Sicht des Gesamtprozesses ausformulieren ließe. Einen positiven Kernbestand faßt Marx in die bekannte Formel aus dem Vorwort von 1859: »In großen Umrissen können asiatische, antike, feudale und modern bürgerliche Produktionsweisen als progressive Epochen der ökonomischen Gesellschaftsformation bezeichnet werden.«[25] Die Formel ist allerdings unvollständig: sie nennt nur die Formationen der Klassengesellschaft; ihnen voraus gehen Jahrhunderttausende der »archaischen Gesellschaften«[26]. Ferner fällt auf, daß die Gliederung der genannten vier Formationen disparat ist, und die Nennung einer »asiatischen« Produktionsweise deutet an, daß wir es gar nicht mit einer universalen Linearität, sondern mit einer Art multiregionalen Terrassenbildung mit verschiedenen interregionalen Wanderungs- und Übertragungseffekten von hoher Kontingenz zu tun haben.

Unter den dominanten analytischen Kategorien von Marx stellt sich die Geschichte zum einen als Zivilisationsprozeß (Entfaltung und Vergegenständlichungen der menschlichen Produktivität im »Stoffwechsel mit der Natur«) dar, zum anderen als Vergesellschaftungsprozeß in seinen innerregionalen und interregionalen Bezügen. Die Formel des *Kommunistischen Manifestes* von der Geschichte als einer Geschichte von Klassenkämpfen kann leicht verdecken, daß die Vergesellschaftungsweisen in der interregionalen (internationalen) Dimension für Marx kaum von minderem Gewicht gewesen sind. Die Geschichte der Menschen, wieviel oder wie wenig an gemeinsamer »Entwicklungslogik« sie aufweisen mag, ist manifest stets eine diskret-diskontinuierliche Folge von Geschichten gewesen, und daß sie zur Totalität einer Weltgeschichte geworden ist, das ist selbst ein geschichtliches Resultat der modernen bürgerlichen Gesellschaft, die den Weltmarkt geschaffen hat und die Möglichkeit einer planetarischen Integration aller Menschen, eine menschliche Gesellschaft im

[24] MEW, Bd. 19, S. 242f., 384f.
[25] MEW, Bd. 13, S. 9.
[26] MEW, Bd. 19, S. 403.

Singular, voraussignalisiert[27]. Es zeichnet sich so eine Gesamtlinie der mit der wachsenden Produktivkraft immer weiter ausgreifenden Bildung größerer territorialer Einheiten ab – eine Linie, die ebenso diskontinuierlich ist wie die des Zivilisationsprozesses.

Eine durchlaufende Linie im Wandel der qualitativen Vergesellschaftung ist noch schwerer zu erkennen als in der materiell-produktiven Leistungsbilanz des Zivilisationsprozesses. Der Weg von den archaischen klassenlosen Gesellschaften über die Formationen der Klassengesellschaft zu einer künftigen Organisation ohne sozialen Antagonismus hat wenig Ähnlichkeit mit der Rückkehr zu einer ursprünglichen Verfassung; trotz der humanen Qualitäten, die Engels im Binnenbereich der Gentilgesellschaft mit viel Sympathie schildert, ist diese Gesellschaft im ganzen doch alles andere als frei von sozialen Antagonismen, ist sie mit ihren häufigen erbarmungslosen Vernichtungskämpfen kein paradiesisches goldenes Zeitalter. Was Marx am meisten interessiert, ist nach der Seite des Zivilisationsprozesses der Zuwachs des Reichtums an Gegenstandsbezügen, Produktionen, produzierten Formen, Genüssen; nach der Seite des Vergesellschaftungsprozesses ist es – im Zusammenhang mit unterschiedlichen Proportionen der Teilhabe an jenem Reichtum – die Veränderung in der Weite des gesellschaftlich-kooperativen Zusammenhangs und in der autonom-heteronomen Qualitätsbilanz sozialer Kooperation. Die Modifikationen der Vergesellschaftung interessieren vor allem als Modifikationen von Abhängigkeitsbeziehungen zwischen Menschen. Marx glaubt die folgende kardinale Veränderungslinie feststellen zu können: »Persönliche Abhängigkeitsverhältnisse (zuerst ganz naturwüchsig) sind die ersten Gesellschaftsformen, in denen sich die menschliche Produktivität nur in geringem Umfang und auf isolierten Punkten entwickelt. Persönliche Unabhängigkeit, auf *sachlicher* Abhängigkeit gegründet, ist die zweite große Form, worin sich erst ein System des allgemeinen gesellschaftlichen Stoffwechsels, der universalen Beziehungen, allseitiger Bedürfnisse und universeller Vermögen bildet. Freie Individualität, gegründet auf die universelle Entwicklung der Individuen und die Unterordnung ihrer gemeinschaftlichen, gesellschaftlichen Produktivität, als ihres

[27] In der Einleitung zum Rohentwurf des *Kapital*, den *Grundrissen*, findet sich diese Stichwort-Notiz: »Weltgeschichte existierte nicht immer; die Geschichte als Weltgeschichte Resultat.« MEW, Bd. 13, S. 640.

gesellschaftlichen Vermögens, ist die dritte Stufe. Die zweite schafft die Bedingungen der dritten.«[28] Auch diese Verlaufsskizze, die sich als die Retrospektive zu einer Programmatik darstellt, ist mit der Selektivität, in der die Abhängigkeiten auf ihre persönliche oder sachliche Qualität hin bestimmt werden, von einer volleren theoretischen Artikulation noch ziemlich weit entfernt. Das bestätigt nur, daß die ausgebildete historisch-materialistische Theorie alles in allem eine ziemlich negative Geschichtsphilosophie ist und daß, je allgemeiner die thematische Ebene, der Thesenertrag um so spärlicher wird. Ihre Domäne ist die Spezifik und Singularität regionaler Teilprozesse.

b. Gattungsgeschichtliche Perspektive

Gleichwohl begegnet uns auch in der zusammenfassenden Formel von 1859 noch eine Wendung, die ganz in den Bahnen einer fundamentalanthropologischen Ausdeutung der Geschichte zu verbleiben scheint. Wo Marx das bevorstehende Ende der bürgerlichen Gesellschaft und mit ihr des sozialen Antagonismus überhaupt voraussagt, fügt er dem lapidar hinzu: »Mit dieser Gesellschaftsformation schließt daher die Vorgeschichte der menschlichen Gesellschaft ab.«[29]

Ich muß zugeben, daß die Einordnung dieses Satzes in das materialistische Konzept des »offenen Prozesses« nicht ganz leichtfällt. Man kann ihm eine weitere, eine engere oder überhaupt eine mehr rhetorische als theoretische Bedeutung zuschreiben. Manche erweitern den Satz, indem sie Marx die Dichotomie von Vorgeschichte und »eigentlicher« Geschichte unterstellen oder der »Vorgeschichte« einen Menschen zuordnen, der eigentlich noch gar nicht Mensch ist, sozusagen erst »Vormensch«, womit die Frage nach einem »neuen Menschen« eine erhebliche Größenordnung erlangt. Mein Bestreben geht dahin, mit einer geringeren Hypothek auszukommen, dem Universalienrealismus mit seinem Begriff des menschlichen »Wesens« einen nominalistischen Kontrapunkt entgegenzusetzen. Wie bei Engels, wenn er vom endgültigen Ausscheiden des Menschen aus dem Tierreich spricht (mit dem Aufhören des »Kampfes ums Einzeldasein« und der naturhaft-unbewußten Verlaufsform der Geschichte), könnte auch bei Marx der Titel der »menschlichen Gesellschaft« statt einer finalen Sinnbestimmung nur einen resul-

[28] *Grundrisse der Kritik der politischen Ökonomie*, S. 75f.
[29] MEW, Bd. 13, S. 9.

tierenden Zustand benennen, in dem man es mit *einer* Gesellschaft aller Menschen statt mit vielen dissoziierten Gesellschaften zu tun hätte, einen Zustand ferner, in dem die Zugehörigkeit zu einer besonderen Klasse nicht mehr gewichtigere Folgen für das Leben eines Menschen hat als der gemeinsame menschliche Artcharakter. »Menschlich« bezeichnet danach weniger einen intensiv qualitativen Inbegriff vollendeter Humanität als einen extensionalen Titel, der das Ende der Trennungen von Nationalität und Klasse ratifiziert. Das schließliche Hervorgehen eines solchen Zustandes unterliegt gänzlich der geschichtlichen Kontingenz, er ist nicht die Verwirklichung eines ursprünglichen gattungsgeschichtlichen Auftrags. Sein genetisches Bezugsfeld sind die Bedingungen und Variablen, die mit der bürgerlichen Gesellschaft entstanden sind; er mag noch in einem weiteren Sinne das Resultat der ganzen vorausgegangenen Geschichte sein, nicht jedoch das Ziel, worauf diese ausgerichtet gewesen wäre. Daß es vielleicht zu allen Zeiten ein menschliches Streben in dieser Richtung gegeben hat, macht noch keine Teleologie des Gesamtprozesses aus.

Das Geschichtsdenken von Marx hat um des historischen Realismus willen seinen Abschied von einer universalen menschlich-humanen Wesensprogrammatik genommen und so auch die eigene praktische Geschichtsperspektive menschheitlicher Universalisierung streng historisiert. Die Antizipation eines Zustandes, in dem geschichtlich überkommene Privilegierungen und Zurücksetzungen aufgehoben sind und damit das Volumen des menschlich Allgemeinen denkbar erweitert ist, begründet in der historischen Retrospektive ein Interesse, die wechselvolle Geschichte von Besonderungen des Allgemeinen und Verallgemeinerung des Besonderen in den Ausprägungen menschlicher Daseinsweise zu verfolgen, und dieses Interesse schärft den Blick für die Ungleichheiten menschlicher Selbstverwirklichung und Fremdbestimmtheit, gerade weil sie gegenwärtig aufgehört haben, einfach positiv gegeben und selbstverständlich zu sein. Auf der Hauptlinie der materialistischen Geschichtsbetrachtung von Marx ist dieses Interesse jedoch offen-heuristischer Natur – frühere Gesellschaftsformationen daraufhin zu untersuchen, wie in ihnen die Distribution und Anteilverschiebung zwischen menschlich Allgemeinem und sozial Besonderem von Fall zu Fall geartet war –, das Interesse geht jedoch nicht darauf aus, aus dem Vergangenen Bestätigungen für etwas zu erhalten, was man in der Gegenwart für die Zukunft im Sinne hat. Anthropologisch radikalisierte Bestimmungen, in denen das sozialgeschichtlich Besondere sub specie des menschlich Allgemeinen reflektiert wird, haben für Geschichtsanalysen die Bedeutung von heuristischen Maßskalen – darin könnte man die transformierte und reduzierte Funktion anthropologisch-gattungsgeschichtlicher Begriffe sehen.

3. Zur Struktur sozialer Revolutionen

Der Aktus und Modus des Prozedierens ist für Marx, wie schon bemerkt, sichtlich von höherem Interesse als »der Prozeß« als bestimmte Gestalt. Nun scheint es, daß Marx wenigstens eine hinreichend streng konzipierte Ansicht von jenem Modus des Prozedierens erarbeitet hat – namentlich für die großen geschichtlichen Epochen, die sozialen Revolutionen. Aus den Elementen, die wir in den analytischen Orientierungen des ersten Abschnitts betrachtet haben, fügt sich im Vorwort von 1859 das folgende Prozeßmodell zusammen: »Auf einer gewissen Stufe ihrer Entwicklung geraten die materiellen Produktivkräfte der Gesellschaft in Widerspruch mit den vorhandenen Produktionsverhältnissen oder, was nur ein juristischer Ausdruck dafür ist, mit den Eigentumsverhältnissen, innerhalb deren sie sich bisher bewegt hatten. Aus Entwicklungsformen der Produktivkräfte schlagen diese Verhältnisse in Fesseln derselben um. Es tritt dann eine Epoche der sozialen Revolution ein. Mit der Veränderung der ökonomischen Grundlage wälzt sich der ganze ungeheure Überbau langsamer oder rascher um. In der Betrachtung solcher Umwälzungen muß man stets unterscheiden zwischen der materiellen, naturwissenschaftlich treu zu konstatierenden Umwälzung in den ökonomischen Produktionsbedingungen und den juristischen, politischen, religiösen, künstlerischen oder philosophischen, kurz ideologischen Formen, worin sich die Menschen dieses Konflikts bewußt werden und ihn ausfechten. ... Eine Gesellschaftsformation geht nie unter, bevor alle Produktivkräfte entwickelt sind, für die sie weit genug ist, und neue, höhere Produktionsverhältnisse treten nie an die Stelle, bevor die materiellen Existenzbedingungen derselben im Schoß der alten Gesellschaft ausgebrütet worden sind.«[30] Wie allgemeinverbindlich dieses Modell von Marx gemeint war, ist immer strittig gewesen.

[30] Ebd.

Es ist genauer eine idealtypische Konstruktion für den »Idealfall«, daß innerhalb einer Gesellschaftsformation überhaupt eine progressive Veränderung ihres Produktivkraftarsenals zustande kommt – das ist offensichtlich eher der Fall von revolutionären als von konservativen Produktionsweisen. Der Fall, daß eine degressive Produktivkraftentwicklung vonstatten geht und dann auch keine progressive Auflösung der alten Produktionsverhältnisse resultiert, sondern der »gemeinsame Untergang der kämpfenden Klassen« (oder sonst etwas), ist selbst in einem so progressiv-aktivistischen Text wie dem *Kommunistischen Manifest* ausdrücklich vermerkt[31]. Ein Studium des Schicksals der römischen Antike, die nach Marx sogar schon bis an die Schwelle einer bürgerlichen Formation herangeführt hatte, gibt reichlich Anlaß zu solcherlei Einschränkungen. Aus einer Fülle von Problemen, die sich bei der Deutung und Nutzanwendung der Marxschen Prozeßformel ergeben, sei hier nur die generelle Schwierigkeit benannt, in den Termini ihrer Modellanalytik die gelebte Wirklichkeit geschichtlichen Agierens einzuholen. Das gilt für die analytischen Abstraktionen ebenso wie für die soziostrukturellen Typenbildungen, die (wie H. Dahmer bemerkt) zur realen historischen Entwicklung in einem problematischen Verhältnis stehen[32].

Die Begrifflichkeit des Vorworts von 1859 bewegt sich auf einer Ebene von Systemstrukturen und Prozeßmodalitäten, die sich zwischen abstraktiv fixierten Instanzen abspielen, nicht unmittelbar im Handlungsraum der Menschen als der »Subjekte« des Prozesses: Produktivkräfte »entwickeln sich«, und dies innerhalb von »Produktionsverhältnissen«, die für solche Entwicklung »weit genug« sind oder »zu eng« werden, und von diesen Prozeßinhalten sind die »ideologischen Formen« zu unterscheiden, in denen die Menschen sich der Sache bewußt werden und sie ausfechten. Die Schwierigkeit, hier in einer kategorialen Polarisation von Prozeßinhalt und Handlungsform faßbar, besteht darin, wie eine Identität von Subjekthandeln und strukturellem Prozeßgeschehen, die in der Sache ja vorauszusetzen ist, auch in der Begrifflichkeit realisierbar wird. Ich halte das bei den Marxschen Begriffen nicht nur für möglich, sondern auch für lohnend, um des theoretischen Erschließungswertes dieser Begriffe willen. Realisierbar könnte es sein auf dem Wege einer

[31] MEW, Bd. 4, S. 462.
[32] Dahmer-Fleischer, *Soziale Evolution*, S. 94f.

»Verlebendigung« der Verhältnisparameter, die mit den Kategorien »Produktivkräfte«, »Produktionsverhältnisse«, »Überbau« u. a. angezeigt sind, ihrer Übersetzung in eine »lebensweltliche« Begrifflichkeit.

a. Entwicklung der Produktivkräfte – Veränderung der Produktionsverhältnisse

In den erläuternden Notizen des ersten Abschnitts war schon davon die Rede, daß die Produktivkräfte in letzter Instanz die produktiven Energien und Fähigkeiten der Menschen sind, die sie in gesellschaftlich differenzierten Anteilen zur Befriedigung ihrer ebenfalls gesellschaftlich differenzierten Bedürfnisse einzusetzen haben, und dies stets in Weisen einer gesellschaftlichen Koordination, worin die unterschiedlichen Positionen und Funktionen wiederum Sache eines interessierten, positiv bestätigenden oder negativ betroffenen Sozialverhaltens sind. Geschichtliche Veränderungen, die über die Zirkularität oder Fluktuation der Bewegung innerhalb einer gleichbleibenden Sozialformation hinausführen, haben ihren Angelpunkt in der Erwerbung neuer Produktivkraftpotenzen. Doch hier haben wir es nicht mit einem Schematismus von »Entwicklung« zu tun, sondern mit motivierten und stimulierten, interessierten und tentativen Handlungen, die sich meistens von vereinzelten Initiatoren und Initiatorengruppen aus durch verschiedene Übertragungs- und Auslösungsschritte in einem sozialen Umfeld ausbreiten, indem wiederum Menschen in ihren Belangen von Effekten der neu eingeführten Produktivkraft tangiert und zu Antworthandlungen stimuliert werden. Die Produktivkraft ist sozial lokalisierter Besitz, mit dem Menschen dies und jenes erwirken können. Ein häufiger Regelfall ist, daß die Effekte einer in fremder Verfügung betätigten Produktivkraft den Zwecken ihrer Herren dienstbar sind, die Potenzierung der Produktivkraft also auch das Reich dieser Zwecke ausweitet. Die erweiterte Produktivkraft des städtebürgerlichen Gewerbes und Handels ermöglichte die Potenzierung der bis dahin recht prekären Spitze des Grundadels zur absoluten Monarchie, die sozusagen der Tertiärinhaber dieser Produktivkraft-Effekte wurde, bis die Sekundärinhaber, die Organisatoren von Manufakturen und Transportunternehmungen, die Kraft erlangten, diese Fremdverfügung aufzukündigen, ihrerseits gefolgt von den Primärinhabern, den »unmittelbaren Produzenten«, die schließlich ihren eigenen Produktivkraft-Anteil für selbstbestimmte Zwecke nutzbar machten, so weit diese Kraft eben von Fall zu Fall reichen mochte – was jeweils praktisch auf die Probe zu stellen war.

Von methodischer Wichtigkeit ist hier, wie man sieht, die relative Taxierung der einzelnen Produktivkraft-Anteile und der zwischen ihnen eintretenden Gewichtsverschiebungen; die Frage ist immer, wer welche Produktivkraft-Komponenten wem gegenüber und woraufhin aufzubieten hat. Zweck des Produktivkraft-Aufgebots sind nun nicht nur die produzierten Produkte oder sonstige dadurch ermöglichten Leistungen. Involviert sind oft auch die »Produktionsverhältnisse« oder, genauer – auf den Lebens- und Handlungsraum der Individuen bezogen –, die bestimmten sozialen Partnerqualitäten und Geltungsindizes, die jemand relativ zu seinen verschiedenen Bezugsgruppen erlangt. Schon die Anstrengung zum Erwerb höherer Produktivkraft-Potenzen kann durch Befriedigungsdefizite der sozialen Partnerposition ausgelöst sein. (Das gilt nicht nur für den Einsatz von Produktivkraft zur qualitativen oder graduellen Veränderung einer Produktionsverhältnis-Partnerschaft, sondern auch für Positionskämpfe der Konkurrenz innerhalb einer Klassenformation.)

b. Veränderung der Grundlage – Umwälzung des Überbaus

In der Rezeptionsgeschichte entstand immer wieder die Versuchung, die in den analytischen Schnitten von Marx aufgewiesenen Instanzen nach Art von »Faktoren« zu deuten, deren jeder eine eigene Wirksamkeit entfaltet und aus deren »Wechselwirkung« der Gesamtprozeß resultiert – nicht ohne daß eine Instanz als die letztentscheidende zu gelten hätte. Die thematisch unterscheidbaren Prozeßkomponenten wie Entwicklung der Produktivkräfte, Veränderung der Produktionsverhältnisse, geistige Bewegungen und politische Aktionen aller Art erlangen in dieser Betrachtungsweise ein mehr oder weniger hohes Maß an »relativer Selbständigkeit«, an Variationsbreite innerhalb der durch die »letzte Instanz« abgesteckten Grenzen. So kommen Teilprozesse in den jeweiligen »Sphären« mit mancherlei Phasenverschiebung in Gang – ideologische Bewegungen, politische Bewegungen, soziale Revolutionen, technische Revolutionen. (N. Bucharin hat für die sozialistische Umwälzungsepoche eine typische Sequenz, eine »Phaseologie«, solcher Regionalprozesse zu umreißen versucht[33].) Immer wieder kommen Differenzen darüber

[33] Nikolaj Bucharin, *Ökonomik der Transformationsperiode* (1920). Reinbek 1970.

auf, welche Veränderungseffekte in geschichtlichen Prozessen als vorausgehende Bedingung und welche als Folge anzusehen seien[34]. Probleme dieser Art stellten sich ebenso hinsichtlich der Veränderungsfolge bei Produktivkräften und Produktionsverhältnissen wie hinsichtlich der Zeitordnung von ökonomischen, politischen und ideellen Bewegungsimpulsen. Der Ursprungs- oder Bedingungsprimat, so scheint es, müßte sich doch auch als zeitliche Priorität aufweisen lassen.

Eine weitere Versuchung kommt ins Spiel: Lassen sich die Marxschen Sätze über die diversen Prozeßkomponenten nicht am deutlichsten machen, wenn man sich an die sichtbar herausgehobenen Sonderaktivitäten von Politikern und Gesetzgebern, Priestern und Künstlern, Denkern, Fabrikanten und Kaufleuten hält und die Modalitäten ihrer »Wechselwirkung« erkundet?

Indessen bewegen sich die Marxschen Thesen über eine Korrelativität der Prozeßkomponenten auf einer ganz anderen kategorialen Ebene: weder beziehen sie sich auf die Wirksamkeit gesonderter Korporationen, Institutionen und Funktionsträger noch auf die besonders sichtbar hervortretenden Prozeßphasen von je eigener dominanter Thematik. Sie handeln von mehr und behaupten zugleich weniger. Nichts ist behauptet über typische Sequenzen – im Text heißt es ja nur, »mit« der ökonomischen Grundlage (nicht nachher) wälze sich der Überbau um. Es geht nicht vorwiegend um die besonders hervortretenden Aktivitäten von Korporationen und Funktionsträgern – ein Hauptgedanke ist vielmehr, daß dies immer nur sozusagen die korpuskularen Verdichtungen innerhalb eines breit gelagerten Ganzen sozialer Feldenergien sind. Überhaupt geht es nicht so sehr um singulär faßbare Wirkungen und Handlungen, die von einem Bereich in einen anderen hinüberreichten; es wäre ja unangebracht, immer nur die großen Aktionsschübe vor Augen zu haben, schärft die Theorie doch gerade den Sinn für die molekularen Prozesse im sozialen Substrat, und namentlich die »Entwicklung der Produktivkräfte« ist von solcher Art.

Was aber die »eigentliche Ebene« jener Korrelativitätsthesen ist, das wird durch die Metaphorik von »Grundlage« und »Überbau« (was hier übrigens nicht dasselbe wie »Basis – Überbau« ist![35]) ziemlich verstellt. Es kann jedenfalls nichts von der Art

[34] Vgl. J. Habermas, *Zur Rekonstruktion des historischen Materialismus.* Frankfurt a. M. 1976, S. 161.

[35] Wo Marx den Begriff »Basis« in der Korrelation mit »Überbau« (und »Bewußtseinsformen«) einführt, bezeichnet er eine bestimmte Funktion der Produk-

einer Gebäudestatik sein, sondern nur die mehrdimensionale Bestimmtheit eines »Handlungsraumes«, der Parameter gesellschaftlich und gegenständlich vermittelten und interessiert-gerichteten Handelns von Menschen im Betätigungsfeld ihrer Produktivität, das zugleich Spannungsfeld von Befriedigungen und Anfechtungen ist. Was mit den Korrelativitätsthesen behauptet ist, das ist letztlich die synthetische Einheit in den nach ihrer Thematik verschiedenen, einander ablösenden oder auf verschiedenste Weise miteinander verknüpften Manifestationen sozialgeschichtlich konkretisierten menschlichen Lebens- und Handlungssinnes. Der Weg führt nicht von einem »Oben« zu einem »Unten«, sondern von den Wahrnehmungen einer Mannigfaltigkeit von Äußerungen zum Erfassen einer inneren Einheit, von außen nach innen. Hier allein ist Aufschluß darüber zu erhalten, unter welchen Stimulationen die Menschen ihre Produktivkraft weitertreiben und zumal wie sie Produktivkraftpotenzen – eigene oder fremde, über die sie verfügen – in ihrem gesellschaftlichen Wirkungsraum einsetzen, um damit, wiederum unter bestimmten Motivationen und Stimulationen, Verschiebungen von Positionen und Proportionen zu erreichen. Die Erstformulierung der historisch-materialistischen Hauptsätze (1845/46) macht die Handlungssubjektivität um einiges deutlicher, wenn es hier heißt, das Verhältnis der Produktivkräfte zu den Produktionsverhältnissen sei gleichbedeutend mit deren Verhältnis zur »Tätigkeit oder Betätigung der Individuen«: sie sind »Bedingungen der Selbstbetätigung«, von dieser Selbstbetätigung produziert, und sie werden von ihr überschritten, wenn eine mehr »fortgeschrittene Art der Selbstbetätigung der Individuen« sich angebahnt hat[36]. Die Hermeneutik dieses »Innenraumes« korrespondierender Handlungs- und Erleidens-, Befriedigungs- und Kompensationsvaleurs mitsamt ihren unendlich mannigfachen Bewußtseinsweisen steht bei Marx noch in den Anfängen, arbeitet mit manchen unzulänglichen hermeneutischen Schlüsseln und setzt mitunter Normierungen an, wo Erfahrungen noch mangeln[37]. Die weitere Arbeit an dieser Hermeneutik der Praxis

tionsverhältnisse. In einen weiter gefaßten Begriff von »Grundlage« gehen auch noch andere Komponenten ein, außer Parametern der Produktivkräfte auch Naturbedingungen und Vergegenständlichungen der Arbeit früherer Generationen.

[36] MEW, Bd. 3, S. 71f.

[37] Um die Zeit des *Kommunistischen Manifests* erklärte Marx einmal, das Proletariat, »das sich nicht als Kanaille behandeln lassen will«, habe Qualitäten wie »seinen Mut, sein Selbstgefühl, seinen Stolz und seinen Unabhängigkeitssinn noch viel nötiger als sein Brot«. MEW, Bd. 4, S. 200.

wäre vielleicht der wichtigste Beitrag, der aus Marxschen Einsichten für das Vorhaben »begriffene Geschichte« erwachsen könnte.

c. Soziale Revolution

In der praktischen Prospektive von Marx war die geschichtlich anstehende Revolution der lebendigen Arbeit gegen das sie ertötende Kapital ohne Zweifel die wichtigste Sache überhaupt, und es versteht sich, daß er auch in der gedrängten Zusammenfassung seiner Rahmentheorie den prominenten geschichtlichen Ort sozialer Revolutionen deklariert: sie treten ein, wenn die überkommenen Produktionsverhältnisse zur Fessel expandierender Produktivkräfte geworden sind. Was jedoch die näheren Modalitäten sozialer Revolutionen betrifft, so gibt es bei Marx bemerkenswert wenig an allgemeiner Theorie. Anfänglich beherrschte die noch nahe zurückliegende Französische Revolution sein Blickfeld, und er hegte die Erwartung, man stehe nun erneut an der Schwelle einer Revolutionsperiode. Je näher er aber mit der geschichtlichen Realität der zeitgenössischen Arbeiterbewegung (1848–1850) und der bürgerlichen Gesellschaft vertraut wurde, desto weniger konnten ihm soziale Revolutionen als so kurzatmige »Sturmperioden« erscheinen. War doch auch die Französische Revolution als eine eminent politische Revolution nur eine Episode in einer sozialen Revolution von viel größeren Zeitmaßen, und die proletarische »Revolution in Permanenz« verhieß nicht minder ein Prozeß von Generationendauer zu werden.

Die Instanz der »sozialen Revolution« erfuhr bei Marx auch keine weitere geschichtstheoretische Elaboration und Verankerung. Es konnte zumal nicht der Gedanke aufkommen, alle großen sozialgeschichtlichen Epochen seien die Überwindung einer niederen durch eine höhere Produktionsweise unter der Ägide einer bis dahin unterdrückten revolutionären Klasse gewesen. Eine aktuelle Revolutionsperspektive begründet sich nicht universalgeschichtlich, sondern regionalgeschichtlich und mit vielen Kontingenzen in ihrem Prämissensatz.

Diskrepanzen zwischen Produktivkräften und Produktionsverhältnissen konzentrieren sich nicht immer augenfällig in einem das ganze soziale Feld durchwaltenden singulären Grundverhältnis. Für die vorbürgerliche Gesellschaft konstatierte Marx selbst dies ausdrücklich, nur nahm er zunächst an, daß die bürgerliche Gesellschaft eine grandiose Vereinfachung der Klassensituation gebracht hätte (was sich dann als nicht ganz zutreffend erwies). Engels hat einmal versucht, den systemsprengenden Strukturkonflikt der kapitalistischen Produktionsweise als die Unverträglichkeit von gesellschaftlichem Charakter der Produktion (Produktivkräfte) und privater Art der Aneignung von Produktionsmitteln, Produkten und Verfügungsgewalt faßbar zu machen, d.h. auf einer kategorialen Ebene funktionaler Systemqualitäten und hier als ein schlechthin zentrales, den Möglichkeitsraum des Gesamtsystems bestimmendes Verhältnis. Darin steckt indessen eine zweifache Problematik: einmal erlangt ein wie auch immer gearteter struktureller »Widerspruch« seine volle, nämlich praktische Aktualität erst dort, wo Produktionsverhalten gegen Produktionsverhalten (bzw. die von einem an das andere ergehenden Verhaltenszumutungen oder -nötigungen) steht und die beiderseitigen Verhaltenspotenzen sich aneinander messen und abarbeiten. Und zum anderen steht immer in Frage, welche qualitativ-strukturelle Komponente eines vielgliedrigen Komplexes von Produktionsverhältnissen der zentrale Ort wird, an dem sich eine über das Gesamtsystem entscheidende Kollision abspielt. Was das erste, den praktischen Modus, angeht, so machen die frühen Texte etwa den Widerstreit zwischen Kräften einer »Selbstbetätigung« und den Zumutungen von Fremdbestimmtheit namhaft. Und zum anderen, daß gerade das Verurteiltsein der Arbeiter zu fremdbestimmter Lohnarbeit das radikal Empörende sei, erwies sich dann doch als weniger aktuell. Vielmehr zeigte sich, daß folgenreichere Kollisionen eher an sekundären und tertiären Momenten des Gesamtsystems von Produktionsverhältnissen entstehen – man denke daran, wie vermittelt der Zusammenhang der russischen Oktoberrevolution mit den sogenannten Grundwidersprüchen der kapitalistischen Produktionsweise sich darstellt.

Für die Nutzanwendung, die man aus den Marxschen analytischen Kategorien für das Begreifen geschichtlicher Prozesse gewinnen kann, folgt daraus etwas recht Wichtiges: Diese Kategorien erweisen ihren heuristischen Wert gar nicht darin, daß sie ein Schema konkreter geschichtlicher Abläufe zu geben vermöchten, ein Schema also der faktisch möglichen Versuche, der tentativen Anläufe. Das alles bleibt vielmehr offen, einer vielschichtigen Kontingenz überlassen. Die Domäne jener Kategorien ist vielmehr die Heuristik der möglichen Realisationen, der schließlichen Handlungserfolge. Am Beispiel der russischen Oktoberrevolution: Daß hier geschichtlich eine Situation entstanden ist, in der schließlich in gesamter gesellschaftlicher Breite das private

Eigentum an gesellschaftlichen Produktionsmitteln durch gesellschaftliches abgelöst wurde, ist aus keinerlei Logik des Verhältnisses von Produktivkräften zum gegebenen Grundtypus der Produktionsverhältnisse ableitbar. Wohl aber hilft die Hermeneutik der Produktivkräfte und Produktionsverhältnisse begreifen, welchen konkreten gesellschaftlichen Gehalt das »gesellschaftliche Eigentum« bei gegebener Potenz der Produktivkräfte schließlich erlangt hat. Je größer die soziale Feldbreite ist, in der wir die lebendigen Produktivkräfte einer Gesellschaft sondieren können, je differenzierter wir diese Produktivkräfte nach ihren einzelnen Komponenten taxieren und je voller wir die soziale Beziehungspotenz der mannigfachen Produktivkraft-Profile auszuloten verstehen, desto besser werden wir imstande sein, darin die Möglichkeitsbedingungen für die Realisationen der sozialen, der politischen und der Ideengeschichte zu entdecken.

Jörn Rüsen

Die Uhr, der die Stunde schlägt
Geschichte als Prozeß der Kultur bei Jacob Burckhardt

Zum Gedenken an Jan Patocka,
den Zeugen für eine Kultur der Freiheit

1. Fragestellung

Obwohl der Historiker sich ständig mit geschichtlichen Prozessen beschäftigt, taucht das Thema »Geschichte als Prozeß«[1] in dieser Allgemeinheit und Grundsätzlichkeit in seiner täglichen Arbeit nicht auf. Solange er konkretes vergangenes Handeln erforscht, hat er es mit einzelnen geschichtlichen Prozessen zu tun, mit deren Bedingungen und Voraussetzungen, Abläufen und Ergebnissen – vielleicht auch mit deren Gesetzmäßigkeit; aber es geht ihm nicht um die Frage, was eigentlich an all dem das Gemeinsame, das Geschichtliche ist. Solche Fragen sind vorentschieden, wenn er seine Forschungsarbeit leistet und deren Ergebnisse in Geschichtsschreibung umsetzt. Ihm ist von vornherein klar, was eigentlich in den Blick geraten soll, wenn er vergangenes menschliches Handeln und Leiden in seinem zeitlichen Ablauf erforscht und in einer Geschichte darstellt. Bevor er an die Quellen herangeht, um aus ihnen in methodisch geregelter und intersubjektiv prüfbarer Weise Erkenntnisse über die Vergangenheit zu gewinnen, weiß er schon, was er eigentlich wissen will: Die Fragen, die er an die Quellen stellt, enthalten bereits eine Antwort auf die (von ihm nicht an die Quellen gestellte) Frage, was eigentlich von der in den Quellen gegenwärtigen Vergangenheit als »Geschichte« gelten soll. Der Historiker muß also immer schon wissen, worin die besondere zeitliche Qualität des Leidens und Handelns vergesellschafteter Menschen besteht, aufgrund deren vergangenes Handeln und Leiden als »Geschichte« erkannt und ausgesagt werden kann. Es gehört zu den Bedingungen des Erkenntnisfortschritts der Geschichtswissenschaft,

[1] Ich danke Herrn Günther Patzig für eine Reihe kritischer Hinweise zur Präzisierung meiner Überlegungen.

daß die Gemeinschaft der Forscher (und ihr Publikum) getragen ist von einem Konsens darüber, was als Geschichte aus der überlieferten Vergangenheit vergegenwärtigt werden soll. Denn müßte dies in jeder historischen Forschung von neuem festgelegt und begründet werden, dann wären die vielen empirischen Untersuchungen nicht möglich, die zusammengenommen den Erkenntnisfortschritt der Geschichtswissenschaft ausmachen.

Es wäre aber verfehlt, daraus den Schluß zu ziehen, man könne Erwägungen darüber, was Geschichte als Prozeß eigentlich ist, aus der Kompetenz des Historikers herausnehmen und sie der Philosophie oder gar der vor- und außerwissenschaftlichen Weltanschauung zuweisen. Solche Erwägungen stecken ja implizit in jeder, auch der geringfügigsten und antiquarischsten historischen Untersuchung, und sie müssen vom Historiker aus zwei Gründen auch explizit angestellt werden: Einmal ist es in Zeiten ungestörter Wissenschaftsentwicklung bei allgemeinem Konsens über die Grundlagen und Ziele der historischen Forschung und der Geschichtsschreibung unerläßlich, den wissenschaftlichen Nachwuchs in diesen Konsens einzuführen und seinen Inhalt zur Sprache zu bringen, damit auf seiner Basis ein Erkenntnisfortschritt durch weitere Arbeit an den Quellen erreicht werden kann. Wenn zweitens ein solcher Konsens nicht mehr besteht, sondern über die Zielsetzungen und Methoden gestritten wird, werden Überlegungen zum Gegenstandsbereich der historischen Erkenntnis im ganzen wichtig; sie bilden einen wesentlichen Teil des »Grundlagenstreits«, durch den die Geschichtswissenschaft sich den Änderungen ihres geschichtlich-gesellschaftlichen Kontextes anpaßt und dabei zugleich ihre Erkenntnismöglichkeiten zu steigern sucht.

»Historik« ist der Ort, wo innerhalb der Geschichtswissenschaft solche von der empirischen Forschungsarbeit sich unterscheidenden, dieser Forschungsarbeit jedoch dienenden Überlegungen angestellt werden[2]. Die Frage nach »Geschichte als Prozeß« zielt auf einen der wichtigsten Untersuchungsgegenstände der Historik, auf den allgemeinen Bezugsrahmen der historischen Interpretation. Zusammen mit der lebensweltlichen Absicht und der methodischen Regelung der historischen Erkenntnis macht er das System derjenigen leitenden Bestimmungen von Geschichtswissenschaft aus, die ihren fachwissenschaftlichen

[2] Vgl. Jörn Rüsen, *Für eine erneuerte Historik. Studien zur Theorie der Geschichtswissenschaft*. Stuttgart 1976.

Charakter definieren und die heute als »disziplinäre Matrix« das Interesse der Wissenschaftsgeschichte und der Wissenschaftstheorie gefunden haben.

Wenn im folgenden am Beispiel Jacob Burckhardts der allgemeine Bezugsrahmen der historischen Interpretation als wesentliches Element von Geschichtsforschung und -schreibung untersucht werden soll, dann gehören indirekt immer auch die beiden anderen Hauptfaktoren von Geschichtswissenschaft zum Thema. Denn ein Interpretationsrahmen entsteht, indem ein Historiker seine Erfahrungen aus der gegenwärtig sich ereignenden Geschichte in Problemstellungen zur Erkenntnis vergangener Geschichte umsetzt: Interesse wird zur Erkenntnis. Durch den Interpretationsrahmen wird auch vorentschieden, nach welchen Methoden die Vergangenheit erkannt werden soll; denn das *Wie* ist abhängig davon, *was* eigentlich durch Forschung ermittelt werden soll. Schließlich bestimmt der Interpretationsrahmen auch die praktische Relevanz von Geschichtsschreibung; hängt es doch von ihm ab, in welchem Maße gegenwärtig wirksame Vergangenheit erschlossen und dadurch Handeln besser orientiert werden kann.

Damit sind die Gesichtspunkte angedeutet, nach denen sich Burckhardts Ausführungen zum Prozeßcharakter der Geschichte in die heutigen Fragestellungen der Historik einbeziehen lassen.

2. Die Bedeutung Jacob Burckhardts für die Geschichtstheorie

Warum soll man an Argumentationen Burckhardts eine Theorie des Erkenntnisgegenstandes der Geschichtswissenschaft exemplifizieren? Aus zwei Gründen erscheint es lohnend, seine Gedanken dazu, was Geschichte als Sachverhalt und als Erkenntnisform ist, nicht nur in wissenschaftshistorischer, sondern auch in geschichtstheoretischer Hinsicht zu rekonstruieren: Einmal wird Burckhardt als Kronzeuge von all den Historikern bemüht, die den Nutzen systematischer Theoriebildung in der Geschichtswissenschaft bezweifeln. Burckhardt kritisiert nachdrücklich eine systematisch-theoretische Argumentation im Felde der historischen Erkenntnis, und zwar gerade dort, wo er sich auf die Prinzipien dieser Erkenntnis richtet: »Wir verzichten ferner auf alles Systematische.«[3] Wenn man nun an Burckhardts

[3] VII, 1 Ich zitiere nach Jacob Burckhardt, Gesamtausgabe. Hrsg. von E. Dürr

eigenen Darlegungen einen inneren systematischen Zusammenhang nachweisen kann[4], dann könnte man mit diesem Argument die Behauptung kritisieren, Untersuchungen über den Bezugsrahmen der historischen Interpretation und auch über die anderen Faktoren der historischen Erkenntnisarbeit seien eine der empirischen historischen Erkenntnis bloß äußerliche Angelegenheit.

Der zweite Grund trifft nicht die Form seiner Geschichtstheorie, sondern deren Inhalt: Burckhardt versuchte, den Entwicklungsgedanken des deutschen Historismus durch ein anthropologisches Interpretationsmodell zu ersetzen, und ging damit über die Grenzen des deutschen Historismus hinaus. Er erweiterte die hermeneutische Methode der historischen Forschung durch typologische Verfahren, und er brachte in den Gegenwartsbezug der Geschichtswissenschaft das Element einer radikalen Kulturkritik ein. Mit all dem schlug er Modifikationen am Konzept von Geschichtswissenschaft als verstehender Geisteswissenschaft vor, die heute am ehesten als Bedingungen für eine kritische Rezeption grundlegender Einsichten des Historismus in die Selbstbegründung der modernen Geschichtswissenschaft angesehen werden können.

Da Burckhardts historisches Denken unter einer systematischen Fragestellung untersucht werden soll, sehe ich ab von der Entwicklung seiner Geschichtskonzeption und der dort wirksam gewordenen Einflüsse und beschränke mich darauf, die

u. a., 14 Bde, Stuttgart-Berlin-Leipzig 1929–1934; zitiert im folgenden mit römischer Ziffer für den Band und arabischer für die Seite.

[4] Der streng systematische Charakter, der Burckhardts Analysen in den *Weltgeschichtlichen Betrachtungen* auszeichnet, ist meist übersehen worden. Burckhardts eigenes Dementi des Systematischen wurde in der Regel unkritisch von seinen Interpreten übernommen; so z. B. bei Alfred Neumeyer, *Jacob Burckhardts ›Weltgeschichtliche Betrachtungen‹*. Deutsche Vierteljahrsschrift für Literaturwissenschaft und Geistesgeschichte 7 (1929), S. 108. Die neueste, umfassende und detaillierte Analyse von Burckhardts Geschichtsdenken von W. Hardtwig bringt hier Korrekturen an; sie betont zu Recht die »außerordentliche Reflektiertheit Burckhardts sowohl im Bereich der historischen Methode als auch in seiner Gegenwartsanalyse«. Wolfgang Hardtwig, *Geschichtsschreibung zwischen Alteuropa und moderner Welt. Jacob Burckhardt in seiner Zeit.* Göttingen 1974, S. 328. Wenn Hardtwig jedoch andererseits die übliche Charakteristik der Reflexionen Burckhardts wiederholt und von »kaum systematischen, begrifflich schwer faßbaren Bestimmungen« spricht (S. 356), dann indiziert er mindestens auch ein geschichtstheoretisches Unvermögen in der gegenwärtigen Erforschung und Darstellung der Geschichte des historischen Denkens. Vgl. meine Kritik an Hardtwigs Burckhardt-Interpretation: *Unzeitgemäßer Gegenwartsbezug im Geschichtsdenken Jacob Burckhardts*, Philosophisches Jahrbuch 84 (1977), S. 433 ff.

vollendete Gestalt dieser Konzeption zu untersuchen, wie sie in den *Weltgeschichtlichen Betrachtungen* theoretisch und in der *Griechischen Kulturgeschichte* praktisch vorliegt. Im Vordergrund der folgenden Analysen stehen vor allem die *Weltgeschichtlichen Betrachtungen;* hier gibt Burckhardt in Form einer (primär didaktisch motivierten) Einführung *Über das Studium der Geschichte*[5] eine zusammenfassende Darstellung der leitenden Gesichtspunkte, nach denen Geschichte generell aufzufassen ist. Er entwickelt hier den Bezugsrahmen der historischen Interpretation viel »theoretischer«, als er in seiner Historiographie zum Vorschein kommt; und da er dabei tiefgreifende Veränderungen in den Grundlagen der historischen Interpretation andeutet, gibt er hinreichend Anlaß, ihn unter die Wegbereiter derjenigen Historik zu rechnen, die keine bloß didaktische Funktion mehr erfüllt, sondern eine systematisch-theoretische[6].

3. Gegenwart als Konstituens von Geschichte

»Unser Gegenstand ist diejenige Vergangenheit, welche deutlich mit Gegenwart und Zukunft zusammenhängt. Unsere leitende Idee ist der Gang der Kultur, die Sukzession der Bildungsstufen bei den verschiedenen Völkern und innerhalb der einzelnen Völker selbst. Eigentlich sollte man vor allem diejenigen Tatsachen hervorheben, von welchen aus die Fäden noch bis in unsere Zeit und Bildung hineinreichen.«[7] Dieser Satz aus einer frühen Einleitung Burckhardts zur Vorlesung über Alte Geschichte charakterisiert zusammenfassend das, was er unter »Geschichte« versteht. Das eigentlich Geschichtliche an der menschlichen Vergangenheit ist ihre Gegenwärtigkeit und Zukunftsträchtigkeit. Gegenwärtig aber ist sie nicht primär in den Quellen, sondern dort, wo sie in irgendeiner Weise eingeht in die Vorentwürfe von Handeln und Denken, in denen sich Zukunft als besondere Zeitqualität realisiert. »Geschichte« bezeichnet nicht irgendetwas Vergangenes, sondern einen *Zusammenhang* von Vergange-

[5] So der ursprüngliche Titel von Burckhardts Vorlesung, die erst Jakob Oeri zusammen mit einigen Vorträgen mit der Überschrift *Weltgeschichtliche Betrachtungen* versah. Vgl. Rudolf Stadelmann, *Jacob Burckhardts Weltgeschichtliche Betrachtungen*. Historische Zeitschrift 169 (1949).

[6] Zu dieser Unterscheidung vgl. Rüsen, *Für eine erneuerte Historik*, S. 186ff.

[7] VII, 225.

nem mit Gegenwärtigem, der dem menschlichen Leben eine Zukunftsperspektive eröffnet.

Die Eigenart der Burckhardtschen Geschichtsauffassung ist nun darin begründet, daß er seine Gegenwart in einer »Bewegung« sieht, »die im Gegensatz zu aller bekannten Vergangenheit unseres Globus steht«[8]. Die Industrialisierung und die politische Revolutionierung der bürgerlichen Gesellschaft konstituieren als tiefgreifender Kontinuitätsbruch den historistischen Geschichtsbegriff. Burckhardt hat diesen Traditionsbruch bei der Ausarbeitung seines allgemeinen Bezugsrahmens der historischen Interpretation radikaler zur Geltung gebracht als seine Fachgenossen. Für ihn reichte das unter dem Einfluß des deutschen Idealismus entwickelte Konzept einer Vermittlung von Emanzipation und Tradition nicht aus, mit dem der Historismus die Kulturleistung des Okzidents von der Antike an in das Selbstverständnis der bürgerlichen Gesellschaft einholte. Im Unterschied zu Droysen[9] etwa konnte er die bürgerliche Emanzipation nicht als vorläufige Endphase einer kontinuierlichen Entwicklung der menschlichen Freiheit zur politischen Institutionalisierung individueller Selbstbestimmung begreifen. Daran hinderte ihn seine Einsicht in die mit dieser Emanzipation gegebenen neuen Zwänge des gesellschaftlichen Lebens in der Eigendynamik des Kapitalismus und in der Bewußtseinsveränderung der modernen Gesellschaft, die traditionelle Handlungsorientierungen radikal abbaut. Die Kultur, die das Bürgertum seiner Zeit als Ausdruck seiner politischen Mündigkeit wertete, sah Burckhardt bereits von gesellschaftlichen Zwängen bestimmt, die selbst nicht mehr kulturell verarbeitet, d. h. in das Potential bürgerlicher Selbstbestimmung integriert werden konnten: »Das Verhältnis von Erwerb und Verkehr zu unserem Dasein geht allem voran.«[10] »Das Geld wird und ist der große Maßstab der Dinge ... Man ehrt allerdings Geist und Bildung. Nur ist leider die Literatur meist ebenfalls eine Industrie.«[11]

Aber auch dann, wenn man sich nur den kulturell manifesten Zwecksetzungen des gesellschaftlichen Handelns der Gegenwart

[8] VII, 426.

[9] Vgl. hierzu Jörn Rüsen: *Begriffene Geschichte. Genesis und Begründung der Geschichtstheorie J. G. Droysens.* Paderborn 1969; ders., *J. G. Droysen.* In: *Deutsche Historiker.* Hrsg. von H.-U. Wehler, Bd. 2, Göttingen 1971.

[10] *Jacob Burckhardts Vorlesung über die Geschichte des Revolutionszeitalters.* Hrsg. von E. Ziegler, Basel 1974, S. 18.

[11] VII, 425; vgl. auch Ziegler, *Burckhardts Vorlesung,* S. 320.

zuwende, müsse der Versuch des Historismus höchst fragwürdig werden, an vergangene Kulturleistungen als traditionsfähige Sinnbestimmungen zu erinnern und durch diese Erinnerung aktuelles gesellschaftliches Handeln an der Idee freier Selbstverwirklichung auszurichten. Denn in diesen Zwecksetzungen sei die Vorstellung dominant geworden, im Prinzip könnten alle gesellschaftlichen Verhältnisse zweckhaft verändert werden, und sie müßten auch ständig nach neu gesetzten Zwecken verändert werden: »Das entscheidende Neue, was durch die französische Revolution in die Welt gekommen, ist das Ändern-dürfen und das Ändern-wollen mit dem Ziel des öffentlichen Wohls.«[12] Gegenüber dieser inneren Dynamik in der intentionalen Steuerung gesellschaftlichen Handelns erscheinen die jeweils gesetzten Zwecke als sekundär: Es dominiert ein »an sich blinder Wille der Veränderung«, dessen Blindheit durch eine Ideologiekritik der Leitideen der bürgerlichen Emanzipation erwiesen werden kann, die »obenhin, durch den landläufigen Optimismus, als ›Fortschritt‹, auch Kultur, Zivilisation, Aufklärung, Entwicklung, Gesittung und anderes betitelt« werden[13]. Burckhardt entdeckt unter diesen Bezeichnungen von Kultur ein sich selbst steuerndes System gesellschaftlicher Veränderung, die aus einer primär naturhaften und nicht eigentlich kulturellen Triebstruktur des Menschen gespeist wird: »Die Wünsche aber sind weit überwiegend *materieller* Art, so ideal sie sich gebärden, denn die Weitmeisten verstehen unter Glück nichts anderes; materielle Wünsche aber sind in sich und absolut unstillbar, selbst wenn sie unaufhörlich erfüllt würden, und dann erst recht.«[14]

Burckhardt sieht zwischen Bewußtsein und Sein des gesellschaftlichen Lebens seiner Zeit eine ideologische Diskrepanz: Eine historisch konkretisierte Theorie der Freiheit, die in der praktischen Zwecksetzung mündet, die Emanzipation fortzusetzen, dient faktisch dazu, ökonomische, politische und ideologische Zwänge freizusetzen und zu steigern. Dieses Verhältnis stellt für die Betroffenen ein zunehmendes Leidenspotential dar. »Die Steigerung des Bewußtseins in der neuen Zeit ist wohl eine Art von geistiger Freiheit, aber zugleich eine Steigerung des Leidens. Die Folgen der Reflexion sind dann Postulate, welche ganze Massen in Bewegung bringen können, aber, selbst erfüllt, nur neue Postulate, d.h. neue verzweifelte und

[12] VII, 431.
[13] VII, 433.
[14] VII, 432.

verzehrende Kämpfe erzeugen werden.«[15] Dieses Leiden sieht er im konstitutiven Gegenwartsbezug des Historismus verdrängt.

Burckhardt stellt sich die Frage, wie Geschichte als Zusammenhang von menschlicher Vergangenheit mit Gegenwart und Zukunft gedacht werden muß, wenn die gegenwärtige Gesellschaft bestehende kulturelle Zusammenhänge mit der Vergangenheit auflöst und zugleich ideologisch (durch den Historismus) an der Geltung solcher Zusammenhänge für ihre politische Zwecksetzung festhält. Diese Frage erhält für Burckhardt ihre Schärfe dadurch, daß er sie nicht nur als Frage innerhalb der theoretischen Selbstbestimmung der Geschichtswissenschaft aufwirft; sie stellt sich ihm vielmehr als Frage danach, ob und wie in der gegenwärtigen Gesellschaft Kultur – d. h. Selbstidentifizierung des Menschen in einem freien, geistbestimmten Verhältnis zu sich selbst und zur Natur – möglich ist. Wie ist dem Zeitalter des sich entwickelnden industriellen Kapitalismus eine Selbstidentifikation möglich, durch die der Einzelne mehr wird als ein bloß bewußtloser, und das heißt anonymer Träger der zwanghaften Selbstbehauptung eines hochdynamisierten gesellschaftlichen Systems? Fraglos dient für Burckhardt die Geschichtsschreibung einer solchen Selbstidentifikation; in diesem Punkte weiß er sich mit dem Historismus seiner Zeit einig. Nur erschwert er aufgrund seiner zeitkritischen Analysen dem Historiker diese Aufgabe. Das historische Denken darf über den Kontinuitätsbruch des Revolutionszeitalters nicht hinwegtäuschen, indem es eine tragfähige Vermittlung zwischen den Kulturgehalten vormoderner Gesellschaften mit den dominierenden politischen Zwecksetzungen gegenwärtigen gesellschaftlichen Handelns annimmt. Nach Burckhardt verhindert nämlich dieses Handeln solch eine Vermittlung; es löst sogar überdies noch gegebene Vermittlungen sukzessive auf.

Der Historiker sollte also nach Burckhardt Geschichte als Zusammenhang von Vergangenheit, Gegenwart und Zukunft so konzipieren, daß seine Geschichtsschreibung »das Innewerden, die Erkenntnis des Kontrastes des Alten und des Neuen, der reichen Wandelbarkeit der Dinge, der raschen Vielgestaltigkeit des neueren Lebens im Vergleich mit dem früheren, der starken Veränderung des Pulsschlages« leistet[16]; er muß das »unterschei-

[15] VII, 293.
[16] VII, 477.

dende Vergleichen«[17] zulassen, das eine historische von einer geschichtslosen Selbstidentifikation unterscheidet.

Geschichte muß also nach Burckhardt gedacht werden als eine Überwindung des Zwiespalts, der das Zeitalter der Revolution, und das heißt die lebendige Gegenwart und die absehbare Zukunft, charakterisiert. Es ist der Zwiespalt einer gesellschaftlichen Entwicklung, in der die Subjekte sich mit der Absicht freier Selbstverwirklichung negativ von der traditionellen kulturellen Regulation menschlichen Handelns absetzen und doch zugleich an einem Zusammenhang mit dieser Kultur festhalten müssen, um ihre beabsichtigte Freiheit inhaltlich konkretisieren, ja überhaupt artikulieren zu können.

4. Die anthropologische Tiefendimension der Geschichte

Bei der Ausarbeitung seines historischen Interpretationsrahmens trägt Burckhardt der Radikalität des Kontinuitätsbruchs in seiner Zeit positiv und negativ Rechnung. Negativ, indem er alle Theorien ablehnt, die den zeitlichen Ablauf gesellschaftlicher Veränderungen auf ein Entwicklungsschema festlegen; positiv, indem er die Teleologie des Geschichtsverlaufs, die ein solches Schema charakterisiert, durch eine Anthropologie der Geschichtsstruktur ersetzt.

»Unser Ausgangspunkt ist der vom einzigen bleibenden und für uns möglichen Zentrum, vom duldenden, strebenden und handelnden Menschen, wie er ist und immer war und sein wird; daher unsere Betrachtung gewissermaßen pathologisch sein wird.«[18] Mit diesem anthropologischen Ansatz geht Burckhardt zunächst einmal hinter diejenigen geschichtstheoretischen Ansätze einer Vermittlung zwischen Vergangenheit und Gegenwart zurück, die die Gegenwart als Resultat einer im Prinzip kontinuierlichen Entwicklung begreifbar machen wollen.

Im Historismus wird die Vergangenheit mit der Gegenwart in den Zusammenhang einer »Geschichte« gebracht, indem sie als Genese der Bedingungen gegenwärtigen Handelns angesehen wird. Dadurch wird einerseits an der Eigenart vergangenen menschlichen Handelns und Leidens festgehalten und insofern das von Burckhardt postulierte »unterscheidende Vergleichen«[19]

[17] VII, 228.
[18] VII, 3.
[19] VII, 228.

durchgeführt; andererseits wird aber durch diese Unterscheidung die Gegenwart zugleich perspektivisch in die Zukunft hinein geöffnet. Der in diesem Modell von Geschichte entworfene Zusammenhang von Vergangenheit, Gegenwart und Zukunft läßt sich auch folgendermaßen charakterisieren: Man geht aus von den gegebenen Lebensverhältnissen einerseits und von den auf diese sich richtenden Sollensbestimmungen der handelnden und leidenden Menschen andererseits und thematisiert in der Perspektive dieses Verhältnisses zwischen Sein und Sollen die Vergangenheit als Genese gegenwärtiger Handlungsbedingungen; sie wird als ein Prozeß betrachtet, von dem her die intendierte Transformation der gegenwärtigen Lebensverhältnisse durch menschliches Handeln plausibel erscheint. Diese Konstruktion kann der historischen Forschung und der Geschichtsschreibung als Leitfaden dienen. Der Historiker stellt anhand dieses Leitfadens die Tatsächlichkeit der Veränderungen der menschlichen Lebensverhältnisse fest. Ergibt sich zwischen dem tatsächlichen Ablauf vergangener Veränderungen einerseits und dem angenommenen Sinnzusammenhang zwischen der Genese gegenwärtiger Handlungsbedingungen und den zukunftsgerichteten Handlungsentwürfen andererseits ein Mißverhältnis, dann müssen die allgemeinen geschichtstheoretischen Annahmen über den Zusammenhang von Vergangenheit und Gegenwart so lange modifiziert werden, bis dieses Mißverhältnis beseitigt, d. h. in das Verhältnis einer Sinnadäquanz aufgelöst sind. Bei dieser Modifikation werden auch die in den Bezugsrahmen der historischen Interpretation eingebrachten Sollensbestimmungen gegenwärtigen Handelns kritisiert und modifiziert.

Da solche Ansätze der historischen Interpretation mit innerer Folgerichtigkeit in politische Entwürfe gesellschaftlichen Handelns münden, verstärken sie nach Burckhardt eben die Tendenz, Traditionsbestände aus dem Orientierungsrahmen gegenwärtigen Handelns auszutreiben, eine Tendenz, die politischem Handeln im Zeitalter der Revolutionen zwangsläufig innewohnt und die doch durch historisches Denken überwunden werden soll. Solche geschichtstheoretischen Ansätze sind in Burckhardts Augen Momente einer geschichtlichen Bewegung, die mit ihnen nicht mehr begriffen werden kann; sie verstärken gerade die durch sie zu überwindende Negation erinnerungswerter vergangener Kulturleistungen ideologisch.

Um diese Negation nun seinerseits negieren zu können, ersetzt Burckhardt die Teleologie des Historismus durch eine Pathologie, die das Leiden der Gegenwart auf bestimmte vom Historismus abgeblendete Faktoren des menschlichen Handelns zurückführt. Er entwickelt diese Faktoren so allgemein, daß sie für alles mögliche zeitlich ablaufende menschliche Handeln gelten. Insofern sind auf dieser anthropologischen Ebene der Betrachtung Vergangenheit, Gegenwart und Zukunft miteinander verbunden. In dieser Verbindung sind aber ihre Unterschiede verschwunden: Geschichte ist als *Zusammenhang* zwischen ihnen in ihrer Unterschiedenheit nicht thematisch.

Burckhardt hat damit einen geschichtstheoretisch folgenreichen Schritt getan: Chronologisch fixierte und narrativ auszusagende Geschichte ist aus dem allgemeinen Bezugsrahmen der historischen Interpretation eliminiert. Dadurch wird eine ganz neue Sicht auf die menschliche Vergangenheit möglich: »Wir betrachten das sich Wiederholende, Konstante, Typische als ein in uns Anklingendes und Verständliches.«[20] Teleologische Theoreme im allgemeinen Bezugsrahmen der historischen Interpretation werden durch allgemeine Aussagen über mögliche Geschichte jenseits ihres realen Verlaufs ersetzt. Dadurch wird die in der empirischen Überlieferung gegenwärtige menschliche Vergangenheit auf neue, typologische Weise erkennbar. Nicht mehr eine vorgängig bedeutungsgeladene Chronologie wirklicher Geschichte ist der oberste Leitfaden zur Rekonstruktion vergangenen menschlichen Handelns und Leidens, sondern eine Systematik von Strukturzusammenhängen menschlichen Handelns und Leidens überhaupt. Dadurch wird es möglich, aktuelle Erfahrungen menschlichen Handelns durch einen Rekurs auf die Vergangenheit zu begreifen und historisches Erkennen eben dort zur Geltung zu bringen, wo Tradition kein Leitfaden mehr für handlungsnotwendige kollektive Erinnerung ist.

Welches Äquivalent zur teleologischen Konstruktion geschichtlicher Entwicklung schlägt Burckhardt vor? Wie erreicht er es, den Blick auf vergangenes Handeln und Leiden von den Beschränkungen zu befreien, die die Einfügung dieses Handelns und Leidens in die Genealogie des gegenwärtigen Orientierungsrahmens von Handeln bedeutet? Und wie kann er dabei die Zeitqualität des Vergangenen im Auge behalten, die durch eine solche Genealogie ja nur zum Ausdruck gebracht werden sollte? Mit anderen Worten: Wie muß der Prozeßcharakter von Geschichte konzipiert werden, wenn er sich nicht mehr als Genese

[20] VII, 3.

von gegenwärtigen Handlungsbedingungen aus der Absicht eines diese Bedingungen verändernden Handelns ergibt? Burckhardt löst dieses Problem dadurch, daß er die von ihm anthropologisch begründeten, und d.h. für alle mögliche Geschichte geltenden Handlungsbedingungen und -faktoren (»Potenzen«) so aufeinander bezieht, daß sie zusammen ein System ergeben, in dem gegebene Handlungsbedingungen notwendig verändert werden müssen und Geschichte als eine solche Veränderung begriffen werden kann.

5. Geschichte als Prozeß

Burckhardt setzt die Annahmen über den Prozeßcharakter der Geschichte, die in jedem Bezugsrahmen der historischen Interpretation vorkommen, auf neue Weise an. Die menschliche Vergangenheit wird auf ganz andere Weise interpretatorisch in die Bewegung der Geschichte gesetzt als etwa in der Aufklärung oder im politischen Historismus. Dort wurden – wie angedeutet – moralische oder politische Handlungsabsichten auf gegebene gesellschaftliche Verhältnisse gerichtet und das daraus sich ergebende Spannungsverhältnis zwischen Sein und Sollen so in eine historische Hypothese transformiert, daß eine den Handlungsabsichten entsprechende Veränderung vorgegebener Zustände und Verhältnisse aus der Genese dieser Zustände und Verhältnisse heraus als einsichtig erscheint. Dem gegenüber *entaktualisiert* Burckhardt *den Prozeßcharakter der Geschichte:* Er leitet Geschichte als Prozeß aus den Bedingungen zweckhaften menschlichen Handelns überhaupt ab und nicht aus den inhaltlich bestimmten Zwecken gegenwärtigen Handelns; er leitet nicht den Prozeßcharakter der Geschichte vom Prozeßcharakter des gegenwärtigen Handelns, sondern umgekehrt denjenigen des gegenwärtigen Handelns von dem der Geschichte ab. Dadurch gewinnt er die Möglichkeit, gegenwärtiges Handeln distanzierter und kritischer zu sehen, als es im Lichte einer Geschichtsschreibung erscheint, die der Logik moralischer oder politischer Handlungsorientierung verpflichtet ist.

Der Prozeßcharakter der Geschichte resultiert bei Burckhardt aus der systematischen Beziehung, in die er die drei Hauptfaktoren menschlichen Handelns und Leidens – Staat, Religion und Kultur – zueinander stellt.

Der *Staat* ist Inbegriff der Momente des menschlichen Handelns, durch die sich gesellschaftliche Systeme erhalten und durch Selbsterhaltung intensiv und extensiv steigern. Er entspringt einem »politischen« Grundbedürfnis des menschlichen Lebens[21]; er geht zurück auf einen allgemein-menschlichen Trieb nach Selbsterhaltung, der in jedem Handeln als naturhafter Zwang der Machtbehauptung und Machtsteigerung präsent ist.

Die *Religion* steht diesen Zwängen antithetisch gegenüber. Sie ist Inbegriff der Momente menschlichen Handelns, durch die die Handelnden die naturgegebenen Grenzen ihrer Fähigkeit zur Selbstbehauptung in metaphysische Vorstellungen unbedingter Selbstverwirklichung übersteigen. Sie ist »die ganze übersinnliche Ergänzung des Menschen, alles das, was er sich nicht selber geben kann«[22]. Einem »metaphysischen« – also einem der innerweltlichen Ausrichtung des Staates entgegengesetzten – Bedürfnis entspringend[23], negiert sie die politische Triebkraft der menschlichen Selbstbehauptung, indem sie sie in einen übernatürlichen Bereich ableitet. Als »Bangen mitten im Gefühl der subjektiven Kraft und Gewalttat«[24] negiert sie die innerweltliche Ausprägung der menschlichen Selbstbehauptung in den politischen Systemen des Machtgewinns und der Machtsteigerung. Zugleich aber reproduziert sie den Zwangscharakter menschlicher Selbstbehauptung: Sie ist »Herrschaft eines Allgemeinen«[25], d.h. sie reproduziert die Zwanghaftigkeit der menschlichen Selbstbehauptung, indem sie deren innerweltliche Ausprägung aufhebt.

Der dritte Faktor des menschlichen Lebens, die *Kultur*, löst den Gegensatz auf, in den sich die Religion zum Staat setzt. Sie ist »Inbegriff alles dessen, was zur Förderung des materiellen und als Ausdruck des geistig-sittlichen Lebens spontan zustande gekommen ist«[26]. Sie verbindet die Bedürfnisse, die sich in Staat und Religion antithetisch ausprägen, und unterscheidet sich von den beiden anderen Faktoren dadurch, daß sie »keine Zwangsgeltung in Anspruch nimmt«[27]. Durch diese ihre Freiheitsbestimmung wird die Antithetik zwischen Staat und Religion überwunden und zugleich beider Zwangscharakter negiert.

[21] VII, 20.
[22] VII, 28.
[23] VII, 28.
[24] VII, 38.
[25] VII, 29.
[26] VII, 20.
[27] VII, 20.

In diesem systematischen Zuordnungsverhältnis von Staat, Religion und Kultur ist bei Burckhardt der Prozeßcharakter menschlicher Handlungsabläufe, also Geschichte, anthropologisch konstituiert.

Burckhardt charakterisiert die Religion als Negation des Staates; sie überwindet die Naturzwänge der innerweltlichen Selbstbehauptung durch deren »Reflex ... in ein großes Anderes hinein«[28]. Sie kann also die naturhaften Zwänge der menschlichen Selbstbehauptung nur durch den Gegenzwang einer inneren Natur brechen, so daß sie als Kritik das von ihr Kritisierte reproduziert. Erst durch die Kultur wird dieser Zwang gebrochen (also die Negation des Staates durch die Religion hinsichtlich ihres Zwangscharakters selber negiert). Die Kultur kann also – wie Burckhardt betont – mit Staat und Religion nicht auf eine Ebene gestellt werden; sie ist »etwas wesentlich anderes«[29] – nämlich nicht ein Regulationsfaktor des menschlichen Lebens neben den anderen, sondern eine *Vermittlung* beider.

Burckhardts Darlegung des Verhältnisses der drei Potenzen legt die Analogie zum Hegelschen Verhältnis von Thesis, Antithesis und Synthesis nahe[30]. Die Religion läßt sich als Negation des Staates interpretieren, der seinerseits Inbegriff des »Positiven«, der physischen Selbstbehauptung gesellschaftlicher Systeme, ist. Die Religion negiert diese Positivität, indem sie menschliches Handeln in den Systemen physischer Selbstbehauptung an etwas Meta-physischem, Übersinnlichem orientiert. Sie setzt gegen die Positivität des Staates, seinen Zwangscharakter reproduzierend, die Negativität des Geistigen. Die Kultur schließlich negiert die zwanghafte Negativität der Religion. Sie löst dabei die Antithetik zwischen materieller und geistiger Handlungsorientierung des Menschen auf in eine Einheit von beiden. In dieser

[28] VII, 28.

[29] VII, 20.

[30] Auf die Nähe Burckhardts zu Hegel in systematisch-geschichtsphilosophischer Sicht hat u.a. Stadelmann hingewiesen: *Jacob Burckhardts Weltgeschichtliche Betrachtungen*, S. 63f. Wie immer diese Nähe im einzelnen bestimmt werden muß – Löwiths wirkungsvolle Interpretation Burckhardts als Antipoden Hegels dürfte sich nicht uneingeschränkt aufrechterhalten lassen: Karl Löwith, *Jacob Burckhardt. Der Mensch inmitten der Geschichte.* Stuttgart-Berlin-Köln-Mainz 1966; ders., *Weltgeschichte und Heilsgeschehen. Die theologischen Voraussetzungen der Geschichtsphilosophie.* Stuttgart, 3. Aufl. 1953, S. 27ff. und ders., *Burckhardts Stellung zu Hegels Geschichtsphilosophie.* Deutsche Vierteljahrsschrift für Literaturwissenschaft und Geistesgeschichte 6 (1928). Zum Verhältnis von Burckhardt und Hegel vgl. auch Eckhard Heftrich, *Hegel und Jacob Burckhardt. Zur Krisis des geschichtlichen Bewußtseins.* Frankfurt 1967; s. auch unten S. 203ff.

Einheit erscheint die Freiheit als das Resultat, um dessentwillen Religion und Staat in Widerspruch zueinander treten.

Die hier nicht weiter auszuführende Analogie zu Hegel kann deutlich machen, daß bei Burckhardt die Kultur den eigentlich geschichtlichen Charakter des menschlichen Lebens ausmacht. Sie ist »die Uhr, welche die Stunde verrät«[31]. Unter dem Begriff »Kultur« erfaßt Burckhardt Antriebspotential, Erscheinungsweise und Resultat menschlichen Handelns anthropologisch so, daß dessen innere Dynamik sichtbar wird – dasjenige also, was den zeitlichen Abläufen menschlichen Handelns Prozeßcharakter verleiht. Kultur ist, so sagt es Burckhardt selbst, »Prozeß«[32].

Damit ist nun kein universaler Ablauf etwa in dem Sinne gemeint, daß Weltepochen des Staates, der Religion und der Kultur aufeinander folgten. Es ist vielmehr eine abstrakte Beziehung zwischen den auf natürlich gegebenen Antriebspotentialen beruhenden Hauptfaktoren alles möglichen menschlichen Handelns angegeben, die am zeitlichen Ablauf wirklichen Handelns eine innere Folgerichtigkeit, eine in der Sache selbst liegende Notwendigkeit ausmachen läßt. Natürlich sind in jedem Akt menschlichen Handelns alle drei Faktoren wirksam; sie stehen im Verhältnis einer wechselseitigen Bedingtheit. Burckhardt hat daher »die Betrachtung der sechs Bedingtheiten«[33] als anthropologische Alternative zur »chronologisch verfahrenden Geschichtsphilosophie«[34] vorgeschlagen, als differenzierten Bezugsrahmen der historischen Interpretation ausgeführt und dabei gezeigt, daß und wie man mit ihm zu empirisch gehaltvoller historischer Erkenntnis kommen kann. Er hat allerdings die theoretische Bedeutung des von ihm entwickelten Bezugsrahmens geradezu penetrant heruntergespielt: er nennt ihn »einen halb zufälligen Gedankengang«[35] und meint, seine Betrachtung sei »ohne systematischen Wert«[36]: »Notwendig müssen wir auf alles Systematisch-Wissenschaftliche verzichten.«[37] Er gibt aber metaphorisch dennoch sehr genau an, was seine gegenstandstheoretischen Überlegungen leisten sollen und können. Sie sind

[31] VII, 43.
[32] Ebd.
[33] VII, 62ff.
[34] VII, 62.
[35] VII, 1.
[36] VII, 62.
[37] VII, 160.

»nur derjenige Stoß an das Wasserglas, der die Eiskristalle anschießen macht«[38].

Burckhardts Theorie der drei Potenzen und der sechs Bedingtheiten ist also nicht weniger als die notwendige Voraussetzung dafür, daß aus der empirischen Überlieferung der menschlichen Vergangenheit allererst *Geschichte* erkennend gewonnen werden kann. Was hier prinzipiell als Geschichte in den Blick kommt, ist eben diejenige (schon skizzierte) innere Folgerichtigkeit im zeitlichen Ablauf menschlichen Handelns, deren Indikator die Kultur ist. Burckhardt ist also kein Kulturhistoriker in dem Sinne, daß er sich eine Spezialdisziplin der Geschichtswissenschaft als Metier ausgesucht hätte, sondern nach Auskunft seiner »Winke zum Studium des Geschichtlichen«[39] muß alle Historie Kulturgeschichte sein, wenn sie menschliches Handeln als geschichtlichen Sachverhalt in den Blick bekommen will. Staat und Religion sind für sich genommen »stabil«; sieht man als Historiker ausschließlich auf politische oder religiöse Phänomene, dann bekommt man den Aggregatzustand des menschlichen Lebens überhaupt nicht – und zwar a priori durch die Wahl des Bezugsrahmens nicht – in den Blick, der den geschichtlichen Charakter jeden menschlichen Handelns konstituiert.

Dies soll kurz am Beispiel des Staatsbegriffs erläutert werden. Würde man allein von ihm her den zeitlichen Ablauf menschlicher Handlungen rekonstruieren, dann ergäben sich im wesentlichen quasi-natürliche Prozesse, ein »Kampf ums Dasein« und nicht viel mehr. Es würde gar nicht sichtbar, in welchem Zusammenhang die Intentionalität, die das politische Handeln vergesellschafteter Menschen allgemein auszeichnet, zum zeitlichen Ablauf ihrer Realisationen, zur politischen Geschichte im engeren Sinne, steht. Man würde übersehen, daß die politische Intentionalität menschlichen Handelns sich abstrakt religiös negiert, um sich als kulturelle zu vollenden; d.h. man würde eben den Gesamtzusammenhang von Handeln übersehen, aus dem erst die erforschten politischen Veränderungen verständlich werden. Nach Burckhardt müßte eine politische Geschichtsschreibung, die sich auf die Gründe staatlicher Veränderungen vorbehaltlos einläßt, notwendig zu einer Kulturgeschichtsschreibung werden.

Kultur ist also für Burckhardt die eigentlich geschichtliche »Potenz« des menschlichen Handelns. Sie ist die Bewegung, die

[38] VII, 62.
[39] VII, 1.

dem Handeln als »Prozeß« die Eigenschaft eines genuin geschichtlichen Gegenstandes verleiht. Nur als Kultur erfüllt die überlieferte Vergangenheit die Bedingung, geschichtlich, d.h. erinnerungswürdig zu sein für eine Zeit, die zu ihrer Selbstidentifizierung der Erinnerung an eine Vergangenheit bedarf, die mit ihr nicht identisch ist. Kultur ist die Leuchtspur der Vergangenheit, mit der sie ihren Zusammenhang mit der Gegenwart und deren Zukunftsperspektive signalisiert.

Worin besteht dieser Prozeß? Burckhardt charakterisiert ihn als eine unaufhörliche Modifikation und Zersetzung des zwanghaften Charakters menschlichen Handelns in Staat und Religion[40]. Durch diese Modifikation verwandle sich menschliches Handeln qualitativ: Die Kultur »ist derjenige millionengestaltige Prozeß, durch welchen sich das naive und rassenmäßige Tun in reflektiertes Können umwandelt«[41]. Geschichte als Prozeß ist also eine aus einer dauernden anthropologischen Konstellation der Antriebskräfte menschlichen Handelns erfolgende Veränderung des Charakters dieses Handelns durch es selbst. Geschichte ist der Prozeß, in dem menschliches Handeln sich selbst behandelt und sich dadurch so verändert, daß ein bestimmtes Selbstverhältnis der Handelnden zu sich selbst und zu den anderen ein integrales Moment ihrer Vergesellschaftung wird. Man könnte auch sagen, Geschichte ist der Prozeß, in dem den handelnden und leidenden Menschen der gesellschaftliche Charakter ihres Handelns und Leidens bewußt wird und sich dadurch qualitativ verändert.

Für Burckhardt ist Kultur nichts anderes als eine Veränderung von Gesellschaft durch deren Selbstreflexion. Sie ist das gesellschaftliche Verhältnis, in dem sich eine Gesellschaft zu sich selbst verhält; in ihr erscheint den in einem gesellschaftlichen System zwanghaft befangenen Menschen dieses System noch einmal: im Medium einer freien Geistigkeit. Gesellschaft ist »eine irgendwie freie, auf bewußter Gegenseitigkeit beruhende Vereinigung«[42]. Nimmt man diese Definition ernst, so sind Staat und Religion aufgrund ihres Zwangscharakters nur verstümmelte Gesellschaft. Anders die Kultur: »Ihre äußerliche Gesamtform aber gegenüber von Staat und Religion ist die Gesellschaft im weitesten Sinne.«[43] Daraus läßt sich für Burckhardts Bestimmung von

[40] VII, 42.
[41] VII, 43.
[42] VII, 22.
[43] VII, 42.

Geschichte als Prozeß folgern: Der zeitliche Ablauf menschlichen Handelns ist geschichtlich, insofern die Handelnden so auf ihre Vergesellschaftungsformen einwirken, daß ein freies geistiges Selbstverhältnis zum Faktor von Vergesellschaftung selber wird. Burckhardt hat diesen Prozeß formal näher charakterisiert: als Entbindung eines »geistigen Überschusses«[44] aus materiell orientiertem Handeln und als Integration des Überschusses in das Handlungspotential in Form eines neuen Bedürfnisses – zusammengefaßt: als Selbstbewußtwerden des Geistes[45].

6. Typologie als depotenzierte Chronologie

Der zeitliche Ablauf menschlichen Handelns und Leidens kommt nach Burckhardt nur insofern als Geschichte in Betracht, als in ihm ein Selbstbewußtwerden des Geistes sich zeitigt. Ist damit nicht auf anthropologischen Umwegen die Hegelsche Bestimmung wieder erreicht, nach der Geschichte als ein universaler Prozeß zu denken ist, in dem der Geist seiner selbst bewußt wird? Die Gemeinsamkeit zwischen Burckhardt und Hegel springt ins Auge: Für beide ist Geschichte letztlich konstituiert durch den in der Intentionalität menschlichen Handelns manifesten Geist. Für beide hat der zeitliche Ablauf menschlichen Handelns die spezifisch geschichtliche Qualität, daß in ihm ein freies geistiges Selbstverhältnis der handelnden Menschen sich herausbildet; »Kultur« ist für Burckhardt die empirische Gegebenheit eines solchen Verhältnisses. Er stimmt mit Hegel auch

[44] VII, 44.

[45] VII, 45. Die obige Interpretation der Burckhardtschen Lehre von den drei Potenzen und die aus ihr entwickelte Auffassung von der Kultur als der eigentlich geschichtlichen Potenz läßt sich noch durch folgenden Befund bestätigen: Burckhardt kritisierte die caesaristischen Staatsformen seiner Zeit als Kulturverlust, und er erwartete eine Überwindung dieser »alle Lebensbereiche umfassenden Totalkrise« seiner Zeit (Theodor Schieder, *Die historischen Krisen im Geschichtsdenken Jacob Burckhardts.* In: *Begegnungen mit der Geschichte.* Göttingen 1972, S. 154) nicht zunächst von einer Erneuerung der Kultur, sondern von einer neuen Religion (VII, 119, 159; weitere Belege bei Ernst Walter Zeeden, *Die Auseinandersetzung des jungen Jacob Burckhardt mit Glaube und Christentum.* Historische Zeitschrift 178 (1954). Diese, dem primär kulturkritisch ausgerichteten Gegenwartsverständnis Burckhardts widersprechende Erwartung läßt sich nur erklären, wenn man den systematischen Zusammenhang der drei Potenzen im hier entwickelten Sinne berücksichtigt: Erst wenn die staatlichen Zwangssysteme durch Religion negiert werden, ist (die von Burckhardt gewünschte) kulturelle Erneuerung in der Zukunft möglich.

darin überein, daß der gesellschaftliche Charakter des menschlichen Handelns identisch mit dessen geschichtlicher Qualität ist; Kultur als Vermittlung der Triebkräfte menschlichen Handelns zur Freiheit gibt allein den inneren Sinn des zeitlichen Ablaufs dieses Handelns her, aufgrund dessen vergangenes Handeln erinnert werden kann und muß: *Kultur ist »die Uhr, welche die Stunde verrät«*[46]. Sie ist innerhalb gegebener und sich wandelnder gesellschaftlicher Zustände und Verhältnisse der Ort, wo das Merkmal ihres gesamtgesellschaftlichen Charakters erscheint, und hat insofern als empirischer Gegenstand den Charakter einer Totalität.

Wo liegt der Unterschied zwischen Hegel und Burckhardt in der Bestimmung von Geschichte als Sachverhalt? Für Hegel hat der den geschichtlichen Charakter menschlichen Handelns konstituierende Vermittlungszusammenhang seiner Antriebskräfte in sich selbst eine bestimmte zeitliche Qualität: Die Totalität dieses Zusammenhangs, die den Umkreis der geschichtlichen Wirklichkeit absteckt, ist chronologisch. Dies ist bei Burckhardt nicht der Fall. Der innere Kulturzusammenhang zeitlich ablaufenden menschlichen Handelns macht hier keine weltgeschichtliche Totalität aus, d.h. er stellt sich nicht als Ablauf einer einzigen Weltgeschichte dar. Aufgrund seiner anthropologischen Ableitung des Interpretationsrahmens faßt Burckhardt den die Geschichte definierenden Kulturzusammenhang menschlichen Handelns und Leidens im Grunde zeitlos, das heißt (präzise im Weberschen Sinne[47]) *idealtypisch*. Der Schritt von Hegel zu Burckhardt läßt sich charakterisieren als Schritt von der Chronologie zur Typologie der Entwicklung des Geistes zur Freiheit.

An Burckhardts Geschichtstheorie läßt sich zeigen, daß er die Typologie in das historische Denken nicht primär aus methodologischen Gründen einführt. Sie ist vielmehr bei ihm die Konsequenz gegenstandstheoretischer Überlegungen. So sehr er sich der Tatsache bewußt war, daß sein typologisches Verfahren eine methodische Neuerung in der Geschichtswissenschaft war[48], so wenig hat er jedoch diese Neuerung methodologisch begründet. »Wir sind unwissenschaftlich und haben gar keine Methode,

[46] VII, 43. Vgl. auch Ziegler, *Burckhardts Vorlesung*, S. 375.

[47] Weber betont, daß der Idealtypus »den Charakter einer Utopie« hat. Max Weber, *Die »Objektivität« sozialwissenschaftlicher und sozialpolitischer Erkenntnis.* In: *Gesammelte Aufsätze zur Wissenschaftslehre*, 3. Aufl. Tübingen 1968, S. 190.

[48] Vgl. Burckhardts Einleitung in die *Griechische Kulturgeschichte*, VIII, 1–11.

wenigstens nicht die der anderen.«[49] Seine Typologie ergibt sich aus seiner Kritik an dem in der Geschichtswissenschaft seiner Zeit dominierenden Interpretationsrahmen und aus seinem Versuch, diesen Interpretationsrahmen durch einen anderen zu ersetzen, d. h. Geschichte als Inbegriff des Erkenntnisgegenstandes der Geschichtswissenschaft neu zu bestimmen.

Die historiographischen Konsequenzen dieser Neubestimmung hat Burckhardt programmatisch in seiner Einleitung in die *Griechische Kulturgeschichte* angedeutet. Er charakterisiert sie schlagwortartig als Depotenzierung zeitlicher Ereignisabläufe in der historischen Rekonstruktion menschlicher Vergangenheit. Dem neuen, anthropologisch begründeten und in der Lehre von den drei Potenzen und sechs Bedingtheiten theoretisch entfalteten Interpretationsrahmen verpflichtet, arbeitet Burckhardt in seiner Historiographie mit einem neuen Konzept dessen, was eine geschichtliche Tatsache ist: Nicht mehr das quellenkritisch aus der Überlieferung ermittelbare, chronologisch fixierte Ereignis ist eine eigentlich geschichtliche Tatsache, sondern ein struktureller Bedingungszusammenhang solcher Ereignisse. Die Tatsächlichkeit dieser Tatsache bestimmt Burckhardt dadurch, daß er sie von derjenigen eines chronologisch fixierten Datums in einer Ereignisfolge abgrenzt: Die Tatsächlichkeit eines solchen Ereignisses, die durch den narrativen Charakter einer Aussage bezeichnet wird, ist gekennzeichnet durch seine Zeitstelle, die es im zeitlichen Ablauf von Handlungszusammenhängen hat. Diese Zeitqualität des Ereignisses wird von Burckhardt depotenziert[50], um *Kultur als Tatsache eines höheren Allgemeinheitsgrades* erkennbar zu machen. »Nicht erzählend ... haben wir die Griechen in ihren wesentlichen Eigentümlichkeiten zu betrachten ...«[51]

Kultur wird gedacht als Fundierungszusammenhang einer Er-

[49] VIII, 5.

[50] Vgl. den Hinweis auf »die ›entzeitlichte‹, die ›verräumlichte‹ Darstellungsweise« Burckhardts bei Heinz Schlaffer, *Jacob Burckhardt oder das Asyl der Kulturgeschichte.* In: Hannelore und Heinz Schlaffer, *Studien zum ästhetischen Historismus.* Frankfurt 1975, S. 75. Schlaffers These, an Burckhardts Zeitflucht lasse sich ein historisches Stillstehen von Geschichte als Charakteristikum »für die generelle Form des historischen Bewußtseins im 19. Jahrhundert« (S. 76) ausmachen, überzeugt nicht. Burckhardt wird umstandslos mit den politischen Historikern seiner Zeit in einen Topf geworfen; eine Spielart des Historismus wird mit seiner umfassenderen Konditionierung des historischen Denkens verwechselt. Vgl. auch unten Anm. 82.

[51] VIII, 2.

eignisfolge; als solcher hat sie nicht deren Eigenschaft zeitlicher Bewegtheit. Im Unterschied zur Bewegung der Ereignisse ist sie das unbewegte System dieser sich bewegenden Teilchen. Kulturgeschichte stellt in dieser Hinsicht die Ereignisfolge konkreten menschlichen Handelns und Leidens still, um dessen Strukturzusammenhang sichtbar zu machen, der gegenüber dem Wechsel der Ereignisse im Ablauf des betreffenden Handelns und Leidens die Eigenschaft der Dauer hat. Die zeitliche Bewegung von Ereignissen menschlichen Handelns macht also nicht mehr dessen geschichtlichen Charakter aus. Geschichte ist in den »Kultur« genannten Bedingungszusammenhang ereignishaften Handelns und Leidens zurückgenommen. Nach Burckhardt geht die Kulturgeschichte »auf das Innere der vergangenen Menschheit und verkündet, wie diese war, wollte, dachte, schaute und vermochte. Indem sie damit auf das Konstante kommt, erscheint am Ende dieses Konstante größer und wichtiger als das Momentane, erscheint eine Eigenschaft größer und lehrreicher als eine Tat; denn die Taten sind nur Einzeläußerungen des betreffenden inneren Vermögens, welches dieselben stets neu hervorbringen kann. Das Gewollte und Vorausgesetzte also ist so wichtig als das Geschehene, die Anschauung so wichtig als irgendein Tun; denn im bestimmten Momente wird sie sich in einem solchen äußern: ›Hab ich des Menschen Kern erst untersucht, so weiß ich auch sein Wollen und sein Handeln‹«[52].

Die methodologische Konsequenz dieses Interpretationsansatzes liegt auf der Hand. Nicht mehr werden die Quellen kritisch auf Tatsachen im Sinne von Ereignissen geprüft, und nicht mehr werden die quellenkritisch ermittelten Ereignis-Tatsachen als Geschichte interpretiert, indem eine zeitliche Ereignisfolge quellenkritisch hergestellt und narrativ dargestellt wird. Dieselben Quellen werden nun vielmehr auf Tatsachen von nichtereignishaftem Charakter – wir würden heute sagen: auf »Strukturen« – hin befragt, und diese anderen Tatsachen werden dadurch historisch interpretiert, daß sie in ein allgemeines Bedingungsverhältnis zueinander gesetzt werden. Erst innerhalb dieses Zusammenhangs werden Zeitabläufe interpretatorisch wichtig. Burckhardt hat die methodologischen Neuerungen, die sich daraus ergeben, nur angedeutet und nicht ausführlicher erörtert. Er hat darauf hingewiesen, daß »die Quellen ... ganz anders sprechen« und daß die Quellenkritik mit einer höheren Evidenz

[52] VIII, 3.

arbeiten kann als bisher[53]. Er hat damit einen Erkenntnisfortschritt der Geschichtswissenschaft angedeutet (und zugleich mit der Bemerkung von der Unwissenschaftlichkeit seines Vorgehens wieder verstellt), der als idealtypisches Vorgehen erst später (und bis heute noch nicht in ausreichendem Maße) in der Geschichtswissenschaft allgemein realisiert werden konnte.

7. Struktur und Prozeß

Die typologisch ermittelten Strukturzusammenhänge menschlichen Handelns sind aber nicht zeitlos. Der von Burckhardt an den kulturgeschichtlichen Tatsachen betonte Charakter des Konstanten, Dauernden, ja Ewigen ist als eine Kennzeichnung zu verstehen, die gegen die Zeitqualität eines Ereignisses im Ablauf von Handlungen erfolgt ist. Seine anfangs zitierte[54] Leitvorstellung für historische Erkenntnis beinhaltet den »Gang der Kultur, die Sukzession der Bildungsstufen bei den verschiedensten Völkern und innerhalb der einzelnen Völker selbst«[55] – also etwas durchaus nicht Konstantes. Burckhardt hat zwar gegen das (Hegelsche) Konzept, das der historischen Erkenntnis den Bezugsrahmen einer weltgeschichtlichen Chronologie des seiner selbst sich bewußt werdenden Geistes vorschreibt, seine typologische Betrachtungsweise entwickelt; er kann aber bei der Ausarbeitung des kulturellen Zusammenhangs menschlichen Handelns auf eine zeitliche Qualifizierung nicht verzichten. Burckhardt ist kein Strukturalist.

Die Frage stellt sich daher, welche Alternative er zur zeitlichen Totalität der idealistischen Geschichtsphilosophie entwickelt hat. Seine Ablehnung einer raum-zeitlich konkreten Chronologie im Bezugsrahmen der historischen Interpretation (eines »antizipierten Weltplans«) beruht auf der Einsicht, daß der typologisch ermittelbare Kulturzusammenhang menschlichen Handelns und Leidens sich in seiner Zeitqualität fundamental von derjenigen einer handelnd und leidend vollzogenen Ereignisfolge unterscheidet. Dieser Unterschied kann nicht preisgegeben werden, wenn der Historiker *hinter* die Ereignisse blicken will, um ihren kulturellen Bedingungszusammenhang zu erkennen. Andererseits aber sind die Ereignisse für die Kulturgeschichte nicht

[53] VIII, 3.
[54] S. oben S. 190.
[55] VII, 225.

unwesentlich. Einzig ihnen können Auskünfte über den in Frage stehenden Kulturzusammenhang abgewonnen werden. Sie müssen ins »Zeugenverhör über das Allgemeine«[56] genommen werden. In diesem Zeugenverhör hat das Ereignis über den Prozeßcharakter seiner kulturellen Strukturbedingungen zu zeugen, sonst hätte es ja auch als Ereignis nichts zu sagen.

Wenn Burckhardt den Prozeßcharakter von Kultur als Selbstbewußtwerdung des Geistes charakterisiert, dann kann er auf die Zeitvorstellung nicht verzichten, die er als strukturierendes Prinzip des Bezugsrahmens der historischen Interpretation kritisiert und durch eine anthropologisch entwickelte zeitlose Typologie zu ersetzen versucht. Der von ihm vorgeschlagene Bezugsrahmen sollte ja auch gerade dazu dienen, einen inneren sinnhaften Zusammenhang im zeitlichen Ablauf menschlichen Handelns und Leidens sichtbar zu machen (nur eben anders als im Rahmen einer weltgeschichtlichen Entwicklungstheorie). Auch für ihn stellen sich die typologisch ermittelten Strukturzusammenhänge des menschlichen Handelns und Leidens in der Bewegung eines »Weltprozesses«[57] dar. Das bekannte Kapitel über ›Die geschichtlichen Krisen‹ in den *Weltgeschichtlichen Betrachtungen* ist nichts anderes als eine Theorie der zeitlichen Verlaufsform von Kulturprozessen. In dieser Theorie wird eine bestimmte Seite – die der Beschleunigung – des Prozeßcharakters herausgearbeitet, der den inneren Vermittlungszusammenhang zwischen Staat, Religion und Kultur auszeichnet. Krisen sind nichts anderes als Beschleunigungen der Prozesse, in denen sich der Kulturzusammenhang menschlichen Handelns und Leidens herstellt. Im Unterschied zu einer teleologisch orientierten Geschichtsbetrachtung wird aber von Burckhardt der Prozeßcharakter der kulturellen Selbsthervorbringung des menschlichen Geistes rein formal bestimmt. Der diesen Prozeßcharakter zum Ausdruck bringende Interpretationsrahmen wird frei von narrativen Aussagen mit raum-zeitlich festliegenden Inhalten gehalten. Insofern hält Burckhardt auch hinsichtlich der Zeitqualität des Kulturzusammenhangs menschlichen Handelns und Leidens seinen typologischen Ansatz durch. Dadurch aber verliert er (mindestens auf der Ebene seiner theoretischen Explikation des historischen Interpretationsrahmens) die Geschichte aus den Augen, die in der zeitlichen Folge von Kulturprozessen besteht.

[56] VIII, 2.
[57] VII, 129.

Burckhardts typologische Bestimmung von Geschichte bringt die Gegenwart mit der Vergangenheit in ein ganz anderes Verhältnis als die von ihm kritisierte teleologische Subsumtion der Vergangenheit unter die Genese gegenwärtiger Handlungsbedingungen. Gegenwart und Vergangenheit begegnen sich typologisch auf der zeitlosen Ebene vergleichbarer Kulturentwicklungen. Diese Begegnung macht aber noch nicht den von Burckhardt selbst hervorgehobenen Kern aller historischen Betrachtungen aus, daß nämlich Geschichte diejenige Vergangenheit ist, »welche deutlich mit Gegenwart und Zukunft zusammenhängt«[58]. »Zusammenhang« ist hier nicht bloß typologisch gemeint, sondern als innerer Sinn von Kulturentwicklung. Dies geht mit hinreichender Deutlichkeit daraus hervor, daß Burckhardt ihn als »Gang der Kultur« und »Sukzession der Bildungsstufen« charakterisiert[59]. Geschichte als Inbegriff der typologisch ermittelbaren prozeßhaften Kulturentwicklungen hat also noch einen Prozeßcharakter, der nicht identisch mit dem typologisch vorentworfenen ist. Mit dieser, der Bestimmung einzelner Kulturentwicklungen als Prozeß übergeordneten Bestimmung wird bei Burckhardt der Zusammenhang möglicher Kulturentwicklungen konzipiert, in dem die Gegenwart ihren Ort finden und durch den ihr im Medium der kulturellen Selbstidentifikation handelnder (und leidender) Individuen und Gruppen eine Zukunftsperspektive eröffnet werden soll. Burckhardt hat diesen Gesamtzusammenhang zeitlich aufeinander folgender Kulturentwicklungen als das »Weltgeschichtliche«, das »große Weltganze«[60], als »Universalgeschichte«[61], als »Lebensgeschichte und Leidensgeschichte der Menschheit als eines Ganzen«[62] bezeichnet. Hier spricht er die Inhalte des allgemeinen Bezugsrahmens der historischen Interpretation an, die zu erkennen im lebensweltlichen Interesse des Historikers (und seines Publikums) an einem freien Selbstverhältnis liegt: »Nun ist es aber die spezielle Pflicht des Gebildeten, das Bild von der Kontinuität der Weltentwicklung in sich so vollständig zu ergänzen als möglich; dies unterscheidet ihn als einen Bewußten vom Barbaren als einem

[58] VII, 225.
[59] VII, 225.
[60] VII, 9.
[61] VIII, 2.
[62] VII, 227.

Unbewußten, so wie der Blick auf Vergangenheit und Zukunft überhaupt den Menschen vom Tier unterscheidet.«[63]

Hier wird der Punkt sichtbar, wo Burckhardts Geschichtskonzeption zerbricht. Einerseits ist es ihm gelungen, »Entwicklung« jenseits einer Teleologie des Geschichtsganzen so zu denken, daß neue, typologische Einsichten in den Strukturzusammenhang menschlichen Handelns und Leidens und in seine prozessuale Dynamik möglich wurden. Zugleich aber ist damit die Prozeßdynamik menschlicher Vergesellschaftung, die typologisch als geschichtliche Tatsache höherer Ordnung erkennbar geworden ist, auf einzelne geschichtliche Abläufe partialisiert worden. Der selbst prozeßhafte Zusammenhang dieser Abläufe, den Droysen die »Geschichte über den Geschichten«[64] oder »die Geschichte der Geschichte«[65] genannt hatte, bleibt unbestimmt[66]. Dieser Zusammenhang wird zwar noch angesprochen, aber nicht mehr so stringent im Bezugsrahmen der historischen Interpretation entwickelt wie die Prozeßdynamik der einzelnen Geschichten. Dabei sollen aber durch ihn diese Geschichten in denjenigen Zusammenhang mit der Gegenwart gebracht werden, der »Bildung« als historische Selbstidentifikation allererst ermöglicht.

Burckhardt bezeichnet mit »Kontinuität der Weltentwicklung« den Faktor der historischen Interpretation, der die jeweils in einzelnen Kulturen ablaufenden Entwicklungsprozesse einer geistigen Bewußtwerdung von Gesellschaften zusammenschließt zu einer universalgeschichtlichen kulturellen Evolution der Menschheit. Nur als ein solcher Zusammenhang ist der »große Übergang« von einer Kultur zur anderen zu denken, der allein die Gegenwart mit den vergangenen Kulturen so verknüpfen kann, daß deren Erkenntnis und Erinnerung zu einer zukunftsfähigen kulturellen Selbstidentifikation gegenwärtig handelnder und leidender Menschen führt. Burckhardt selbst hat die Einbettung der typologischen Kulturkonstruktion in eine solche universalgeschichtliche Evolution von Kultur in der schon zitierten Ausführung über die typologische Innovation seiner Kulturgeschichte betont. »Nicht erzählend, wohl aber geschichtlich,

[63] VIII, 11.

[64] Johann Gustav Droysen, *Historik. Vorlesungen über Enzyklopädie und Methodologie der Geschichte*. Hrsg. von R. Hübner, 4. Aufl. Darmstadt 1960, S. 354.

[65] Ebd. S. 221.

[66] Zur logischen Problematik einer solchen Annahme (wenn sie als gegenständliche verstanden wird) vgl. Hans Michael Baumgartner, *Narrative Struktur und Objektivität. Wahrheitskriterien im historischen Wissen*. In: *Historische Objektivität. Aufsätze zur Geschichtstheorie*. Hrsg. von J. Rüsen, Göttingen 1975, S. 54f.

und zwar in erster Linie, insofern ihre Geschichte einen Teil der Universalgeschichte ausmacht, haben wir die Griechen in ihren wesentlichen Eigentümlichkeiten zu betrachten, in denen, worin sie anders sind als der alte Orient und als die seitherigen Nationen, und doch den großen Übergang nach beiden Seiten bilden. Hierauf, auf die Geschichte des griechischen Geistes, muß das ganze Studium sich einrichten.«[67] Was aber ist diese »Geschichte«, in der der griechische Kulturprozeß ein »Übergang« ist, in der die griechische *Kultur*geschichte eine Kultur*geschichte* ist? Diese Frage zielt ins Zentrum der Burckhardtschen Geschichtskonzeption, denn sie zielt auf die »Kontinuität der Weltentwicklung«, die Burckhardt als Kontinuität des Geistes über alle einzelnen Kulturentwicklungen hinweg als obersten Gesichtspunkt des historischen Denkens annahm.

Burckhardt beantwortet diese Frage nicht mehr mit der Behauptung, die Geschichte sei ein Prozeß, der einzelne Kulturprozesse als innere Ordnung ihrer zeitlichen Sukzession umgreift. Wo eine solche Vorstellung zu entwickeln wäre, steht bei ihm die Natur als unergründliche Macht kultureller Schöpfungen. Auf sie wird die historische Erinnerung an einzelne kulturelle Prozesse letztinstanzlich verwiesen: Die Kontinuität des sich in Kulturprozessen manifestierenden Geistes über einzelne Kulturentwicklungen hinweg wird nicht mehr geschichtlich, sondern ursprungsmythisch gedacht.

Burckhardt will Geschichte nicht nur als je partiellen Kulturprozeß, sondern als Totalität, als »großes Weltganzes«, als »Weltentwicklung« im Bezugsrahmen der historischen Interpretation entwerfen. Dazu wird er weniger durch wirksame Traditionen solcher Totalitätskonzeptionen im deutschen Historismus genötigt als vielmehr durch das sachliche Erfordernis, lebensweltliche Erfahrungen der Gegenwart durch historisches Denken geistig verarbeiten zu müssen. Der zeitliche Ablauf menschlichen Handelns und Leidens soll als Kulturentwicklung mit Einschluß der Gegenwart entworfen werden. Denn erst dann kann der gegenwärtig Handelnde und Leidende sich frei zu den gesellschaftlichen Prozessen verhalten, denen er handelnd und leidend unterworfen ist. Indem er sie als Momente einer umfassenden Kulturentwicklung begreift, verlieren sie für ihn den Schrecken ihrer Zwanghaftigkeit und werden zu Voraussetzungen kultureller Selbstverwirklichung des menschlichen Geistes.

[67] VIII, 2.

(So etwa hinsichtlich politischer Zwänge: »Die Macht kann auf Erden einen hohen Beruf haben; vielleicht nur an ihr, auf dem von ihr gesicherten Boden können Kulturen des höchsten Ranges emporwachsen ...«[68])

Primäre Erfahrung von Geschichte als Prozeß ist für Burckhardt der Emanzipationsprozeß der bürgerlichen Gesellschaft und der sie bestimmenden kapitalistischen Wirtschaftsweise aus allen traditionell vorgegebenen politischen, religiösen, kulturellen Schranken des gesellschaftlichen Lebens. Kapitalismus aber ist für ihn identisch mit Kulturverfall, und der unübersehbare Prozeß seiner Entwicklung zum dominierenden Prinzip des menschlichen Handelns seiner Gegenwart ist daher ein Prozeß fortschreitenden Kulturverfalls. Da Burckhardt sich die Illusionen des politischen Historismus über eine historisch legitimierte kulturelle Regulation aktuellen gesellschaftlichen Handelns durch einen durch bürgerliche freie Mitbestimmung versittlichten Staat aus dem Kopf geschlagen hat, steht am Ende dieses Verfallsprozesses für ihn der »große Jammer« eines »Weltkrieges«[69].

Gegen diese lebensweltliche Erfahrung konstruiert Burckhardt anthropologisch sein Konzept aller möglichen Geschichte als Prozeß einer kulturellen Selbstbewußtwerdung des menschlichen Geistes. Im Verhältnis zur wirklichen gesellschaftlichen Entwicklung seiner Zeit (die auch als Geschichte muß gedacht werden können) ist seine Konzeption von Geschichte als Prozeß aber *kontrafaktisch.* Nur um diesen Preis der Unzeitgemäßheit ist es ihm möglich, Vergangenheit und Gegenwart in ein Verhältnis zu setzen, in dem für die Gegenwart aus der Vergangenheit Muster zur kulturellen Selbstidentifikation entwickelt werden können. Dieses Verhältnis aber ist kein geschichtliches; denn die Muster sind »der bestimmten einzelnen Zeitlichkeit enthoben«[70].

Der Vergangenheit sollen Muster einer kulturellen Selbstidentifikation für die Gegenwart entnommen werden können; dies kann Burckhardt angesichts seiner Gegenwartserfahrung nicht mehr damit begründen, daß er die Gegenwart in einen weltgeschichtlichen Prozeß der kulturellen Evolution einbindet – steht doch die Gegenwart als Negation der Resultate bisheriger kultureller Entwicklung da. Begründet wird die Erinnerungswürdigkeit vergangener Kulturprozesse anthropologisch: Alles *mög-*

[68] VIII, 95.
[69] Ziegler, *Burckhardts Vorlesung,* S. 19.
[70] VII, 46.

liche menschliche Handeln wird »bestrahlt von denselben Gestirnen, die auch anderen Zeiten und Völkern geleuchtet haben, und bedroht von denselben Abgründen und einst heimfallend derselben ewigen Nacht und demselben Fortleben in der großen allgemeinen Überlieferung«[71].

So rettet Burckhardt anthropologisch die Erinnerungswürdigkeit der menschlichen Vergangenheit und vindiziert der Gegenwart die Möglichkeit einer kulturellen Selbstidentifikation; letzteres führt er als »Befähigung des 19. Jahrhunderts für das historische Studium« aus[72]. Den inneren Sinnzusammenhang im zeitlichen Ablauf menschlichen Handelns aber, den die historisch erinnerten Kulturtatsachen höherer Ordnung darstellen, muß er für das allgemeine Verhältnis der Gegenwart zur Vergangenheit preisgeben. An seine Stelle tritt »Werden, Blühen, d.h. völliges Sichverwirklichen, Vergehen und Weiterleben in der allgemeinen Tradition«[73]. *Natur ist der Prozeß, der die einzelnen Kulturentwicklungsprozesse zur Weltgeschichte verbindet.* Der Gesamtprozeß der geschichtlichen Entwicklung, die »Kontinuität der Weltentwicklung«[74], ist ein reiner Naturprozeß. Von ihm her gesehen stellen sich auch die partiellen Kulturentwicklungsprozesse nicht anders dar denn als Abläufe, die nach einem organologischen Schema geordnet werden können: »Rassenmäßiges Tun« verwandelt sich in »reflektiertes Können«, bis schließlich die Reflexion das Antriebspotential zu ihr hin durch sich selbst verzehrt, die entwickelte Kultur mangels innerer Lebenskraft verfällt und lebenskräftigeren Gebilden Platz macht.

Burckhardt fällt nur deshalb nicht einem historischen Biologismus[75] zum Opfer, weil er einen Transfer errungener Kulturleistungen über den jeweiligen Kulturverfall hinweg in neue Kulturentwicklungsprozesse hinein annimmt und darin den weltgeschichtlichen Charakter jeder Kulturentwicklung sieht. Von der geschichtstheoretischen Annahme dieses Transfers hängt der geschichtliche Charakter der typologisch erkennbaren partiellen Kulturentwicklungsprozesse ab, d.h. nicht mehr und

[71] VII, 9.
[72] VII, 9ff.
[73] VII, 43.
[74] VIII, 11.
[75] Vgl. Stadelmanns Hinweis auf »Elemente einer biologischen Kreislauftheorie bei Burckhardt« (*Burckhardts Weltgeschichtliche Betrachtungen*, S. 66); vgl. auch die Belege bei W. E. Mühlmann, *Biologische Gesichtspunkte in J. Burckhardts ›Griechische Kulturgeschichte‹*. Archiv für Kulturgeschichte 24 (1934); ein Versuch, Burckhardt für eine Rassenideologie zu reklamieren.

nicht weniger als die Plausibilität der Burckhardtschen Geschichtskonzeption im ganzen. Dieser Transfer und die durch ihn mögliche Stufung von Kulturentwicklung müssen aus der Prozeßdynamik der kulturellen Strukturierung menschlichen Handelns und Leidens stringent folgen, damit die historische Erkenntnis so in Kraft treten kann, wie Burckhardt sie ansetzt: Nur dann ist der genuin geschichtliche Zusammenhang von Vergangenheit, Gegenwart und Zukunft gewährleistet. Denn nur als sich transferierende können vergangene Kulturleistungen als Muster gegenwärtiger Selbstidentifikation dienen, und die historische Erinnerung kann nur dann eine Zukunftsperspektive eröffnen, wenn sie ein notwendiges Moment des kulturbildenden Transfers selber ist. Beides wird von Burckhardt als wesentliche Voraussetzung seines historischen Denkens angenommen; beides läßt sich aber durch seine Geschichtstheorie nicht mehr begründen. Dort werden die partialen Kulturentwicklungsprozesse nur einem naturhaften Werden und Vergehen subsumiert, und die historische Erinnerung produziert in der Form ursprungsmythischer Stiftung über dieses Werden und Vergehen nur den Schein einer kulturellen Evolution.

Dennoch ist bei Burckhardt das »Bild von der Kontinuität der Weltentwicklung«[76] keine bloß dezisionistische Sinngebung des Sinnlosen. Vielmehr zeigt seine Geschichtsschreibung, daß die kulturhistorisch beschworene kulturelle Selbsthervorbringung eines freien Verhältnisses vergesellschafteter Menschen zur Natur und zu sich selbst objektiv der Fall war. Die im vorgegebenen Rahmen der Typologie ermittelbaren, jeweils partiellen Prozesse der Kulturbildung sind also keine bloßen Projektionen einer Gegenwart, die ihre Identität sucht. Diese Objektivitätssicherung von Kulturentwicklung aber reicht nicht aus; die Gegenwart als unübersehbarer Prozeß der Zerstörung aller bisherigen kulturellen Regulationen des menschlichen Lebens soll nicht aus aller möglichen Geschichte herausfallen, wie sie durch die Typologie der Kulturentwicklung als Rahmenbestimmung der historischen Interpretation festgeschrieben wird. Dann aber muß für die Gegenwart eben der »Übergang« als ein zeitlich-prozeßhaftes Geschehen konzipiert werden können, als den Burckhardt das kulturelle Geschehen des antiken Griechenland charakterisiert hat. Einen solchen Übergang aber kann er nur in Form einer remythisierten Natur denken: »Die Natur schafft so gütig wie

[76] VIII, 11.

jemals.«[77] Die (schon mehrfach beschriebene, hier nicht auszuführende) Ästhetisierung der Geschichte bei Burckhardt[78] ist der geschichtstheoretische Vollzug einer solchen Remythisierung[79].

9. Schlußfolgerungen

Burckhardt stimmt mit dem deutschen Historismus darin überein, daß Geschichte ein universaler Prozeß der Kulturentwicklung ist. Er weicht vom Historismus seiner Zeit ab, indem er diesen Prozeß nicht mehr theologisch-metaphysisch, sondern anthropologisch konzipiert. Diese Abweichung führt in eine Aporie: Der einheitliche Prozeßcharakter von Geschichte wird partialisiert; der Zusammenhang partieller Kulturentwicklungen zu einer Geschichte, an dem Burckhardt sachlich festhält, wird im allgemeinen Bezugsrahmen der historischen Interpretation abgeblendet und verfällt einer Renaturalisierung und Mythisierung. Ungeachtet dieser Aporie aber muß die gegenwärtige Geschichtstheorie m. E. mindestens in einem Punkt an Burckhardt anknüpfen: Spätestens seit Max Weber dürfte es unbestreitbar sein, daß die von Burckhardt geschichtstheoretisch freigesetzten typologischen Verfahren einen Erkenntnisfortschritt darstellen gegenüber dem bis dahin ausgebildeten hermeneutischen Arsenal der Geschichtswissenschaft. Allerdings muß hier kritisch gegen Burckhardt der konstruktiv-systematische Charakter der Typenbildung betont werden.

Man kann also nicht hinter Burckhardt zurückgehen, um seine gegenstandstheoretische Aporie zu überwinden. Es kommt vielmehr darauf an, auf dem Wege einen entscheidenden Schritt weiterzugehen, den er mit seiner Bestimmung von Kulturentwicklung als Prozeß gegangen ist. Geschichte muß als Prozeß auch dort gedacht werden, wo der zeitliche Zusammenhang einzelner Prozesse (Kulturgeschichten) ausgemacht werden soll. Gemeint ist der von Burckhardt selbst angesprochene Zusammenhang[80], in den die Gegenwart eingerückt werden muß, damit ihr eine Zukunftsperspektive im Medium eines freien Selbstver-

[77] VII, 426.

[78] Vgl. Klaus Oettinger, *Poesie und Geschichte. Bemerkungen zur Geschichtsschreibung Jacob Burckhardts.* Archiv für Kulturgeschichte 51 (1969); ausführlich Hardtwig, *Geschichtsschreibung,* S. 148 ff., S. 182 ff., S. 193 ff.

[79] Zur Bedeutung des Mythos für Burckhardt vgl. Löwith, *Burckhardt,* S. 192.

[80] VII, 225.

hältnisses der unter gesellschaftlichen Zwängen Handelnden und Leidenden eröffnet werden kann. Burckhardt hat diesen Prozeß der Prozesse als Natur gedacht. Er konnte ihn der gesellschaftlichen Entwicklung seiner Zeit nur ursprungsmythisch zusprechen. Zwar hat auch das Geschehen der Gegenwart im Rahmen einer Theorie aller möglichen Geschichte Prozeßcharakter. Als wirkliche Geschichte aber hat dieses Geschehen, weil in ihm Kultur als Kultur negiert wird, gerade nicht die immanente kulturelle Dynamik, die alle mögliche Geschichte hat. Burckhardt kondensiert vielmehr den kulturellen Charakter seiner Zeit auf die Existenz von Historikern, die vergangene Kultur erinnern und dadurch die drohende Geschichtslosigkeit ihrer Gegenwart bannen wollen und denen zugleich doch nichts anderes übrigbleibt, als eben die Barbarei zu prognostizieren, die identisch mit der Geschichtslosigkeit ist. »Wenn aber beim Elend noch ein Glück sein soll, so kann es nur ein geistiges sein, rückwärts gewandt zur Rettung der Bildung früherer Zeit, vorwärts gewandt zur heiteren und unverdrossenen Vertretung des Geistes in einer Zeit, die sonst gänzlich dem Stoff anheimfallen könnte.«[81]

Diese Aporie kann nur dann überwunden werden, wenn auch diejenige Geschichte als Prozeß formuliert wird, die in der zeitlichen Folge der idealtypisch ermittelbaren einzelnen Kulturprozesse besteht. An Burckhardt läßt sich dort anknüpfen, wo er sich mit der von ihm sonst kritisierten Geschichtskonzeption des Historismus seiner Zeit einig weiß: darin nämlich, daß sich zumindest *ein* Kulturzusammenhang weltgeschichtlicher Art denken läßt, die Weltgeschichte Europas: »Hier allein verwirklichen sich die Postulate des Geistes; hier allein waltet Entwicklung und kein absoluter Untergang, sondern nur Übergang ... Durch langsame Entwicklung, wie durch Sprünge und durch Weckung der Gegensätze hängen wir geistig mit ihnen (den Völkern des Altertums) zusammen. Es bedeutet ein hohes Glück, dieser aktiven Menschheit anzugehören.«[82]

Burckhardt hat den Gesamtprozeß, der die zeitliche Folge partieller Kulturentwicklungsprozesse umgreift, als Sachverhalt auf doppelte Weise zum Ausdruck gebracht: einerseits als an-

[81] VII, 426.

[82] VII, 226 (Zusatz in Klammern von mir). Diese Seite des Geschichtsdenkens Burckhardts hat Schlaffer übersehen, wenn er behauptet: »Nicht als welthistorischen Prozeß, nicht als Entwicklung zur Einheit des Menschengeschlechts, nicht als Weg zur Gegenwart versteht Burckhardt Geschichte ...« (*Burckhardt*, S. 78).

thropologische Identität des menschlichen Handelns und Leidens (sie garantiert die Applizierbarkeit vergangener kultureller Hervorbringungen des Geistes auf die Gegenwart); andererseits als Natur, d.h. Kampf ums Dasein, Rasse, Machttrieb und dergleichen (sie garantiert die Hoffnung, daß die historische Applikation gesamtgesellschaftlich nicht folgenlos bleibt). Beides ist a-historisch. Dagegen wäre zu versuchen, diesen Zusammenhang als *Prozeß* zu denken. Geschichtstheoretisch bedeutet dies, die idealtypische Rekonstruktion vergangener gesellschaftlicher Prozesse um einen Gesichtspunkt zu erweitern: um den einer Stufung, einer zeitlichen Reihung dieser Prozesse, die ihnen nicht bloß äußerlich wäre, sondern ihren Prozeßcharakter selber beträfe. Burckhardt selbst hat mit seinem Begriff der »Bildungsstufen« einen solchen Gesichtspunkt angedeutet; er hat ihn aber nicht systematisch in seinen Bezugsrahmen der historischen Interpretation einbringen und dort systematisch entfalten können. Die Einführung eines solchen Gesichtspunktes braucht nicht identisch zu sein mit einer Erneuerung der Teleologie, gegen die Burckhardt sich wendet. Dies ist dann ausgeschlossen, wenn an den Erkenntnismöglichkeiten festgehalten wird, die die Einführung der Typologie in die historische Interpretation eröffnet. Damit ist m.E. eine der Hauptaufgaben der gegenwärtigen Historik in gegenstandstheoretischer Hinsicht bezeichnet.

Zweiter Teil
Analyse und Auffassung einzelner historischer Prozesse und Prozeßtypen in der heutigen Wissenschaft

Christian Meier

Autonom-prozessuale Zusammenhänge in der Vorgeschichte der griechischen Demokratie

Die griechische Soziogenese[1], die in der Entstehung der Demokratie und deren Begleit- und Folgeerscheinungen kulminiert, stellt die historische Forschung vor besondere Schwierigkeiten. Erstens sind wir schlecht über sie orientiert; aber das ist bei fast allen Prozessen der Gesellschaftsbildung der Fall. Zweitens ist sie im wesentlichen einmalig; und eben darin liegt das spezifische Problem. Übergänge aus anfänglichen Verhältnissen zu einer »Staatlichkeit« mit ausdifferenzierten Zentren, unter monarchischer Regierung, mit religiöser Legitimation etc. kennen wir an den verschiedensten Orten, in Ägypten, Vorderasien, Indien, China, Amerika und anderswo. Sie sind jeder auf eigene Weise erfolgt und haben eigene Ergebnisse gezeitigt. Gleichwohl läßt sich in Entstehung und Ausprägung dieser Hochkulturen eine sehr beträchtliche Reihe gemeinsamer Strukturmerkmale ausmachen[2]. Die Verwirklichung menschlicher Möglichkeiten in Hochkulturen dieser Art scheint also zwar nicht gerade leicht, aber doch auch nicht unwahrscheinlich zu sein. Die Gemeinsamkeiten zwischen ihnen sprechen zugleich für gewisse Regelmäßigkeiten, die es vielleicht erlauben, fehlende Überlieferung durch Konstruktion auf Grund eben dieser Regeln zu ersetzen.

Daß jedoch ein Volk jene frühe Stufe überwindet, ohne irgendwie nennenswerte monarchische Zentren auszubilden, auch ohne von Aristokratien oder Priesterschaften her eine mächtige Staatlichkeit aufzubauen; daß in ihm die Meinung sich durchsetzt, die gesamte Bürgerschaft – in kleinen politischen Gebilden – sei verantwortlich für die Ordnung des Gemeinwesens, und

[1] Dem Aufsatz liegen weitgehend eigene Forschungen zugrunde. Es würde zu weit führen, diese hier im einzelnen zu belegen. Daher werden generell nur ganz wenige Hinweise gegeben. Für alles weitere sei einstweilen auf die – ebenfalls skizzenhafte – Behandlung in meinem Aufsatz *Entstehung und Besonderheit der griechischen Demokratie*. Zeitschrift für Politik 25 (1978) verwiesen. Näheres dann in meinem hoffentlich bald erscheinenden Buch *Die Anfänge des politischen Denkens bei den Griechen*.

[2] Neuere Thesen und Literatur dazu etwa bei Talcott Parsons, *Gesellschaften*. Frankfurt a.M. 1975; Klaus Eder, *Die Entstehung staatlich organisierter Gesellschaften. Ein Beitrag zu einer Theorie sozialer Evolution*. Frankfurt a.M. 1976.

daß diese dann für die Bürgerschaften mindestens im Politischen verfügbar wird; daß ein Bruch zwischen gesellschaftlicher und politischer Ordnung entsteht dergestalt, daß breite, niedere Bürgerschichten bestimmende Macht begründen können, ohne die aristokratische Gesellschaftsordnung in Frage zu stellen (freilich nicht, ohne sie zu relativieren); daß die Problematik von Gemeinwesen sich auf das Verhältnis unter den Bürgern als Bürgern konzentriert; daß feste staatliche Ordnung erst von breiten Schichten zumal der Bauern her aufgebaut wird; daß eben damit eine ungeheure Erschütterung alles Denkens eintritt, die in so folgenreicher Weise durchgespielt wird, daß alle weitere Geschichte sich eben infolge davon von aller vorangegangenen gründlich unterscheidet – das finden wir in der Weltgeschichte nur einmal: bei den Griechen. Wenn später in der römischen und im Laufe der abendländischen Geschichte dies oder jenes davon noch einmal begegnet, so ist es durch direkte oder indirekte Nachwirkung der Griechen bedingt.

Hier liegt also in Form und Ergebnis eine welthistorisch einzigartige Soziogenese vor. Wenn die anderen Hochkulturen die Regel bilden, ist dies die Ausnahme. Wenn die anderen mit einer gewissen statistischen Wahrscheinlichkeit erreichbar waren, so scheint die griechische Gesellschaft eher wider die Wahrscheinlichkeit entstanden zu sein. Anders wäre es nur, wenn man die griechische Soziogenese als irgendwie naheliegende Konsequenz aus den vorderasiatischen Hochkulturen verstehen könnte: daß eben von jenen her schließlich, nach langer »Entwicklung«, der Fort-Schritt zu dieser neuen Stufe menschlicher Kultur sich irgendwie aufgedrängt hätte. Da aber für diese Behauptung – trotz aller beachtlichen Einwirkungen des Orients auf die Griechen – nichts von Belang vorzubringen ist, kann man fürs erste wohl festhalten, daß, während der Zugang zur Entstehung von Hochkulturen des »hydraulischen Typs«[3] vergleichsweise breithin offen war, die Griechen anscheinend einen verborgenen, unwegsamen, absonderlichen Weg gefunden haben, der sich dann als Nadelöhr erwies, durch das die Weltgeschichte hindurch mußte, wenn sie das Abendland erreichen wollte[4].

[3] Karl A. Wittfogel, *Die Orientalische Despotie.* Köln-Berlin 1962.

[4] Vgl. Jacob Burckhardt, *Griechische Kulturgeschichte.* Bd. 1, Stuttgart 1956, S. 11. Ein deutliches Bewußtsein davon findet sich auch bei Parsons, der in Israel und Griechenland sogenannte »Saatbett«-Gesellschaften sieht (ebd., S. 149ff.). Es wäre auch auf zahlreiche Äußerungen bei Niklas Luhmann hinzuweisen, vgl. zuletzt seinen Beitrag in: *Identität* (Poetik und Hermeneutik 8), hrsg. von O. Marquard und K. Stierle, München 1978.

Soviel kann man wohl mit gutem Gewissen sagen. Angesichts der heute verbreiteten Geringschätzung des Politischen wäre darüber zu streiten, ob die Griechen auf Grund der angeführten Besonderheiten über alle anderen Kulturen »hinausragten«. Doch das mag hier beiseite bleiben. (Daß sie in vielem sonst hinter diesen zurückstanden und in manchem geradezu »rückschrittlich« waren, kann nicht geleugnet werden.) Die Griechen waren jedenfalls – darauf kann und soll man bestehen – wesentlich anders. So viel war zweifellos mit dem Aufkommen des Politischen[5] und den ihm zugehörigen Formen des Ausgesetztseins, des Handelns, Denkens, der Gegensätze und der Identität vermacht. Wenn es möglich ist, über viele Unterschiede hinweg die anderen Hochkulturen auf ein Blatt zu schreiben, stehen die Griechen auf einem anderen, und zwar bei jeder Betrachtung, die nicht nur Einzelheiten oder einzelne Sektoren des Lebens im Auge hat. (Geht es zum Beispiel um die Ausbildung eines beachtlichen politischen Denkens, so kann man die Griechen möglicherweise mit den Chinesen auf ein Blatt und alle anderen auf ein anderes setzen. Entsprechend gehören sie in Hinsicht auf die Entstehung einer Historie mit den Chinesen und den Israeliten[6] zusammen. Aber aufs Ganze von Gesellschaft und Kultur gesehen, unterscheiden sie sich weitgehend von allen anderen.)

Wie diese so einzigartige Kultur entstand, das kann man, so scheint es, nur historisch erklären. Es mag im einzelnen manchen Grundbedingungen menschlichen Vorankommens, kann jedoch im ganzen keiner Regel verdankt werden. Wie aber ist es zu erklären? Zunächst sei der Vorgang samt seinen Ausgangskonstellationen in groben Umrissen berichtet. Danach ist zu fragen, wieweit sich in ihm mit Sicherheit oder Wahrscheinlichkeit Stränge autonom-prozessualer Handlungskonnexe aufweisen lassen.

Das Problem, um das es geht, ist die Entstehung der griechischen Form von Kultur und Gesellschaft nach der Zerstörung der mykenischen Welt (die so radikal war, daß selbst die Schrift vergessen wurde – weil man sie nicht mehr brauchte –, allerdings nicht so weitgehend, daß auch die Erinnerung an den vergangenen Glanz verschwunden wäre). Das Volk, das damals aus verschiedenen griechischen Stämmen und Gemeinden, Eingesesse-

[5] Im griechischen, ursprünglichen Sinne des Wortes, der von der Identität von Gemeinwesen und Bürgerschaft bestimmt war; vgl. Meier, *Entstehung und Besonderheit.*

[6] Vgl. Ch. Meier, oben S. 73 ff.

nen und Einwanderern heranwuchs, hatte natürlich bestimmte »Eigenschaften«, welche teils aus der mykenischen Vergangenheit, teils aus der Zeit der Wanderungen stammten oder aus den alten Heimatsitzen mitgebracht waren, teils aus der Situation im damaligen Ägäis-Raum sich ergaben. Sie sind schwer zu greifen. Wir wissen nicht einmal, wieweit wir mit der Ausprägung bestimmter Züge rechnen müssen und wieweit eher damit, daß die lockeren, anfänglichen Verhältnisse dieser vor sich hin lebenden Gemeinden gerade dadurch ausgezeichnet waren, daß dort noch so weniges ausgeprägt, so vieles offen war[7]. Aber wie dem auch sei: aus den Eigentümlichkeiten der Religion, der Sprache, der Beziehungen zwischen den Menschen, der Formung der Gemeinwesen, aber auch des Eigentums am Boden, wie sie um 800 bestanden, kann der Gang zur Demokratie kaum abgeleitet werden. Mag noch so vieles dafür vorbereitet gewesen sein, es konnte sich nur unter bestimmten Umständen und vielleicht auch nur in bestimmten Handlungskonnexen in diese Richtung entfalten.

Eine wichtige Bedingung dafür war die Ambiance des damaligen Griechentums. Es lebte im Ägäis-Raum in einem weltpolitischen Vakuum, keiner größeren Macht in seiner Nachbarschaft ausgesetzt (als die Lyder mächtig wurden, waren entscheidende Stadien der Soziogenese schon zurückgelegt), gleichzeitig aber in der Lage, über See in vielfältige Berührung mit den Hochkulturen des Vorderen Orients zu kommen; schließlich stand ihm an weiten Küsten des Mittelmeers ein großer Entlastungsraum zur Verfügung.

Diese Konstellation war eine Bedingung der Möglichkeit dafür, daß die Griechen so lange in relativ kleinen Gemeinwesen vor sich hin lebten. Mindestens wurde von außen kein Druck auf stärkere Zusammenfassung politischer Macht in den Poleis und darüber hinaus ausgeübt. Die Gemeinwesen scheinen recht lokker gefügt gewesen zu sein. Die Könige waren vergleichsweise schwach, ihre Macht jedenfalls immer prekär.

Als die Griechen seit etwa 800 v. Chr. immer stärker über den Ägäis-Raum hinausgriffen, um Handel und Seeraub zu treiben, Erkundungsfahrten zu unternehmen, dann vor allem auch, um Kolonien zu gründen, waren so viele Städte und in den Städten so viele Geschlechter, Gruppen und Einzelne, zumal aus dem Adel,

[7] Vgl. dazu Max Weber, *Das antike Judentum.* Gesammelte Aufsätze zur Religionssoziologie. Bd. 3, Tübingen 1921, S. 220: »Um neue ... Konzeptionen zu ermöglichen, darf der Mensch noch nicht verlernt haben, mit eigenen *Fragen* der Welt gegenüberzutreten.« Das gilt nicht nur im religiösen Bereich.

daran führend beteiligt, daß der vielfältige Gewinn aus diesen Unternehmungen einer großen Zahl verschiedener Subjekte zufiel – und nicht etwa von Monarchen monopolisiert oder von wenigen großen Herren zur Bildung größerer Herrschaftskomplexe ausgenutzt werden konnte.

In den vielfältigen Bewegungen des 8., 7. und 6. Jahrhunderts wurde die überkommene Ordnung der griechischen Polis-Gesellschaften stark erschüttert. Übervölkerung, Not, erhöhte Ansprüche der Adligen und auch vieler Bauern führten zu Verschuldung, Schuldknechtschaft, Versklavung, zu einer tiefen Störung des Verhältnisses zwischen Adel und Nicht-Adel, zu Empörungen und Bürgerkriegen. Die Abwanderung eines relativ sehr großen Teils der griechischen Bevölkerung in die Kolonien hatte einerseits die Durchbrechung, andererseits die Relativierung und Lockerung gentilizischer Bindungen zur Folge. Die hohen Chancen, Reichtum, Macht, Ruhm und Beziehungen zu gewinnen, sowie die hohen Risiken, dieses Ziel zu verfehlen und noch den Einsatz zu verlieren, zogen eine Umschichtung innerhalb des Adels und darüber hinaus nach sich und beförderten dadurch die Konzentration von Macht und Mitteln in einem kleineren Kreis mächtiger Adelsfamilien (der freilich, aufs Ganze gesehen, immer noch recht groß war und blieb). Möglichkeiten und Nöte, Gewinne und Verluste ließen ein Bewußtsein außerordentlicher Macht und korrespondierend dazu das Gefühl drückender Ohnmacht aufkommen.

Die Auseinandersetzungen im Adel wurden kompliziert durch die Möglichkeit für Einzelne, größere Teile des notleidenden Volkes gegen die Standesgenossen auf die eigene Seite zu bringen und dadurch – sowie auf andere Weise – Tyrannis zu begründen.

In dieser Krise war lange keine Instanz vorhanden, die auf weitere Sicht eine neue stabile Ordnung hätte herbeiführen können. Wohl vermochten viele Tyrannen in den von ihnen beherrschten Städten gut für die mittleren und unteren Schichten zu sorgen, ja eine Konsolidierung von deren wirtschaftlicher Lage samt dem Ausbau der wirtschaftlichen Struktur der Städte zu bewirken. Allein, es gelang fast nie, die Tyrannis über die zweite Generation hinaus zu behaupten, und nirgends, sie dauerhaft zu legitimieren. Die institutionalisierende Kraft dieser Herrschaftsform kam offensichtlich nicht auf gegen die Summe der Widerstände (sosehr sie diese vorübergehend niederringen konnte); sie war wohl auch selbst vergleichsweise gering. Mangelnde Kraft und Macht der Widerstände waren vermutlich

Funktion derselben Gegebenheit, der in und zwischen den Städten relativ breiten Verteilung von Macht und der relativ geringen Polis-Bezogenheit des Adels.

Das Versagen der Tyrannen in puncto Institutionalisierung hing zum Teil auch zusammen mit bestimmten, vor ihrem Auftreten schon sich bildenden – oder doch anbahnenden – Überzeugungen von rechter politischer Ordnung, die zunächst wohl nur im Adel, später aber intensiv auch darüber hinaus wirksam wurden. Wenigstens beobachten wir seit Solon, also seit Anfang des 6. Jahrhunderts, eine neue Richtung politischen Denkens, die darauf zielte, die Gesamtheit der Bürgerschaft stärker ins Spiel zu bringen, und zwar im Namen einer Verfassungskonzeption, die aus dem Gegebenen eine normative, im Willen der Götter fundierte Ordnung ableitete[8].

Aber schon in der Kolonisation müssen sich Ansätze politischen Denkens gebildet haben. Denn selbst wo man nur die althergebrachten Ordnungen der Mutterstadt kopieren wollte, bedurfte es dazu der Formulierung dort ungefähr geltender Bräuche sowie ihrer bewußten Adaptation und Ergänzung angesichts neuer Situationen und fern von den Alten in der Heimat (die gegebenenfalls aussprechen konnten, wie etwas gemacht wird)[9]. Als die mittleren und unteren Schichten vielerorts die Einsetzung von »Rechtsfeststellern« forderten, wurden andere Richtungen dieses Denkens vorausgesetzt und aktiviert. Die zahlreichen Versuche, mit der sozialen Krise fertigzuwerden, setzten irgendwie voraus und förderten zugleich eine über ganz Griechenland hin (und noch darüber hinaus) Erfahrungen und Einsichten sammelnde und austauschende geistige Bewegung, die geeignete Mittel und Wege, vielfach Institutionen ausdachte, ausprobierte und entwickelte. In diesen Bemühungen sind Tyrannen und die von den Bürgerschaften verschiedentlich eingesetzten »Wieder-ins-Lot-Bringer«[10] weithin die gleichen Wege gegangen. Allein, in der Frage, wie die Herrschaftsverhältnisse

[8] Christian Meier, *Entstehung des Begriffs »Demokratie«*. Frankfurt a. M. 1970, S. 15 ff.

[9] So entstand die Notwendigkeit allgemeiner Formulierung von Dingen, die bis dahin nur für den einzelnen Fall formuliert worden waren. Es gab unzählige Probleme, die durchdacht werden mußten, zumal sobald man darauf kam, daß man dies und das in den neuen Städten besser machen sollte und konnte als zu Hause.

[10] Dies scheint mir der angemessenste Ausdruck für die »Katartisteres« zu sein. Vgl. Christian Meier, *Clisthène et le problème politique de la polis grecque*. Revue internationale des droits de l'antiquité 20 (1973), S. 123, 23.

sein sollten, schieden sich die Geister. Eine Richtung verband sich schließlich mit den breiteren Schichten der Bauern und kleinen Adligen und bildete ein Ordnungsideal heraus, das auf der Verantwortung der Bürger für die Ordnung der Stadt beruhte, und man fand schließlich auch Institutionen sowie das nötige politische Interesse, um die Mitsprache (und am Ende die Herrschaft) breiter Schichten zu gewährleisten.

Kleisthenes hat in Athen den wichtigsten Schritt getan, indem er durch seine Phylenreform der vorhandenen politischen Solidarität der Bürger ein institutionelles Wegenetz schuf, dank dessen es möglich wurde, sie regelmäßig zur Geltung zu bringen. Ein kompliziertes System von Unterabteilungen wurde geschaffen, die in einem jährlich neu zu wählenden Rat der Fünfhundert proportional vertreten waren; ein Ratsherr kam auf 60 Bürger. Auf diese Weise wurde die Bürgerschaft in Athen anwesend gemacht, »présence civique«, »bürgerliche Gegenwärtigkeit« bewirkt[11]. Gleichzeitig ließ Kleisthenes, indem er diese Reform zur Abstimmung stellte, deutlich werden, daß die Bürgerschaft in der Lage war, selbst über ihre Ordnung zu verfügen. Sie wurde so weitgehend in politicis engagiert, daß man geradezu von einem Wandel der gesellschaftlichen Identität sprechen kann: eine politische Identität entstand. Politik rückte ins Zentrum des Lebens. Das war die entscheidende Voraussetzung der Demokratie.

Auf Grund des Sieges über die Perser und der daran anschließenden politischen Geschichte konnte diese sich in der Mitte des 5. Jahrhunderts noch ein wesentliches Stück weit radikalisieren, indem nun auch die unterste Schicht der attischen Bürgerschaft, die Theten, stark an der Polis beteiligt wurde. Was dies bedeutete und wie es sich auf den verschiedensten Gebieten auswirkte, muß hier beiseite bleiben.

Die Frage ist, ob sich in dieser Geschichte irgendwelche autonom-prozessualen Handlungskonnexe aufweisen lassen. Umfassender gefragt: Wie ist sie bedingt? Wie verknüpfen sich in ihr ereignishafte und autonom-prozessuale Zusammenhänge?

Die Ausgangssituation um 800 muß als gegeben angenommen werden. Sie ist in wesentlichen Zügen gewiß ereignishaft entstanden. Die Art, in der die Griechen bis dahin gelebt und gewisse Züge ihrer Eigenart schon ausgebildet hatten, ist kaum weiter zurückzuführen. Die Weise, in der sie sich den Ausstrahlungen

[11] Vgl. ebd., S. 115f.

der östlichen Kulturen in einem bestimmten Zeitpunkt aussetzten, in der sie in einen an deren Rändern erreichten Zustand »einsteigen« konnten, ist im Zusammenhang ihrer Geschichte zufällig. Die besondere Konstellation in der Ägäis war kontingent und vieles andere natürlich auch.

Man kann auch kaum behaupten, daß aus dieser Konstellation bestimmte Abläufe, die um 800 begannen, schon zwangsläufig sich ergaben. Gleichwohl muß deswegen nicht alles, was in der folgenden Zeit sich abspielte, Zufall gewesen sein, müssen wir uns, wenn wir einen bestimmten Sinn des Geschehens entdecken wollen, noch nicht auf mysteriöse Formeln von ursprünglicher griechischer Eigenart oder welthistorischer Bestimmung zurückziehen. Mindestens an einigen Stellen und auf bestimmte Zeitstrecken scheinen sich nämlich Handlungskonnexe prozessualer Art beobachten zu lassen.

1. Das Ausgreifen der Griechen in den Mittelmeerraum

Die Kolonisation und die ihr vorausgehenden Fahrten an die entfernten Küsten des Mittelmeers resultierten gewiß nicht einfach aus gewissen Ausgangsbedingungen, sondern aus einer Reihe nicht weiter erklärbarer Handlungen innerhalb dieser Bedingungen, die sich nach einiger Zeit offenbar zu einer ganzen Kette von in gleiche oder ähnliche Richtung zielenden Handlungen verdichteten, so daß es zu einem Prozeß eigener Art und Gesetzmäßigkeit kam.

Gewiß lag es nahe, daß ein Volk, das an den Küsten und auf den Inseln der Ägäis wohnte, viele Schiffe besaß und sich zur See zu bewegen wußte. Das mag sich mit der Zeit allmählich gesteigert, es mag um 800 sprunghaft zugenommen haben. Damals hatte oder hat es jedenfalls außerordentliche Dimensionen angenommen. Immer mehr Griechen rüsteten Schiffe aus und unternahmen immer weitere Fahrten in alle Richtungen, um Handel und Raub zu treiben. Eine Häufung von Zufällen mag das in Gang gesetzt haben. Wann wird nicht schon mal dies oder jenes versucht; wann gelingt es nicht schon mal überraschenderweise; wann ist solch ein Erfolg nicht schon mal Ansporn für weitere, weiter ausgreifende Unternehmungen? Kurz: kleinere, eher zufällige, zufällig erfolgreiche und anspornende Unternehmungen mögen – nicht weiter erklärungsbedürftig – am Anfang gestanden und weiterer Aktivität die Richtung gewiesen haben. Mißernten, Versorgungskrisen, wer weiß woher bedingte Schwierigkeiten der Phönizier, Absatz- und Handelschancen und ähnliche kontingente Umstände mögen günstige Voraussetzungen geschaffen haben. Jedenfalls häuften sich zahlreiche Aktivitäten zu großer Bewegtheit, ein Prozeß zunehmender Seefahrt kam in Gang. Entscheidend für seine Ausdehnung, seinen Inhalt und seine Stabilisierung war, daß er sich mit dem Bedürfnis verknüpfte, der zunehmenden Übervölkerung der griechischen Gemeinden Abhilfe zu schaffen.

Bei der dorischen Wanderung war das Land von Einwanderern und Zufluchtsuchenden anscheinend sehr dicht besiedelt worden. Unter den Bedingungen der Seßhaftigkeit und relativen Ruhe hatte sich mit der Zeit ein starker Bevölkerungsüberschuß gebildet. Die reichliche Arbeitskraft konnte genutzt werden, um Schiffe zu bauen und zu bemannen, vielleicht auch um bestimmte Waren für den Export herzustellen. Ihr Vorhandensein konnte ein Stimulans sein zu maritimen Unternehmungen, konnte, wenn diese schon ein gewisses Ausmaß angenommen hatten, ihnen größere, unter Umständen erheblich größere Schwungkraft verleihen. Wie dem im einzelnen war, wissen wir nicht. Deutlich ist nur, daß der Bevölkerungsüberschuß dem frühen Ausgreifen der Griechen ins Mittelmeer mindestens von einer bestimmten Stufe an (zusätzliche) Arbeitskraft, (zusätzliche) Veranlassung und (zusätzlichen) Elan verliehen hat. Frühzeitig werden manche Griechen auch in den fernen Handelsstützpunkten (Faktoreien) Wohnsitz genommen haben. Dann kam man auf den Gedanken, Siedlungen an den Küsten des übrigen Mittelmeers zu begründen, in denen Griechen eigenes Land und neue Heimat erhalten konnten, das heißt neue Städte, Kolonien. Das starke Interesse der Landlosen an eigenem Boden ließ sich fruchtbar verbinden mit dem der Händler an der Sicherung gewisser wichtiger Plätze in Übersee. Dieser Gedanke muß sich keineswegs aufgedrängt haben. Vielleicht lag er nahe[12]. Aber als er, wie nun auch, einmal da war, mußte er breithin zünden.

Die anderen Möglichkeiten, die sich als Remedur für ein an Bevölkerungsüberschuß leidendes Land denken lassen, lagen zu fern oder sie sind verpaßt worden. Direkt benachbarte Hochkulturen, die die »überschüssigen« Menschen hätten aufnehmen können, waren nicht da. Der Ausbau anderer Verdienstquellen, etwa im Handwerk, scheint sich in nennenswertem Ausmaß

[12] Etwa angesichts von phönizischen Gründungen wie Karthago?

nicht angeboten zu haben: jedenfalls konnte er nicht so leicht mit den Möglichkeiten in Übersee konkurrieren, zunächst weil die Absatzchancen zu klein waren (sie wuchsen beträchtlich erst infolge der Kolonisation), dann aber, weil sich seit Beginn der Kolonisation dort etwas bot, was für die meisten Griechen herkömmlich wesentlich erstrebenswerter war denn das Leben als Handwerker: eigener Landbesitz. Schließlich ist es auch nicht gelungen, die wachsende Bevölkerung in den Dienst politischer Machtkonzentration zu stellen und mit ihrer Hilfe etwa zu versuchen, in der Nachbarschaft Land zu erobern. Die Monarchien waren dazu zu schwach, wenn überhaupt noch vorhanden. Der eine oder andere König mag sich bemüht haben, seine Macht zu steigern; das eine oder andere Gemeinwesen mag eine expansive Politik versucht haben. Einzig Sparta hat dabei nennenswerten Erfolg gehabt: es ist die Ausnahme, die die Regel bestätigt.

Dies mag einerseits durch die ungefestigten anfänglichen Verhältnisse bedingt gewesen sein, andererseits wird – sobald dieser Weg einmal erfolgreich eingeschlagen worden war – die Kolonisation die Schwäche der Monarchien und der Gemeinwesen (sofern es um Eroberungen in der Heimat ging) noch gesteigert haben. Denn es folgte eben aus der bis dahin vorherrschenden Macht- und Gewichtslagerung in Griechenland, daß viele Familien auf eigene Firma, wenn auch zum Teil in gemeinsamen Unternehmungen, die sich bietenden Chancen wahrnahmen und dabei erhebliche Machtgewinne erzielten.

Wie nahe oder fern es auf Grund der Ausgangskonstellation um 800/750 gelegen haben mag, eine Häufung von Erfolgen in der einen und Mißerfolgen in der anderen Richtung muß endgültig dafür gesorgt haben, daß es angesichts des Bevölkerungsüberschusses keine Alternative zur Kolonisation gab. Nachdem aber der neue Handlungsraum mit all seinen Möglichkeiten evident und in ersten großen Unternehmungen genutzt worden war, scheint sich hier ein autonom-prozessualer Handlungskonnex gebildet zu haben, das heißt, es entstand breithin ein starker, unwiderstehlicher Druck, diese Bewegung fortzusetzen. Das läßt sich ex eventu schließen: denn dafür spricht das große Ausmaß der Bewegung.

Je mehr die Handels- und Raubfahrten einbrachten (auch wenn dies mit hohen Risiken verbunden war), um so stärker müssen sie also – sobald ein gewisser Grad erreicht war – immer mehr Griechen angespornt haben, das gleiche zu versuchen. Je mehr der Reichtum vieler unternehmender Herren zunahm, um so höher mußte der Standard standesgemäßer Lebensführung steigen und um so kräftiger und breiter mußten Ansprüche entstehen, es ihnen gleichzutun. Gründer einer Kolonie zu sein, Handel und Seeraub zu treiben, reich zu werden, das erschien zunehmend als Wert. Je mehr sich herumsprach, daß man an fernen Küsten Land gewinnen konnte, um so mehr Menschen mußten nach den neuen Plätzen drängen. Darauf wirkte das Bedürfnis nach angemessenem Lebensunterhalt hin. Und dies alles geschah – angesichts der Vielzahl der Städte und der breiten Machtlagerung in ihnen – auf einem relativ ausgedehnten Grund, mit großer Häufigkeit. Ganz banale Motive speisten also den Prozeß des Ausgreifens in den Mittelmeerraum, wurden von ihm in Anspruch genommen und in seinem Sinne ausgerichtet. Das berechtigt dazu, mit einer (bedingten) Zwangsläufigkeit zu rechnen, etwa von der Mitte des 8. Jahrhunderts an. Dieser Prozeß erzeugte selbst die Motive, die ihn vorantrieben, in einem großen, wachsenden Kreis von Menschen. So wurden seine Bedingungen zugleich zu seinem Resultat.

Dabei trug er eine Zeitlang zur Stabilisierung seiner Randbedingungen bei. Durch die Machtgewinne, die er mit sich brachte, den Reichtum, den er zum Standard machte, sowie die Erfahrung neuer ungeheurer Möglichkeiten des Handelns störte er die innere Ordnung. Dadurch wurde zunächst der Zusammenfassung von Macht in den Städten im ganzen entgegengewirkt: die Freiheit des aus breitem Grunde sich rekrutierenden Ausgreifens über See blieb erhalten. Andererseits nahm die Differenzierung innerhalb des Adels und darüber hinaus erheblich zu. Das schuf zunehmend wachsende Handlungsmöglichkeiten (auf Grund der Akkumulation von Reichtum und Macht) sowie zusätzliche Motive zur Auswanderung. Denn die damit einhergehende Erschütterung der Institutionen führte nun zur Ausbeutung von Gemeinde- und Tempelbesitz und vor allem von breiten Bürgerschichten, andererseits zu Verschuldung, Verpfändung und Schuldknechtschaft. Immer heftigere Auseinandersetzungen zwischen den Adligen waren die Folge, und sehr bald wurden auch die notleidenden Schichten in sie hineingezogen. Unruhen, Empörungen, Bürgerkriege kamen an die Tagesordnung. Verbannte, Enteignete, Unzufriedene vergrößerten die Zahl der Auswanderer. Schließlich können wir in verschiedenen Spuren beobachten, wie den außerordentlichen Möglichkeiten, die sich den Mächtigen, Reichen, Tatkräftigen damals erschlossen, ein breites, intensives (freilich nicht unüberwindbares) Bewußtsein der Ohnmacht und Sinnlosigkeit bei den anderen korrespondierte. Dabei kann sich das »Möglichkeitsbewußtsein« nicht nur auf die führenden Adligen beschränkt haben. Die zahlreichen Chancen, die sich, in begrenzterem Umfang, auch für die tüchtigen, klugen Angehörigen mittlerer und unterer Schichten auftaten, müssen auch hier gewisse Ansatzpunkte für hohe Erwartungen gebildet haben. Sie haben auf die Dauer gewiß auch die Mobilisierbarkeit breiter Schichten für Empörungen und vor allem bestimmte ihrer Forderungen, angefangen mit der auf schriftliche Feststellung des Rechts, verstärkt. Aber vielfach und zunächst sogar in der Regel hat gleichwohl die aus Not und Elend resultierende Mutlosigkeit und Resignation breiter Kreise die Machterweiterung der Adligen, die Ausweitung ihres Spielraums unterstützt.

Um zusammenzufassen: Die griechische Kolonisation geschah von einem bestimmten Zeitpunkt an in der Form eines eigenständigen Prozesses. Damals bildeten sich in Griechenland Konstellationen, unter denen das Denken und Handeln in einem relativ breiten Kreis von Menschen (zusammen mit der Resignation anderer) sich zu einer objektiven, über die Absichten der Beteiligten weit hinausgehenden, diese bestimmenden mächtigen Tendenz summierte, verdichtete, umschlug. So kam es dazu, daß der griechische Siedlungsraum mindestens verdoppelt wurde, andererseits die innergriechische Ordnung desintegrierte.

Dieser Prozeß hatte zur Voraussetzung ein durchaus kontingentes Zusammentreffen der Griechen (in ihrer anfänglichen Eigenart) mit besonderen Bedingungen im Balkanraum, an der Ägäis, in Kleinasien, im Raum der östlichen Hochkulturen, im westlichen Mittelmeer und an den Küsten des Schwarzen Meeres. Er resultierte wahrscheinlich aus der Häufung erfolgreicher Unternehmungen. Er speiste sich aus Ressourcen in der griechischen Gesellschaft sowie in anderen Teilen des Mittelmeers; vermochte seine Randbedingungen unter den Griechen selbst zu stabilisieren; wurde von außen nicht gestört[13].

[13] Shmuel N. Eisenstadt hat in der Diskussion dieses Referats eingewandt, der Prozeß der Kolonisation unterscheide sich von dem der griechischen Soziogenese dadurch, daß er außerhalb von Strukturen abgelaufen sei. Folglich sei es hier nicht sinnvoll, von Zwangsläufigkeit oder großer Wahrscheinlichkeit des Geschehens zu sprechen. Dieser Prozeß nährte sich aber offenbar aus Grundbedingungen im griechischen Mutterland und Bedingungen der Möglichkeit an weiten Küsten des Mittelmeers. Eben dadurch scheint er mir die Struktur eines autonomen Prozesses aufzuweisen, der vielleicht potentiell stärker störbar hätte sein können als ein innergriechischer Ablauf, aber dies eben in der Tat nicht war. Auch die Soziogene-

Die Prozeß-Kategorie erlaubt, diesen Strang des Geschehens zu rekonstruieren und zu erklären (in den Grenzen, die die Quellenlage setzt). Sie ermöglicht also, innerhalb eines Vorgangs, der nur historisch erklärt werden kann, engere, zwangsläufige Zusammenhänge aufzuweisen.

Der Prozeß des Ausgreifens über See lief aus, als einerseits lohnende – beileibe noch nicht alle in Frage kommenden – Siedlungsplätze rar wurden, andererseits in den mutterländischen Poleis (wie auch in den Kolonien) neue Möglichkeiten der Machtbildung und politischen Betätigung für die Adligen sowie zusätzliche Verdienst- und Arbeitsmöglichkeiten für die anderen entstanden. Dies war zum guten Teil durch die Kolonisation bedingt: die Ausdehnung des Handels, die Differenzierung im Adel, das Bewußtsein großer Möglichkeiten des Handelns, die Unruhen in den Städten. Die Bedingungen, die den Prozeß zunächst befördert und stabilisiert hatten, trugen also schließlich, indem sie weiter zunahmen, dazu bei, daß er sich auflöste. Die Handlungskonstellationen kippten um. Der wichtigste Faktor war dabei die neue Herrschaftsform der Tyrannis, die einerseits adligem Ehrgeiz und Machtstreben neue Ziele setzte und Möglichkeiten eröffnete, andererseits forciert dafür sorgte, daß sich in den Städten Arbeits- und Lebensmöglichkeiten verbesserten.

Man könnte sich fragen, wieweit sich in der Entstehung der neuen Möglichkeiten politischen Handelns und der Usurpation von Macht ebenfalls prozessuale Zusammenhänge aufweisen lassen. Die Wahrscheinlichkeit ist nicht gering. Denn wo sich eine solche Verbesserung wirtschaftlicher Möglichkeiten mit der Desintegration von Machtverhältnissen zur Chance von reizvollen Usurpationen verbindet, kann es – zumal in einer herrschenden Adelsschicht – nicht an Menschen fehlen, die diese Chance wahrnehmen. In einer Welt von so vielen Poleis muß dies – mitsamt den Wechselwirkungen von Stadt zu Stadt – leicht die Breite und Wucht eines autonomen Prozesses annehmen. Es wäre auch interessant, zu verfolgen, wie der Kolonisationsprozeß in den der Entstehung dieser ganz neuen Machtlagerung umkippt. Ebenso spräche manches dafür, nun auch die weitere Ambiance der beiden Prozesse, etwa in der Frömmigkeitsgeschichte (im

se kann ja grundsätzlich nur bedingt autonom sein. Hier ergeben sich interessante Probleme des Verhältnisses von Struktur und Prozeß, auf die ich aber nicht weiter eingehen kann. Übrigens wäre es aufschlußreich, zum Vergleich die ganz andere, viel beschränktere phönizische Kolonisationsbewegung heranzuziehen.

Verhältnis zum Irrationalen überhaupt), im Rechtsdenken oder in der Literatur zu untersuchen.

Schließlich stellt sich auch das Problem, welche Rolle die Kolonisation im Prozeß der Bewahrung und – wohl auch – Befestigung des polypolitischen Systems spielte[14]. Hierzu scheint wenigstens eine kurze Notiz angebracht angesichts der Behauptung von Norbert Elias[15], daß ein »Monopolmechanismus« bei der Bildung der neuzeitlichen Großstaaten wirksam gewesen sei. Die Bedingungen, die Elias formuliert, finden sich auch bei den Griechen: innerhalb eines größeren gesellschaftlichen Zusammenhangs viele kleine Einheiten von etwa gleicher Stärke, untereinander um Subsistenzmittel konkurrierend. Nach Elias führt das mit sehr großer Wahrscheinlichkeit dazu, daß einige siegen, andere unterliegen und schließlich, wie in einem sportlichen Ausscheidungskampf, wenige oder gar nur einer übrigbleiben. Wenn es in Griechenland anders lief, so zeigt sich, daß diese Wahrscheinlichkeit nur aus zusätzlichen Motiven, die diesen Mechanismus in Gang setzen und halten, erwachsen kann. Bei den Griechen waren, allgemein gesagt, offenbar die Antriebe dazu zu gering und die Widerstände zu stark. Das hing in gewissem Ausmaß mit der Kolonisation zusammen, die dem expansiven Ehrgeiz von Gemeinwesen und Tyrannen viele Energien entzog, den Zuwachs von Macht und Reichtum in sehr vielen Adelsfamilien beförderte und schließlich zahlreiche neue Verdienstmöglichkeiten auch im Mutterland entstehen ließ. Damit und durch andere Bedingungen wurde der politische Ehrgeiz der Tyrannen in bestimmte Richtungen gelenkt, von der äußeren Expansion abgehalten. Im ganzen hat die Kolonisation das System der vielen kleinen Poleis und damit die relativ breite Lagerung der Macht in Griechenland jedenfalls befestigt, also eine wichtige Bedingung der Möglichkeit von Demokratien erhalten und verbessert. Sollten diese Momente noch nicht ausgereicht haben, um diesen Zustand auf Dauer zu stellen, so muß dies geschehen sein, als der Prozeß der Entstehung eines eigenen Willens in breiten Bürgerschichten die Tendenz monarchischer Macht zu Institutionalisierung und Ausdehnung überholte. Es würde zu weit führen, das im einzelnen zu verfolgen und nach

[14] Das heißt des Systems der (außerordentlich) vielen autokephalen Städte.

[15] *Über den Prozeß der Zivilisation.* Bd. 2, Bern-München 1969, S. 144. Es ist nicht möglich, sich hier ausführlich mit der These auseinanderzusetzen, die über den genannten Zusammenhang weit hinaus führt und auch noch einige Spezifika enthält, welche aber aufs ganze gesehen wohl zu vernachlässigen sind.

den Verzahnungen der verschiedenen Wirkungen während des Kolonisationszeitalters zu forschen.

Da es hier nur um eine Fallstudie geht, sei die Betrachtung darauf beschränkt, im eigentlich »unwahrscheinlichen« Geschehen dieser Zeit, nämlich der Herausbildung der unmittelbaren Voraussetzungen der griechischen Demokratie innerhalb des politischen Denkens, nach prozessualen Verknüpfungen zu fragen.

2. Die Entstehung der Voraussetzungen der griechischen Demokratie im politischen Denken

Die archaischen Griechen wußten nichts von der Möglichkeit einer Demokratie. Weder ein Begriff noch auch nur eine Vorstellung davon existierte. Denn die Griechen hatten ja keine Griechen vor sich, bei denen sie derartiges hätten lernen können, bevor sie es selbst entwickelten. Sofern die Griechen der archaischen Zeit also auf eine Volksherrschaft hindrängten, wußten sie nicht, was sie taten. Es handelte sich insoweit um ein blindes Vorangehen. Man hatte je anderes im Auge und kam nur schließlich und unversehens zur Demokratie. Die Gewinnung politischer Rechte für breite Schichten konnte bei den Griechen auch nicht auf die Weise konsequent vorangetrieben werden, wie wir sie etwas später bei der römischen plebs beobachten. Denn bei ihnen gab es die Konstellation nicht, die die Besonderheit Roms ausmachte: einerseits eine fest nach außen abgeschlossene, mächtige und relativ disziplinierte Schicht ursprünglichen Adels, die Patricier, andererseits und demgegenüber eine plebs, die in sich die ganze soziologische Skala vom Grundbesitzer bis zum Tagelöhner umfaßte, die also ihrerseits einen Adel hatte, dessen Mitgliedern nur eben die Zugehörigkeit zum Patriciat und damit die vollen politischen Rechte fehlten. In Rom wurde es dadurch (sowie durch einige weitere Besonderheiten) möglich, daß von der plebs her relativ konsequent – unter Führung eigener Beamter, der Volkstribunen (nachdem diese einmal erfunden und eingeführt worden waren) – sowohl die Erfüllung wirtschaftlicher Forderungen wie die Gewährung politischer Rechte für den plebeischen Adel und die ganze plebs betrieben wurde. Diese Forderungen bestimmten eine immer wiederkehrende Parteiung. Sie konnten dies allerdings über so lange Zeit nur tun, weil die Ziele vergleichsweise leicht zu konzipieren waren, geradezu auf der Hand lagen (übrigens nicht zuletzt dank griechischer

Erfahrungen). So blieb auch in den Ständekämpfen die aristokratische Struktur des Gemeinwesens unangefochten, sie wurde im Endergebnis sogar befestigt.

In Griechenland dagegen fehlte es an abgeschlossenen, mächtigen, disziplinierten Aristokratien, folglich auch an festen Führungsgruppen der minderberechtigten mittleren und unteren Schichten. Deswegen richteten sich deren Unzufriedenheit und Empörung zunächst nur auf wirtschaftliche Forderungen sowie auf die Gewährleistung von Recht und persönlicher Freiheit (zumal in Form der Rechtsfeststellung). Um so schwieriger mußte der Weg zu politischen Forderungen sein. Vor allem aber: Wenn solche Forderungen entstanden, mußten sie auf ganz andere Weise durchgesetzt werden und – noch wichtiger – mußten sie in eine ganz andere Richtung zielen. Während in Rom die Solidarität des plebeischen Adels angesichts des dicht abgeschlossenen mächtigen Patriciats es möglich machte, die Führung des Kampfes zehn Tribunen anzuvertrauen, wurden die mittleren und unteren Schichten der Griechen bei ihrem Aufbegehren in aller Regel von Einzelnen geführt und strebten diese zumeist nach einer Alleinherrschaft (jedenfalls, solange nicht ein eigener politischer Wille im Volk sich regte). Sollte es bei den Griechen politische Rechte für breite Schichten geben, so mußten sie wesentlich darin bestehen, daß sie diesen eine wirksame Teilnahme an der Politik, und zwar durch starkes Engagement relativ sehr vieler, ermöglichten. Hier konnte man die Politik nicht auf weite Strecken Spezialisten überlassen.

Aber der Gedanke an eine maßgebliche Beteiligung breiter Schichten am Gemeinwesen mußte relativ fernliegen. Er setzte besondere Einsicht, besondere Solidarität, besonderen Willen, nicht zuletzt die Bereitschaft eines relativ sehr breiten Kreises von Bürgern voraus (soziologisch gesehen vor allem von Bauern), einen relativ sehr großen Teil ihrer Zeit und Kraft dieser Mitsprache, diesem wirksamen, das heißt regelmäßigen Zur-Geltung-Bringen der Gesamtheit zu widmen. Es mußte also bewußt werden, daß es über alle Einzelinteressen hinweg ein gemeinsames Interesse am Gemeinwesen und seiner Verfassung (im weiteren Sinne des Wortes) gab. Ja, es mußte überhaupt erst die Problematik entstehen und bewußt werden, auf die die Mitsprache und schließlich die Herrschaft des Volkes dann antwortete. Es mußte also aus der materiellen Not und der Abnutzung des Vertrauens zum Adel eine solche Empfindlichkeit, ein solches Streben nach Recht und Rechtssicherheit erwachsen, daß die Unzufriedenheit die wirtschaftliche Konsolidierung überdauerte und sich schließlich in politische Forderungen ummünzen ließ (und diese dann so intensivierte, daß die Mitsprache in politicis sich zu einem eigenen Ziel dieser Schicht verselbständigte)[16]. Dazu brauchte es ein neues Selbstbewußtsein der bislang beherrschten Schichten, eine Distanz zur Macht der überkommenen Ordnung, die Überzeugung von der Möglichkeit, sie zu verändern. Es mußten aber auch Institutionen erdacht werden, die die Mitsprache vieler Bürger sichern konnten. Das hieß unter Umständen nicht nur, Volksversammlung und Rat entsprechend aufzubauen und mit Vollmachten auszustatten, sondern auch bestimmte Organisationsformen zu schaffen, in denen die Bürger von den zahlreichen alltäglichen Beeinflussungen durch Adlige freigesetzt und eine Willensbildung unter ihnen gewährleistet werden konnte. Ein unendlich langer, mühsamer Weg war also zurückzulegen, bis das – insgesamt unsichtbare – Ziel der Demokratie erreicht werden konnte.

Der einzige Schritt auf diesem Weg, den wir relativ gut kennen, ist das politische Denken Solons[17], das seinerseits gewiß vielfach Gedanken aufnahm, die damals in der Luft lagen. Die Krise des athenischen Gemeinwesens um 600 v. Chr., die ungeheure Not der armen Bauern und Schuldknechte, die rücksichtslose Ausbeutung durch die Adligen, überhaupt deren hemmungsloses Streben nach Reichtum und Macht, die drohende Empörung und Tyrannis – diese Krise, so behauptete Solon entgegen der herrschenden Meinung, sei nicht von den Göttern verhängt, sondern von den Bürgern verschuldet, und vor allem: die Bürger könnten sie beheben, durch den Beschluß zur Einsetzung eines »Wieder-ins-Lot-Bringers« mit besonderen Vollmachten.

Dieser kühnen Behauptung lag einerseits eine Einsicht in die sozialimmanenten Zusammenhänge zugrunde, aus denen die Not resultierte, andererseits und als Komplement dazu eine bestimmte Verfassungskonzeption, die Überzeugung nämlich, die Grundzüge der rechten, göttlich sanktionierten Ordnung zu kennen. Die Konzeption war konservativ: Solon ging vom Gegebenen aus, suchte nur dort, wo er Fehler und Mißstände bemerkte, die rechte Norm hinter der Entartung zu erkennen. Die Herrschaft des Adels etwa sah er als recht an, ihre Hemmungslo-

[16] Vgl. Christian Meier, *Die politische Identität der Griechen.* In: *Identität* (Poetik und Hermeneutik 8); ders., *Clisthène.*

[17] Vgl. oben Anm. 8.

sigkeit mußte beschnitten werden. Die Not der Bauern, die zu Aufständen zu führen drohte, konnte nicht recht sein, mußte also behoben werden.

Solon hat daran gedacht, mit seiner Einsicht die Bürger insgesamt zu überzeugen. Das ist ihm auch insoweit gelungen, daß er als Wieder-ins-Lot-Bringer eingesetzt wurde. Er hat sich vornehmlich an die »Mittleren«, die an Faktionskämpfen, Ausbeutung und Auseinandersetzungen zwischen Reich und Arm nicht Beteiligten gewandt. Wieweit er gerade sie überzeugt hat, wissen wir nicht. Jedenfalls hat er aber eine dritte Position bezogen, einerseits gegen die Mißbräuche der adligen Führung, besonders auch gegen die Tyrannen, deren Herrschaft er grundsätzlich ablehnte, andererseits gegen die radikale Forderung nach Neuaufteilung des Landes. Diese Position entsprach keinem mächtigen Interesse, dafür einem Interesse aller, aber das war noch kaum zur Geltung gekommen, war jedenfalls gegenüber den Forderungen der Alltags noch recht akademisch. Insofern, aber nicht nur insofern, war es eine erstaunliche Stellungnahme.

Sosehr Solons Konzept konservativ angelegt war (wodurch übrigens die Ansprüche der Enteigneten und Verschuldeten allein zu legitimieren waren), so ermöglichte es doch die Unterscheidung von Status quo und rechter Ordnung, Distanz vom und Kritik am Bestehenden. Es bildete einen wichtigen Ansatzpunkt für weiteres Nachdenken, für bewußte Veränderung.

Wie ist es nun zu dieser Konzeption, vor allem dazu, daß sie auf die Dauer Resonanz fand, und wie ist es überhaupt zu dem eigenartigen Prozeß des frühen politischen Denkens der Griechen gekommen? Haben wir es hier im wesentlichen nur mit einer Reihe überragender Leistungen persönlicher Intelligenz und Ethik zu tun? Das würde bedeuten: mit einer kontingenten Reihe großer Denker und den von ihnen ausgehenden Anregungen?

Dies ließe sich, scheint mir, nur behaupten, wenn man einige Grundbedingungen des politischen Denkens der Zeit übersähe. Zwar sind die Anteile einiger großer Persönlichkeiten an dessen Verlauf keineswegs gering zu schätzen. In vielen Zusammenhängen kommt es darauf an, das ganz persönliche Werk dieser Männer zu würdigen, und das kann man nur sehr entschieden hervorheben. Gleichwohl ist es wahrscheinlich, daß hier zugleich ein autonomer Prozeß sich vollzog – von irgendeinem Zeitpunkt an und möglicherweise auf Grund einer Häufung bedeutender intellektueller Leistungen. Es hat sich mit der Zeit in diesem Denken geradezu eine dritte Kraft institutionalisiert, die die Erkenntnis und geistige Bewältigung aller anstehenden Probleme zu ihrer Sache machte und dabei in sich und anscheinend auch mit der gesellschaftlichen Wirklichkeit der Zeit in einen solchen Handlungskonnex geriet, daß die Produktion von Problemlösungen, von einzelnen Institutionen und umfassenden Konzeptionen sowie ein Austausch mit breiteren Schichten und dann auch mit der allmählich sich verändernden politischen Wirklichkeit nahezu zwangsläufig wurde. Schließlich scheint sich eine Richtung dieses Denkens mit dem Interesse breiter Schichten verbunden zu haben, so daß deren Nöte zur Forderung auf Teilhabe an der Politik umgemünzt wurden. Das Zustandekommen dieses Handlungskonnexes läßt sich am besten an einem wichtigen Stück von ihm veranschaulichen, nämlich an der damaligen Geschichte des Delphischen Orakels.

Unter den verschiedenen griechischen Orakelstätten scheint Delphi dadurch einen Vorsprung gewonnen (oder einen irgendwie schon vorhandenen Vorsprung ausgebaut) zu haben, daß es einige gute Orakel bei der Kolonisation gegeben hatte[18]. Daraus resultierte Dankbarkeit bei den Kolonisten. Bezeugt sind vor allem unzählige Geschenke, die deren Gesandtschaften dorthin brachten. Viel wichtiger aber muß gewesen sein, daß Delphi von ihnen Informationen bekam, auf Grund deren weitere Siedler geschickt, auf neue Stätten hingewiesen, vor Gefahren gewarnt, neue Methoden, etwa andere Formen der Organisation, empfohlen werden konnten etc. In Delphi wurden ja nicht nur dunkle Sprüche ausgegeben, sondern dort sammelte sich zugleich sehr viel Wissen[19] und wurde auf die Dauer eine bestimmte »Politik« mit höchst praktischer Auswirkung im gesamten griechischen Leben getrieben. Dank der Informationssammlung an dieser Stelle kamen immer mehr Ratsuchende, machten sie den um die Priesterschaft gruppierten delphischen Adel mit immer mehr Problemen vertraut, so daß er entsprechende Fragen nun auch an andere stellen konnte, um wieder neue Einsicht zu gewinnen. Bedenkt man nun, daß die von Spanien bis Kleinasien, von Afrika bis zur Nordküste des Schwarzen Meeres, vor allem um

[18] Es ist auch möglich, daß das Bedürfnis, Erfolge durch eine heilige Autorität zu bekräftigen, einige frühe Kolonien dazu veranlaßte, nachträglich Beziehungen zum Orakel herzustellen. Man muß nicht unbedingt annehmen, daß Delphi von vornherein in der Kolonisation führend gewesen sei.

[19] Ähnlich schon Burckhardt, *Griechische Kulturgeschichte*, Bd. 2, S. 312f., Bd. 4, S. 69f.

die Ägäis und in Sizilien wohnenden Griechen kaum Zentren hatten, so leuchtet unmittelbar ein, daß die Konzentration von Wissen und Problemkenntnis in Delphi einem allgemeinen Bedürfnis begegnete, daran wuchs und es ihrerseits noch steigerte. So entstand hier ein geistiger Umschlagplatz, auf dem Informationen, Probleme, Erkenntnisse, Ratschläge aus ganz Griechenland und teilweise noch aus der nichtgriechischen Umwelt ausgetauscht werden konnten[20].

Das auf diese Weise immer wichtiger werdende Zentrum Delphi wurde dann im polypolitischen System der Griechen die Stelle, die ein kräftiges und stets neues eigenes Interesse daran hatte, treffende Ratschläge zu geben. Denn Delphis Geltung und sein materielles Wohlergehen hingen daran. Delphi hat in dieser Rolle dann, wie man weiß, eigene Initiative entfaltet, es hat der breiten Diskussion nicht nur ein Zentrum, sondern in vielem auch die Richtung gegeben.

Die Voraussetzungen dieser Rolle Delphis waren – auf den Prozeß gesehen, der hier zur Debatte steht – zufällig: vielleicht war es nur eine Häufung guter Orakel, vielleicht die geographische Lage, der sie verdankt wurden. Weniger zufällig war schon, daß an irgendeiner Stelle in Griechenland ein geistiger Umschlagplatz entstand und daß diese Stelle nicht ein Zentrum der politischen Macht, sondern eine intellektuelle Instanz von hoher religiöser Autorität war. Die starke Bewegtheit des Kolonisationszeitalters, die allgemein breite Lagerung der Macht, die polypolitische Welt wirkten darauf hin. Besondere Formen griechischer Religiosität (die ihrerseits in einem gewissen Wechselverhältnis zur Machtlagerung standen), Einflüsse orientalischer Weisheit und anderes sprachen mit, um dieses Denken zu beeinflussen und ihm Nahrung zu geben.

Vor allem aber scheinen die inneren Verhältnisse in den Poleis stets neue kräftige Anregung geboten zu haben, um diesem Denken immer mehr abzufordern. Das muß aus den vielen Manifestationen seiner Bedeutung gefolgert werden. Die Schwäche der

[20] Es wäre interessant zu fragen, wie weit auch die große Bedeutung der »internationalen« Spiele in Olympia, Isthmia, Delphi und Nemea dadurch gefördert wurde, daß sie Anlässe bildeten, zu denen man sich treffen konnte, Foren gesamtgriechischer Öffentlichkeit. Das zweifellos beachtliche Interesse an dieser Funktion könnte wesentlich dazu beigetragen haben, den Gegenstand der sportlichen Wettkämpfe zusätzlich interessant zu machen. Jedenfalls besteht ein Zusammenhang zwischen der Wertschätzung des Sportes einerseits und der Bedeutung der gesamtgriechischen Öffentlichkeit (sowie der relativen Schwäche des Bezugspunktes und Resonanzbodens der einzelnen Polis) im adligen Denken.

Monarchien bedingte es, daß die politische Intelligenz nicht an Höfen monopolisiert werden konnte[21]. In den Auseinandersetzungen, Nöten und Bürgerkriegen aber hat man immer wieder auf sie zurückgegriffen. Dabei trafen sich offenbar allgemeine Bedürfnisse und das mit der Zeit sich entwickelnde intellektuelle »Angebot«: in bestimmten Situationen erwuchs daraus die Forderung nach Rechtsfeststellung, danach die Institution der Wieder-ins-Lot-Bringer und Schlichter. Bei der Bewältigung aller möglichen politischen, wirtschaftlichen, gesellschaftlichen, religiösen Probleme scheinen sich einige Vorschläge bewährt zu haben, so daß man immer mehr davon erwartete. Indem manche Bedürfnisse befriedigt wurden, wurden neue hervorgerufen. Und diese Erwartungen gingen von verschiedenen Seiten aus.

Diese und andere Bedingungen schufen also in Delphi und in einem weiteren Kreis von Denkern, die mit dem Orakel zumeist in engem Kontakt standen – den weit mehr als Sieben Weisen –, eine starke Motivation, einen Erwartungsdruck zum Bedenken der vielfältigen Probleme der politischen Welt der Griechen. Denn was eben für Delphi gezeigt wurde, gilt mutatis mutandis für die ganze Strömung des archaischen politischen Denkens, wenigstens zur Zeit Solons, vermutlich aber schon seit mindestens der Mitte des 7. und wenigstens bis gegen Ende des 6. Jahrhunderts. Es entstanden bestimmte Rollen, deren Wahrnehmung mit materiellen und ideellen Prämien, mit dem Respekt einer breiten Öffentlichkeit und dem Bewußtsein eines sehr hilfreichen Wirkens honoriert wurde. Damit ergaben sich verschiedene relativ handfeste Interessen als »Unterfutter«, das heißt als breithin wirksame Antriebskraft des Prozesses dieses politischen Denkens. Das eigentliche Problem ist, woher es kam, daß in diesem Prozeß nicht nur bestimmte Weisheiten reproduziert beziehungsweise hier und da in stets ähnlicher Weise appliziert wurden, sondern daß in ihm eine vorandrängende, schließlich auf die Demokratie hinzielende Tendenz sich vorbereitete.

Zunächst ging es vor allem um Probleme wirtschaftlicher, gesellschaftlicher und rechtlicher Natur (um von den kultischen abzusehen). Darin fanden sich alle Richtungen zusammen, Tyrannen wie Tyrannengegner. Darin deckten sich auch vielfach die Interessen der Griechen mit denen orientalischer Monarchien und Priesterschaften.

Daneben kristallisierte sich mit der Zeit eine Richtung heraus,

[21] Vgl. Burckhardt, *Griechische Kulturgeschichte*, Bd. 3, S. 339ff.

die von bestimmten politischen Überzeugungen ausging und politische Auswege im Sinne einer irgendwie gearteten besseren Berücksichtigung breiterer Schichten suchte. Es erwies sich mit der Zeit immer wieder, daß weder die Oligarchien noch die Tyrannen der Krise der Zeit dauerhaft wirksam beikommen konnten. Zum Teil waren sie dazu ungeeignet, weil sie selbst zu den Nutznießern der Mißstände gehörten, die die Bürger vielfach drückten und immer wieder Stoff zu Unruhe und Umwälzung boten. Sofern sich Tyrannen Mühe gaben, diese Mißstände – übrigens oft aus wohlverstandenem eigenem Interesse – zu beheben, blieb dieses Werk doch prekär: wie sie handelten und herrschten, war wesentlich eine Sache ihres Charakters und ihrer Situation. Und von daher bestimmte sich auch das Urteil über ihre Herrschaft. Denn es gelang nicht, diese zu versachlichen und als solche dauerhaft zu legitimieren, also als selbstverständlich erscheinen zu lassen. Es fehlte dazu an Ansatzpunkten. Offenbar waren die Partikel von Macht, über die die Tyrannen verfügten, aufs ganze gesehen zu gering. So blieben wichtige Interessen breiter Schichten unbefriedigt oder, sofern sie befriedigt wurden, konnten diese damit doch nicht zufriedengestellt werden, weil mit der Krise und nachher auch mit den vom politischen Denken geweckten Erwartungen ihre Empfindlichkeit gewachsen war. Diese Empfindlichkeit erschwerte die Institutionalisierung von Herrschaft und weckte zugleich den Wunsch nach einer immer umfassender verstandenen Verbesserung ihrer Lage. Der Anteil der Tyrannis an diesem Prozeß bestand vor allem darin, daß sie durch Förderung der wirtschaftlichen Konsolidierung, der Rechtssicherheit für Bauern und Handwerker wie durch die Niederlagen, die sie dem Adel beibrachte, die Ansprüche breiter Schichten steigerte.

Es scheint in diesem Geschehen etwa die folgende Konstellation bestimmend gewesen zu sein: In der so stark bewegten polypolitischen Welt der Griechen konnte das politische Denken nicht an bestimmte Herrschende oder Herrschaftsstrukturen gebunden werden. Es wurde von den verschiedensten Seiten, von Tyrannen, Oligarchien und aufbegehrenden Notleidenden in Anspruch genommen. Damit wurde sein Horizont sehr stark ausgeweitet, es ergaben sich schwierige Orientierungsprobleme. Denn solche Probleme müssen es gewesen sein, auf die Solons Verfassungskonzeption antwortete, die zwar konservativ, aber geeignet war, eine Unterscheidung zwischen Status quo und rechter Ordnung zu ermöglichen. Dies und anderes wurde virulent im weiteren Horizont eines Bewußtseins außerordentlicher Möglichkeiten. Das schlug sich auch in vielen Unruhen und Protesten nieder, die von Fall zu Fall, hier und da, auch immer wieder Erfolge hatten. Soweit Resignation und die drückenden Auswirkungen einer »guilt-culture«[22] sich breitmachten, scheinen eben damit neue Herausforderungen zum Handeln entstanden zu sein: der erdrückende Gedanke der allgemeinen Haftung für das Unrecht einzelner Mächtiger konnte umgemünzt werden zu gewissen Formen breiter Solidarität, zu Unruhe und – wieder zumal mit Hilfe des Delphischen Orakels – zu neuen Handlungsmöglichkeiten.

Immer wieder also blieben in der starken Bewegtheit dieser Jahrzehnte der Gedanke, daß man an den Mißständen etwas ändern könne, und der Ansporn, immer neue Mittel dazu zu ersinnen, und blieben damit die Empfindlichkeit breiter Schichten und ein breiter Handlungsantrieb siegreich. Man kann wohl kaum behaupten, daß dies von vornherein so sein mußte. Aber es spricht gewiß vieles dafür, daß der Prozeß an einem bestimmten Punkt wahrscheinlich zwangsläufig wurde: als nämlich eine ganze Reihe von – intellektuellen wie praktischen – Erfolgen erzielt war, die ein solches Vertrauenskapital schufen, daß man auch über die zahlreichen Enttäuschungen, die notwendig eintraten, hinwegkam.

Die Kraft, die letztlich dahinterstand, ergab sich zunächst aus zahlreichen Antrieben der Unzufriedenheit, des Aufbegehrens, der Not. Da sich das Geschehen an unendlich vielen Stellen nebeneinander vollzog, konnte es kaum ausbleiben, daß diese Unruhe immer wieder auch Erfolge zeitigte. Es entstand ein gewisser Mechanismus des allmählichen Vorantreibens aus der Unsumme von Versuchen, die in den verschiedenen Städten angestellt wurden, um mit den überall verschiedenen, aber überall auch wieder ähnlichen Problemen fertigzuwerden. Hier wurde dies, dort das ins Werk gesetzt, alles wurde beobachtet, zum Teil kopiert, zum Teil modifiziert übernommen. Eines mußte also das andere treiben. Mit der Zeit trat dann eine Verbesserung der wirtschaftlichen Lage breiter Schichten ein. Daraus resultierten dann neue politische Interessen.

Dabei wirkten sich verschiedene Umstände aus. Einerseits die Tatsache, daß schon frühzeitig auch breitere Schichten an der

[22] Vgl. Eric Robertson Dodds, *The Greeks and the irrational.* Berkeley-Los Angeles 1951, S. 28ff., 64ff.

allgemeinen Diskussion sich beteiligten, die vom politischen Denken ausging. Wohl blieb man in Hinsicht auf eine Verbesserung der Ordnung lange auf überragende Persönlichkeiten angewiesen, etwa beim Akt des »Wieder-ins-Lot-Bringens«, zu dem man Einzelne mit umfassenden Vollmachten ausstattete. Aber Solon hat zum Beispiel sein Programm vorher öffentlich vorgetragen, also Interesse, Aufgeschlossenheit und Urteil auch bei breiten Schichten teils vorausgesetzt, teils zu wecken versucht. So scheint allmählich Resonanz für das politische Denken in breiten Schichten entstanden, scheinen erste Wünsche und Forderungen auf gewisse Formen eigener Beteiligung an der Politik aufgekommen zu sein. Sie zielten zunächst offenbar auf »Oppositionsinstitutionen«, das heißt auf Möglichkeiten, das eigene Recht wirksam zu schützen[23].

Dazu kam dann andererseits, vielleicht nicht geradezu zwangsläufig, aber doch mit einer gewissen Wahrscheinlichkeit, daß im Kreise der politischen Denker, die das Wohl der Polis im ganzen zu ihrer Sache gemacht hatten, die Einsicht sich verbreitete, daß eben dieses Wohl nicht zu erreichen war, wenn man nicht die breiten Schichten instandsetzte, auf irgendeine Weise selbst innerhalb der Polis-Ordnung für sich aufzukommen. Es konnte wohl auf die Dauer kaum verborgen bleiben, daß anders eine stabile Ordnung nicht zu gewährleisten war. So trafen sich Teile der politischen Intelligenz mit breiten Schichten, um allmählich eine Dynamik entstehen zu lassen, die zunächst noch keineswegs auf das Ziel der Demokratie, aber auf Mittel zusteuerte, welche auf diese oder jene Weise eine verstärkte Mitsprache innerhalb der Polis ermöglichten. Sobald es einmal so weit war, setzte sich diese Tendenz dann mit ziemlicher Notwendigkeit durch. Die einzelnen Schritte, in denen solche Institutionen eingeführt wurden, wurden – soweit wir wissen – in der Regel auf Initiative von Adligen getan[24], denen es wesentlich um die Begründung eigener Macht zu tun war. Entscheidend aber war, daß das, was sie dem Volk für dessen Unterstützung boten, mit der Zeit nun eben eine Ausweitung von dessen politischen Rechten war, nicht irgendwelche wirtschaftlichen Vorteile oder dergleichen. Die Vorschläge, die dabei gemacht wurden, mußten sich herumsprechen und Schule machen.

Angesichts der Tatsache, daß die Griechen keine Griechen vor

[23] Vgl. Max Weber, *Wirtschaft und Gesellschaft*. Studienausgabe Köln 1964, S. 989ff.; Meier, *Clisthène*, S. 147, 155.

[24] Vgl. Jochen Martin, *Von Kleisthenes zu Ephialtes*. Chiron 4 (1974), S. 5ff.

sich hatten, also von der Möglichkeit der Demokratie nichts wußten, bevor sie sie entwickelt hatten, mußte das politische Denken eng ans Gegebene gebunden bleiben, konnte es jeweils nur wenig darüber hinauszielen. Politisches Denken, Politik und Polis, Einsichten weniger und Ansprüche vieler mußten also allmählich aneinander wachsen. Kein Glied durfte in diesem vielstufigen Prozeß fehlen: so läßt sich vom Ergebnis auf dessen Konstitution schließen.

»Citius emergit veritas ex errore quam ex confusione«, hat Bacon gesagt und Droysen gerne zitiert[25]. So möchte ich hier lieber das Risiko eines klaren Irrtums eingehen als verwaschene Sicherheit bieten: Es scheint mir also, daß auf Grund der bezeichneten Ausgangskonstellationen nach einer woher auch immer bedingten Häufung von Erfolgen das politische Denken der Griechen so stark und durch die Vielfalt und Differenziertheit der Machtlagerung in den griechischen Städten so vielfältig provoziert wurde, daß in ihm ein wahrscheinlich autonomer Prozeß zunehmender Erkenntnis und Problembewältigung entstand. Die Schwere und die Dauer der Krise, von der er lebte, hat er zum Teil selber mit verschärft, indem er in breiten Schichten bestimmte Erwartungen hervorrief und eine Empfindlichkeit gegen Mißstände wachhielt. So hat er seine eigenen Randbedingungen stabilisiert, die darin bestanden, daß sich eine für viele unbefriedigende Lage, eine Instabilität der Verhältnisse aufs ganze der griechischen Welt gesehen immer wieder reproduzierte. Indem er dann dank weiter Resonanz breite Schichten erfaßte, befestigte er sich schließlich zu einer politischen Alternative. So lief der Prozeß, ohne daß die Beteiligten es gewußt hätten, schließlich in Richtung auf die Entwicklung einer Demokratie. Was auch immer die Einzelnen je gewollt haben, was auch immer jeweils auf der Tagesordnung stand: letztlich setzte sich immer wieder die Tendenz durch, neue Möglichkeiten zu erschließen, neues Wissen zu erarbeiten und dies Wissen auch zu verbreiten. Verschiedene andere Faktoren (etwa die Entwicklung der Hopliten-Phalanx, auch verschiedene Vorgänge der Intensivierung einiger Gemeinwesen etc.) trugen dazu bei. Aber das alles muß hier beiseite bleiben. Jedenfalls ist der Prozeß des politischen Denkens[26] (mitsamt seinem Ambiente) aus ganz konkreten, handfesten Interessen und Erwartungen zu erklären. Indem er sich institutionali-

[25] *Historik,* hrsg. von R. Hübner, München-Berlin 1937, S. 399.
[26] Als dessen Teil damals auch das Rechtsdenken anzusehen ist.

sierte, erzeugte er diese Interessen zugleich, formte er sie und nahm sie in seinen Dienst. So ist seine Macht und zum Beispiel auch die Macht einer neuen politischen Ethik, die sich in ihm bildete, zu erklären.

Die Frage ist, wo dieser Prozeß sein Ende finden mußte. Soweit ich sehe, war die Bewegung intensiv genug, daß sie kaum auslaufen konnte, bevor nicht mindestens die mittleren Schichten, grob gesagt die Bauernschaft, eine gewisse wirksame Mitsprache in den Gemeinwesen erhalten hatten. Wo die Grenze war und wieweit dies zu einer lebendigen dauerhaften Beteiligung an der Politik hätte führen müssen, ist wohl kaum zu sagen. Jedenfalls spricht die größere Wahrscheinlichkeit dafür, daß die radikale Demokratie, die auf den Theten beruhte, und wahrscheinlich schon die ausgeprägte Demokratie überhaupt und deren weite Verbreitung in Griechenland ohne das höchst kontingente Dazwischentreten der Perserkriege und die daran anknüpfende Ereignisgeschichte nicht möglich gewesen wäre. Das gleiche gilt von der Fortbildung, die das politische Denken dann im 5. Jahrhundert erfuhr. Hier verlor die Geschichte des politischen Denkens also die übergreifende Einheit des autonom-prozessualen Handlungskonnexes, die sie in weiten Teilen der archaischen Zeit bestimmt hatte.

Man mag jetzt fragen, warum von Produktionsverhältnissen und vielem anderen hier keine Rede war. Die Antwort ist, daß sie in diesem Prozeß keine ersichtliche Rolle spielten. Sie gingen zwar ein in die Grundbedingungen, wie vieles andere sonst. Und wirtschaftliche Motive und Gegebenheiten haben natürlich stark mitgesprochen und sind auch gebührend bedacht worden, an ihrem Platz. Hier sollte nur – umrißhaft und zum Teil mit Hilfe von Rückschlüssen (mangels Quellen) – eine Reihe prozessualer Zusammenhänge samt ihren Ausgangsbedingungen aufgewiesen werden, die in der »Entwicklung« zur Demokratie hin eine wesentliche Rolle gespielt haben müssen. Dabei ergibt sich die Wichtigkeit des Prozesses politischen Denkens daraus, daß eben der Weg zur bestimmenden Teilhabe breiter Schichten in der Politik vor allem über das Denken, das heißt über Einsicht und Konzeptionen, aus denen allein die dafür notwendigen Antizipationen entstehen können, sowie über sekundäre Institutionen läuft.

Wenn es deutlich geworden ist, daß hier – ausgehend von einem Komplex recht kontingenter Bedingungen und von Anfang bis zum Ende auf Grund günstiger Randbedingungen

– doch über alle Zufälle hinweg gewisse notwendige prozessuale Handlungszusammenhänge wirksam gewesen sind, so sollte damit ein – wenn auch eigenartiges – Modell eines Prozesses im spezifischen Wortsinn aufgestellt sein. Es ist kaum darauf angewiesen, mit der »angeborenen, naturbestimmten Begabung«[27] der Griechen zu rechnen. Es geht vom Wirken einer Vielfalt von Motiven[28] unter bestimmten Konstellationen aus und schließt von daher auf strukturierte Abläufe, die es recht konkret vom Handeln der Beteiligten her zu verstehen und untereinander zu korrelieren sucht. Auf diese Weise scheint es wichtige Stränge in der Geschichte dieser Jahrhunderte ausmachen zu können. Processualiter erwächst dabei aus den Ausgangskonstellationen im 8. und 7. Jahrhundert immer wieder mehr und weniger, als in ihnen enthalten war. Es scheint mir, daß damit auch für die Erkenntnis der griechischen Geschichte etwas zu leisten ist. Aber das war hier sekundär.

[27] Dagegen auch Droysen, *Historik*, S. 379ff.
[28] Vgl. dazu oben S. 43 u. 45.

Wolfgang J. Mommsen

Der Hochimperialismus als historischer Prozeß
Eine Fallstudie zum Sinn der Verwendung des Prozeßbegriffs in der Geschichtswissenschaft[1]

Die Rede von »Geschichte als Prozeß«, womöglich gar von »*der* Geschichte als Prozeß«, ist insofern mißverständlich, als man denken könnte, daß damit der Ablauf der historischen Ereignisse in ihrer Totalität gemeint sei, der sich nach einem sei es deterministischen, sei es teleologischen Muster vollziehe. Mit solchen Formulierungen würde man sich in die Nähe der holistischen Geschichtsphilosophien des 19. Jahrhunderts zurückbegeben, deren wissenschaftliche Unhaltbarkeit spätestens seit Max Weber und Karl Popper allgemein anerkannt ist. Vielmehr ist es allein sinnvoll, von Geschichte als einer Menge von Prozessen innerhalb von abgrenzbaren historischen Strukturen von relativer Dauer (im Sinne von Fernand Braudels Begriff der »longue durée«) zu sprechen. Denn die Geschichte als Summe aller historischen Prozesse und Ereignisse überhaupt ist von uns bestenfalls als regulative Idee denkbar, aber nicht erfaßbar; und wenn dies gelänge, würde dies das Ende von Geschichtswissenschaft im herkömmlichen Sinne bedeuten. Innerhalb einer historischen Formation, die sich unter bestimmten, in beschränktem Sinne beliebigen Gesichtspunkten aus der Unendlichkeit historischer Wirklichkeit in Zeit und Raum ausgrenzen läßt, lassen sich hingegen in aller Regel zahlreiche Sequenzen von Ereignissen ausmachen, die prozessualen Charakter tragen.

Doch zuvor sei gesagt, in welcher Weise hier von Prozessen bzw. prozessualen Abläufen die Rede sein soll. Es erscheint uns nur dann sinnvoll, von »Prozessen« zu sprechen, wenn es sich um Abläufe handelt, die sich prinzipiell einer Steuerung in beliebigem Sinne entziehen, mögen sie auch bis zu einem gewissen Grade beeinflußbar sein. Wesentlich ist, daß prozessuale Abläufe eine Gerichtetheit besitzen, die als solche dem steuernden Han-

[1] Angesichts des skizzenhaften Charakters der nachfolgenden Ausführungen, die nicht mehr als ein Entwurf einer möglichen Interpretation von Imperialismus unter dem Gesichtspunkt der Anwendung des Prozeßbegriffs zu sein beanspruchen (sie sind aus einem Diskussionsbeitrag hervorgegangen), wird im folgenden so gut wie ganz auf Literaturnachweise verzichtet.

deln von Einzelnen oder Gruppen entzogen ist; nicht ihre Tendenz, sondern allenfalls ihre Geschwindigkeit und ihre Auswirkungen können durch politisches oder gesellschaftliches Handeln verändert werden. Mit anderen Worten, Prozesse lassen sich zwar abbremsen oder beschleunigen, nicht aber anhalten; ihre Auswirkungen lassen sich abmildern oder auch intensivieren, aber sie selbst entziehen sich allem subjektiv gewollten individuellen Einwirken; sie stehen insofern diesseits der Sphäre der personenbezogenen Ereignisse oder, mit Braudel gesprochen, der »histoire d'événements«. Dies bedeutet, daß historische Prozesse eine relative Notwendigkeit besitzen; sie tragen autogenerativen Charakter und reproduzieren innerhalb bestimmter Randbedingungen, die der jeweiligen historischen Formation schlechthin eigentümlich und daher in aller Regel relativ konstant sind, selbst die sozialen Bedingungen ihres Voranschreitens.

Ein gutes Beispiel für Prozesse im hier gemeinten Sinne bildet die Industrialisierung, nach Max Weber ein Prozeß, der mit Notwendigkeit zur Zerstörung sämtlicher älteren historischen Strukturen und zur Herstellung eines einheitlichen industriellen Weltsystems führen muß. Ursprünglich durch individuell motivierte soziale Aktionen initiiert, verwandelt sich die Industrialisierung in einen prinzipiell irreversiblen Prozeß, der von einem bestimmten Punkt an seine ursprünglichen, gutenteils religiösen Antriebskräfte entbehren kann und sich die soziale Mentalität, die zu seiner Entfaltung notwendig ist, durch die materielle Gewalt der von ihm produzierten ökonomischen Zwänge selber schafft[2]. Ein weiteres Beispiel, auf das im folgenden näher eingegangen werden soll, bildet der Hochimperialismus. Auch hier wurde durch eine Menge von isolierten Aktionen von seiten einer Vielzahl von Individuen und Gruppen, die sowohl ideologischen wie materiellen Interessenmustern folgten, ein Prozeß der Expansion in die unentwickelten Regionen des Erdballs aus-

[2] Vgl. Max Weber, *Gesammelte Aufsätze zur Religionssoziologie*. Bd. 1, Tübingen 1920: »Der Puritaner *wollte* Berufsmensch sein, – wir *müssen* es sein. Denn indem die Askese aus den Mönchszellen heraus in das Berufsleben übertragen wurde und die innerweltliche Sittlichkeit zu beherrschen begann, half sie an ihrem Teile mit daran, jenen mächtigen Kosmos der modernen, an die technischen und ökonomischen Voraussetzungen mechanisch-maschineller Produktion gebundenen, Wirtschaftsordnung erbauen, der heute den Lebensstil aller einzelnen, die in dies Triebwerk hineingeboren werden ... mit überwältigendem Zwange bestimmt ... « Siehe für nähere Nachweise Wolfgang J. Mommsen, *Max Weber. Gesellschaft, Politik und Geschichte*. Frankfurt a.M. 1974, S. 125f.

gelöst, der zunehmend irreversible Züge annahm. Nachdem einmal die indigenen Herrschaftssysteme der Dritten Welt durch das Eindringen westlicher Kultur, Zivilisation und Herrschaft erschüttert worden waren, nahm die Ausdehnung der westlichen Zivilisation über den gesamten Erdball, verbunden mit dem Aufbau von kolonialer Herrschaft in vielfältigen Formen, mit einer gleichsam naturgesetzlichen Notwendigkeit ihren Lauf. Vielfach stemmten sich die Regierungen in den Metropolen vergebens gegen eine allzu rasche Gangart an der Peripherie, weil die finanziellen und politischen Folgekosten in einem ungünstigen Verhältnis zu den zumindest vorerst zu erwartenden Erträgen standen. Binnen eines Zeitraums von kaum einem halben Jahrhundert wurden nahezu sämtliche noch unentwickelten Territorien des Erdballs in einem sich akzelerierenden Prozeß unter die direkte oder indirekte Kontrolle der westlichen Industrienationen gebracht, ohne daß die Akteure, weder in den Metropolen noch an der Peripherie, im Positiven wie im Negativen Herr dieser sich überstürzenden Vorgänge gewesen wären.

Doch bevor wir näher auf diese Deutung des Hochimperialismus eingehen, die zugestandenermaßen mit einigen liebgewordenen Vorstellungen über das Wesen des Imperialismus bricht und dem herkömmlichen Moralisieren im Dienste bestimmter politischer Positionen teilweise den Boden entzieht, sei der Bezugsrahmen angegeben, innerhalb dessen es allein sinnvoll ist, von Hochimperialismus oder Industrialisierung als historischen Prozessen zu sprechen, die sich oberhalb der Ebene individuell verantworteten Entscheidungshandelns vollziehen, aber gleichwohl nicht ohne weiteres die Qualität gesetzmäßiger Abläufe im Sinne herkömmlicher materialer Geschichtstheorien beanspruchen können.

Angesichts der Tatsache, daß wir nicht über einen archimedischen Punkt in der Ereignisse Flucht verfügen, sondern im Sinne Jacob Burckhardts selbst in einer Zeit »beschleunigter Prozesse« leben, ist es prinzipiell unmöglich, von historischen Ereignissen, Prozessen und Strukturen in einem wie immer objektiven Sinne zu sprechen; vielmehr erschließen sie alle sich in ihrer jeweiligen spezifischen Eigenart nur unter bestimmten, vom fragenden und forschenden Historiker, gleichviel ob bewußt oder unbewußt, entwickelten Perspektiven, die ihrerseits stets auf ein bestimmtes Erkenntnisinteresse zurückgeführt werden können (dessen historisch-gesellschaftliche Verwurzelung uns hier nicht zu beschäftigen braucht[3]). Gleiches gilt auch für die Abgrenzung von Ereignissen, Prozessen und Strukturen gegeneinander; hier sind nur Aussagen von Näherungscharakter möglich. Historische Strukturen von absoluter oder auch nur relativ absoluter Stabilität gibt es nicht; Talcott Parsons' in einem Zustand inneren Gleichgewichts befindliche Systeme lassen sich in der historischen Realität nicht in reiner Form auffinden; allenfalls stoßen wir auf Versteinerungen, die dann aber in der Regel von außen her zerstört werden, wie das spätrömische Reich. Es gibt nur Strukturen von relativer Dauer, wie beispielsweise die europäischen Gesellschaften des 19. und frühen 20. Jahrhunderts, die man in einem nichtmarxistischen Sinne als bürgerliche Gesellschaften wird bezeichnen können, denen die aufsteigenden Mittelschichten im Rahmen traditioneller politischer Systeme materiell und ideell ihren Stempel aufprägten. Ebenso besitzen Prozesse im oben beschriebenen Sinne nur innerhalb des Bezugsrahmens einer bestimmten Struktur von relativer Dauer die Eigenschaften der Irreversibilität und der Gerichtetheit, und auch nur in diesen Grenzen wird man ihnen die Qualität relativer Notwendigkeit zuerkennen können. Es gilt nur, daß, sofern prozessuale Abläufe dennoch abreißen – aufgrund exogener Ereignisse oder aufgrund intern verursachter Transformationen radikaler Natur –, die betreffende Struktur bzw. historische Formation selbst zugrunde geht oder doch durch eine neue abgelöst wird, und umgekehrt, daß mit der Zerstörung der betreffenden Strukturen auch die prozessualen Zwangsläufigkeiten durchbrochen werden. Auf diese Tatsache stützen sich ja bekanntlich auch die Erwartungen des Marxismus, daß es möglich sei, durch Beseitigung der bürgerlichen Gesellschaft zugleich die Prozesse zu unterbrechen, die dieser eigentümlich sind und angeblich unvermeidlich zur »Entfremdung« der Menschen führen (was freilich die fatale Eigenschaft hat, daß dadurch neue Prozesse von relativer Zwangsläufigkeit initiiert zu werden pflegen, die der Freiheit des Individuums auf andere, und möglicherweise noch viel weitergehende Weise Abbruch tun). Im Fall des Imperialismus wurde der Prozeß der Expansion der Industrienationen des Westens erst als Folge einer grundlegenden Transformation der westlichen Gesellschaften selbst abgestoppt und durch ein System von wechselseitigen Abhängigkeiten der Industrienationen

[3] Dieses Problem ist vom Verfasser an anderer Stelle, im Band 1 dieser Reihe, *Objektivität und Parteilichkeit in der Geschichtswissenschaft*, hrsg. von R. Koselleck, W. J. Mommsen und J. Rüsen, München 1977, behandelt worden.

und der Länder der Dritten Welt abgelöst, dem eine eindeutige Gerichtetheit nicht im gleichen Maße zugesprochen werden kann und in dem neue Determinanten, in erster Linie solche der Peripherie, eine zunehmend bedeutsame Rolle spielen.

Schließlich läßt sich auch die Sphäre intentionalen Handelns nicht mit letzter Eindeutigkeit von der Sphäre prozessualer Abläufe trennen. Je mehr Einsicht in die relative Irreversibilität bestimmter historischer Prozesse auf seiten der beteiligten Individuen und Gruppen vorhanden ist, desto stärker werden sie sich an diesen Prozessen selbst orientieren und diese entweder als vorgegebene Determinanten des eigenen Sozialverhaltens betrachten oder aber sich in revolutionärem Bemühen gegen den Fortbestand der gesamten gesellschaftlichen Formation als solcher wenden, weil anders die eigenen Ziele und Werthaltungen nicht mehr realisierbar scheinen. In beiden Fällen verliert individuelles intentionales Handeln die Qualität prinzipieller Eigenbestimmtheit bzw. Innengeleitetheit und nimmt zumindest äußerlich mehr oder minder weitgehend den Charakter bloß reaktiven Verhaltens an, bezogen auf die relative Unabwendbarkeit der Prozesse, mit denen man sich konfrontiert sieht.

Gleichwohl erscheint es uns erforderlich, diese drei Ebenen historischer Wirklichkeit theoretisch voneinander zu unterscheiden, nämlich 1. die Ebene von Strukturen von relativer Dauer, 2. die Ebene von Prozessen von eindeutiger Zielgerichtetheit und hochgradiger Irreversibilität, sowie schließlich 3. die Ebene intentionalen sozialen Handelns, gleichviel ob dieses von einzelnen Individuen oder von in beliebiger Weise korporativ einander verbundenen Gruppen von Individuen ausgeht.

Die Bestimmung und Erforschung historischer Prozesse hat vor allem den Sinn, die Strukturen von relativer Dauer und die sie tragenden gesellschaftlichen Formationen genauer in den Blick zu bekommen, insbesondere aber zu Näherungsaussagen über das relative Gewicht intentionalen Handelns in der Konfrontation mit überindividuellen, auf den ersten Blick unabwendbaren, Prozessen der verschiedensten Art zu gelangen. Am Ende eines solchen Weges würde dann eine Theorie des historischen Wandels stehen, die die beständige Interaktion von individuellem Handeln einerseits und von durch das individuelle Handeln früherer Generationen initiierten, unmittelbarer Steuerung entzogenen Prozessen der verschiedensten Art andererseits systematisch thematisiert.

Dies kann in der hier vorgelegten Skizze naturgemäß nicht

geleistet werden. Vielmehr soll ausschließlich gezeigt werden, daß ein solcher theoretischer Ansatz für die Erfassung der imperialistischen Prozesse der Periode des Hochimperialismus von großem Wert ist. Dies mag zugleich als ein erster Ansatz zur Beantwortung der Frage dienen, welcher Erkenntniswert dem Begriff des historischen Prozesses überhaupt zukommt.

Gemeinhin pflegt man den modernen Imperialismus, oder doch zumindest seine hochimperialistische Phase von 1882 bis 1918, in erster Linie als ein endogenes Phänomen der sich entwickelnden Industriestaaten der westlichen Welt zu deuten, während die Peripherie einfach nur als wehrloses, passives Opfer imperialistischer Machenschaften gesehen wird. Imperialistische Expansion, zumeist mit dem Ziel der Errichtung von Kolonialreichen, aber gelegentlich durchaus auch mit ökonomischer Penetration und politischem Einfluß sich begnügend, wird als Niederschlag der ökonomischen Bedürfnisse der expandierenden industriellen Systeme angesehen; gelegentlich auch unter Abhebung auf die innerhalb der kapitalistischen Wirtschaft gegebenen starken Konjunkturschwankungen, die zum Ausweichen auf jungfräuliche Märkte Anlaß gegeben hätten. Die nationalistische Einstellung vornehmlich der bürgerlichen Schichten, die in hektischer Begeisterung für imperialistische Politik kulminierte, wird als komplementäres Phänomen, als Ausdruck der in imperialistischer Expansion wirksam werdenden ökonomischen Interessen gedeutet. Daneben wird auf die machtpolitischen Prozesse als solche verwiesen; die Ausweitung des europäischen Staatensystems zum Weltstaatensystem, verbunden mit dem Aufbau von Weltreichen seitens derjenigen Mächte, die die notwendigen vitalen Energien und ökonomischen Ressourcen dafür aufzubringen in der Lage waren, erschien bereits den Neu-Rankeanern als eine Art von autogenerativem Prozeß.

Alle diese Paradigmata können auf wichtige Tatsachen zu ihrer Stützung verweisen. Jedoch hat die neuere Forschung mit ständig zunehmender Deutlichkeit gezeigt, daß die tatsächlichen Abläufe an der Peripherie damit nur höchst unzureichend erfaßt, geschweige denn erklärt werden können. Denn nicht nur lassen die Argumente und Daten, die einen direkten Zusammenhang zwischen der Entwicklung des kapitalistischen Systems und imperialistischer Expansion erweisen wollen, an Schlüssigkeit zu wünschen übrig. Ebenso finden sich die großen imperialistischen Prokonsuln und Staatsmänner, die gemäß älterer Ansicht dem imperialistischen Prozeß Ziel und Richtung setzten, nur in spärlicher Zahl; stattdessen erwiesen sich die handelnden Staatsmänner in aller Regel wenn überhaupt, dann zumeist nur als »reluctant imperialists« (Lowe). Und ebenso haben sich die großen wirtschaftlichen Interessengruppen, die im Zentrum der neuen industriellen Systeme standen, nur in seltenen Fällen wirklich als unmittelbare Agenten imperialistischer Aktion dingfest machen lassen.

Angesichts dieser Befunde ist die soziologische Imperialismustheorie, wie sie in bedeutsamen Ansätzen bereits Schumpeter und Max Weber formuliert haben, neuerdings wieder außerordentlich beliebt geworden. Danach dient imperialistische Politik, d. h. »gewaltsame Expansion ohne angebbare Grenze«, primär innenpolitischen Bedürfnissen, insbesondere der Statuserhaltung traditioneller Führungseliten in einer Zeit beschleunigten sozialen Wandels und zunehmender Demokratisierung. Sozialimperialismus als eine Politik der Ableitung innenpolitischer und sozialer Spannungen an die Peripherie, verbunden mit dem Bestreben nach Systemerhaltung im gesellschaftlichen wie im ökonomischen Bereich, läßt sich mit den oben genannten Befunden allerdings eher vereinbaren als die älteren einlinearen Imperialismustheorien, spielt dabei doch die Frage, welche effektiven materiellen oder auch immateriellen Vorteile eine Politik überseeischer Erwerbungen dem eigenen Nationalstaate tatsächlich einzubringen imstande war, eine nachgeordnete Rolle. In der Tat sind diese Konzeptionen in der Lage, an und für sich widersprechende Befunde ökonomischer, politischer und sozialer Art zwanglos miteinander zu verbinden, und bilden dergestalt einen geeigneten Ansatzpunkt, um die innenpolitischen Voraussetzungen imperialistischer Politik erschöpfend auszuleuchten. Aber es kann kein Zweifel darüber bestehen, daß diese Interpretationen dennoch zu kurz greifen, wenn sie die tatsächlichen Prozesse territorialer Landnahme oder ökonomischer Durchdringung in Übersee erklären wollen. Denn viel mehr als den Nachweis, daß zu bestimmten Zeiten eine generelle Disposition zu imperialistischer Expansion seitens einflußreicher gesellschaftlicher Gruppen oder an der Erhaltung ihrer Machtstellung interessierter Staatsmänner bestand, vermögen auch diese Interpretationen nicht zu erbringen. Schwerlich läßt sich damit erklären, weshalb beispielsweise Gladstone 1882 gegen seine eigene Neigung in Ägypten interveniert hat und damit eine gewaltige Akzeleration der imperialistischen Bestrebungen der europäischen Mächte mit einer – wie wir hier schon sagen dürfen – fast notwendigen Konsequenz auslöste. Am ehesten mag dies noch mit Bismarcks Entscheidung vom Jahr 1883 angehen, zu einer aktiven Kolonialpolitik überzugehen; aber gerade in diesem Fall läßt sich zeigen, daß Bismarck binnen weniger Jahre weit über sein ursprünglich höchst maßvolles Programm einer bloß indirekten Herrschaft mit Hilfe von privaten Kolonialgesellschaften hinausgetragen wurde – sehr zu seinem eigenen Mißbehagen.

Insbesondere die neuere englische Forschung hat demgegenüber überzeugend geltend gemacht, daß alle diese Imperialismusinterpretationen »einäugige Analysen« seien, weil sie die Vorgänge an der Peripherie, d. h. in den kolonialen oder halbkolonialen Regionen der Welt, völlig vernachlässigten[4]. Erst die Krisen an der Peripherie – teils infolge der Resistenz der eingeborenen Bevölkerung gegen europäische Vorherrschaft, teils infolge des Zusammenbruchs der indigenen Kollaborationsregimes, die mit den europäischen Kolonialisten der ersten Generationen mehr oder minder freiwillig zusammengearbeitet hatten – hätten die beständige Ausweitung direkter europäischer Herrschaft in den weiten Regionen der unentwickelten Welt unvermeidlich gemacht[5].

Eine Gesamtanalyse der imperialistischen Epoche unter Einbeziehung der Peripherie führt in der Tat zu einem wesentlich stärker differenzierten Gesamtbild. Zum einen läßt sich eine scharfe Grenzlinie zwischen den älteren Formen des Kolonialismus und der jüngeren Form des – kapitalistisch bestimmten – Imperialismus etwa seit der Mitte des 19. Jahrhunderts nicht aufrechterhalten. Vielmehr stellt sich der Imperialismus aus der Perspektive der Peripherie als die Endphase einer langen Entwicklung dar, nämlich eines fast kontinuierlichen Vordringens europäischer Einflüsse aller Art auf Kosten der traditionellen gesellschaftlichen Ordnungen. Besonders massiv machten sich diese im ökonomischen und politischen Bereich geltend, aber im Grunde erfaßten sie alle Ebenen des gesellschaftlichen Lebens.

[4] So Ronald Robinson, *Non-European foundations of European imperialism. Sketch for a theory of collaboration.* In: *Studies in the theory of imperialism.* Hrsg. von R. Owen und B. Suttcliffe, London 1972, S. 123. Zum Gesamtzusammenhang und für nähere Nachweise sei auf die eben erschienene Studie des Verfassers *Imperialismustheorien. Ein Überblick über die neueren Imperialismusinterpretationen.* Göttingen 1977, S. 80ff. verwiesen.

[5] Vor allem von Ronald Robinson, I. Gallagher und A. Denny, *Africa and the Victorians. The official mind of imperialism.* 2. Aufl. London 1968, und neuerdings mit besonderem Nachdruck von David K. Fieldhouse, *Economics and empire.* London 1973.

Dies will nicht recht zu der Beobachtung passen, daß in der europäischen Staatenwelt erhebliche Schwankungen hinsichtlich der Bereitschaft zu aktiver kolonialer bzw. imperialer Politik festgestellt werden können. Bis in die Mitte des 19. Jahrhunderts hinein hatte sich der Prozeß der Ausbreitung der europäischen Zivilisation über den Erdball beständig in ziemlich erratischen Formen vollzogen, ohne daß die Masse der europäischen Völker daran nennenswert Anteil genommen oder diesen auch nur bewußt wahrgenommen hätte. Gewiß, die älteren Kolonialreiche des 18. Jahrhunderts waren in vielfach zielbewußter Politik zusammengebracht worden, aber weder hatte man ihnen große Bedeutung zugemessen, noch hatte man sie einer intensiven direkten Beherrschung nach europäischem Muster für würdig erachtet. John Seeley hat 1883 mit einigem Recht gemeint, daß die Engländer ihr gewaltiges Kolonialreich in »a fit of absense of mind« erworben hätten; heute läßt sich leicht zeigen, daß selbst Seeley ziemlich irrige Vorstellungen über den wahren Charakter des British Empire gehabt hat, das er für ein »Greater Britain« zuzüglich des Sonderfalls Indien hielt.

Bis in die frühen achtziger Jahre hinein praktizierte nicht nur die englische Politik, sondern auch die Politik anderer europäischer Staaten, sofern sie sich nicht überhaupt von jeglicher Kolonialpolitik fernhielten, das System informeller Herrschaft möglichst mit einem Minimum an militärischer und politischer Gewaltanwendung. Von einem kontinuierlichen Prozeß imperialistischer Expansion kann demnach bis in die frühen achtziger Jahre hinein nicht gesprochen werden; vielmehr vollzog sich die Expansion in Schüben, die von Faktoren ausgelöst wurden, die zumeist für die jeweilige Gesellschaft nur marginale Bedeutung besaßen, und begnügte sich überwiegend mit höchst extensiven Formen der Herrschaftsausübung, unter Einschaltung von indigenen Kollaborationsregimes der verschiedensten Art. Fast noch größere Bedeutung hatten demgegenüber rein finanzimperialistische Anleiheoperationen großen Stils von seiten einer Reihe europäischer Außenhandelsbanken, die zur Unterminierung der Herrschaftsverhältnisse in einer ganzen Reihe von formell souveränen Staaten, wie Ägypten, Marokko und dem Osmanischen Reich, führten.

Teilweise unter dem Einfluß dieser Vorgänge kam es um 1880 zu einer tiefgreifenden Veränderung der bislang höchst vielgestaltigen Formen europäischer Expansion in den unentwickelten Regionen der Erde. Der stufenweise Zusammenbruch der indigenen Kollaborationsregimes, deren Legitimitätsgrundlagen durch das langsame, aber beständige Vordringen westlichen kulturellen und ökonomischen Einflusses erschüttert worden waren, zwang nun die europäischen Mächte zu direkter Intervention, um die eigenen Interessen zu wahren und, was im Zusammenhang der konkreten Entscheidungsprozesse wichtiger war, die Intervention rivalisierender Mächte zu verhüten. Anfänglich bestand vielfach die Neigung, sich mit der Restauration indirekter Herrschaft zu begnügen, wie dies Großbritannien im Fall Ägyptens 1882 versuchte und die Großmächte im Fall Marokkos bis 1910 praktizierten. Aber dies ließ sich immer weniger bewerkstelligen infolge des Ineinandergreifens von vier verschiedenen Gruppen von Faktoren, nämlich

1. des Zusammenbruchs der älteren Formen informeller oder extensiver Herrschaft an der Peripherie, die zur Errichtung formeller Herrschaft zwangen;

2. der sich zunehmend steigernden Rivalität der Großmächte, die ihrerseits eine Politik des Zuwartens immer weniger durchführbar erscheinen ließ;

3. der Aktivität der »men on the spot«, nicht selten im Bunde mit sektoralen ökonomischen Interessen im Mutterland;

4. der teilweise durch sozialdefensive Strategien der Herrschaftserhaltung geschürten nationalistischen Gesinnung breiter Schichten der Bevölkerung in den Metropolen, die zwar an imperialistischer Landnahme, wenn überhaupt, so einstweilen unmittelbar noch kaum Interesse nahmen, aber eine kraftvolle Politik auch außerhalb Europas als Ausdruck der gesteigerten Selbstachtung der eigenen Nation (und zuvörderst der jeweiligen eigenen Sozialschicht) begrüßten und verlangten.

Das Zusammenwirken dieser vier Faktoren, zusammen mit vielfältigen sektoralen Interessen ökonomischer, politischer oder kulturimperialistischer Art, die nicht selten von einflußreichen »strategischen Cliquen«[6] propagiert wurden, veränderte die Qualität der säkularen Expansion der westlichen Zivilisation über den Erdball in grundlegender Weise. Was zuvor ein Gewirr von parallel laufenden Vorgängen von höchst unterschiedlichem Charakter gewesen war, die nur durch die großen Unterschiede im Kräftepotential zwischen den westeuropäischen und den überseeischen Ländern ein eindeutiges Gefälle zuungunsten der

[6] Dieser äußerst angemessene Begriff bei Gilbert Ziebura, *Interne Faktoren des französischen Hochimperialismus 1871–1914*. In: *Der moderne Imperialismus*. Hrsg. von W. J. Mommsen, Stuttgart 1971, S. 98.

letzteren aufwiesen, wurde nun zu einem *historischen Prozeß* mit irreversibler Zielrichtung und unwiderstehlicher Gewalt. Der Zusammenbruch informeller Herrschaftsformen einerseits, die Rivalität der Mächte andererseits, dazu die an Stärke zunehmende Aktivität interessierter Gruppen, machte es den Staatsmännern nunmehr unmöglich, sich der imperialistischen Flut entgegenzustemmen. Vielmehr wurden sie nun gezwungen, auf dem einmal mit halbem Herzen eingeschlagenen Wege konsequent weiter voranzuschreiten. Dies hieß: Liquidierung aller privaten Kolonialgesellschaften alten Stils, unmittelbare Herrschaft unter Aufbau von flächendeckenden Kolonialverwaltungen, verkehrstechnische Erschließung auch des bislang zumeist vernachlässigten und, wie dies unter ökonomischen Gesichtspunkten ebenso wie aus politischen Zweckmäßigkeitserwägungen geboten gewesen war, nur extensiv genutzten Hinterlandes, ökonomische Erschließung der betreffenden Territorien unter Einsatz von erheblichen öffentlichen Mitteln, während die Gewinne zumeist in die Hände einiger weniger privater Gesellschaften flossen. Darüber hinaus aber sahen die Mächte sich nun veranlaßt, zum Mittel der Präventivannexion zu greifen, um möglichen Zugriffen anderer Mächte von vornherein zuvorzukommen.

Dabei spielten in den meisten Fällen unmittelbare ökonomische Bedürfnisse oder der mittelbare Einfluß partikularer ökonomischer Interessengruppen eine nur geringe oder doch nur eine vorgeschobene Rolle. Nicht gegenwärtige ökonomische Interessen galt es zu befriedigen, sondern »to peg out claims for posterity«, das heißt, dem eigenen Staate Territorien zu sichern, deren ökonomische Erschließung einstweilen noch in einer mehr oder minder fernen Zukunft lag. Mächtepolitische Konflikte übten dabei eine zusätzliche, akzelerierende Wirkung aus; man annektierte Territorien, um dem Rivalen zuvorzukommen, obwohl man keinerlei konkrete Vorstellungen vom Wert der betreffenden Territorien besaß. Möglich war das nur, weil einstweilen Landnahme noch mit verschwindend geringen militärischen Kräften und papierenen Verträgen höchst dubiosen Rechtscharakters mit eingeborenen Häuptlingen möglich war. Bald freilich trat eine zusätzliche Absicherung durch ein vielfältiges Gewirr bilateraler internationaler Grenzverträge und Kolonialabkommen an die Stelle dieser älteren Kolonialdiplomatie. Am Ende stand dann die Errichtung von formellen Kolonialreichen pathetischer Gebärde, die freilich von vornherein politisch, militärisch und vor allem auch ökonomisch auf weit schwächeren Füßen standen, als der enthusiastische Zeitgeist damals hat wahrnehmen wollen. Die beständig wiederkehrende Forderung der französischen Kolonialpolitiker, daß es darum gehen müsse, die Kolonien »mettre en valeur«, d.h. endlich wirtschaftlich zu entwickeln und aus den roten Zahlen herauszuführen, in denen sie sich unter gesamtvolkswirtschaftlichen Gesichtspunkten befanden, sind hier ebenso aufschlußreich wie die beredten Klagen der deutschen Regierungen, daß ihre kolonialpolitischen Aspirationen von seiten der deutschen Bankenwelt und der deutschen Wirtschaft allgemein nicht genügend Unterstützung fänden. Gesamtvolkswirtschaftlich gesehen war der Hochimperialismus, im Unterschied zu den vielfältigen Formen eines vornehmlich extensiv, d.h. mit geringen eigenen Investitionskosten öffentlicher wie privater Art betriebenen Kolonialismus, fraglos zumeist kein gutes, und nicht selten sogar ein Verlustgeschäft, von einzelnen Ausnahmen wie Indien abgesehen (auch wenn bestimmte Wirtschaftsgruppen und »strategische Cliquen« in aller Regel ihr Schäfchen ins trockene zu bringen verstanden haben).

Die Erklärung dieser offenbaren Diskrepanzen zwischen gesamtvolkswirtschaftlichen und sektoralen Interessen, die die Geschichte des modernen Imperialismus durchziehen, ist gemeinhin vor allem darin gesucht worden, daß man den betreffenden Wirtschaftsgruppen – oder gar dem Finanzkapital allgemein – einen prädominanten Einfluß auch auf die politischen Entscheidungsprozesse in den imperialistischen Staaten zumaß – die bekannten Theoreme der sozialistischen und der marxistisch-leninistischen Imperialismustheorie bedürfen hier keiner expliziten Erwähnung. Doch haben sich die entsprechenden empirischen Nachweise nicht recht erbringen lassen. Trotz intensiver Suche nach Nutznießern imperialistischer Politik auch im wirtschaftlichen Bereich waren es zumeist marginale Gruppen und nicht selten gerade ökonomische Außenseiter, die als die eigentlichen Drahtzieher imperialistischer Aktionen auftraten, während die Masse der Unternehmerschaft und der Bankiers an imperialistischer Politik kaum sonderlich viel Anteil genommen hat, vielfach – wie gesagt – zum Kummer der Politiker, die um eine ökonomische Abstützung ihrer Strategien bemüht waren.

Eine Lösung dieses Problems muß vielmehr in anderer Richtung gesucht werden, und dabei vermag die Erkenntnis weiterzuhelfen, daß der Hochimperialismus seit etwa 1880 die Qualität eines irreversiblen Prozesses angenommen hatte, der sich infolge struktureller Bedingungen zunehmend beschleunigte: vor allem auf Grund des Ungleichgewichts im Potential der Industriestaaten einerseits, der kolonialen Völker andererseits, aber auch dank des sich steigernden Nationalismus innerhalb der europäischen Gesellschaften, der erst sekundär mit imperialistischen Zielsetzungen besetzt wurde. Die Neigung der traditionellen Führungsschichten, imperialistische Politik als Mittel »sekundärer Integration« zu gebrauchen, und die Versuche der aufsteigenden Mittelschichten und der sie tragenden Parteien, die imperialistische Ideologie als Vehikel einer gegen die traditionellen Führungsschichten gerichteten Politik der inneren Modernisierung zu nutzen, verliehen diesem Prozeß zusätzliche Schubkraft von großem Gewicht. Dies alles schuf Bedingungen, unter denen marginale Gruppen an der Peripherie und in den Metropolen, die aus den verschiedenartigsten Gründen materiell oder ideell an imperialistischer Politik interessiert waren, dazu instand gesetzt wurden, auf die imperialistischen Entscheidungsprozesse ein Maß von Einfluß zu nehmen, das ihre jeweiligen Positionen innerhalb der eigenen Gesellschaft weit überstieg. Sie vermochten deshalb so stark zu wirken, weil sie nur der konsequenten Verstärkung eines irreversiblen Prozesses das Wort redeten, der auf die Aufsaugung und Kontrolle sämtlicher noch unentwickelter Regionen der Erde durch die westlichen Industriestaaten hindrängte und dessen Zielrichtung längst nicht mehr steuerbar war. Die infolge des Zusammenbruchs der überkommenen indigenen Herrschaftsformen mehr oder minder primitiver Art entstehenden Machtvakuen an der Peripherie erforderten eine politische Auffüllung. Nach den Grundsätzen europäischer Machtpolitik vor 1918 war ein anderer Weg als jener der Etablierung direkter Herrschaft von seiten europäischer Mächte kaum gangbar. Die Resultate der älteren Phasen des Imperialismus schlugen sich nun in Form unabweisbarer Ausweitung imperialer Kontrolle nieder, mochten die betreffenden Regierungen dies begrüßen oder auch nicht. Nur in bestimmten Zonen, in denen die vitalen Interessen der Großmächte direkt aufeinanderstießen, wurde im Interesse der Erhaltung des Mächtegleichgewichts von einer förmlichen Aufteilung unter die Mächte und der Errichtung offener Kolonialherrschaft Abstand genommen, wie in China oder im Osmanischen Reich, aber auch dort nur um den Preis weitgehender Privilegierung der Wirtschaftsinteressen der westlichen Industriestaaten einschließlich jener der Vereinigten Staaten und Japans, das nunmehr seinerseits als imperialistische Macht auftrat.

Die ambitiösen Kriegszielplanungen der Großmächte während des Ersten Weltkrieges dürfen als Höhepunkt imperialistischer Bestrebungen betrachtet werden. Gegen Ende des Ersten Weltkrieges erreichte der Prozeß imperialistischer Expansion seinen Kulminationspunkt. Mit dem Sieg des demokratischen Staatsgedankens in Europa und des Kommunismus in der UdSSR setzten dann grundlegende Transformationen der europäischen Gesellschaften ein, die zwar erst in unseren Tagen zum Abschluß gekommen sind, welche aber die Randbedingungen imperialistischer Politik gegenüber den Ländern der Peripherie grundlegend verschoben haben. Die »naturhafte« Schubkraft des Prozesses imperialistischer Expansion war gebrochen, mochten auch die faschistischen Regimes in den dreißiger Jahren ihrerseits noch einmal den Versuch unternehmen, das Rad der Geschichte zurückzudrehen. Formelle Kolonialherrschaft bedurfte hinfort der moralischen Legitimierung. Zugleich wurde diese von den betroffenen Völkern zunehmend offen angegriffen, mochten auch die in den Tiefen der jeweiligen kolonialen Gesellschaften eingepflanzten politischen und ökonomischen Strukturen einstweilen noch unbeeinträchtigt fortbestehen. Was bislang als irreversibler Prozeß galt und tatsächlich ein solcher gewesen war, wurde nun angesichts veränderter Randbedingungen reversibel: der Imperialismus geriet in die Defensive.

Heute läßt sich das Verhältnis zwischen den Industriestaaten und der Dritten Welt nicht mehr in den Begriffen eines eindeutigen, zielgerichteten Prozesses deuten, sondern hat die Qualität eines komplexen Interaktionsprozesses von gegenläufigen Prozessen angenommen, die einerseits auf die Erhaltung der in der imperialistischen Zeit eingefahrenen gesellschaftlichen und ökonomischen Strukturen hinwirken und insofern die »strukturelle Herrschaft« der Metropolen über die Peripherie über das Ende der imperialistischen Herrschaft hinaus festschreiben, die andererseits mit Macht auf die Emanzipation von bisheriger Abhängigkeit, unter Ausspielung der strategischen Vorteile der Länder der Dritten Welt im internationalen politischen und ökonomischen Kräftespiel, hindrängen, allein schon aus Gründen der Machterhaltung der jeweils herrschenden Eliten.

Abschließend sei versucht, die hier vorgestellten Befunde unter den eingangs erörterten theoretischen Gesichtspunkten zusammenzufassen und – sei es auch um den Preis einer gewissen Verkürzung der Komplexität der Vorgänge – systematisch zu formulieren. Zunächst wären eine Reihe von strukturellen Voraussetzungen zu nennen, die den Hochimperialismus im strengen Wortsinn erst möglich gemacht haben und zugleich notwendige Bedingungen dafür waren, daß die Expansion der westlichen Zivilisation etwa 1882 endgültig den Charakter eines irreversiblen, sich selbst vorantreibenden Prozesses angenommen hat.

Hier ist an erster Stelle das außerordentliche, beständig zunehmende Mißverhältnis im ökonomischen, militärischen und geistigen Potential der europäischen Staaten einerseits, der Völker der unentwickelten Welt andererseits zu nennen. Dieser Umstand hat es überhaupt erst ermöglicht, daß säkulare Prozesse imperialistischer Landnahme oder auch weitreichender ökonomischer Penetration direkt oder indirekt von kleinen, innerhalb der europäischen Gesellschaften bloß marginalen Gruppen mit höchst beschränkten militärischen Machtmitteln und begrenzten ökonomischen Ressourcen in Gang gesetzt werden konnten. Auch wenn man einräumt, daß sich diese Gruppen nicht selten auf die flankierende Abstützung ihrer Aktionen durch die Diplomatie des eigenen Mutterlandes stützen konnten, läßt sich doch nicht übersehen, daß sie oft mit äußerst geringem Einsatz in der Lage waren, sich ganze Gesellschaften der Dritten Welt gefügig zu machen. Eine weitere wichtige Grundvoraussetzung bildet die politische Rivalität der europäischen Industriestaaten, die es – zumal in einem Zeitalter des Nationalismus – den Regierungen als nationale Pflicht erscheinen ließ, die Aktivität ihrer Staatsangehörigen und deren Agenten in Ländern der unentwickelten Welt nach Möglichkeit zu unterstützen. Schließlich setzte die wirtschaftliche Entwicklung in den Industriestaaten ein beständig wachsendes ökonomisches Potential frei, das die Integration der noch unentwickelten Regionen des Erdballs in das sich ausbildende Weltwirtschaftssystem gleichsam als natürliches Ziel erscheinen ließ. Dem entsprach komplementär, daß ein beträchtlicher Teil der Mittel- und Oberschichten in den westlichen Staaten eine Ausdehnung des Einflußbereiches des eigenen Staates nach Übersee aus den verschiedensten Gründen zunehmend positiv bewertete, ja schließlich stürmisch verlangte, zumeist ohne jede Kenntnis der tatsächlichen ökonomischen und politischen Verhältnisse an der Peripherie.

Diese strukturellen Randbedingungen begünstigten die Aktionen der in erster Linie an imperialistischer Expansion formeller und informeller Art interessierten Gruppen weit über das Maß ihres tatsächlichen gesellschaftlichen Einflusses hinaus. Die auf vielen Ebenen, oft noch ohne daß dies seitens der Öffentlichkeit bemerkt wurde, sich vollziehende Infiltration europäischen Einflusses, deren Speerspitze weniger die Politiker als vielmehr partikulare wirtschaftliche und ideelle Interessenten bildeten, hatte darüber hinaus eine weitere, höchst bedeutsame Konsequenz, nämlich die allmähliche Unterminierung der älteren Formen eines informellen Imperialismus, der sich auf einheimische Kollaborationsregimes aller Art stützte. Vielfach haben, wie oben dargestellt, europäische Regierungen versucht, wankende Kollaborationsregimes, beispielsweise in Ägypten, in Marokko und im Osmanischen Reich, durch entsprechende politische Interventionen zu restaurieren, um dem Dilemma der Errichtung formeller Herrschaft zu entgehen. Nur in einigen wenigen Fällen gelang dies, und auch dort zumeist nur auf Zeit. Vielmehr trat in der Regel das Gegenteil ein; die Krisen an der Peripherie, die zum Zusammenbruch der älteren Formen informeller oder halbformeller imperialistischer Herrschaft bzw. Penetration führten, zwangen zur Ausfüllung dieser Vakuen und zur Errichtung formeller Kolonialherrschaft, mit der sekundären Wirkung, daß die bestehenden Mächtegegensätze mit einer innerhalb des Systems unabwendbaren Notwendigkeit angeheizt wurden.

Hinzu kam noch, daß sich an der Peripherie formelle und informelle Formen imperialistischer Expansion, die jeweils unter verschiedenen Zielsetzungen agierten, in vielfältiger Form kreuzten. Notorisch sind in dieser Hinsicht die finanzimperialistischen Operationen der internationalen Banken in den islamischen Ländern und in China, die zu höchst komplizierten Verwerfungen zwischen den politischen Interessen der betroffenen Industriestaaten und dem internationalen Publikum dieser Banken führten. Gerade die Interaktion von imperialistischen Prozessen verschiedenster Natur, wie des Finanzimperialismus[7] der französischen und englischen internationalen Banken, des Exportimperialismus partikularer industrieller Interessen (vornehmlich der Schwer- und Rüstungsindustrie) der politischen Expansionsbestrebungen der Großmächte – bzw. ihrer Bemühungen um die Wahrung ihres kolonialen Besitzstandes – und des imperialistischen Nationalismus der aufsteigenden bürgerlichen Schichten, verlieh den imperialistischen Expansionsprozessen ihre enorme Schubkraft.

[7] Eine Rechtfertigung dieses Terminus und der damit gemeinten Vorgänge, unter Rückgriff auf die reiche Literatur zum Gegenstand, wird in dem Aufsatz des Verfassers *Europäischer Finanzimperialismus vor 1914. Ein Beitrag zu einer pluralistischen Imperialismustheorie.* Historische Zeitschrift 224 (1977) versucht.

Zugleich wird deutlich, wieso innerhalb eines solchen Systems die für sich genommen begrenzten Aktionen der »men on the spot« eine so große Dynamik haben auslösen können. Sie trieben die Dinge an der Peripherie jeweils bis zu dem Punkt, an dem die Staatsmänner der Metropolen einzugreifen genötigt waren. Sie halfen dabei, jene lokalen Vakuen an der Peripherie entstehen zu lassen, in die dann die Kolonialmächte ihrerseits hineinstießen. Die Bedingungen, unter denen die Politiker standen, erlaubten es nicht, diesen Prozeß an irgendeinem Punkte anzuhalten. Hinzu kam, daß allein schon der Rechtfertigungszwang für erfolgte koloniale Erwerbungen zu Propagandaanstrengungen imperialistischen Tenors Anlaß gab, die einen Nährboden für künftige imperialistische Forderungen schufen und ein Klima entstehen ließen, in dem schließlich vom Staate Präventivannektionen ohne Rücksicht auf Kosten und politische Konsequenzen gefordert wurden. Der Nationalismus der aufsteigenden bürgerlichen Schichten, der eine wichtige ideologische Stütze des imperialistischen Denkens gewesen ist, läßt sich zwar gutenteils aus innenpolitischen Bedingtheiten herleiten; seine beständige Steigerung in den letzten Jahrzehnten vor 1914 ist jedoch mit Sicherheit auch eine Folge eines derartigen, zu immer massiveren imperialistischen Begehrlichkeiten anreizenden, akkumulativen Rückkopplungsprozesses gewesen, bis dann 1918 die Ernüchterung kam – zumindest teilweise.

Unter diesen Umständen ist es nicht sinnvoll, die imperialistischen Vorgänge der Zeit des Hochimperialismus primär auf das intentionale Handeln einzelner Staatsmänner oder auf die artikulierten Interessen bestimmter Gruppen der Gesellschaft zurückzuführen. Einmal abgesehen von den äußerst komplexen Verwerfungen, die imperialistische Motivationen bis zu ihrer Realisierung zu erfahren pflegten, nicht zuletzt, weil die Reaktionen an der Peripherie unvorhersehbar waren, sind die Erwartungshorizonte der beteiligten Personen und Gruppen zumeist erheblich bescheidener gewesen, als man im nachhinein anzunehmen geneigt ist, obwohl es natürlich grandiose imperialistische Programme gegeben hat. Die konkreten Abläufe an der Peripherie sind damit kaum in Verbindung zu bringen. Charakteristisch ist gerade das Gegenteil, nämlich die Disparität von Erwartungen und tatsächlichen Auswirkungen. Das gilt insbesondere für die phantastischen Vorteile, die sich gerade die nicht unmittelbar ökonomisch Interessierten in wirtschaftlicher Hinsicht von kolonialen Erwerbungen versprachen. Nicht anders verhielt sich dies für die Politiker, teilweise allerdings auch aufgrund von höchst mangelhaften Informationen über die tatsächlichen Verhältnisse in den betreffenden Regionen. Klassisches Beispiel bleibt in dieser Hinsicht Gladstones Ägyptenpolitik vom Jahre 1882, die eine Flutwelle imperialistischer Aktionen provoziert hat. Er wollte im Namen des »europäischen Rechts« möglichst gemeinsam mit Frankreich eine Polizeiaktion in Ägypten vornehmen, um den Status quo ante unter dem Khediven Tefik, der eine Nebenregierung europäischer Fachleute im Interesse der europäischen Gläubiger geduldet hatte, wiederherzustellen; stattdessen wurde Großbritannien für nahezu ein Jahrhundert tief in die Angelegenheiten Ägyptens verstrickt; faktisch hat es bis zum Ende des Zweiten Weltkrieges die Rolle der imperialistischen Vormacht in Ägypten gespielt. Ähnliches gilt auch für die Kolonialpolitik Bismarcks. Bismarck wollte 1882 eine Reihe deutscher Schutzgebiete gegründet sehen, die von privaten Kolonialgesellschaften im Auftrag des Reiches, aber ohne dessen direktes Engagement verwaltet und genutzt werden sollten. Schon Ende der achtziger Jahre sah sich das Deutsche Reich dann zur verlustreichen Liquidierung dieser Gesellschaften und dem konfliktreichen Aufbau staatlicher Kolonialverwaltungen gezwungen, für die Bismarck die preußisch-deutsche Beamtenschaft bekanntlich für ungeeignet hielt. Auch hier fällt die Inkongruenz zwischen Zielsetzung und Ergebnis ins Auge.

Diese Beispiele bestätigen erneut, daß die Akkumulation von imperialistischen Vorgängen um 1880 eine solche Größenordnung erreicht hatte, daß eine Formverwandlung der allgemeinen Politik gegenüber der unentwickelten Welt eintrat. Die vorangegangenen informellen und halbformellen Expansionsprozesse, welche »vested interests« etabliert hatten, die Krisen an der Peripherie, welche zum direkten Eingreifen zwangen, der Rückkopplungseffekt der Rechtfertigung kolonialer Politik auf das politische Bewußtsein der Völker der Metropolen, die Versuchung, imperialistische Politik zur Stabilisierung der Vormacht traditioneller Eliten, zu stärkerer Berücksichtigung der politischen Interessen der aufsteigenden Mittelschichten oder zur Unterdrückung oder doch zur politischen Isolierung der Arbeiterschaft zu nutzen, dies alles machte die imperialistische Expansion der westlichen Industriestaaten nicht nur irreversibel, sondern verlieh ihr jenen quasi zwangsläufigen Charakter, der historischen Prozessen eigentümlich ist.

Helmut Berding

Revolution als Prozeß

Revolution als Prozeß ist ein Thema, das die Frage nach der Eigenart, Entstehung, Dynamik und Motorik des Revolutionsprozesses oder revolutionärer Prozesse aufwirft. Es ist im Laufe der Französischen Revolution aufgekommen und hat seither nichts an Aktualität eingebüßt. Alternativ formuliert geht es darum, ob Revolution machbar, ihr Verlauf dirigierbar, ihre Ziele erreichbar sind oder nicht. Auf der Ebene der Reflexion lautet die Frage, ob Revolutionsprozesse nach Gesetzen oder Regeln verlaufen, die erkannt werden können, ob es sich mithin um theorie- und erklärungsfähige Phänomene handelt, oder ob sie als »irrationale Zufälligkeiten« (Hermann Oncken)[1], als eines »jener Rätsel und Dunkelpunkte« betrachtet werden müssen, »die kein Menschenwitz je wird aufhellen können« (Friedrich Meinecke) und die deshalb einer wissenschaftlichen Behandlung verschlossen bleiben[2].

Für die Möglichkeit, die Geschichte beeinflussen, emanzipatorische Zwecksetzungen verwirklichen, die Wirklichkeit nach der Idee einrichten zu können, sprach zunächst einmal das Ereignis der Französischen Revolution selbst. Hegel hat den Enthusiasmus und die Faszination, die das Geschehen in Frankreich hervorgerufen und den Akteuren den Elan verliehen hatten, unübertroffen beschrieben: »Solange die Sonne am Firmamente steht und die Planeten um sie herumkreisen, war das nicht gesehen worden, daß der Mensch sich auf den Kopf, das ist, auf den Gedanken stellt und die Wirklichkeit nach diesem erbaut.«[3] Diese Erfahrung war durch nichts wieder aus der Welt zu schaffen, weder durch die Schrecken des Bürgerkriegs noch durch das Scheitern der Revolution in Frankreich – wenn davon gesprochen werden kann. »Ein solches Phänomen in der Menschengeschichte vergißt sich nicht mehr, weil es eine Anlage und ein Vermögen in der menschlichen Natur zum Besseren aufgedeckt

[1] Zitiert nach *Revolution und Theorie I. Materialien zum bürgerlichen Revolutionsverständnis.* Hrsg. von U. Jaeggi und S. Papcke, Frankfurt a. M. 1974, S. 33.

[2] Gustav Landauer, *Die Revolution.* Frankfurt a. M. 1907, S. 8.

[3] Georg Wilhelm Friedrich Hegel, *Vorlesungen über die Philosophie der Geschichte.* Leipzig o. J., S. 552.

hat.«[4] Durch die Revolution war die Revolutionsidee, wie dieser Satz von Kant schon anzeigt, zum Wirkungsprinzip geworden, das danach drängte, sich ständig zu reproduzieren. Zugleich erhielt das geschichtsphilosophische Erkenntnisprinzip, wonach der Mensch seine Geschichte selber macht, neuen Auftrieb. Seit den Ereignissen von 1789 konnte die Geschichte nicht mehr als blindes Geschick aufgefaßt, aber sie konnte umgekehrt auch nicht als ein dem menschlichen Handeln frei verfügbares Geschehen gedeutet werden. Gegen die Verfügbarkeit der Geschichte sprach eine Erfahrung, die mehr als alles andere das zeitgenössische Denken über die Revolution – und später die Revolutionstheorie überhaupt – bewegte, die Erfahrung, »daß keiner der Mitwirkenden den Gang der Ereignisse in der Hand behielt, daß dieser in einer Richtung verlief, die mit den ursprünglichen Zielen und Zwecken der Handelnden so gut wie nichts mehr zu tun hatte, ja daß diese sich offenbar in allem, was sie nun wirklich taten, der anonym waltenden Kraft des revolutionären Prozesses unterwerfen mußten ... Die wesentlichen Metaphern, in welchen die Revolution nicht als Menschenwerk, sondern als unwiderstehlicher Prozeß beschrieben und gedeutet wird, also die Metapher des reißenden Stromes, des Sturmwindes, des anschwellenden Flusses, stammen alle noch von den Handelnden selbst.«[5]

Die Heftigkeit und Hartnäckigkeit, mit der die Diskussion geführt wurde, beruht, von wichtigen anderen Gründen abgesehen, nicht zuletzt auch darauf, daß Vertreter beider Auffassungen sich auf Erfahrung berufen oder der Meinung des anderen den Widerspruch der Wirklichkeit entgegenhalten konnten. Gegner der Revolution und konservative Revolutionstheoretiker verweisen immer auf die Nichtverfügbarkeit der Folgen, womit sie zweifellos recht haben. Sie sehen revolutionäres Handeln in emanzipatorischer Absicht bestenfalls als vergeblich an, wie beispielsweise Alexis de Tocqueville oder Vilfredo Pareto; oder sie stellen einseitig den Bürgerkriegsaspekt und die zerstörerischen Folgen von Gewaltanwendung heraus; Chaos und Schrecken sind für sie oft das einzige und unvermeidbare Resultat des Versuches, die Gesellschaftsordnung zugunsten von mehr Freiheit zu verändern. Dieses verzerrende Urteil – Ausdruck eines nicht uninteressierten Revolutionspessimismus – ist mit-

[4] Immanuel Kant, *Der Streit der Fakultäten.* Leipzig o. J., S. 105.
[5] Hannah Arendt, *Über die Revolution.* Frankfurt a. M. 1968, S. 62 und 64.

samt seinen geschichtsphilosophisch-deterministischen Prämissen unhaltbar[6]. Die Anhänger der Revolution gehen grundsätzlich von der optimistischen Annahme aus, daß die Geschichte machbar sei, ohne aus dieser Überzeugung unbedingt aktionistisch-voluntaristische Konsequenzen zu ziehen. Die Tat allein, so hatte die Geschichte der Französischen Revolution gelehrt, garantiert noch nicht den Erfolg. Sie müßte in Übereinstimmung mit den Gesetzen erfolgen, deren Kenntnis es erlaubt – wie Condorcet 1793 erläutert –, »de maintenir cette révolution et d'en accélerer ou régler la marche«[7]. Hierin liegt das Elend der prorevolutionären Revolutionstheorien von Antoine Barnave, dem zeitgenössischen Theoretiker der Französischen Revolution, bis hin zu Régis Debray oder anderen Revolutionsstrategen der Gegenwart, die ständig zwischen den Polen »System-Determinismus« und »Akteurs-Voluntarismus« pendeln und wohl weiterhin vergeblich nach dem Königsweg suchen werden, auf dem das revolutionäre Handeln in Übereinstimmung mit den Gesetzen der Geschichte steht.

Der Gedanke, Revolution als Tat mit der Einsicht in die geschichtliche Notwendigkeit zu verknüpfen, hat nicht nur Revolutionstheoretiker bewegt, sondern das neuzeitliche Denken insgesamt stark geprägt. Dieses neigt dazu, »einzelne Dinge und Ereignisse, überhaupt alles, was sichtbar und greifbar da ist, zu Exponenten von Prozessen« im Sinne von unsichtbaren Kräften werden zu lassen[8]. Deutlich ist diese Tendenz bei Marx, wenn er im Kontext seiner ökonomischen Analysen den Stellenwert der Revolution im historischen Prozeß bestimmt. Anders jedoch verhält es sich mit seinen historischen und politischen Schriften. »Seine geschichtlichen Analysen zehren alle von einer fundamentalen Differenzbestimmung, die unterscheidet zwischen menschlichem Tun und dem, was sich langfristig tatsächlich ereignet ... Konsequenterweise definierte Marx ... auch die Grenzen der Machbarkeit: ›Die Menschen machen ihre eigene Geschichte, aber sie machen sie nicht aus freien Stücken, nicht

[6] Vgl. dazu etwa die Kritik von Vossler an Tocquevilles deterministischer Interpretation der Französischen Revolution; Otto Vossler, *Alexis de Tocqueville. Freiheit und Gleichheit.* Frankfurt a.M. 1973.

[7] Zitiert nach Reinhart Koselleck, *Der neuzeitliche Revolutionsbegriff als geschichtliche Kategorie.* Studium Generale 22 (1969), S. 835f.

[8] Hannah Arendt, *Fragwürdige Traditionsbestände im politischen Denken der Gegenwart.* Frankfurt a.M. 1958, S. 81.

unter selbstgewählten, sondern unter unmittelbar vorgefundenen, gegebenen und überlieferten Umständen.‹«[9]

Dadurch, daß Machbarkeit relativ gedacht wurde, gelangte die Diskussion über Ursachen, Verlauf und Folgen revolutionärer Prozesse aus der Sackgasse des alternativ geführten Streits um abstrakte Prinzipien – Freiheit oder Notwendigkeit, Schicksal oder Machbarkeit – heraus. Die Dichotomie Freiheit versus Notwendigkeit ist kein begriffliches Raster, innerhalb dessen der systematisch analysierende Sozialwissenschaftler oder der empirisch arbeitende Historiker die Prozeßproblematik erfassen oder seine Erfahrungen reflektieren könnte[10]. Auf eine erfahrungswissenschaftlich betretbare Ebene gerät das Nachdenken über historische Prozesse erst dann, wenn die genannten Prinzipien aufeinander bezogen und als Prozeßmomente gefaßt werden: im Falle von Revolution Freiheit als intentionales Handeln in emanzipatorischer Absicht und Notwendigkeit als sachzwangartige Handlungsbedingungen, wozu neben den sozio-ökonomischen und sozio-kulturellen Faktoren auch das Gegeneinanderwirken vielfach sich durchkreuzender Zwecksetzungen und Interessen gehört[11]. Sie alle zusammen bilden den Rahmen, in dem Handeln sich vollzieht; die Berücksichtigung aller Momente schafft erst die Voraussetzung dafür, daß sich Handlungsspielräume ausloten lassen. Sie abschätzen heißt nicht, Handeln aus den Bedingungen ableiten zu können, denn »in der Geschichte geschieht immer mehr oder weniger als in den Vorgegebenheiten enthalten ist«[12]. Diese Differenz von Möglichkeit und Wirklichkeit verlegt den von Friedrich Engels gedachten »Sprung der Menschheit aus dem Reiche der Notwendigkeit in das Reich der Freiheit«[13] an das Ende der Zeiten.

[9] Reinhart Koselleck, *Über die Verfügbarkeit der Geschichte*. In: *Schicksal? Grenzen der Machbarkeit. Ein Symposion*. München 1977, S. 61 f.

[10] Diese Argumentation schließt sich ähnlichen Überlegungen Kockas im Hinblick auf das Verhältnis von Objektivität und Parteilichkeit an: Jürgen Kocka, *Angemessenheitskriterien historischer Argumente*. In: *Objektivität und Parteilichkeit in der Geschichtswissenschaft*. Hrsg. von R. Koselleck, W. J. Mommsen und J. Rüsen (Theorie der Geschichte, Band 1). München 1977, S. 469.

[11] »Denn was jeder einzelne will, wird von jedem anderen verhindert, und was herauskommt, ist etwas, das keiner gewollt hat. So verläuft die bisherige Geschichte nach Art eines Naturprozesses und ist auch wesentlich denselben Bewegungsgesetzen unterworfen.« Brief von Friedrich Engels an Joseph Bloch. MEW, Bd. 37, S. 464.

[12] Koselleck, *Über die Verfügbarkeit*, S. 65.

[13] Friedrich Engels, *Herrn Eugen Dührings Umwälzung der Wissenschaft*. MEW, Bd. 20, S. 264.

Das theoretisch-methodologische Grundproblem, das die Differenzbestimmung auf der erfahrungswissenschaftlichen Ebene aufwirft, ist das der Verknüpfung von Theorie und Empirie: Wie kann es gelingen, aus der analytischen Bestimmung von Prozeßdeterminanten eine Prozeßlogik zu entwickeln, die sich auf die Analyse konkreter Prozesse zurückbeziehen läßt? Diese Frage hat Marx, von dem »die kohärenteste Theorie der Revolution ... bis heute«[14] stammt, immer wieder beschäftigt. Wie sattsam bekannt, zieht sich die Diskussion über den dialektischen Widerspruch von systematisch-historischer, abstrakt-konkreter oder strukturell-genetischer Betrachtungsweise wie ein roter Faden durch die Marxismus-Literatur. Diese Debatte beherrscht auch die Interpretationen der Marx'schen Revolutionstheorie[15].

Marx selber hat kein geschlossenes Modell der Revolution vorgelegt. »Darüber, daß dies nicht existiert, besteht kein Zweifel.«[16] Seine Theorie der Revolution und ihrer Praxis ist einmal Bestandteil der gesamten Theorie des historischen Materialismus, der auf ökonomischen Analysen beruht und der das Revolutionskonzept in eine deterministische Richtung drängt. Zum anderen besteht die Revolutionstheorie aus einer Fülle von Einzelaussagen über konkrete Revolutionen. Als Theoretiker des Kapitalismus setzte sich Marx mit seinem objektivistischen Ansatz[17] von den voluntaristischen Revolutionstheorien ab, die von Babeuf bis Blanqui ein allzu starkes Vertrauen in die Machbarkeit der Revolution setzten. Andererseits wollte Marx die »Geburtswehen« beim Übergang von der kapitalistischen in eine sozialistische Gesellschaftsformation »abkürzen und mildern« helfen. Deshalb hat er (und Engels) ständig nach den Bedingungen gesucht, unter denen in einer konkreten historischen Situation Revolutionen gemacht werden können. In seinen historischen Untersuchungen über die Revolutionen z.B. von 1830,

[14] Ralf Dahrendorf, *Über einige Probleme der soziologischen Theorie der Revolution* (1961). Zuletzt in *Revolution und Theorie I.*, S. 173.

[15] Zur marxistischen Revolutionstheorie vgl. besonders: Dieter Kramer, *Reform und Revolution bei Marx und Engels.* Köln 1971; Kurt Lenk, *Theorien der Revolution.* München 1973 (mit weiteren Literaturhinweisen).

[16] *Revolution und Theorie I.*, S. 94.

[17] Vgl. dazu das Vorwort zur *Kritik der Politischen Ökonomie*, MEW, Bd. 13, S. 9: »Auf einer gewissen Stufe ihrer Entwicklung geraten die materiellen Produktivkräfte der Gesellschaft in Widerspruch mit den vorhandenen Produktionsverhältnissen oder, was nur ein juristischer Ausdruck dafür ist, mit den Eigentumsverhältnissen, innerhalb deren sie sich bisher bewegt hatten. Aus Entwicklungsformen der Produktivkräfte schlagen die Verhältnisse in Fesseln derselben um. Es tritt dann eine Epoche sozialer Revolution ein.«

1848 und 1870/71 (Pariser Kommune) definierte er die Voraussetzungen, unter denen Revolutionen ausbrechen, bzw. die Bedingungen, unter denen sie herbeigeführt werden könnten. Dazu gehören ökonomische Voraussetzungen wie Verelendung und Krise, die internationale Situation, eine organisierte Klasse mit Klassenbewußtsein, eine militärisch günstige Position. »Die zum Teil in sich komplexen Variablen wurden jedoch niemals einer systematischen empirischen Untersuchung anhand vorliegender Revolutionen ... zugeführt«[18]; sie wurden auch nicht in die allgemeine Theorie letztlich sozio-ökonomisch bedingter gesamtgesellschaftlicher Transformationsprozesse integriert. Aus diesem Grunde bleiben die Anwendungsbedingungen der Marx'schen Revolutionstheorien unbestimmt; die Operationalisierbarkeit bereitet Schwierigkeiten, zumal einzelne Teiltheoreme als widerlegt gelten können[19].

Vor ähnlichen Grundproblemen wie der historische Materialismus stehen auch die nicht-marxistischen Theorien des sozialen Wandels, sofern sie den Anspruch erheben, »gesamtgesellschaftliche Wandlungsprozesse nach erfahrungswissenschaftlichen Standards zu erklären«[20]. Dieses Modell, das die »Gesamtheit der in einem Zeitabschnitt erfolgenden Veränderungen in der Struktur einer Gesellschaft«[21] einbezieht, ist ohne Zweifel das umfassendste. Über die Unterordnung der Revolution unter den Begriff des sozialen Wandels gehen allerdings die Meinungen auseinander. Die meisten Revolutionstheoretiker mögen sich zwar in der Bestimmung des *genus* einig sein: Revolutionen sind eine Form des sozialen Wandels; aber im Hinblick auf die *differentia specifica* gibt es recht verschiedene nicht durchweg miteinander zu vereinbarende Bestimmungen[22]; einige Autoren ziehen es vor, Revolution unter den Begriff der politischen Gewalt statt unter den des sozialen Wandels zu subsumieren[23].

Lange Zeit haben die Sozialwissenschaften das Revolutions-

[18] Vgl. dazu *Empirische Revolutionsforschung*. Hrsg. von K. von Beyme, Opladen 1973, S. 17.

[19] Ebd., S. 25.

[20] *Theorien des sozialen Wandels*. Hrsg. von W. Zapf, 2. Aufl. Köln 1970, S. 9.

[21] Peter Heintz, *Sozialer Wandel*. In: *Fischer Lexikon Soziologie*, Frankfurt a. M. 1958 (u. ö.), S. 268.

[22] Dazu Dahrendorf, *Über einige Probleme*, S. 171. Vgl. auch Chalmers Johnson, *Revolutionstheorie*. Köln 1971, S. 19 und S. 140.

[23] So etwa Gurr, der Revolution unter den Begriff der Gewalt subsumiert; Ted Robert Gurr, *Rebellion. Eine Motivanalyse von Aufruhr, Konspiration und innerem Krieg*. Düsseldorf 1972, S. 13.

problem nur stiefmütterlich behandelt. Erst nach dem Zweiten Weltkrieg, als im Zusammenhang mit dem Ost-West-Konflikt und im Zuge der Dekolonisation Revolutionen sich häuften, wandten sich auch Soziologie und Politikwissenschaft verstärkt dem Revolutionsphänomen zu. In Schwung geraten ist die sozialwissenschaftliche Revolutionstheorie jedoch erst wieder in den sechziger Jahren, nach dem Ende des »Moratoriums der strukturell-funktionalen Periode«[24]. Die Sozialwissenschaften konnten an die vergleichende Revolutionsforschung der Geschichtswissenschaft anknüpfen, deren in Ablauf- oder Phasenmodelle zusammengefaßten empirischen Verallgemeinerungen schon die Faktoren und Elemente des Revolutionsprozesses herausgestellt hatten[25]. Die aus dieser Generalisierung gewonnenen Erkenntnisse zu systematisieren, von der Deskription und Typologisierung zur Kausalanalyse zu gelangen, historische Beobachtungen in Hypothesen von allgemeiner Geltung zu verwandeln – das waren die Ziele der sozialwissenschaftlichen Revolutionstheorie. An diesem Unternehmen beteiligten sich Soziologen, Politikwissenschaftler und Psychologen aller wissenschaftlichen Ausrichtungen. Die Verwirrung über die Vielzahl der Ansätze und über die kaum noch überschaubare Flut von Publi-

[24] David Willer und G. K. Zollschan, *Prolegomenon zu einer Theorie der Revolution* (1964). In: *Revolution und Theorie I.*, S. 227.

[25] Die wichtigsten Arbeiten aus dieser Gruppe der vergleichenden und empirisch verallgemeinernden Revolutionstheorie sind: Lyford P. Edwards, *The natural history of revolution.* Chicago 1927; Crane Brinton, *The anatomy of revolution* (1938), deutsch: *Die Revolution und ihre Gesetze.* Frankfurt a. M. 1959; Georges Sawyer Pettee, *The process of revolution.* New York 1938; Louis Gottschalk, *Causes of revolution* (1955). In: *Revolution und Theorie I.* Anerkannt wird im allgemeinen, daß dieser Ansatz auf fundierter historischer Forschung beruhe, daß er statt die Dominanz einer Ursache zu behaupten, Ursachenbündel betrachte und die Fruchtbarkeit der vergleichenden Revolutionsforschung beweise; die wichtigsten Einwände lauten: der Ansatz bleibe deskriptiv; das Interesse sei zu einseitig auf die Darstellung der Gemeinsamkeiten und nicht der Unterschiede zwischen den Revolutionen gerichtet; es würden nur die »großen« Revolutionen herangezogen; der »naturgeschichtliche« Ansatz mit seinen Kreislaufmodellen wecke die Vorstellung, daß Revolutionen notwendig – ein Prozeßgesetz – zum Scheitern verurteilt seien; die konservative Grundhaltung komme auch darin zum Ausdruck, daß Revolutionen in Kategorien der Pathologie beschrieben würden. Zur Kritik vgl. besonders: Hartmut Tetsch, *Die permanente Revolution. Ein Beitrag zur Soziologie der Revolution und zur Ideologiekritik.* Opladen 1973, S. 19f.; Volker Rittberger, *Über sozialwissenschaftliche Theorien der Revolution – Kritik und Versuch eines Neuansatzes.* In: *Empirische Revolutionsforschung;* Georg P. Meyer, *Revolutionstheorien heute. Ein kritischer Überblick in historischer Absicht.* In: *200 Jahre amerikanische Revolution und moderne Revolutionsforschung.* Hrsg. von H.-U. Wehler, Göttingen 1976.

kationen ist groß. Sie wird gemindert durch die in jüngster Zeit erschienenen zusammenfassenden Überblicke[26]. Man kann einen gemeinsamen Nenner für alle diese funktional-strukturalistischen, behavioristisch-psychologischen oder konflikt-, entscheidungs- und krisentheoretischen Ansätze finden: es handelt sich um Teiltheorien, die Hypothesennetze knüpfen und hochkomplizierte, schaubildartig dargestellte »Prozeßmodelle« konstruieren; diese werden zumeist ausdrücklich unvollständig, skizzenhaft genannt[27], weil sich die Autoren des partiellen Charakters ihrer Hypothesensysteme bewußt sind. Damit stellt sich die Frage nach der Möglichkeit einer Synthese. Zum gegenwärtigen Zeitpunkt ist eine gesamtgesellschaftlich konzipierte, logisch integrierte und erfahrungswissenschaftlich orientierte Revolutionstheorie weder vorhanden noch möglich. Hierin sind sich so gut wie alle sozialwissenschaftlichen Revolutionstheoretiker einig; bis auf weiteres ist »die Synthese, die man vornehmen kann ... nur als Kombination verschiedener Ansätze, deren gegenseitige Korrektur und Vervollständigung vertretbar«[28]. Wie und ob sich jemals diese Theorien, die in der vorliegenden Form in keinen gemeinsamen Bezugsrahmen passen, in eine allgemeine Soziologie der Revolution und eine Theorie der sozialen Bewegung einfügen lassen, ist nicht erkennbar. Es wird zwar weiter an der »universalgeschichtlichen Wunderwaffe: der Theorie der Revolution« gebaut,[29] aber bis zu ihrer Einsatzbereitschaft behaupten – um im Bilde zu bleiben, sei diese militärische Sprechweise erlaubt – die Waffensysteme »mittlerer Reichweite« das Feld.

Für den Historiker können die partiellen Revolutionstheorien ihren Sinn nur in der historischen Analyse haben; ihre Erklärungskraft ist danach zu beurteilen, wie sie sich in der geschichts-

[26] Neben den schon genannten Publikationen von Jaeggi/Papcke, von Beyme und Meyer sind zu nennen: Heinz-Gerhard Haupt und Karin Hausen, *Die revolutionären Träger der Pariser Kommune: Struktur und Motivation.* Sozialwissenschaftliche Mitteilungen 4 (1975); Theodor Schieder, *Theorie der Revolution.* Zuletzt in *Revolution und Gesellschaft. Theorie und Praxis der Systemveränderung.* Hrsg. von Th. Schieder, Freiburg 1973; *Herrschaft und Krise.* Hrsg. von M. Jänicke, Opladen 1972; *Politische Systemkrisen.* Hrsg. von M. Jänicke, Köln 1973; vgl. auch Heft 2 der Comparative studies in society and history 18 (1976), das theoretischen Fragen der vergleichenden Revolutionsforschung gewidmet ist. Vgl. ferner Helmut Berding, *Bibliographie zur Geschichtstheorie.* Göttingen 1977 (über Revolutionen S. 263–277).

[27] So zum Beispiel Rittberger, *Über sozialwissenschaftliche Theorien,* S. 73; Gurr, *Rebellion,* S. 366.

[28] Tetsch, *Die permanente Revolution,* S. 65.

[29] Meyer, *Revolutionstheorien heute,* S. 173.

wissenschaftlichen Erforschung konkreter revolutionärer Veränderungsschübe bewähren. Bisher jedoch ist das Angebot der systematischen Sozialwissenschaften kaum angenommen worden. Revolutionen sind wegen ihrer gewiß unbestreitbaren frappierenden Ereignishaftigkeit immer wieder als »wie geschaffen für die ideographischen (sic!) Methoden und Zuständigkeiten des Historikers«[30] bezeichnet, für theorieunfähig und einer systematischen Analyse unzugänglich erklärt worden. Historiker, deren »Offenheit gegenüber theoretischen Herausforderungen und Angeboten ohnehin beschränkt«[31] ist, haben mit dem Hinweis eben auf diesen Ereignischarakter die Brauchbarkeit speziell von systematischen Revolutionstheorien bestritten oder sie, noch einfacher, gar nicht erst geprüft, sondern schlicht ignoriert. Noch 1966 hat der Revolutionstheoretiker Lawrence Stone, der selbst den sozialwissenschaftlichen Revolutionstheorien skeptisch gegenübersteht, das Buch von Charles Tilly über die Vendée die einzige detaillierte Analyse einer historischen Revolution nennen können, »in der bewußt versucht wurde, moderne soziologische Methoden anzuwenden«[32]. So hat es den Anschein, als ob Revolutionen nicht nur die Struktur eines Systems, sondern auch die Kooperationsmöglichkeiten von Geschichte und Soziologie in Frage stellen.

Die Geschichtswissenschaft spielt bei der Analyse von Revolutionen eine besondere Rolle, die sich nicht darin erschöpft, die sozialwissenschaftlichen Hypothesensysteme einem Härtetest zu unterziehen. Die Eigenart des Gegenstandes – Revolution als Prozeß – verlangt darüberhinaus eine spezifisch geschichtswissenschaftliche Erklärung. Die Eigenart liegt einmal in der erwähnten Ereignishaftigkeit, auf die noch zurückzukommen sein wird. Außerdem sind Revolutionen mehr als Einzelereignisse, die monographisch oder – mehrere Revolutionen vergleichend – komparativ zureichend erfaßt werden könnten. Ein solcher Zugriff würde einen wichtigen Aspekt der Revolution als Prozeß vernachlässigen, nämlich die entscheidende Tatsache, daß seit der Doppelrevolution gegen Ende des 18. Jahrhunderts alles in den Sog eines, wie es scheint, sich selbst tragenden dynamischen

[30] Willer und Zollschan, *Prolegomenon zu einer Theorie der Revolution*, S. 226.

[31] Christian Meier, *Der Alltag des Historikers und die historische Theorie*. In: *Seminar: Geschichte und Theorie. Umrisse einer Historik*. Hrsg. von H. M. Baumgartner und J. Rüsen, Frankfurt a. M. 1976, S. 38.

[32] Lawrence Stone, *Revolutionstheorien* (1966). In: *Revolution und Theorie I.*, S. 272.

Revolutionsprozesses gezogen wird, so daß seither von einem Revolutionszeitalter gesprochen werden kann. Folglich müßten die historischen Theorien einzelner revolutionärer Prozesse (im Plural) ergänzt werden durch eine historische Theorie der Revolution als Prozeß (im Singular), wenn die Theorie ihrem Gegenstand angemessen sein soll: Revolution ist eine Kette von je »systemspezifischen« Einzelereignissen und zugleich ein langgestreckter Traditionszusammenhang. Dieser besondere Charakter des Gegenstandes muß erörtert werden. In den historisch unterbelichteten Revolutionstheorien der systematischen Sozialwissenschaften kommt er, falls er überhaupt beachtet wird, viel zu kurz[33]. Die neuzeitliche Revolution scheint sich jeder definitorischen Festlegung zu entziehen; es fehlt an allgemein akzeptablen Abgrenzungskriterien[34]. Weder durch Radikalität, Rapidität, Gewaltsamkeit noch durch alle diese Merkmale zusammen kann revolutionärer Wandel hinreichend von nichtrevolutionärem unterschieden werden. Die Unschärfe des Revolutionsbegriffs, die durch seine ubiquitäre Verwendung im alltäglichen und wissenschaftlichen Sprachgebrauch noch vergrößert wird, hat nun manche um analytisch brauchbare Kategorien bemühte Sozialwissenschaftler dazu gebracht, auf den Revolutionsbegriff ganz zu verzichten und alle inneren Konflikte, Machtkämpfe, sozialen Proteste und deren Folgen unter dem Begriff »internal war« zu subsumieren[35]. Doch damit ist das Revolutions-Phänomen nicht aus der Welt; Revolutionen kommen lediglich einseitig, verzerrt, als innerstaatlicher Machtkampf in den Blick, und »Gewaltanwendung wird als die einzige Gemeinsamkeit der verschiedenartigen Formen des innerstaatlichen Konflikts dargestellt«[36]. Die Abgrenzungsfrage, was revolutionäre von anderen Formen gewaltsam ausgetragener Konflikte unterscheidet, ist nicht beantwortet, sondern einfach wegdefiniert worden. Nicht ohne Grund gelangt der Historiker John Dunn, der acht Revolutionen unseres Jahrhunderts einer vergleichenden Analyse unterzogen hat und mit den sozialwissenschaftlichen Revolutions-

[33] Eine Ausnahme bildet Tetsch, *Die permanente Revolution.*

[34] Vgl. Koselleck, *Der neuzeitliche Revolutionsbegriff*, S. 825.

[35] Vgl. zum Beispiel Harry Eckstein, *On the etiology of internal war.* History and Theory 4 (1965); *Internal war. Problems and Approaches.* Hrsg. v. H. Eckstein, New York-London 1964.

[36] Stone, *Revolutionstheorien*, S. 269; zur Kritik vgl. ferner K. von Beyme in: *Empirische Revolutionsforschung*, S. 20: »Vor allem der Gewaltaspekt wurde im Zuge der Violenzforschung so sehr herausgehoben, daß Revolutionen von anderen Formen der Gewaltanwendung zu wenig unterscheidbar wurden.«

theorien vertraut ist, zu der resignierten Feststellung, »daß die mühsame Anstrengung, unsere Kategorien hinreichend abstrakt zu gestalten ... womöglich weniger einen Gewinn an theoretischer Einsicht als vielmehr eine systematische Zerstörung der deskriptiven Hilfsmittel unserer politischen Sprache darstellt. Wenn die Entwicklung einer Soziologie der Revolution den Verlust der Unterscheidungsfähigkeit zwischen einem militärischen Staatsstreich in Sierra Leone und der chinesischen Revolution bedeutet, sind die Mittel, die zur Förderung solcher Untersuchungen verwandt werden, sehr schlecht angelegt«[37]. Das, was die Dynamik der neuzeitlichen Revolution ausmacht, wird durch eine definitorische Einengung des Begriffs offenbar geradezu verstellt. Die Eigenart des Revolutionsprozesses im Unterschied zu anderen, nichtrevolutionären Prozessen des sozialen Wandels wird erfaßbar nur, wenn man, statt den Begriff einzuengen, zunächst einmal umgekehrt vorgeht und die ganze Bedeutungsfülle des Revolutionsbegriffs aufnimmt; nach diesem Durchgang, der erhellt, was der Revolutionsbegriff in der geschichtlichen Wirklichkeit benennt und bewirkt, wird es eher möglich sein, zu einer Bestimmung typisch revolutionärer Prozesse zu gelangen[38].

Revolution, ein elastischer Allgemeinbegriff, der überall in der Welt auf ein gewisses Vorverständnis trifft, indiziert zugleich Umsturz, Bürgerkrieg und langfristigen Wandel, also Ereignisse und Strukturen. Im Zuge der Aufklärung wurde Revolution zum Modewort, zum allgemeinen Bewegungsbegriff ohne den Aspekt des Bürgerkriegs, in den alle jene utopischen Hoffnungen einströmten, die den Elan der Jahre um 1789 verständlich machen. Nach 1789 verdichtete sich der Begriff zum Kollektivsingular, der darauf abzielt, die jeweils umstürzenden Erfahrungen geschichtlich zu ordnen. Als Schlagwort und politischer Parteibegriff weitete sich das Wort ständig aus; es drängte dahin, die Wirklichkeit, die es benannte, selber zu verändern. Weiterhin ist die Erfahrung der Beschleunigung zu nennen und im Zusammenhang damit die Verwandlung der Revolution in einen ge-

[37] John Dunn, *Moderne Revolutionen. Analyse eines politischen Phänomens.* Stuttgart 1974, S. 219.

[38] Die folgenden begriffsanalytischen und -geschichtlichen Betrachtungen geben paraphrasierend die Ergebnisse der Untersuchungen von R. Koselleck wieder. Zur Geschichte des Revolutionsbegriffs vgl. besonders: Karl Griewank, *Der neuzeitliche Revolutionsbegriff. Entstehung und Entwicklung.* Weimar 1955, 2. erweiterte Aufl. Frankfurt a. M. 1969.

schichtsphilosophischen Perspektivbegriff, der eine unumkehrbare Richtung anzeigt. Erst nach 1789 kam der Gedanke auf, daß das Ziel einer politischen Revolution die soziale Emanzipation aller Menschen, die Umwandlung der Gesellschaftsstruktur selber, sei. Unmittelbar aus diesem Schritt von der politischen zur sozialen Revolution ergibt sich dann die Dynamik, die der neuzeitlichen Revolution innewohnt und den modernen Revolutionsbegriff auszeichnet: Die Errungenschaften der Revolution sollen allen Menschen zugute kommen. Mit anderen Worten: alle neuzeitlichen Ausprägungen der »Revolution« zielen räumlich auf Universalität und zeitlich auf Permanenz ab[39]. Die Revolution muß so lange andauern, bis ihr Ziel, die Beseitigung von Herrschaft überhaupt, erreicht ist. Aus diesem geschichtlich uneinholbaren Zukunftsentwurf bezieht schließlich Revolution ihre Legitimität. Sie tritt auf im Namen des Fortschritts und der Freiheit, die den politischen Machtkampf rechtfertigen. Wegen der schlagwortartigen Unbestimmtheit der Ziele wird Revolution zu einer Blindformel, die von sehr unterschiedlichen sozialen Anschauungen besetzt und strapaziert werden kann. So wird Revolution ideologisch-legitimatorisch fast beliebig einsetzbar für jedermann, der politische Herrschaft erlangen oder verteidigen will. Das ist der Grund, »warum das Attribut ›revolutionär‹ für ein Regime in der zweiten Hälfte des 20. Jahrhunderts ein hoch geschätztes internationales Statussymbol ist. ... was von dem Begriff Revolution übrigbleibt, ist im wesentlichen eine Metapher (womit schließlich die Geschichte des Begriffs auch begonnen hat) – eine Metapher für die Wiedergewinnung der Herrschaft durch die Tugendhaften gegen ein feindseliges Geschick«[40].

Für die historische Begriffsbildung, die den Gegenstand der Untersuchung, in diesem Falle der Revolutionstheorie, möglichst trennscharf abzugrenzen hat, lassen sich aus den Befunden der historischen Begriffsanalyse einige Schlußfolgerungen ziehen.

1. Revolution ist ein historisches Phänomen, dessen Aufkom-

[39] Das ist auch die zentrale These von H. Tetsch, der in seiner dogmentheoretischen und -historischen Untersuchung die Befunde von R. Koselleck bestätigt. Tetsch bestimmt ausdrücklich das Ereignis und die Theorien der Französischen Revolution als Ausgangspunkt und als Wirkungsprinzip der permanenten Revolution (S. 69ff.). Vgl. dazu ferner: *Revolution. The theory and practice of an European idea.* Hrsg. v. K. Kumar, London 1971.

[40] Dunn, *Moderne Revolutionen,* S. 221 und 229.

men einigermaßen präzise räumlich-zeitlich datierbar ist. Sie darf folglich nicht, wozu einige Sozialwissenschaftler neigen, hypostasiert oder als naturalistisch aufgefaßte gesellschaftliche Ganzheit betrachtet werden[41]. Eine solche Verfahrensweise blendet den Traditionszusammenhang ab; sie vernachlässigt die auch für die Interpretation einzelner Revolutionen höchst bedeutungsvolle Tatsache, daß seit der Französischen Revolution alle folgenden Revolutionen andere frühere nachgeahmt oder nachzuahmen versucht haben. Dadurch ändern sich die Bedingungen revolutionärer Möglichkeiten. Sowohl bestehende herrschende Gruppen wie auch potentielle Revolutionäre greifen die Erfahrungen früherer Revolutionen auf und füllen damit ihren Vorrat an Strategien an. Dieser revolutionsstrategische und zugleich ideologische Traditionszusammenhang muß in eine historische Revolutionstheorie aufgenommen werden[42]. Nur durch die diachrone Rekonstruktion des Traditionszusammenhanges wird sichtbar, was der »naturalistischen« Betrachtungsweise entgeht: die Revolution als Prozeß, der sich selber ständig revolutioniert.

2. Revolution ist ein emanzipatorisches Phänomen. Sie ist den aus dem Fortschrittsdenken der Aufklärung hervorgegangenen Ideen von 1789 verpflichtet, die räumlich in eine globale Dimension gerückt und zeitlich auf Permanenz gestellt worden sind. Dieses Legitimität stiftende ist das eigentlich dynamische Element der Revolution als Prozeß. Der visionäre Charakter des Freiheitsideals macht es allerdings nahezu beliebig besetzbar, d.h. ideologisch und politisch instrumentalisierbar. Um Freiheit zu realisieren, müssen die Gründe für Unfreiheit ausgeräumt, Widerstände bekämpft, dazu die Macht errungen, später die Herrschaft verteidigt und, im internationalen Raum, vielleicht auch Kriege geführt werden. Dabei durchdringen sich Freiheitsideal, politisches Machtstreben und ökonomische Interessen; ob und um welchen Preis sich die Revolution im Sinne des Ideals zugunsten von mehr Freiheit auswirkt, ist fraglich. Dies muß aber von der historischen Forschung ausgemacht werden. Die Kosten-Nutzen-Analyse hat also als fester Bestandteil einer historischen Revolutionstheorie zu gelten. Die Ambivalenz der emanzipatorischen Zielsetzung zwingt die Revolutionstheorie zur Ideologiekritik, die die revolutionäre Programmatik beim

[41] Vgl. dazu Jürgen Gebhardt, *Strukturprobleme einer Revolutionstheorie.* Zeitschrift für Politik 24 (1977), S. 33; E. Kedourie, *The lure of revolutionary revolution.* Encounter 39 (1972), S. 48.

[42] Vgl. Dunn, *Moderne Revolutionen,* S. 211ff.

Worte nimmt, die in der je gegebenen Situation den Konkretheitsgrad des utopischen Begriffs abschätzt und die schließlich das revolutionäre Handeln an den propagierten Revolutionszielen mißt[43]. Nur durch eine entschieden ideologiekritische Ausrichtung entzieht sich die Revolutionstheorie der Alternative, entweder zur Revolutionsschwärmerei zu entarten oder aber, unter Erklärungsverzicht, das hervorstechendste Merkmal neuzeitlicher Revolutionen aus der Theorie zu eliminieren.

3. Revolution ist ein eminent politisches Phänomen. Sie spielt sich, obwohl sie sozio-politisch wie sozio-kulturell bedingt ist und gesamtgesellschaftliche Konsequenzen hat, im politischen Bereich ab. Damit wird nicht bestritten, daß auch in anderen gesellschaftlichen Teilbereichen mit Recht von Revolutionen gesprochen wird, etwa – man denke an Thomas S. Kuhn[44] – in der Wissenschaft oder im Hinblick auf Industrialisierung oder in bezug auf technologische Umwälzungen. Auch hier liegt, anders als beim metaphorischen Sprachgebrauch im Feuilleton – von der Revolution der Hutmode bis zur Revolution in der Gartenarchitektur – der gesamtgesellschaftliche Zusammenhang von der Verursachung wie von der Auswirkung her klar auf der Hand. Gleichwohl sind nicht Vorgänge dieser Art das Thema einer allgemeinen historischen oder soziologischen Revolutionstheorie, sondern politische Umwälzungen. Damit ist gesagt, daß »revolutionäre«, also tiefgreifende, in allen Bereichen der Gesellschaft stattfindende und sie alle erfassende, die Geschichte insgesamt beschleunigende und global ausgreifende Veränderungen nur insofern zum Gegenstand historisch-sozialwissenschaftlicher Revolutionstheorien werden, als sie, wie immer bedingt, in das politische System einer Gesellschaft einmünden und in spektakuläre Ereignisse umschlagen. Daraus kann nicht die sehr vordergründige Schlußfolgerung gezogen werden, Revolutionen zum bevorzugten Gegenstand einer gar noch sektoral betriebenen politischen Ereignisgeschichte zu erklären. Denn die Wurzeln der Revolution, ihre Entstehungsgründe, sind nicht primär im Politischen zu suchen. Krisen im Herrschaftssystem, wie Legitimitätsverfall, Autoritätsverlust oder Machtdeflation, sind nicht selbst primär politisch bedingt. Sie hängen eng mit ineinander verschränkten anonymen Vorgängen – wie z. B. der Indu-

[43] Die ideologiekritische Funktion hat H. Tetsch stark hervorgehoben; *Die permanente Revolution*, S. 137-179.

[44] Thomas S. Kuhn, *Die Struktur wissenschaftlicher Revolutionen*. Frankfurt a. M. 1967 (Suhrkamp Taschenbuch 1973).

strialisierung, dem Wandel im sozialen Bereich, den sozio-kulturellen Veränderungen oder etwa der Dekolonisation – zusammen[45]. Es handelt sich ganz allgemein um die für die gesamte Neuzeit charakteristische Ausweitung des Erfahrungsraums und die unmittelbar daraus folgende Ausdehnung des Erwartungshorizonts[46].

Die Besinnung auf das, was der Begriff Revolution gängigerweise besagt, welches Vorverständnis er weckt und welche deskriptiven Möglichkeiten in ihm stecken, läßt keinen Zweifel daran, daß man an Revolution als einer gesonderten Kategorie festhalten muß. Der Verzicht auf den Revolutionsbegriff, seine Ersetzung durch »internal war« oder seine Subsumierung unter Gewalt wiegen die Vorteile, die diese Konzepte für die Analyse innerstaatlicher Konflikte und der Violenz bieten mögen, nicht gegen die offensichtlichen Nachteile für die Revolutionstheorie auf. Es ist nicht möglich, ohne den oder mit einem um seine historische Dimension gebrachten Revolutionsbegriff die zunehmend heterogene Klasse von Veränderungen, die üblicherweise Revolutionen genannt werden, zu identifizieren und sie von anderen Formen des sozialen Protestes, politischer Konflikte oder sonstigen Innovationsschüben zu unterscheiden. Der emanzipatorische Impetus und der Kampf um Herrschaftspositionen sind für alle Revolutionen konstitutiv; sie sind die herausragenden Merkmale; andere treten für bestimmte Gruppen von Revolutionen hinzu, dienen der Typologisierung, sind aber nicht für die Kennzeichnung von Revolution überhaupt notwendig, können also in Definitionen fehlen. Den zahllosen zur Diskussion stehenden Definitionsversuchen einen weiteren folgen zu lassen, dürfte sich erübrigen, weil nach der begriffsanalytischen und -geschichtlichen Erörterung der Gegenstand deutlich genug umrissen ist und die definitorische Festlegung die Gefahr einer Enthistorisierung des Revolutionsbegriffs heraufbeschwört[47].

[45] Th. Schieder bezeichnet Vorgänge wie die »industrielle Revolution« oder die Dekolonisationsbewegung als »prozessuale Revolution«, um sie gegen Revolutionen im engeren Sinne terminologisch abzugrenzen. Er verwendet also den Prozeßbegriff in der Bedeutung, die ihm im gängigen Sprachgebrauch zumeist anhaftet: im Sinne von langfristig verlaufenden anonymen Vorgängen und nicht im Sinne von Handlungskonnexen. Vgl. Schieder, *Theorie der Revolution*, S. 23.

[46] Reinhart Koselleck, *»Erfahrungsraum« und »Erwartungshorizont« – zwei historische Kategorien*. In: *Soziale Bewegung und politische Verfassung*. Hrsg. von U. Engelhardt, V. Sellin und H. Stuke, Stuttgart 1976.

[47] Der Streit um die richtige oder beste Definition wird in den sozialwissenschaftlichen Revolutionstheorien unverdrossen fortgesetzt. Ob der Nutzen den

Neben dem Traditionszusammenhang ist es die Ereignishaftigkeit, die den sozialwissenschaftlichen Revolutionstheorien gegenstandsspezifische Schwierigkeiten bereitet, während die Historie von alters her mit Ereignissen auf vertrautem Fuße steht. Gewiß hat Friedrich H. Tenbruck recht, wenn er feststellt, daß die Historie »klassisch nicht zufällig bei Vorgängen an(setzt), deren besonderer Charakter als Ereignis nicht nur aufgrund ihrer Bedeutung für die Gesellschaft, sondern gerade auch in ihrer Bedeutung wegen ihrer Überraschungsmomente unmittelbar empfunden wird, wie etwa Kriege, Revolutionen, Verträge, Konflikte, Maßnahmen, Religionsstiftungen usw.«[48]. Das alles sind Ereignisse, von denen gesagt wird, daß sie nur historisch erklärt werden können[49]; sie gehorchen nicht der Rationalität eines übergeordneten Handlungs- oder Systemzusammenhangs; sie sind auch nicht kausal oder statistisch aus anderen Ereignissen ableitbar, es sind sich überkreuzende Handlungen verschiedener Subjekte – Individuen oder Gruppen, die jeweils andere dominierende Zwecke verfolgen. Das Resultat dieser Handlungen war möglicherweise von niemandem beabsichtigt und auch nicht voraussehbar. Ereigniszusammenhänge können deshalb in nar-

Aufwand lohnt, ist zu bezweifeln. Viele der Definitionsvorschläge lassen sich durchaus mit den Befunden der historischen Begriffsanalyse vereinbaren, doch fehlt regelmäßig die historische Dimension, die schlecht in eine Definition gezwungen werden kann. Sehr informativ ist der Definitionen-Katalog (mit Definitionen von Th. Geiger, S. Neumann, H.-D. Lasswell und A. Kaplan, H. Gerth und C. W. Mills, R. Dahrendorf sowie H. Arendt), den Clausjohann Lindner zusammengestellt und um seine eigene Definition erweitert hat: »Eine Revolution ist der Versuch, durch den gewaltsamen Sturz der herrschenden Elite die Herrschaftsposition einer Gesellschaft zu erobern, um eine neue Gesellschaftsordnung herbeizuführen.« Clausjohann Lindner, *Theorie der Revolution. Ein Beitrag zur verhaltenstheoretischen Soziologie.* München 1972, S. 11–18. – V. Rittberger bestimmt Revolution als einen Unterfall politischen Wandels. Er unterscheidet politischen Wandel einmal danach, ob er einseitig durchgesetzt oder ausgehandelt wird (revolutionär/nichtrevolutionär), und zum anderen danach, ob er mehr oder weniger Individuen als vorher die Übernahme staatlicher Herrschaftspositionen einräumt (progressiv/regressiv). »Die Verbindung dieser Dichotomie von einseitiger Verfügung und *bargaining* ergibt die vier Kategorien der Revolution (einseitig/progressiv) und Konterrevolution (einseitig/regressiv) sowie der Reform (bargaining/progressiv) und Restauration (bargaining/regressiv).« Rittberger, *Über sozialwissenschaftliche Theorien der Revolution*, S. 43f.

[48] Friedrich H. Tenbruck, *Die Soziologie vor der Geschichte.* In: *Soziologie und Sozialgeschichte. Aspekte und Probleme.* Hrsg. von P. Ch. Ludz, Opladen 1972, S. 43.

[49] Hermann Lübbe, *Was heißt, »Das kann man nur historisch erklären«? Zur Analyse der Struktur historischer Prozesse.* In: *Fortschritt als Orientierungsproblem. Aufklärung in der Gegenwart.* Freiburg i. Br. 1975.

rativen Sätzen dargestellt werden; es wäre widersinnig, daraus einen Ableitungszusammenhang konstruieren zu wollen. Theoretische Ableitungen können nur in Form von Exkursen in die Erzählung eingefügt werden, diese aber nie ersetzen.

Es kann nicht bestritten werden, daß die Struktur historischer Prozesse auf historische Erklärung im Sinne der analytischen Geschichtsphilosophie verweist[50]. Die Determinationslogik, zu der wohl unter Geschichtsphilosophen und Sozialtheoretikern immer noch oder immer wieder Neigung besteht, führt in die Sackgasse – in der die Ereignisgeschichte auch steckt. Ob die analytische Geschichtsphilosophie, die den Prozeßlogikern die Leviten gelesen hat, auch der praktischen Geschichtsforschung von der Ereignisgeschichte weg auf die Sprünge helfen kann, ist eine, wie es scheint, noch offene Frage, vielleicht wieder einmal vor allem deshalb, weil die Theorie nicht empirisch und die Empirie nicht theoretisch genug ist. Für die historische Revolutionsforschung bleibt jedenfalls das Problem akut, das Tenbruck auf die Formel gebracht hat: »Wie schlagen aggregative Gegebenheiten in ereignishafte Vorgänge um, und wie gehen diese wiederum in aggregative Zustände ein?«[51] Aggregativ sind jene Vorgänge, die sich im Rahmen der Regelungen sozio-kultureller Ordnungen abspielen: typische, generelle, kollektive Vorgänge »im Sinne eines durchschnittlichen Handelns in bestimmten Gruppen«. Selbst wo sich im Wertsystem Veränderungen ergeben, tragen diese aggregativen Vorgänge immer noch »durch ihren massenhaften, durchschnittlichen, allmählichen und repetitiven Charakter ... Merkmale sozial vorgegebener Handlungsmuster«, die ihrerseits in einem gesamtgesellschaftlichen Bedingungszusammenhang stehen. Im Unterschied zu diesen aggregativen Zuständen bestimmt Tenbruck Ereignisse wie z. B. Revolutionen als nicht »erwartbar im Sinne der stets an aggregierten Daten festgemachten Regelmäßigkeiten und Stetigkeiten«; sie beanspruchen also wegen der Unvorhersehbarkeit ihrer selbst oder auch ihrer Folgen unsere Aufmerksamkeit. »Wir erleben und klassifizieren sie als Ereignisse, weil sie sich der aggregativen Logik von Erwartungen nicht einfügen.«[52] Die Frage, die sich für die Revolutionstheorie ergibt, ist die nach den Bedingungen, unter denen von außen und innen Kräfte auf eine Gesellschaft

[50] Literatur zur analytischen Geschichtsphilosophie in: Berding, *Bibliographie zur Geschichtstheorie*, S. 98–105 und S. 158–164.

[51] Tenbruck, *Die Soziologie vor der Geschichte*, S. 45.

[52] Ebd., S. 43.

einzuwirken beginnen, die von den aggregativen Bedingungen dieser Gesellschaft nicht mehr bestimmt und aus deren Logik nicht mehr ableitbar sind. Diese für den Revolutionsprozeß typischen Vorgänge, in denen das Handeln nicht oder nur noch in geringem Maße sozio-kulturell geregelt, aber weiterhin sozial bedingt ist; in denen aggregative und nichtaggregative Gegebenheiten sich in charakteristischer Weise mischen; für die es keine Logik gibt, die den Prozeß gesetzmäßig erklären könnte: für diese Zwischenlagen ist nach Tenbruck der Historiker zuständig. Er kann auf das »(unsichere) nomologische Wissen der analytisch zerlegbaren Wirklichkeit, also vor allem auf soziologische Regelmäßigkeit, psychologische Formen und kulturelle Bedeutungszusammenhänge zurückgreifen«, aber daraus das Geschehen nicht gesetzmäßig zusammensetzen; er muß »die konkrete Durchdringung der Momente in der einen Wirklichkeit zeigen«, und er wird für dieses diffizile Geschäft an seine »Urteilskraft, also geschulte Beobachtung, entwickelten Sinn für Zusammenhänge, komplexe Kombinationen u. ä.« verwiesen[53].

Die Praxis weist den Historiker an die Theorie zurück. Drei allgemeine geschichtstheoretische Probleme stellen sich aufgrund der Eigenart des Gegenstandes für die Revolutionsforschung in besonders dringlicher Weise. Es geht einmal um Objektivität und Parteilichkeit, denn bekanntlich scheiden sich an der Revolution die Geister. Kein Thema wird mit solcher Intensität und Leidenschaft debattiert wie das der Revolution, nirgendwo ist der Ideologieverdacht, der Vorwurf der Parteinahme, verbreiteter als hier. Nicht selten wird die Beschäftigung mit Revolutionstheorie bereits mit Anleitung zu revolutionärem Handeln oder mit Vermeidungsstrategie gleichgesetzt. Zur ernsthaften wissenschaftlichen Bemühung um den Gegenstand Revolution gehört es deshalb, die eigenen Voreingenommenheiten und die anderer unter Kontrolle zu bringen, durchschaubar zu machen. Dazu leistet die theoretische Diskussion über Objektivität und Parteilichkeit einen wichtigen Beitrag, der von der empirischen Revolutionsforschung aufzugreifen ist[54].

Die bisherige Argumentation hat die Notwendigkeit aufgewiesen, Revolutionsforschung auf die Analyse ganzer Gesellschaften auszurichten. Dieser in der revolutionstheoretischen

[53] Ebd., S. 52f.

[54] Vgl. dazu von Beyme in *Empirische Revolutionsforschung*, S. 36. Über Objektivität und Parteilichkeit vgl. zuletzt den Band 1 dieser Reihe; weitere Literaturhinweise bei Berding, *Bibliographie zur Geschichtstheorie*, S. 172–182.

Diskussion etwa von Perez Zagorin[55] erhobene Anspruch wirft, wie ebenfalls bekannt ist, schwierige geschichtstheoretische Probleme auf. Wenn der Versuch unternommen wird, jeweils für eine bestimmte Epoche »die sich verändernden Wechselwirkungen und relativen Gewichte der einzelnen Wirklichkeitsbereiche Wirtschaft, Soziales, Staat, Kultur etc.«[56] zu analysieren, dann stellt sich die Frage nach dem Strukturierungskern, um den die Untersuchung gruppiert wird. Wenn revolutionäre Prozesse in ihrer Entstehung und Auswirkung gesamtgesellschaftlich gelagert sind, aber ihre dynamische Kraft und den Traditionszusammenhang der emanzipatorischen Idee verdanken, in das politische System einer Gesellschaft einmünden und dort in spektakuläre Ereignisse umschlagen, dann müssen aus dieser Eigenart des Untersuchungsgegenstandes für die Wahl des Bezugsrahmens Konsequenzen gezogen werden.

Wie die Objektivitätsproblematik und der gesamtgesellschaftliche Zugriff verweist schließlich auch die Anwendung gegenstandsbezogener Theorien die historische Revolutionsforschung an die Geschichtstheorie. Im Umgang mit den Revolutionstheorien der systematischen Sozialwissenschaften bedient sich der Historiker neuer Verfahrensweisen, er stößt auf eine Vielzahl neuer Fragen und Probleme: welche Funktion soll die von ihm verwendete gegenstandsbezogene Theorie erfüllen, ist sie dem Forschungsgegenstand und zugleich dem Erkenntnisziel angemessen, kann oder muß sie mit anderen Theorien bzw. Theoriestücken kombiniert werden, ist sie der »Operationalisierbarkeit« bedürftig und fähig, läßt sie sich mit den spezifisch geschichtswissenschaftlichen Forschungsabsichten und -methoden vereinbaren oder in der Darstellung mit der für die Geschichtsschreibung typischen narrativen Aussageform verknüpfen?[57] Die meisten dieser Fragen werden kontrovers beantwortet; auch die

[55] Perez Zagorin, *Theories of revolution in contemporary historiography.* Political science quarterly 88 (1973); ders., *Prolegomena to the comparative history of revolution in modern Europe.* Comparative studies in society and history 18 (1976).

[56] Jürgen Kocka, *Sozialgeschichte – Strukturgeschichte – Gesellschaftsgeschichte.* Archiv für Sozialgeschichte 15 (1975), S. 34. Zum Konzept der Gesellschaftsgeschichte vgl. zuletzt: ders., *Sozialgeschichte. Begriff – Entwicklung – Probleme.* Göttingen 1977.

[57] Diese Fragen haben die Diskussion auf der zweiten Bielefelder Tagung für Sozialgeschichte am 11./12. Juli 1975 beherrscht. Die Referate und Diskussionsbeiträge sind veröffentlicht: *Theorien in der Praxis des Historikers.* Hrsg. von J. Kocka, Göttingen 1977.

Historik, die sich in umfassend-systematischer Absicht mit den Problemen der Theoriebildung und -anwendung in der Geschichtswissenschaft befaßt, hat Schwierigkeiten, das Prinzip darzulegen, aufgrund dessen verschiedenartige Interpretationsansätze sich synthetisieren und heterogene Methodenansätze sich homogenisieren lassen. Es fehlt, wenn nicht alles trügt, an eindeutigen Rationalitätskriterien zur Lösung der in der Forschungspraxis auftretenden Fragen bei der Anwendung und Integration von gegenstandsbezogenen Theorien[58]. Einigkeit besteht jedoch darin, daß sich je nach Erkenntnisziel und Untersuchungsgegenstand eine Reihe von Angemessenheitskriterien für den komplementären Gebrauch unterschiedlicher Theorieansätze angeben läßt, womit der Beliebigkeit eklektischer Theorieverwendung gewisse Grenzen gesetzt sind[59]. Um anzugeben, welche sozialwissenschaftlichen Teiltheorien mit Gewinn herangezogen werden und der historischen Revolutionsforschung Erklärungshilfen oder auch neue Problemanstöße vermitteln könnten, ist es nötig, nach dem begriffsanalytischen und -geschichtlichen Durchgang nun den Revolutionsprozeß in systematischer Hinsicht analytisch zu gliedern. Einen guten Anknüpfungspunkt bietet die Soziologie der Revolution von Theodor Geiger, die »noch bis heute richtungsweisend«[60] ist.

Geiger ist diachron und synchron vom punktualistisch-ereignishaften Revolutionsverständnis abgerückt. Er hat Revolution als einen langgestreckten Prozeß begriffen, in dem sich eine destruktive und eine konstruktive Geschehensserie gegenseitig bedingen und durchdringen. Der allmählichen Auflösung oder Desintegration eines Systems entspricht die Entstehung und Formierung einer revolutionären Bewegung. Dieser Vorgang erfaßt die ganze Gesellschaft und nicht nur einzelne Subsysteme. Auf deren Interdependenz und gegenseitige Verschränkung muß, so schon Geiger, die Revolutionsforschung abzielen, damit »das Korrelativverhältnis der Zerstörungs- und der Aufbaureihe in der wissenschaftlichen Erörterung gewahrt bleibt«[61].

[58] Vgl. dazu Helmut Berding, *Selbstreflexion und Theoriengebrauch in der Geschichtswissenschaft*, ebd., S. 221.

[59] Vgl. Kocka, ebd., S. 178–188.

[60] Tetsch, *Die permanente Revolution*, S. 41; für diesen Zusammenhang wichtiger als Geigers Buch *Die Masse und ihre Aktion. Ein Beitrag zur Soziologie der Revolution.* Stuttgart 1926, Nachdruck Darmstadt 1967, ist sein Lexikonartikel ›Revolution‹ im *Handwörterbuch der Soziologie* (1931), Nachdruck Stuttgart 1956.

[61] Tetsch, *Die permanente Revolution*, S. 41.

Der von Geiger in Begriffen der Kultursoziologie charakterisierte krisenhafte Prozeß gleitet unter zunehmender Ideologisierung, Polarisierung und Politisierung in einen dramatischen Kampf um Herrschaftspositionen über. Er drängt zum Umsturz, der ein spektakulär ereignishafter und relativ punktueller Vorgang ist. Mit dem Umsturz werden die bisher geltenden und dann umstrittenen Ordnungsprinzipien der Gesellschaft endgültig außer Kraft gesetzt. Die Revolution hat ihr Nahziel erreicht.

Nach dem Umsturz – der sich, auch wenn er aufgrund von Fraktionskämpfen im revolutionären Lager in mehreren Etappen erfolgt, als einzige Phase der Revolution präzise datieren läßt – beginnt der Aufbau des ideologischen Alternativsystems mit Hilfe der eroberten politischen Macht. Das Korrelativverhältnis der Aufbau- und Zerstörungsreihe bleibt jedoch bestehen. Den neuen müssen die alten Institutionen, Verteilungsregulierungen und Wertstrukturen weichen. Im Unterschied zur Inkubationsphase hat sich der Akzent vom ungeplanten auf den geplanten Strukturwandel verlagert, im Unterschied zu den abrupten Brüchen in der Umsturzphase sind die Veränderungen längerfristig geworden.

Diese schon von Tetsch[62] vorgezeichnete zeitliche Gliederung des Revolutionsprozesses, die die Ideologien und Erfahrungen der permanenten Revolution in sich aufnimmt, bietet den Vorteil, auch die revolutionären Veränderungen nach dem Umsturz einzubeziehen. Im Unterschied dazu lassen die behavioristischen, systemtheoretischen und krisentheoretischen Modelle den Revolutionsprozeß mit der Eroberung der Herrschaftsposition enden[63]. Ihr Vorzug besteht darin, daß sie das analytische Begriffsinstrumentarium erheblich verfeinert haben.

Die drei genannten revolutionstheoretischen Ansätze der modernen Sozialwissenschaften, die heute die Diskussion beherrschen, geben Hinweise für eine mögliche systematische Gliederung des Revolutionsprozesses. Revolutionen sind zunächst einmal das Ergebnis handelnder Subjekte mit einander entgegengesetzten Interessen, Strebungen oder Motiven. Aus diesem Widerstreit ergeben sich soziale Konflikte, in denen historisch gegebene Verhältnisse zwischen sozialen Gruppierungen umstritten sind. Die sozialen Konflikte gehen in revolutionäre Auseinandersetzungen über, wenn die soziale Ordnung selber zum Ziel

[62] Ebd., S. 65–68.

[63] Vgl. die Prozeßmodelle von Gurr, Johnson und Rittberger.

des Angriffs gemacht und deren Regulierungen des Konfliktaustrags nicht mehr eingehalten werden. Die behavioristische Revolutionstheorie, die von den Akteuren ausgeht, setzt auf dieser analytischen Ebene an. Sie begreift den Revolutionsprozeß in den Kategorien der Verhaltenstheorie; ihre zentralen Begriffe sind Frustration, Aggression, Werterwartung und Wertansprüche sowie relative Depravation; ihr Strukturierungskern sind die Veränderungen in der Verhaltens- und Bewußtseinsstruktur: Perzeptions- und Lernprozesse.

Revolutionen sind zum anderen Ergebnis von Systemstörungen, die durch schnelles Wirtschaftswachstum, Wirtschaftskrisen, Veränderungen im Sozialgefüge, objektive Depravation, Inflation, Kriege, kurzum: durch eine Vielzahl endogener oder exogener Faktoren verursacht sein können. Diese Vorgänge untersucht die systemtheoretische Revolutionstheorie, die von der Darstellung der Gesellschaft in einem Zustand homöostatischen Gleichgewichts ausgeht; ihr Strukturierungskern sind die systemischen Wandlungsprozesse im ungleichgewichtigen System bis hin zum Versagen der Steuerungs- und Integrationsmechanismen; sie begreift den Revolutionsprozeß in den Kategorien der funktionalistischen Gesellschaftstheorie.

Wenn Revolutionen aufgrund der angedeuteten und nur analytisch unterscheidbaren verhaltens- bzw. bewußtseinsspezifischen und systemspezifischen Prozesse in eine akute Phase eintreten, entsteht eine Entscheidungssituation, »die sich durch eine *extreme Ambivalenz ihrer Entwicklungsmöglichkeiten* auszeichnet«[64]. Überraschungsmomente spielen eine wesentliche Rolle. Über den Ausgang entscheidet die Verfügung über zwanghafte Mittel sozialer Kontrolle – Machtressourcen – und ihr geschickter Einsatz durch die herrschenden Eliten oder herrschaftsunterworfenen Gruppen. Auf dieser analytischen Ebene setzt die politikwissenschaftliche Entscheidungstheorie an; sie konzentriert die Untersuchung auf den politischen Kampf sozialer Gruppen, Koalitionsbildungen, Revolutionstechniken und -strategien[65]; sie begreift den revolutionären Entscheidungskampf, von dem schließlich das Ergebnis der Revolution abhängt, in Kategorien des Politischen. Die analytische Gliederung

[64] Jänicke, *Politische Systemkrisen,* S. 33.

[65] Vgl. besonders Charles Tilly, *Revolutions and collective violence.* In: *Handbook of Political Science.* Hrsg. von F. J. Greenstein und N. Polsby, Bd. 3, Reading/Mass. 1975; Rittberger, *Über sozialwissenschaftliche Theorien der Revolution;* zur Kritik an Tilly: Meyer, *Revolutionstheorien heute,* S. 153ff.

des Revolutionsprozesses hat gezeigt, daß die verschiedenen aspekthaften Revolutionstheorien der modernen Sozialwissenschaften in zeitlicher und systematischer Hinsicht genauso aufeinander verwiesen sind wie in der Realität die unterschiedlichen Prozeßmomente oder -elemente. Keiner der erwähnten Ansätze mit dem in sich je geschlossenen Begriffssystem kann der ihm anhaftenden reduktionistischen Konsequenzen entraten. Diese Erkenntnis hat zu immer neuen Kombinationen von partiellen Theorien geführt. Den bisher wohl am weitesten vorgedrungenen Versuch in dieser Richtung stellt die moderne politikwissenschaftliche Krisentheorie dar, die sich noch in den Anfängen befindet. Sie ist – so Klaus von Beyme – deshalb als der »vielversprechendste Zweig der modernen Revolutionstheorie«[66] anzusehen. Ihre analytischen Bezugspunkte sind Konflikte und Krisen. In den Koordinaten dieser Leitbegriffe versucht die moderne Krisentheorie ein Begriffsraster auszubilden, mit dessen Hilfe sich sowohl die »Dependenz- und Penetrationsbeziehungen zwischen Gesellschaften« wie auch die »ökonomischen Störungsfaktoren ..., die soziologischen Konfliktstrukturen, die sozialpsychologischen Perzeptionsaspekte und Verhaltensmotivationen ...« analysieren lassen. Ob die für jeden dieser Wirklichkeitsbereiche je zuständigen spezifischen gegenstandsbezogenen Theorien in einen einheitlichen Bezugsrahmen gebracht werden können, ist eine noch offene Frage. Angesichts des sehr formalen Charakters der »definitorischen Rubrizierung relevanter Aspekte« bereitet auch die Operationalisierung, »die in der Tat noch aussteht«, erhebliche Schwierigkeiten. Wohl mit Recht hat Martin Jänicke darauf hingewiesen, daß die Einwände, die billig zu haben sind, im Moment wenig einbringen[67]. Es steht eben keine »Prozeßlogik der Erzeugung und Lösung von Problemen« zur Verfügung, die auf der theoretischen Ebene »das Einwirken der Strukturen auf die Geschichte ... und umgekehrt das Einwirken der Geschichte auf die Strukturen«[68] klarzumachen imstande wäre. Aber die moderne Sozialtheorie hat Begriffssysteme entwickelt, die geeignet sind, die konkrete historische Forschung anzuleiten, ihr Problembewußtsein zu schärfen, neue Denkanstöße zu geben. Auf den geschichtstheoretisch vermittelten Einsatz dieses Instrumentariums in der empirischen

[66] von Beyme, *Empirische Revolutionsforschung*, S. 35.
[67] Jänicke, *Politische Systemkrisen*, S. 45 sowie *Herrschaft und Krise*, S. 23.
[68] Jürgen Habermas, *Zum Thema: Geschichte und Evolution*. Geschichte und Gesellschaft 2 (1976), S. 341.

Revolutionsforschung sollte nicht verzichtet werden. Es bedürfte allerdings der Ergänzung durch spezifisch geschichtswissenschaftliche Erkenntnismöglichkeiten wie die Begriffsgeschichte, damit die konkreten revolutionären Prozesse als historische Phänomene erkennbar werden, die in einem Traditionszusammenhang stehen und, obwohl je systemspezifisch bedingt, zugleich doch nur Momente eines Revolutionsprozesses sind.

Robert A. Kann

Historischer Prozeß und Restaurationsproblem

Die folgende Untersuchung geht von einer einzigen Voraussetzung aus, nämlich der, daß die Erörterung des Problems »Geschichte als historischer Prozeß« nur dann sinnvoll ist, wenn man dem Prozeßbegriff einen bestimmten Sinn unterlegt, der enger ist als der Begriff der Geschichte an sich. Wäre es anders, würde es sich um eine rein tautologische Frage handeln.

Nach der hier zu entwickelnden Ansicht müssen wir, um dies zu vermeiden, von einem Konzept ausgehen, das dem Prozeß einen unmißverständlichen, sachlich begrenzten Sinn verleiht. Dies kann am besten geschehen, wenn wir einen geschichtlichen Prozeßbegriff entwickeln, der dem des judiziellen, streitigen Verfahrens analog ist. Semantisch-historische Gründe sprechen zunächst dafür, daß man von der ursprünglichen, nämlich der juristischen Bedeutung des Prozeßbegriffs ausgeht. Logische Gründe von unserer Auffassung nach durchaus schlüssiger Natur unterstützen diese Annahme. Es sei nicht in Abrede gestellt, daß man auf Grund verschiedener Voraussetzungen zu durchaus einleuchtenden Ergebnissen anderer Art kommen kann. Derartige Untersuchungen müssen dem Prozeßbegriff einen sehr verschiedenen Umfang zusprechen, möglicherweise einen engeren, wahrscheinlich aber einen weiteren, und in beiden Fällen vermutlich einen weniger elastischen als den hier vertretenen Begriff. Trotzdem mag es dahingestellt bleiben, ob anders gefaßte Prozeßkonzepte dem hier vorgeschlagenen nicht überlegen sind. Wie dem auch sei: würden wir diese Ansicht teilen, so wäre diese Studie nicht geschrieben worden.

Es sei zunächst außer Streit gestellt, daß ein Prozeßbegriff als außerjudizieller und außerhistorischer Begriff durchaus sinnvoll ist, nämlich in der Bedeutung von Hergang, Verlauf, Entwicklung – sinnvoll, aber von unserem Gesichtspunkt aus kaum zweckmäßig. Der Gebrauch dieser drei Konzepte, von denen die beiden ersten fast synonym sind und das dritte ihnen nahe verwandt erscheint, ist in den Geistes-, Gesellschafts- und Naturwissenschaften im allgemeinen in gleicher Weise brauchbar, mehr noch: unerläßlich. Aber gerade dies beinhaltet gleichzeitig, daß die drei Konzepte nicht spezifisch genug sind, um sie als

Synonym des Begriffes des historischen Prozesses zu verstehen. Ein Ablauf, ein Hergang, eine Entwicklung findet zweifellos in der Geschichte statt, man kann sogar ohne weiteres die Geschichte mit jedem dieser drei Begriffe gleichsetzen. Damit aber haben wir uns in das tautologische Netz, Geschichte als Synonym für Prozeß, gegenüber dem des geschichtlichen Prozesses als bestimmtes Phänomen in der Geschichte, nicht aber als die Geschichte an sich, nur um so enger verwickelt.

Wir versuchen dieses Netz zu zerreißen, indem wir uns dem Prozeßbegriff in seinem ursprünglichen Sinne zuwenden, dem des gerichtlichen Verfahrens, also der Durchführung einer Rechtsstreitigkeit nach den Grundsätzen einer Auseinandersetzung, die vor Gericht ausgetragen und vom Gericht als überparteilicher Instanz entschieden wird. Man braucht kaum auf den durch vielfachen Gebrauch einigermaßen abgedroschenen Schillerschen Gedanken, daß die Weltgeschichte das Weltgericht sei, zu verweisen, um zu begreifen, daß die judizielle Definition für unsere Zwecke natürlich nur in einem metaphorischen Sinne brauchbar ist.

Der Prozeß stellt eine gewisse Einheit dar. Es mag dahingestellt sein, ob diese so weit wie die in der tragédie classique durchgeführte aristotelische Einheit des Orts, der Zeit und der Handlung gehen muß, aber Elemente dieses Konzepts müssen zweifellos vorhanden sein[1]. Der erste Aspekt des Begriffsinhalts des Prozesses, daß nämlich Parteien, im Rahmen der Geschichte zwei oder mehrere gesellschaftliche Kräfte, einander gegenüberstehen, ist für unseren Zweck durchaus brauchbar. Im wesentlichen sind ja auch alle zyklischen Geschichtsauffassungen von Vico über Marx bis Spengler auf einer derartigen Begegnung entgegengesetzter Kräfte, entweder gleichzeitig oder meist in enger zeitlicher Reihenfolge, auf der Grundlage eines kontradiktorischen Verfahrens aufgebaut. Am zweiten Aspekt, dem aristotelischen Einheitsprinzip, darf es – wieder metaphorisch zu verstehen – aus offensichtlichen Gründen der notwendigen Begrenzbarkeit, d. h. Definitionsmöglichkeit des Konzepts, gleichfalls nicht fehlen. Was mangelt, ist offensichtlich der Umstand, daß es in der Geschichte keine überparteiliche, von den Parteien anerkannte Instanz gibt, welche den Konflikt zwischen historischen Kräften durch einen Richtspruch entscheidet.

Dieser Feststellung läßt sich freilich entgegenhalten, daß auch

[1] Aristoteles, *Poetik*. Hauptwerke, Leipzig 1934, S. 336–365.

die Entscheidung des Richters durch gesellschaftliche Kräfte und Gegenkräfte, etwa die zwischen Naturrecht und historischem Recht, geformt wird. Dieser metarechtliche Prozeß im Denken des Richters geht aber auf einer anderen, höheren Ebene vor sich als der formelle Urteilsspruch an sich, der sich auf die im Verfahren angezogenen Tatbestände und Rechtsbegriffe stützt. Dieser muß allerdings, wenn auch nicht ausnahmslos, dem einen Anspruch – gleichgültig ob öffentlich-rechtlicher oder privatrechtlicher Natur – stattgeben und den anderen ablehnen. Eine derartige, zur Entscheidung berufene und vielfach geradezu genötigte Instanz gibt es im historischen Prozeß nicht. So sei auf die weitere Untersuchung des Unterschiedes zwischen metarechtlichen und strikt rechtlichen Entscheidungen im folgenden nicht weiter eingegangen.

Nun gibt es bekanntermaßen eine geschichtsphilosophische Methode, die auf dem judiziellen Begriffskonzept aufgebaut ist und dieser Schwierigkeit aus dem Wege geht: die Hegelsche Dialektik. Hier wird eine Entscheidung durch die fiktive Einführung des Weltgeistes getroffen. Auf Grund des logokratischen Hegelschen Systems ist sie zwangsläufig und daher unwiderruflich, ein Umstand, der, auf den historischen Prozeß angewendet, zu Schwierigkeiten führen muß, wie zu erörtern sein wird. Gleichzeitig aber räumt der Hegelsche Prozeßgedanke von unserem Standpunkt aus gesehen doch ein wesentliches Hindernis aus dem Wege, nämlich das der Notwendigkeit der Anerkennung einer fiktiven, zur Entscheidung berufenen überparteilichen Instanz. Damit ist aber nicht so viel gewonnen, wie es auf den ersten Blick den Anschein haben mag. Mit der überparteilichen Instanz fällt ja auch der zeitliche Maßstab, in dem der Prozeß, gleichgültig ob historisch oder judiziell, vor sich geht. Die Verwirklichung des Weltgeistes findet nach Hegel bekanntermaßen in einem zeitlich unbegrenzten, also eigentlich unendlichen Verfahren statt[2].

Damit haben wir also keine brauchbare Definition des historischen Prozesses gewonnen, wohl aber ist es nunmehr möglich wahrzunehmen, woran es bei dem judiziellen Verfahren wie bei dem Hegelschen dialektischen Prozeß fehlt, um eine brauchbare Definition zu bekommen. Wir müssen suchen, das Modell eines streitigen Verfahrens zu gewinnen, das aber weder durch eine

[2] Hermann Glockner, *Hegel*. Bd. 2, Stuttgart 1940, S. 185–567 (Hegels Gesammelte Werke, Bd. 22).

nicht bestehende personifizierte, unparteiische Instanz noch durch ein fiktives logokratisches Konzept repräsentiert wird. Wäre bzw. ist diese Voraussetzung gegeben, so kann man das Grundkonzept des streitigen Verfahrens für unsere Zwecke als brauchbar ansehen. Freilich wiederum nur mit gewissen Einschränkungen. Die Entscheidung des historischen Prozesses darf nicht zwangsläufig und unwiderruflich sein. In der Geschichte gibt es keine res judicata für immer. Eine scheinbare oder wirkliche Entscheidung muß auf Grund gesellschaftlicher Veränderungen, also der Realität, wenn nötig jederzeit als revisionsbedürftig, und das heißt weiterhin als revisionsfähig angesehen werden. Ferner, und hier wechseln wir vom judiziellen auf den dialektischen Prozeß über, muß die Entscheidung in einer zeitlich bestimmbaren Frist fallen und im zeitlichen Bereich revidiert werden. Entscheidung und Revision dürfen nicht in der Unendlichkeit des Hegelschen dialektischen Prozesses liegen.

Rekapitulieren wir kurz: Wir sind auf der Suche nach einem Prozeßbegriff, der ein streitiges Verfahren darstellt, das weder durch eine wirkliche judizielle noch eine fiktiv logische Instanz, sondern durch die Realität der gesellschaftlichen Verhältnisse entschieden wird. Diese Entscheidung muß im zeitlich Endlichen liegen und falls notwendig jederzeit revisionsfähig sein. Damit haben wir zunächst die uns gestellte Aufgabe umrissen. Unter diesem Gesichtspunkt scheiden Geschichtsphasen oder Ketten von Ereignissen, die durch rein äußere Umstände zusammengehalten werden, aus dem Bereich des historischen Prozesses aus. Das gleiche gilt für solche, die nicht nur keinen Abschluß finden, sondern die auch keinen erwarten lassen. Sicherlich mögen sich hier Grenzfälle zwischen bloßen historischen Abläufen, überwiegend seelischen Vorgängen als Motiven gesellschaftlicher Bewegungen und historischen Prozessen streitiger Natur ergeben. Eindeutig beweisbare Unterscheidungen dominieren im Bereich der Gesellschaftswissenschaften nur in der Jurisprudenz. Doch glauben wir immerhin mit einleuchtenden Unterscheidungen operieren zu können, bei denen das prozessuale Element gegenüber anderen sichtlich überwiegt. Einige Beispiele sollen uns in dieser Hinsicht weiterführen.

Als bloße Zeitabläufe wird man unter anderem geschichtliche Perioden bezeichnen, die vorwiegend durch äußere Umstände zusammengehalten werden, etwa die Regierungszeiten von Herrschern. Sicher ist zuzugeben, daß in manchen von ihnen, namentlich denen bedeutender Regenten, folgerichtige und durchgreifende Regierungsgrundsätze ersichtlich sind. Man denke etwa an die Herrschaft der römischen Imperatoren Augustus und Trajan, Philipps IV. im französischen und Friedrichs II. im deutschen und italienischen Mittelalter, Ludwigs XIV., Peters des Großen oder Friedrichs des Großen in der früheren Neuzeit. Trotzdem fehlt es in allen diesen Fällen wohl nicht an der äußeren, aber weitgehend an der inneren Einheit. Es stehen sich nicht, oder zumindest nicht eindeutig, zwei oder mehrere gesellschaftliche Kräfte gegenüber, deren Konflikt im Rahmen der aristotelischen Einheit von Zeit, Ort, und Handlung stattfindet, sondern eine ganze Reihe von Auseinandersetzungen, Verbindungen und Querverbindungen, die vielfach, wenn auch gewiß nicht ausschließlich, nur durch die Zufälligkeit der Assoziation mit einem bestimmten Namen im Rahmen der Herrschaftsdauer des Regenten zusammengehalten werden. Die Bedeutung dieses Umstandes der Zufälligkeit ist hervorzuheben. Er widerspricht durchaus dem Wesen der aristotelischen Einheit. Diese beruht nicht auf überwiegend äußeren Umständen, wie diese bei Regierungszeiten ja gegeben sind, sondern auf der organischen Verbindung der entscheidenden Faktoren, deren Begegnung nur zu einer gewissen Zeit, in einem bestimmten örtlichen Rahmen stattfinden kann.

Man wird sich also Themen zuwenden müssen, die weder durch das zufällige Zusammentreffen von Personen an zufälligen Orten, in einem von äußeren Ereignissen bestimmten Zeitraum, sondern vorwiegend durch Ideen beherrscht werden. Hier seien fünf Beispiele angeführt: das Zeitalter der Kreuzzüge, das der Renaissance, der Glaubenskämpfe, der Aufklärung, und im Sinne des späten 19. und frühen 20. Jahrhunderts das des Imperialismus. Daß es sich in all diesen Fällen – und sie könnten leicht vermehrt werden – um, wenn auch keineswegs ausschließlich, Auseinandersetzungen von Ideen handelt, die von wichtigen gesellschaftlichen Kräften vertreten werden, ist wohl unbestritten. Eine Voraussetzung des Prozeßkonzepts, die des kontradiktorischen Verfahrens, wäre damit bei den einzelnen Fällen, freilich in sehr verschiedenem Ausmaß, erfüllt. Problematischer steht es um andere Grundlagen, nämlich die der Entscheidung durch die gesellschaftliche Realität, die dem Urteil im Prozeßverfahren vergleichbar ist. Ferner mag die Möglichkeit des Abschlusses der Auseinandersetzung, ein Essentiale des Prozeßverfahrens, nicht gegeben sein. Wenn man auch weiters mit der Forderung nach der aristotelischen Einheit des Verfahrens nicht zu genau sein muß, so ist doch ihr völliges Fehlen nach der hier vertretenen Auffassung mit dem Begriff des historischen Prozesses nicht vereinbar. Gewiß treffen diese Ausfallserscheinungen nicht auf alle unsere Beispiele im gleichen Ausmaße zu. Die fünf Fälle, die in chronologischer Folge betrachtet werden sollen, zeigen dies auch in verschiedener Weise.

Im ersten, dem der Kreuzzüge, ist der kontradiktorische Charakter des Geschichtsablaufs sehr unvollkommen ausgebildet. Auf der einen Seite steht neben verschiedenen sozialen Faktoren eine mächtige geistige Idee, auf der andern Seite wird sie durchaus defensiv bekämpft. Eine entgegengesetzte religiöse Idee spielt dabei eine gewisse Rolle, doch fehlt ihr, zumindest im Zeitalter der Kreuzzüge, die Schlagkraft eines Bekehrungsgedankens. Der kontradiktorische Prozeßcharakter ist wenig entwikkelt. Andererseits hat das Zeitalter der Kreuzzüge einen klar ersichtlichen zeitlichen Ausgang. Es spielt sich in einem eindeutig bestimmten Raum und in einem organisch bestimmbaren Zeitraum ab. Hinsichtlich der Renaissance mangelt es an einem solchen. Auch ist die ideologische Gegenüberstellung von einander bekämpfenden Kräften nicht wesentlich klarer ausgebildet als im Zeitalter der Kreuzzüge. Weshalb die Renaissance sich in einem bestimmten Raum ausbreitete und nicht in einem andern, ist auch heute noch nicht ganz klargestellt. Das Zeitalter der Glaubenskämpfe kommt der Prozeßsituation jedenfalls weitaus näher. Hier ist der kontradiktorische Charakter des Verfahrens klar ersichtlich. Die organisch bedingte Einheit von Raum und Aktion (Handlung) ist weitgehend gegeben. Offen bleibt hingegen die Frage, ob der Konflikt durch die Realität entschieden oder bloß in seiner ursprünglichen Form im Verlauf der Zeit verhältnismäßig bedeutungslos geworden ist. Eher ist wohl das letztere anzunehmen. Die Auseinandersetzung besteht, wenn auch in veränderter Form, weiter, wobei – es sei an die heutige irische Krisensituation erinnert – der rein ideologische Konflikt sich in einen gesellschaftlichen umgewandelt hat.

Das Zeitalter der Aufklärung und das des Imperialismus haben die Existenz wirklicher Konflikte gemeinsam, die durch eindeutig miteinander im Widerspruch stehende Ideen und gesellschaftliche Interessen hervorgerufen wurden. Gemeinsam ist ihnen außerdem, und dies erscheint besonders wichtig, daß beide Abläufe in keiner Weise abgeschlossen sind. Sie bestehen ungeschwächt fort, wenn sie auch, insbesondere der des Imperialismus, im Zeitalter des Totalitarismus eine neue Gestalt angenommen haben. Von aristotelischer Einheit kann nicht einmal andeutungsweise die Rede sein.

Diese Beispiele, eine enge Auswahl unter vielen anderen, sind vorwiegend auf große ideengeschichtliche Fragen abgestellt. Natürlich erhebt sich damit die Frage, ob der Prozeßbegriff nur für verhältnismäßig eng bestimmbare zeitliche und örtliche Einheiten anwendbar ist, bei denen die aristotelische Einheit von Zeit, Ort und Handlung zum kontradiktorischen Verfahren hinzutritt. Eine solche Annahme kann nur bedingt bejaht werden. Revolutionen, Reformen, Restaurationen, die sich auf einem bestimmten Gebiet, zu bestimmter Zeit, also in einem klar begrenzten zeitlichen und örtlichen Rahmen unter einander entgegenwirkenden ideologischen Vorzeichen abspielen, sind an sich weit eher geeignet, den angeführten Bedingungen des historischen Prozesses zu entsprechen, als Vorgänge in einem universalgeschichtlichen Rahmen. Das bedeutet darum aber nicht notwendigerweise eine Beschränkung auf begrenzte politische Einheiten wie die antiken und mittelalterlichen Stadtstaaten. Auch klar umgrenzbare Ereignisse in größerem Rahmen, wie etwa der Kampf zwischen Papsttum und Kaisertum im Hochmittelalter, die französischen Hugenottenkriege, der Bürgerkrieg zwischen Nord- und Südstaaten in den Vereinigten Staaten von Amerika, also sehr weittragende Ereignisse, können als Beispiele historischer Prozesse aufgefaßt werden. Mehr noch, sie können als – wenn auch begrenzte – Beispiele ideologischer Konflikte gelten, in denen eine klare Entscheidung fällt. Sie können aber darüber hinaus auch als bloße Beispiele für Parallelfälle in anderen Zonen und zu anderen Zeiten angesehen werden. Die zeitliche, örtliche und handlungsmäßige Begrenzung des historischen Prozesses ist demnach bedingt, nicht unbedingt. Die Entscheidung fällt hier allein durch die besonderen Umstände der historischen Realität. Auf Grund der induktiven Methode der Untersuchung bestimmter Beispiele ist es mithin durchaus möglich, allgemeine Typen aufzustellen, bei denen es sich weitgehend um eine aus Einzelfällen herausgearbeitete Typologie handelt.

Dies führt zum engeren Thema dieser Studie. Es wurde in den vorangehenden Ausführungen bemerkt, daß der historische Prozeß zeitlich begrenzt sein muß und zwar durch die Entscheidung, welche durch die Realität der geschichtlichen Verhältnisse herbeigeführt wird. Dies bedeutet jedoch keineswegs, daß diese Entscheidung unwiderruflich sein muß oder auch nur unwiderruflich sein kann. Hier gehen wir wieder auf das Grundbeispiel des judiziellen Prozesses zurück. Er wird formell – und auf diese Einschränkung ist Gewicht zu legen – durch ein rechtskräftiges Urteil entschieden, das von den Parteien nicht mehr angefochten werden kann. Diese Nichtanfechtbarkeit des Urteils ist aber nur mit einer Einschränkung von entscheidender Bedeutung zu verstehen: der »clausula rebus sic stantibus«. Kommen neue Tatsachen ans Tageslicht, die dem entscheidenden Gericht unbekannt sein mußten, so kann das Urteil umgestoßen und angefochten werden. Die Elastizität dieser Möglichkeit, ein durch ein Fehlurteil begangenes Unrecht durch eine neue Entscheidung wiedergutzumachen, ist eine entscheidende Probe für die praktische Brauchbarkeit jeder Rechtsordnung. Es ist in diesem Sinne ja auch, abgesehen von humanitären Erwägungen, das rechtliche Hauptargument gegen die Todesstrafe. Sie macht eine sinnvolle Wiederaufnahme des Verfahrens unmöglich.

Die Zwangsmäßigkeit der rechtlichen Entscheidung gegenüber der Dehnbarkeit, man möchte sagen Unbegrenzbarkeit des historischen Prozesses darf keineswegs überschätzt werden. Vor allem gilt dies hinsichtlich der naheliegenden, aber irrigen Unterscheidung zwischen einem juristischen Prozeß, der entschieden werden muß, und einem historischen, bei dem dies nicht der Fall ist. Abgesehen von der Möglichkeit der Wiederaufnahme des gerichtlichen Verfahrens, auf die bereits hingewiesen wurde, der unter bestimmten Umständen möglichen Unzuständigkeitserklärung des Gerichts, der Abweisung eines Anspruchs auf Grund der Verjährung usw., also technischen Möglichkeiten, einer Entscheidung aus dem Wege zu gehen, kommt noch ein ganz wesentlicher materiellrechtlicher Faktor hinzu. Wenn das Gericht eine privatrechtliche Klage abweist oder einen Angeklagten im Strafverfahren im Zweifel freispricht, so bedeutet dies wohl im formellen Sinn eine Entscheidung, keineswegs aber im materiellen. Das Erkenntnis des Gerichts bedeutet hier schlechthin: was nicht beweisbar ist, gilt als rechtlich nicht relevant, existiert mithin für das Gericht nicht. Eine positive Entscheidung ist also nicht möglich, der richterliche Spruch greift auf die Rechtslage zurück, wie sie vor Beginn des Verfahrens bestanden hat, das heißt die sogenannte »restitutio in integrum«. Das bekannte Prinzip des Strafverfahrens »in dubio pro reo« bedeutet genau dasselbe. Da die Schuld des Angeklagten nicht eindeutig erwiesen werden kann, existiert sie für das Gericht nicht. Der Strafanspruch des Staates wird abgewiesen. Die »restitutio in integrum« tritt ein[3]. Was nicht bewiesen ist, bzw. nicht erweisbar ist, wird also im Rechtsverfahren als unbeachtlich angesehen, und insofern hat das Gericht in einem materiellen Sinn überhaupt keine Entscheidung getroffen. Darin und keineswegs in dem Umstand, daß es im Rechtsverfahren eine – übrigens problematische – unparteiische Instanz gibt, im historischen Prozeß aber nicht, liegt der wichtigste Unterschied zwischen den beiden Prozeßkonzepten. Das Wahrscheinliche, ja selbst das nur Mögliche ist im historischen Prozeß von großer und, solange er nicht abgeschlossen ist, sogar von ausschlaggebender Bedeutung. Im juristischen Prozeß fallen Mögliches und Wahrscheinliches aber als nicht Erweisbares in nichts zusammen. Insofern aber, als ja auch der historische Prozeß nach Gewißheit, das heißt nach erwiesenen Tatsachen, strebt, ist der Unterschied zwischen beiden Verfahren praktisch gesehen nicht so groß wie in der Theorie.

Jedenfalls hat der historische Prozeß einen viel weiteren Spielraum als der juristische. Darüber hinaus muß eingeräumt werden, daß die Wiederaufnahme eines scheinbar abgeschlossenen historischen Prozesses, wenn die Realität dies erfordert, leichter durchführbar ist als die eines juristischen. Neue Umstände, die die Revision des historischen Prozesses erfordern, können von zweierlei Art sein: entweder die Erschließung neuer, wichtiger Quellen oder eine radikale Umschichtung der ideellen und gesellschaftlichen Kräfte, auf die das seinerzeitige Urteil der Realität aufgebaut war. Beide Umstände zwingen zu einer Revision des historischen Prozesses. Anders als hinsichtlich der Antinomie zwischen Notwendigkeit der Erweisbarkeit im rechtlichen Verfahren und der Bedeutung der Möglichkeit oder Wahrscheinlichkeit im historischen, liegt hier aber ein bloß gradueller, kein grundsätzlicher Unterschied vor.

Wie und unter welchen Umständen die Wiederaufnahme im Falle eines bestimmten Prozeßbeispiels geschieht, sei im folgenden an dem Konzept der Restauration aufgezeigt. Es ist, wie schon bemerkt, gewiß nicht das einzige, das im Sinne der vorhergehenden Ausführungen als Paradigma eines historischen Prozesses in Betracht kommt, wohl aber ein besonders anschauliches, und dies in doppelter Hinsicht. Einmal in bezug auf eine Reihe von Restaurationsfällen, die aber bei aller Verschiedenheit

[3] Der Umstand, daß einem Angeklagten, dessen Schuld bloß nicht erwiesen, aber nicht widerlegt wurde, kein Entschädigungsanspruch zusteht, kann hier als unwesentlich außer Betracht bleiben.

im einzelnen immerhin so bedeutsame gleichartige Grundzüge haben, daß man von der Typologie eines allgemeinen Restaurationskonzepts sprechen kann. Diese Art von methodischer Behandlung entspricht dem Aufbau des historischen Prozesses in der Form des kontradiktorischen Verfahrens in seinen Grundzügen. Von der Behandlung einzelner Fälle kann, im Hinblick darauf, daß solches Material in wesentlich weiterem Rahmen im Drucke bereits vorliegt, abgesehen werden[4]. Wir können uns auf die Beweiswürdigung beschränken und auf die Behandlung einzelner Fälle verzichten. Immerhin können wir aber deutlich machen, daß ein allgemeines Konzept besteht, welches in seiner Bedeutung weit über die Einzelfälle hinausgeht.

Anders liegt die Situation, sobald wir zu zeigen versuchen, daß die Ergebnisse des Restaurationsprozesses durchaus nicht rein statischer Natur sind, sondern durch die radikale Veränderung gesellschaftlicher Kräfte, auf die bereits hingewiesen wurde, vielleicht einer Revision bedürfen, was im streitigen Verfahren einer Wiederaufnahme des Verfahrens vergleichbar ist. Hier wird es nötig sein, zumindest skizzenhaft auf bestimmte Restaurationssituationen zu verweisen. Sobald auch diese Aufgabe erfüllt ist, können wir abschließend das Problem der Restauration mit den einzelnen Elementen des historischen Prozesses, auf die eingangs dieser Ausführungen hingewiesen wurde, in Verbindung setzen.

Vorweg sei bemerkt, daß sich die folgenden Erörterungen zwar nicht ausschließlich auf Europa beziehen, daß ihnen aber die Betrachtung von im europäischen Raum entwickelten Herrschaftsformen und Gesellschaftsordnungen zugrundeliegt. Insbesondere die ihrer Tradition und sozialen Struktur nach so ganz anders gearteten Entwicklungsländer, aber auch die großen asiatischen Reiche müssen bei diesem Überblick im wesentlichen außer Betracht bleiben.

Ebensowenig wird zunächst auf Restaurationsbestrebungen Bezug genommen, die vorwiegend von vom Ausland, insbesondere von durch Nachbarländer dirigierten Kräften ausgehen. Hier sind mannigfache Interessen im Spiel, die mit den Motiven des restaurativen Prozesses innerhalb eines bestimmten Gemeinwesens verhältnismäßig wenig zu tun haben. Vor der Umwandlung der internationalen Beziehungen in ein System, in dem die Supermächte eine beherrschende Rolle spielen, war der Einfluß

[4] Robert A. Kann, *The problem of restoration. A Study in comparative political history*. Berkeley 1968. Deutsch: *Die Restauration als Phänomen in der Geschichte*. Graz-Wien-Köln 1974.

auswärtiger Kräfte auf die Typenbildung des allgemeinen Restaurationskonzepts überhaupt von geringer Bedeutung. Natürlich spielt sich kein Restaurationsprozeß in einem außenpolitischen Vakuum ab, das heißt, Einflüsse von außen sind nie ganz auszuschließen. Wo die Intervention von außen aber der dominierende Faktor und nicht ein bloßer Begleitumstand einer gesellschaftlichen Umwandlung ist, kann man nicht von Restauration im engeren Sinn des Begriffes sprechen.

Worauf es uns an dieser Stelle hauptsächlich ankommt, ist daran zu erinnern, daß wir von einem originären, d. h. durch eine Reihe von Generationen unangefochten an der Herrschaft befindlichen System A sprechen, welches von einem revolutionären Zwischenregime B beseitigt wird. Ein System C führt dann die Restauration durch. Dies aber bedeutet keineswegs – und dadurch unterscheidet sich die hier vorgebrachte Anschauung wesentlich von der anderer –, daß das System A unversehrt wiederhergestellt wird. Ganz im Gegenteil bedeutet der Versuch einer schematischen Wiederherstellung des originären Systems ohne die in der Zwischenzeit, der Herrschaft des revolutionären Systems B, durchgeführten gesellschaftlichen Veränderungen weitgehend zu berücksichtigen, wie sich an zahlreichen Beispielen veranschaulichen läßt, den sicheren Mißerfolg der Restauration. Das restaurative System darf aber bei dieser Synthese zwischen originärem System und revolutionärem Zwischensystem auch nicht so weit gehen, die Imago des originären Systems zu verlieren. Wäre das der Fall, d.h. wäre keine politische, soziale und vor allem rechtliche und ideelle Assoziation zwischen den Systemen A und C möglich, dann hätte die Vorstellung der Restauration ihren Sinn verloren. Es bedarf eines hohen Maßes von Staatskunst und sicherem Gefühl, diesen Mittelweg zwischen den Systemen A und B erfolgreich zu gehen, ein Umstand, der mit erklärt, warum wir in der Geschichte von so wenigen wirklich erfolgreichen Restaurationen sprechen können.

Als erfolgreich ist die Restauration nur anzusehen, wenn sie im Verlauf einer Generation nach dem Fall des originären Systems A durchgeführt wird, also ungefähr im Verlauf eines Zeitraums von 30 Jahren. Das heißt, daß Vertreter der Generation, die schon im originären System aktiv waren, auch im restaurativen tätig sein können. Wäre es anders, wie etwa bei der Art von Wiederherstellung eines Staates, der nach ungefähr einem Jahrhundert – wie Polen – oder gar nach Jahrtausenden – wie etwa in den Fällen der antiken griechischen Staaten und Israels – seine

Unabhängigkeit wiedererlangt, so kann man wohl von der Wiederbelebung eines noch lebendigen Geschichtsbildes sprechen, keineswegs aber von einer Restauration, da der neue Staat natürlich nicht mehr an die gesellschaftlichen und politischen Grundlagen des vor so langer Zeit zugrunde gegangenen anknüpfen kann.

Eine erfolgreiche Restauration bedarf aber auch einer gewissen Bewährungsfrist, in der erwiesen werden muß, daß die Tradition des originären Systems im restaurativen nicht künstlich kontrolliert zu werden braucht, sondern durch Brauch und Sitte sozusagen automatisch geworden ist. Wenn dieser Nachweis nicht im Rahmen einer weiteren Generation erbracht werden kann, d.h. wenn die Kinder der Restaurationsgeneration das neue System nicht als selbstverständlich hinnehmen, wird er kaum mehr erbracht werden. Die Restauration ist dann als gescheitert anzusehen[5].

Wesentlich für eine erfolgreiche Restauration ist insbesondere die Wirksamkeit dreier Sachverhalte, die hier der Reihenfolge nach vom weitesten bis zum engsten angeführt seien: Tradition, Rechtskontinuität und Legitimität. Tradition bedeutet die Weiterführung bzw. Wiederbelebung der gesellschaftlichen Kontinuität, was, wie sich schon aus dem Vorgesagten ergibt, durchaus nicht die modellgetreue Nachbildung des originären Systems bedeutet. Rechtskontinuität im allgemeinen beinhaltet die unerläßliche Wiederherstellung der Prinzipien des Rechtsstaates, welche durch die revolutionäre Umwälzung unterbrochen wurden. Legitimität ist die Wiederherstellung der Rechtskontinuität in einem konkreten Falle der Wiederaufrichtung des durch die Revolution zerstörten Systems in geänderter Form. Nur in einem noch engeren Sinn, der mit singulären Ausnahmen als heute praktisch gegenstandslos angesehen werden kann, bezieht sich Legitimität auf das erblich-monarchische Prinzip. Alle drei Sachverhalte aber können als wesentliche Garanten eines geordneten Verfahrens angesehen werden, in dem die ideellen und gesellschaftlichen Interessen Ausdruck finden können. Metaphorisch betrachtet ist dieses Verfahren der historische Prozeß.

Unter den vielen Aspekten des Restaurationsproblems, von denen nur ganz wenige im Hinblick auf die Restauration als geschichtlicher Prozeß hier erörtert werden können, ist insbe-

[5] Kann, *Die Restauration*, S. 11–110.

sondere die Frage von Bedeutung, ob, wie das landläufig geschieht, die Restauration als eine im Gegensatz zur Revolution konservative Bewegung und, wenn wir von ihr im Rahmen des Generationsproblems sprechen, richtiger als ein konservativer Zustand anzusehen ist.

Der Definition nach ist die Restauration, im weitesten Sinn verstanden, überhaupt kein politischer Vorgang oder Zustand. Sie bedeutet schlechthin, daß die Gedankengänge, vor allem aber die gesellschaftlichen und rechtlichen Vorstellungen, die einem politischen System zugrundeliegen, in geänderter Fassung weiter bestehen, so wie im Universum Energie nicht verlorengeht, sondern bloß andere Gestalt annimmt. Das heißt, sie müssen weiterwirken. Natürlich bedeutet das nicht, daß ein zerstörtes System wiederhergestellt werden muß, wohl aber, daß spätere Systeme unausweichlich wesentliche Elemente von vorhergehenden in wie immer geänderter Form enthalten müssen. So gesehen führt eine einfache Überlegung zu dem weiteren Schluß, daß Revolution und Gegenrevolution nichts anderes als die Analogie physikalischer Vorgänge im Geistigen bedeuten. Jede Aktion hat einen Effekt, anders ausgedrückt, sie führt zu einer Gegenaktion, die Revolution also zur Gegenrevolution. Es handelt sich um logisch komplementäre, politisch aber an sich durchaus wertfreie Begriffe. Erst unsere geschichtliche Erfahrung gibt ihnen einen gewissen Inhalt, der im Hinblick auf die wertfreie Grundvorstellung je nach den Umständen rechts oder links sein könnte. Mit diesen gesellschaftlichen Inhalten, die von den logischen Grundformen der Bewegung und Gegenbewegung zu unterscheiden sind, haben wir uns im folgenden zu befassen. Keinerlei Gesetz der Logik, kein schon an sich problematisches historisches Gesetz erfordert aber die Feststellung, daß die Revolution linksgerichtet und die Gegenrevolution und der ihr folgende restaurative Zustand, wie auch der Konservatismus an sich, rechtsgerichtet sein muß. Es kann logisch betrachtet genau umgekehrt sein. Es spricht zum Beispiel vieles dafür, den Nationalsozialismus entweder als rechtsgerichtete Revolution aufzufassen, die einem bürgerlichen Regierungssystem, dem von Weimar, folgt, keineswegs aber als Gegenrevolution auf die Novemberrevolution von 1918, die 15 Jahre zurücklag. Man kann aber den Nationalsozialismus, wenn man will, auch als Bewegung sui generis auffassen, die mit den traditionellen Rechts-Links-Begriffen überhaupt nichts zu tun hat. Wie dem auch sei, daß die historische Tradition meist in eine bestimmte Richtung weist, oder richtiger: wies, ist ein ganz anderes Problem, mit dem wir uns auseinanderzusetzen haben.

Diese Auffassung steht durchaus im Gegensatz zur Literatur zum Gegenstand, die allerdings das Phänomen der Restauration meist ausspart bzw. es ohne weitere Überlegung mit der Gegenrevolution von rechts zusammenwirft und diese dann ausschließlich als Gegenstück des Revolutionsbegriffs im Zusammenhang mit diesem erörtert[6]. Wie zu zeigen sein wird, ist gerade diese Frage in Hinblick auf das Problem der Wiederaufnahme des Verfahrens, metaphorisch gesehen des historischen Prozesses, von fundamentaler Bedeutung.

Gewiß, auf Grund der europäischen Gesellschaftsformen vom Altertum bis weit ins 19. Jahrhundert haben sich die restaurativen Machtkämpfe mit ganz wenigen Ausnahmen im Kampf um die Wiederherstellung der Monarchie gegen republikanische Umsturzbewegungen abgespielt. Dieser Inhalt der Restaurationsbewegung hat aber gar nichts mit dem Problem eines grundsätzlich logisch wertfreien Ablaufs von Aktion und Reaktion zu tun. Es handelt sich hier einfach darum, daß sich Restaurationsbewegungen nur im Rahmen der bestehenden Gesellschaftsformen abspielen können, bei denen mindestens bis zum Zeitalter des aufgeklärten Absolutismus, in der Mehrheit der Präzedenzfälle aber auch noch weiterhin, die Monarchie gemeinhin das konservative Prinzip, republikanische Bewegungen liberale oder radikale Gesellschaftsbestrebungen vertraten[7]. Beginnend mit der amerikanischen Revolution von 1776 und der französischen von 1789 trat dann die Möglichkeit des umgekehrten restaurativen Vorgangs, von Republik zu Republik, unterbrochen durch monarchische Zwischenspiele, ins Geschichtsbild. Diese Möglichkeit aber ist aus zwei Gründen kaum praktisch geworden. Einmal hat sich gezeigt, daß republikanische Systeme sich neuen Gesellschaftsformen besser anpassen können als selbst konstitutionelle Monarchien – wobei die rein parlamentarische Monarchie nach heutigem englischen oder schwedischen Muster natürlich eine ganz unwesentliche Variation des monarchischen Systems ist. Wesentlich wichtiger ist aber die Überlegung, daß heute entscheidende gesellschaftliche Veränderungen nur mehr

[6] Arno J. Mayer, *Dynamics of counterrevolution in Europe, 1870–1956. An analytical framework.* New York 1971; Aurel Kolnai, *Gegenrevolution.* Kölner Vierteljahreshefte für Soziologie 10/2 (1931) und 10/3 (1932).

[7] Robert A. Kann, *Konservatismus, Reaktion, Restauration.* In: *Rekonstruktion des Konservatismus.* Hrsg. von G. K. Kaltenbrunner, Freiburg i. Br. 1972, S. 55–71.

sehr wenig mit dem Wechsel zwischen demokratischer Republik und konstitutioneller Monarchie, der häufigsten noch bestehenden monarchischen Spezies, zu tun haben.

Viel wichtiger sollte der Umstand sein, daß die Restaurationsbewegungen der Zukunft vermutlich auf den Wechsel zwischen demokratischen Regimes und Diktaturen abgestellt sein werden. Die historische Erfahrung der Entwicklung seit dem Ende des Zweiten Weltkriegs zeigt, daß es sich hierbei immer mehr um Linksdiktaturen handelt und vermutlich in Zukunft noch mehr handeln wird. Denn die als rechts angesehenen Umsturzaktionen lateinamerikanischer Militärjuntas können wohl nicht als ideologische Bewegungen von weittragender Bedeutung angesehen werden. Sie können den mehr oder weniger radikalen Linkskurs nicht wesentlich beeinflussen. Mit dieser voraussichtlich künftigen, aber eigentlich sogar schon gegenwärtigen Entwicklung des Restaurationsproblems in eine neue Richtung als Wiederaufnahme eines nicht endgültig abgeschlossenen geschichtlichen Prozesses müssen wir uns vor allem befassen. Hier ergibt sich die Frage, ob man auch für die Zukunft die Behauptung aufrechterhalten kann, daß Revolution, Gegenrevolution und Restauration an sich politisch wertfrei sind und nur durch bestimmte politische Verhältnisse einen eindeutig politischen Charakter bekommen, also traditionell im Falle der Revolution einen linken, in dem ihres Gegenspiels, der Gegenrevolution, einen rechten, der auch für den Zustand der Restauration gilt. Noch problematischer mag die Sache beim Konservatismus liegen, bei dem selbst im Licht der pragmatischen Erfahrung die traditionelle Ideenassoziation mit der Rechten schrittweise immer mehr nach links hinüberzuspielen scheint. Je länger linke totalitäre Systeme an der Herrschaft sind – im Falle der Sowjetunion bereits zwei Generationen –, desto eher kann man solche Systeme, keineswegs bloß rein formal-logisch, als konservativ bezeichnen. Das in jedem System verankerte Streben, an der Macht zu bleiben, führt natürlich dazu, den Status quo im Innern zu verteidigen, was freilich den Wunsch der Veränderung nach außen, mit anderen Worten nach Ausweitung der Grenzen auf gewaltsame Weise, nicht immer ausschließt[8].

Unsere Betrachtungen des Restaurationsproblems sind aber, wie schon angeführt, auf den Zustand im Innern eines Gemeinwesens abgestellt. Hier gilt jedenfalls die Voraussetzung des

[8] Ebd.

Strebens nach Bewahrung des Status quo für die Restauration als andauernden Zustand, der vom Vorgang ihrer Etablierung wohl zu unterscheiden ist. Wo sie sich gegen Links- und Rechtsputsche durch ständige, rein opportunistisch bestimmte Konzessionen zu verteidigen hat, wo ihr »the consent of the governed« versagt bleibt, ist sie eben endgültig gescheitert. Das läßt sich auf Grund reicher geschichtlicher Erfahrung für die Vergangenheit erweisen. Für die jüngste Entwicklung und Entwicklungsrichtung kommt aber etwas Neues hinzu, nämlich, daß die Unterscheidung zwischen linker Aktion und rechter Gegenaktion im Bereich der pragmatischen Erfahrung ihren Sinn verlieren mag.

Wie weit ist etwa die Bewertung selbst im rein erfahrungsmäßigen Bereich noch sinnvoll, welche die Überlegenheit der durch die Linksrevolution geförderten Werte damit begründet, daß sie alle auf soziale Gerechtigkeit, politische Gleichberechtigung und Selbstbestimmung des Staatswesens, auf Kulturförderung der Massen unter gleichzeitiger Sicherung der Menschenwürde des Individuums abgestellt sind? Wie weit kann in der unmittelbaren Gegenwart und Zukunft die Revolution von links als Garant, die Gegenrevolution und Restauration als Feind solcher Hochziele gelten? Gewiß, in der Vergangenheit findet sich reiches pragmatisches Material zur Begründung einer solchen Wertskala. Wie aber sieht es heute, und wie voraussichtlich in der Zukunft damit aus? Hier begeben wir uns insofern auf schwankenden Grund, als für Ereignisse, die erst in den letzten Jahren eingetreten sind und deren weitere Entwicklung selbst auf nahe Sicht hin noch keineswegs abgeschlossen ist, ebensowenig die vorzitierte Bewährungsprobe der erfolgreichen Restauration durchgeführt werden kann wie bei noch in der Zukunft liegenden Vorgängen.

Wie schon bemerkt, zeigen die Erfahrungen der Gegenwart und Vergangenheit der letzten drei Jahrzehnte, daß radikale Veränderungen ganz überwiegend von links ausgehen. Diese Terminologie ist, soweit – und leider geht das nicht sehr weit – sie sich auf die Einführung oder Stärkung demokratischer Einrichtungen in Ländern, wo diese bisher nicht bestanden haben, bezieht, im traditionellen Sinn durchaus angemessen. In den viel häufigeren Fällen aber, wo es sich um die meist gewaltsame Durchsetzung »linker« totalitärer Einrichtungen handelt, sollte man richtiger von »noch als links« bezeichneten revolutionären Vorgängen sprechen. Die »Links«-Terminologie ist eben nicht mehr angemessen.

Wenn man auf die drei Postulate hinweist, welche die Linksrevolution in allzu schematischem historischem Denken vertritt: soziale Gerechtigkeit, politische Gleichberechtigung und Selbstbestimmung sowie Kulturförderung der breiten Massen unter gleichzeitiger Sicherung der Menschenwürde des Individuums, so haben sich schon seit dem Ende des Zweiten Weltkriegs sehr bedeutsame Änderungen ergeben. Zunächst ist einzuräumen, daß solche Programme im Osten wie im Westen in sehr ungleichem Ausmaß, in beiden aber nur zum Teil erfüllt wurden.

Wichtig ist festzuhalten, daß im Bereich der sozialen Gerechtigkeit der grundsätzliche Unterschied zwischen Westen und Osten, wie er bis zum Ende des Zweiten Weltkriegs bestand, in einer Reihe von Fällen und Fragen nicht mehr gegeben ist. Er hat sich weitgehend sozusagen von einem qualitativen in einen quantitativen verwandelt. Die Wirtschaftsordnung in Polen oder Ungarn mag stärker bürokratisch ausgerichtet sein als die in Schweden oder in England; der Unterschied ist aber durchaus nicht so weitgehend, daß man von grundsätzlichen Verschiedenheiten zwischen einem tatsächlich nicht mehr bestehenden kapitalistischen System hier und einem einigermaßen problematischen sozialistischen dort sprechen kann. Hinsichtlich der Gleichheit vor dem Gesetz besteht in der Praxis wie in der Theorie ein wesentlicher Unterschied zwischen westlich demokratischem und östlich totalitärem System, wo das Konzept der politischen Elite weiterhin besteht. In bezug auf die politische Selbstbestimmung des Individuums vertritt der Westen die liberale, das heißt die ursprünglich linke Position, der Osten die konservative, auf die Erhaltung des Status quo gerichtete. Wendet man sich dem Abbau des Bildungsprivilegs der besitzenden Klassen zu, so besteht kein wesentlicher Unterschied mehr zwischen Westen und Osten, wohl aber zeigt er sich wiederum deutlich in der Frage des Junktims zwischen wissenschaftlicher Ausbildung und Sicherung der Meinungsfreiheit, die im Westen im Sinne des liberalen Erbes besteht und im Osten im Sinn einer ideologischen Tradition der Vergangenheit sozusagen mit verkehrtem Vorzeichen negiert wird.

Welche Schlüsse haben wir aus diesen einfachen Gegenüberstellungen zu ziehen? Es ist zuzugeben, daß der Osten bis nun in einem weitergehenden Maße als der Westen die Umwandlung zum Wohlfahrtsstaat und die Abkehr vom Kapitalismus durchgeführt hat. Es besteht aber wohl kein Zweifel, daß der Westen auf beiden Seiten des Atlantischen Ozeans sich diesen Prinzipien nähert und daß etwa auf der Linie Polen – Schweden eine gemeinsame Mittellinie, möglicherweise die der Zukunft, gefunden werden kann. Es ist wohl unnötig hinzuzufügen, daß dies allerdings die Unabhängigkeit von einem Satellitenverhältnis gegenüber Supermächten voraussetzt. Hinsichtlich der Frage der Selbstbestimmung des Individuums im politischen wie im kulturellen Bereich ist historisch gesehen die linke Position des Westens offensichtlich sehr viel umfassender und tiefer fundiert als die des Ostens. Ungleich der wirtschaftlichen Sphäre, sind hier aber keine Kompromißformen zwischen Westen und Osten ersichtlich und auch kaum denkbar. Der Westen sollte seiner ganzen Tradition nach die freie Meinungsäußerung ebenso kompromißlos verteidigen, wie der Osten sie kompromißlos ablehnt. In diesem Bereich ist die bisherige Auffassung von rechts und links in ihr krasses Gegenteil verkehrt. Wenn man etwa an das Phänomen des tschechoslowakischen Frühlings des Jahres 1968 denkt – nur ein allerdings besonders einprägsames Beispiel unter mehreren –, steht im wirtschaftlichen Bereich die revisionistisch-kommunistische Richtung dem Kapitalismus um kein Jota näher als die des orthodoxen Marxismus-Leninismus. Es handelt sich eben nicht mehr vorwiegend um die Frage der Sozialisierung, die in einem weiten Bereich außer Streit steht, sondern um die der Diktatur einer Minderheit gegenüber dem demokratisch festzustellenden Mehrheitswillen bzw. um die Verhinderung der Wirkung eines demokratischen Mehrheitswillens durch Unterdrükkung der Opposition. Ob es sich hierbei um den Konflikt zwischen Kommunismus und nichtkommunistischen Linksparteien im engeren Sinne oder um andere, noch nicht klar übersehbare Formen der Bildung linker Herrschaftssysteme – wie der mancher afrikanischer Staaten – handelt, ist an sich gleichgültig.

Die Behauptung mag übertrieben sein, daß wir hier ein Hexeneinmaleins vor uns haben, in dem aus links rechts, und aus rechts links wird. Sehr vieles im Westen ist im Sinne der traditionellen Vorstellungen gewiß nicht, oder noch nicht, als »links« anzusehen, vieles im Osten nicht, oder noch nicht, als »rechts«. Die Möglichkeit, daß sich im Westen im Sinne der historischen Vorstellungen von rechts und links manches nach rechts wenden könnte und im Osten im traditionellen Sinne nach links, ist natürlich auch nicht auszuschließen. Es ist müßig, sich hier mit Prophezeiungen abzugeben.

Die eingangs angeführte und allerdings bloß skizzenhaft begründete Behauptung, daß Revolution, Gegenrevolution, Konservatismus und Restauration rein logisch gesehen wertfreie Begriffe sind, die bloß Aktion und Reaktion auf die Aktion unbeschadet ihres Sachinhaltes bezeichnen, bleibt aufrecht.

Anders liegen die Dinge, wenn wir uns von der rein logischen Erkenntnis der pragmatischen zuwenden. Hier ist eine Voraussage, die Erfahrungen der Zukunft würden sich mit denen der Vergangenheit decken oder ihnen doch ähneln, in hohem Grade revisionsbedürftig. Eine ganze Reihe bedeutsamer Anzeichen deuten darauf hin, daß die pragmatischen Unterscheidungen zwischen links und rechts auf wirtschaftlich-sozialem Gebiet an Bedeutung verlieren werden, daß sie sich aber auf politisch-ideellem Gebiet in ihr Gegenteil verkehren können. Damit ist ein ganz neuer Aspekt des Restaurationsproblems gegeben. Hier handelt es sich eben um die notwendige Wiederaufnahme eines historischen Prozesses.

Wenn sich nun die Wirtschaftsordnungen des Ostens und des Westens immer mehr einander angleichen sollten, so wird die ökonomische Unterscheidung zwischen Revolution und Restauration letzten Endes natürlich unwesentlich. Um so wesentlicher, ja entscheidend werden dann ideelle Gegensätze, für welche die Errungenschaften der Französischen Revolution von 1789 auf der einen Seite und die der russischen Oktoberrevolution von 1917 auf der andern als Symbole dienen mögen, keineswegs aber als bloße Abstraktionen. Die Frage der Restauration von 1789 oder 1917 wird dann zu der der Menschenwürde und damit der menschlichen Geschichte. Die Entscheidungen, die in diesem geschichtlichen Prozeß fallen, sind keine solchen einer fiktiven unparteiischen Instanz, sondern die der Realität gesellschaftlicher Vorgänge.

Im folgenden sei versucht, diese im Begriff befindlichen und in der Zukunft in noch weitergehendem Maße zu erwartenden Veränderungen des Restaurationsproblems an Hand bestimmter Situationen und Situationsmöglichkeiten deutlicher zu machen.

Es wurde bereits kurz in bezug auf das Beispiel des Nationalsozialismus darauf hingewiesen, daß die traditionelle Vorstellung: linke Revolution – rechte Gegenrevolution, nicht nur in der Theorie, sondern auch in der Praxis nicht mehr haltbar ist. Daß wir der Bildung neuer gesellschaftlicher Mischformen gegenüberstehen, kann auch an einem andern Beispiel gezeigt werden.

Der Faschismus stellt, wie wir wissen, unter bestimmten geschichtlichen Verhältnissen ein System dar, das der Revolution vorangeht. Es repräsentiert häufig, insbesonders in seinen späteren Erscheinungsformen, eine Mischform mit Schlagworten verhüllter pseudoliberaler Züge auf wirtschaftlichem Gebiet mit völlig totalitären auf politischem. Hier sind die Grenzen gegenüber einem folgenden revolutionären System jedenfalls fließend. Bei wirtschaftlich und politisch in gleichem Ausmaß totalitären Linksdiktaturen mag der Fall einfacher, das heißt eindeutiger liegen. Wenn man aber die Zeichen der politischen Entwicklung der Zukunft und zum Teil schon der Gegenwart verfolgt, ist anzunehmen, daß die obengenannten Alternativen nicht die einzigen und zumindest nicht die einzigen ausschlaggebenden darstellen werden. Fast völlig planwirtschaftliche Systeme, welche die politische Meinungsfreiheit bis zu einem gewissen Grade erhalten, mögen entstehen und sind vielleicht schon in Entstehung begriffen. Politisch gänzlich totalitäre und wirtschaftlich weitgehend liberale Systeme erscheinen Anhängern totalitärer Systeme unter bestimmten geschichtlichen Voraussetzungen, insbesondere im Kontakt mit dem Westen, als äußerst opportun. Bevor sich diese Vorgänge klarer herauskristallisiert haben, ist es verfrüht, eine Theorie aufzustellen. Man kann aber wohl mit Sicherheit sagen, daß neue Studien über das Restaurationsproblem diese Frage weit mehr zu berücksichtigen haben werden, als dies bisher geschehen ist.

Im Zusammenhang mit dem vorzitierten Restaurationsablauf Weimar–Bonn erhebt sich eine weitere Frage, der für die Zukunft vermutlich noch weit größere Bedeutung beizumessen ist als für die Vergangenheit und selbst für die Gegenwart. Unserer Untersuchung liegt die Voraussetzung zugrunde, daß der Restaurationsprozeß sein Schwergewicht im Innern des Gemeinwesens haben muß und daß Einflüsse oder, drücken wir es schärfer aus, Interventionen von außen von sekundärer Bedeutung sein müssen. Wäre es anders, dann wäre der Restaurationsprozeß nicht ein Problem organischer Entwicklungen und Konflikte innerhalb des Staatswesens, sondern einfach das Produkt nicht voraussehbarer diplomatischer und militärischer Aktionen benachbarter Staaten gegen eine den ausländischen Interessen nicht genehme Gesellschaftsordnung. Offensichtlich haben Vorgänge dieser Art mit dem Restaurationsproblem, wie es hier abgezeichnet wird, wenig zu tun. Die Wiederherstellung einer den territorialen Nachbarn oder anderen Mächten akzeptablen Staatsordnung durch Druck von außen ist ein aliud gegenüber der Restauration, wie wir sie auffassen.

Selbstverständlich ist aber zuzugeben, daß in der neueren Geschichte mit ihrer ansteigenden Verflechtung der kontinentalen und selbst transkontinentalen Staaten der Einfluß der Intervention oder doch zumindest des Interventionsversuches von außen nicht ausgeschlossen werden kann. Er ist merklich und stetig im Ansteigen begriffen. Er spielte bereits eine Rolle im Falle der englischen Restauration des 17. Jahrhunderts und eine noch wesentlich größere in dem umstrittenen französischen Fall zu Beginn des 19. Jahrhunderts, um nur an zwei Hauptbeispiele zu erinnern. In beiden Fällen, im englischen stärker als im französischen, sind aber noch immer die Geschehnisse der innerstaatlichen Krise wichtiger als die äußeren[9].

Im Falle der Wiederherstellung Polens am Ende des Ersten Weltkriegs und der Bundesrepublik am Ende des Zweiten ist dieses Übergewicht der innenpolitischen Dynamik gegenüber den Einflüssen von außen schon bedeutend weniger klar, doch immerhin noch vertretbar. Es sei auf diese Streitfrage hier nicht näher eingegangen. Statt dessen wollen wir uns der Zukunft zuwenden. Ist es im Zeitalter der Supermächte überhaupt noch denkbar, daß grundlegende Veränderungen von Staatsordnungen, die in ihrer Interessensphäre liegen, ohne entscheidende Einflußnahme von außen durchgeführt oder auch nur veranlaßt werden könnten? Dies mag gewiß nicht unbedingt durch direkte Intervention, sondern in vielen Fällen durch dienstfertige Satelliten als Werkzeuge geschehen. Dies macht für den Betroffenen wenig Unterschied. Dieser Betroffene aber würde dann ein Staat sein, dessen Bestand auswärtige Interessen tangiert, und das hieße schlechthin jeder Staat. Ist unter solchen Voraussetzungen das Restaurationsproblem, wie wir es auffassen, noch von Bedeutung, oder wird es nicht einfach zu einem Fossil weltgeschichtlicher Probleme der Vergangenheit reduziert? Fraglos besteht eine solche Möglichkeit, nach der Ansicht mancher vielleicht sogar eine Wahrscheinlichkeit. Von Unvermeidbarkeit soll aber nicht gesprochen werden, solange wir am Begriff einer Völkerrechtsordnung gegenüber dem einer bloßen Unterordnung der Völker festhalten können.

An diesem Punkte unserer Überlegungen kehren wir zu unserer These zurück, daß der geschichtliche Prozeß das Abbild eines judiziellen streitigen Verfahrens darstellt und weiter, daß das Phänomen der Restauration diese Auffassung beweiskräftig unterstützt. Das Restaurationsproblem gibt das Bild eines judiziel-

[9] Kann, *Die Restauration*, S. 274–341.

len streitigen Verfahrens wieder, in dem zwei Parteien einander gegenüberstehen. Die eine Seite vertritt den bestehenden, also konservativen Zustand, ganz gleich, ob man ihn politisch als rechts- oder linksstehend auffaßt, die andere den revolutionären, der den bestehenden Zustand mit Gewalt umstoßen will. Wiederum bleibt die Frage offen, ob es sich, politisch betrachtet, um eine sogenannte Rechts- oder Linksrevolution handelt. Die Entscheidung fällt durch die dem Urteil einer gerichtlichen Instanz vergleichbare Restauration, die sich auf einem Mittelgrund zwischen dem vorrevolutionären und dem revolutionären Regime bewegt. Mag auch die Restauration als zunächst dem vorrevolutionären System mehr zugeneigt erscheinen, so wird dieser Umstand durch die früher berührte Zwei-Generationen-Grenze häufig in der entgegengesetzten Richtung korrigiert. Nur wenn sich die Restauration während dieses Zeitraums behauptet, können wir von einer res judicata sprechen. Die Entscheidung aber wird, und das ist festzuhalten, durch die Realität der gesellschaftlichen Verhältnisse getroffen. Die Realität hat somit das Gericht ersetzt. Das Urteil fällt also in dem zeitlich begrenzten Zeitraum von zwei Generationen im Rahmen einer typenbildenden Handlung in einem bestimmten territorialen Umkreis. Die aristotelische Einheit bleibt damit gewahrt.

Die Entscheidung der Realität, wenn auch rechtskräftig, ist aber nicht endgültig. Die Möglichkeit der Wiederaufnahme des geschichtlichen Prozesses bleibt voll gesichert, sobald radikale gesellschaftliche Wandlungen dies erfordern. Solche Notwendigkeiten haben sich im späteren Verlauf des 19. Jahrhunderts und zu Beginn des 20. durch den weitgehenden Erfolg der Demokratie ergeben. Sie hat den alten Zyklus Monarchie – Republik – Monarchie, der vielfach, aber nicht notwendigerweise der politischen Terminologie konservativ – liberal – konservativ entsprach, dem Inhalt nach in freiheitlicher Richtung umgeformt. Viel radikalere Notwendigkeiten der Umstellung haben sich seit dem Ende des Ersten Weltkriegs durch den Aufbruch des Totalitarismus gezeigt, der lange hauptsächlich als rechtsradikal angesehen wurde, später weitaus überwiegend als linksgerichtet verstanden wird. Hier ergibt sich, wie schon skizziert, mit großer Wahrscheinlichkeit die Notwendigkeit des völligen Umdenkens. Es spricht sehr vieles dafür, einen neuartigen Zyklus Demokratie – Diktatur – Demokratie im politischen Bereich im Sinne der abendländischen Tradition der Grund- und Freiheitsrechte nicht mehr als rechts – links – rechts, sondern vielmehr als links

– rechts – links anzusehen. Das politische Erbe der Linken wird weitgehend von der Geistesrichtung übernommen, die traditionell als das – für manche problematische – Konzept der bürgerlichen Demokratie verstanden wird. Sicherlich ist eine ähnliche radikale Umschaltung im Bereich der wirtschaftlichen Kräfte nicht ohne weiteres anzunehmen und vielleicht auch nicht vorherzusehen. Dies aber ist vom Standpunkt dieser Untersuchung aus gesehen gleichgültig. Die Wiederaufnahme des geschichtlichen Prozesses schließt ihn ja nicht ab. Im Gegenteil, ihr Zweck ist, ihn mit dem Ausblick auf die Zukunft hin zu öffnen. Die Parallelität des Vorgangs des judiziellen und des geschichtlichen Prozesses, die zu demonstrieren war, wird durch Prophezeiungen nicht berührt.

Hier ergibt sich eine letzte Frage, die allein vom Standpunkt der Methodik der Geschichtswissenschaft behandelt werden kann. Führt die Aufstellung des Konzepts eines historischen Prozesses zu einem besseren Verständnis der Geschichte? Im Sinne des streitigen Verfahrens darf man hier wohl auf zwei gegensätzliche klassische Zitate verweisen. Was ihnen im Zusammenhalt unserer Untersuchung aber einen besonderen und merkwürdigen Wert verleiht, ist, daß sie vom selben Autor derselben dramatischen Figur in den Mund gelegt werden.

Im ersten Akt des ›Faust‹ sagt Mephistopheles im Gespräch mit dem Schüler:

> Gebraucht die Zeit, sie geht so schnell von hinnen,
> Doch Ordnung lehrt auch Zeit gewinnen.

Diese Erkenntnis scheint nach einem Analogieschluß für die methodische Brauchbarkeit des historischen Prozeßkonzepts zu sprechen. Doch noch in derselben Szene läßt sich Mephistopheles bekanntlich ganz anders vernehmen:

> Mit Worten läßt sich trefflich streiten,
> Mit Worten ein System bereiten.

Dieser Ausspruch weist auf die Gefahr der Tautologie der Begriffe Geschichte und geschichtlicher Prozeß hin, vor der wir eingangs dieser Untersuchung gewarnt haben.

Die Entscheidung, ob sich ein geschichtliches Konzept künftig als Produkt steriler Dialektik oder eines fruchtbaren Ordnungsprinzips erweisen wird, hat Goethe gewiß nicht in Anspruch genommen. Sie liegt im Bereich der Realität, der Erprobung des Wertes einer Begriffsbildung auf Grund künftiger Erfahrungen.

Rudolf Vierhaus

Zum Problem historischer Krisen

1.

Es gibt für den Historiker verschiedene Gründe, bestimmten Prozessen in der Geschichte eine besondere Aufmerksamkeit zu widmen und sie als »Krisen« zu bezeichnen.

1. Zu diesen Gründen gehört die Erfahrung *gegenwärtiger* Veränderungen, die z.B. als Energiekrise, Rohstoffkrise, Beschäftigungskrise, als Währungskrise oder auch als Funktionskrise der liberalen parlamentarischen Demokratie, als Vertrauenskrise bei den Bürgern oder Legitimationskrise bei den Regierenden, als umfassende politische Systemkrise angesprochen werden. In der Wahrnehmung des In-Bewegung-Geratens von Gewohntem, des gewollten oder ungewollten Wandels in der eigenen Zeit wird der Blick geschärft für historische Wandlungsvorgänge.

2. Einer Geschichtsforschung und -deutung, die weniger an einzügiger Verlaufserzählung als an der Analyse zeitlicher und sachlicher Zusammenhänge und Prozesse interessiert ist, stellt sich die Erfassung und Beurteilung ihrer Komplexität als das schwierigste Problem dar. Historische Prozesse vollziehen sich nicht in punktuellen Ereignissen, nicht in Kriegsausbrüchen und Friedensverträgen, Hungersnöten, Epidemien und Inflationen, auch nicht in politischen Revolutionen und Machtübernahmen. Solche Ereignisse sind wichtig als Folgen oder Symptome oder Auslösungsmomente langfristiger umfassender Transformationen. Wenn Historiker sich mit ihnen befassen, müssen sie notwendig mit Erklärungskonzepten und -modellen arbeiten. Ein solches ist im Begriff der »Krise« enthalten.

3. In inexplizitem Sinne arbeiten Historiker zwar stets so, daß sie Vorannahmen über Verlauf und Zusammenhang der ihnen in den Quellen entgegentretenden oder aus ihnen indirekt zu gewinnenden Informationen über Ereignisse, Meinungen, Motive mitbringen – und sei es auch nur die Annahme einer generellen Verstehbarkeit menschlichen Handelns, einer zumindest mittelfristigen Sinnhaftigkeit oder Plausibilität geschichtlicher Prozesse. Je komplexer das zu erforschende, zu analysierende und zu

beschreibende geschichtliche Geschehen ist, um so weniger kann es genügen, Daten und Fakten zu gewinnen, sie zusammenzutragen und in eine erzählende Darstellung zu bringen. Sozialer und kultureller Wandel, Industrialisierung und Demokratisierung, Modernisierung und auch politische und soziale Krisen haben solche Größenordnungen, daß sie weder in ihrer Chronologie noch in ihrer inneren Struktur noch in ihren Ursachen und Auswirkungen zu verstehen und erklären sind, wenn man nicht theoretische Konzepte des Wandels, der Revolution, der Modernisierung, der Krise an sie heranträgt[1].

Begriffe, mit denen die Historiker geschichtliche Zusammenhänge und Verläufe benennen, sind Abstracta, denen eine Vielzahl von geschichtlichen Phänomenen subsumiert, sind Metaphern, denen eine Vielzahl von Bedeutungen assoziiert werden können. Deshalb sind sie jeweils interpretationsbedürftig.

Der Begriff »Krise« (aus dem Griechischen: krisis = Entscheidung, auch Unterscheidung, von krinein = sich entscheiden, prüfen, von daher auch »Kritik«) wurde von Thukydides in juristischem Sinne in die Geschichtsschreibung übertragen. Wichtiger ist die ebenfalls von Thukydides aufgenommene medizinische Bedeutung des Wortes gewesen. Bei Hippokrates heißt es: »Die Krise tritt in Krankheiten immer dann auf, wenn die Krankheiten an Intensität zunehmen oder abklingen oder in eine andere Krankheit übergehen oder überhaupt ein Ende haben.« Noch Goethe übertrug ein medizinisches Verlaufsmodell auf die Geschichte, als er fragte: »Alle Übergangszeiten sind Krisen, und ist eine Krise nicht eine Krankheit?«[2] In jedem Falle handelt es sich um die Verwendung eines (relativ) rationalen Verlaufsmusters mit der Absicht, eine Fülle von Tatsachen, Motiven, Handlungs- und Bedingungszusammenhängen ordnend zusammenzufassen.

[1] Zur Gesamtproblematik: *Politische Systemkrisen.* Hrsg. von M. Jänicke, Köln 1973; Neue Wiss. Bibl. 65. *Herrschaft und Krise. Beiträge zur politik-wissenschaftlichen Krisenforschung.* Hrsg. von M. Jänicke, Opladen 1973; Martin Jänicke, *Zum Konzept der politischen Systemkrise.* Politische Vierteljahresschrift 12 (1970); Randolph Starn, *Historians and ›Crisis‹.* Past and Present 1971; Leonhard Binder, James S. Coleman, Joseph La Palombara, Lucian W. Pye, Sidney Verba und Myron Weiner, *Crisis and sequences in political development.* Princeton 1971; (Studies in political development 7); *Crisis, choice and change. Historical case studies in comparative politics.* Hrsg. von Gabriel A. Almond, Scott C. Flanegan und Robert J. Mundt, Boston 1973; Gerhard Masur, *Crisis in History.* In: *Dictionary of the History of Ideas,* hrsg. von Philip P. Wiener, Bd. 1, New York 1973.

[2] Beispiele nach Randolph Starn, *Historische Aspekte des Krisenbegriffs.* In: *Politische Systemkrisen,* S. 54ff.

Im Gebrauch des Krisenbegriffs durch die Historiker ist seine medizinische Bedeutung immer mehr zurückgetreten, wenn auch nicht völlig vergessen worden. Andere Disziplinen wie die Ökonomie, die Soziologie und die Psychologie benutzen ihn ebenfalls in davon abgelöster Bedeutung; überdies ist er inzwischen so sehr in den allgemeinen Sprachgebrauch eingegangen, daß nun schon fast jede zeitweilige Schwierigkeit – jedes Formtief einer Bundesligamannschaft, jede Finanzmisere einer Firma, jeder Wahlmißerfolg einer Partei, jede Verstimmung in einer Ehe – als Krise oder doch Zeichen einer Krise bezeichnet werden kann. Gemeinsam ist allen Verwendungen die Hervorhebung besonderer Entwicklungsverläufe – nämlich solcher, die sich verlangsamen, eine andere Richtung nehmen oder ihre Orientierung verlieren oder sich plötzlich rapide und gefahrdrohend beschleunigen, wobei sich vorher bestehende Verhältnisse auflösen, funktionierende Beziehungen ins Stocken geraten, Steuerungen innerhalb eines politischen Systems nicht mehr greifen, Autorität keine Anerkennung mehr findet. Dabei wird angenommen, daß es sich, auch wenn sie sich lange vorbereiten und zunächst schwer erkennbar sind, um zeitlich begrenzte Erscheinungen handelt, die auf Überwindung und Lösung zulaufen.

Fast immer handelt es sich bei solchen Krisen um geschichtliche Prozesse, die den Historikern auch vorher nicht unbekannt waren, die sie aber nicht als »Krisen« angesprochen hatten. Ist der Gebrauch des Krisenbegriffs also willkürlich, nur eine intellektuelle Mode? Dem ist entgegenzuhalten, daß die so definierten Prozesse mit der Herantragung des Krisenbegriffs in ihrer Besonderheit oft erst erkannt und verstanden worden sind.

2.

Jacob Burckhardt unterscheidet im Krisenkapitel seiner 1868 zuerst vorgetragenen *Weltgeschichtlichen Betrachtungen* bekanntlich Krisen als »beschleunigte Prozesse« von den »allmählichen und dauernden Einwirkungen und Verflechtungen der großen Weltpotenzen auf- und miteinander«[3]. Von der Behandlung solcher »beschleunigten Prozesse« nimmt er aus die »primitiven Krisen, deren Hergang und Wirkung wir nicht genau genug kennen

[3] Hier zitiert nach: Jacob Burckhardt, *Gesammelte Werke.* Bd. 4, Darmstadt 1956, Kap.: ›Die geschichtlichen Krisen‹; Zitat: S. 116.

oder nur aus späteren Zuständen erraten müssen«[4], ferner den Krieg an sich »als Völkerkrisis und als notwendiges Element höherer Entwicklung«[5]. In den Kriegen seiner Gegenwart sieht er allenfalls »Teile einer großen allgemeinen Krise«[6]; zwar besäßen sie nicht die Bedeutung und Wirkung »echter Krisen«, trügen aber zu solchen bei, insofern sie Schuldenberge hinterließen. Die Qualität der Krise legt Burckhardt nur »großen« Vorgängen bei, aus denen Umwandlung, Neues hervorgeht – oder doch hätte vorgehen können –, denn er kennt auch gescheiterte Krisen.

Die große, »echte« Krise ist selten. Im Römischen Reich sieht Burckhardt sie erst mit der Völkerwanderung eintreten – einem Vorgang, der sich fast naturnotwendig vollzog und nicht abzuschneiden war: die »Verschmelzung einer neuen materiellen Kraft mit einer alten, welche aber in einer geistigen Metamorphose, aus einem Staat zu einer Kirche gewordenen, weiterlebt«[7]. Eine analoge Erscheinung war die Ausbreitung des Islams, während die Reformation nach Burckhardts Meinung »wesentlich« hätte abgeschnitten werden können und die Französische Revolution »in hohem Grade gemildert« worden sei[8].

In der Krisenphänomenologie Burckhardts verknüpften sich Gesichtspunkte genereller Notwendigkeit und spezieller Bedingtheit in wenig systematischer, historische und Gegenwarterfahrung jedoch fruchtbar verarbeitender Weise. Die Krisen »großer Kulturvölker« – und nur sie interessieren ihn – sind dadurch gekennzeichnet, daß in dem erreichten komplexen Zustand des Lebens, in dem die großen Potenzen Staat, Religion und Kultur den »rechtfertigenden Zusammenhang mit ihrem Ursprung« längst verloren haben, die eine auf Kosten der anderen sich ausgedehnt hat. In dieser Lage kann »gepreßte Kraft« ihre Elastizität verlieren oder steigern. »In letzterem Falle bricht irgendwo etwas aus, wodurch die öffentliche Ordnung gestört« und entweder unterdrückt wird oder in »eine Krisis des ganzen allgemeinen Zustandes bis zur kolossalsten Ausdehnung über ganze Zeitalter und alle oder viele Völker desselben Bildungskreises« mündet. »Der Weltprozeß gerät plötzlich in furchtbare Schnelligkeit; Entwicklungen, die sonst Jahrhunderte brauchen, scheinen in Monaten und Wochen wie flüchtige Phantome vorüberzugehen

[4] Ebd.
[5] Ebd., S. 117.
[6] Ebd., S. 119.
[7] Ebd., S. 122.
[8] Ebd., S. 123.

und damit erledigt zu sein.«[9] Ein »ausgebreiteter Verkehr« und eine verbreitete »ähnliche Denkweise« sind nur scheinbar wesentliche Voraussetzungen einer Krise; wenn der »wahre Stoff« für sie vorhanden und die richtige Stunde gekommen ist, greift sie »mit elektrischer Schnelle« um sich[10]. Die Krise beginnt um einer begrenzten Sache willen, zieht dann aber alle Unzufriedenheit, allen Protest, alle Negation in ihren Sog; es entsteht eine »blinde Koalition aller, die etwas anderes haben wollen« und die es – so kontrovers in sich und so wenig dauerhaft sie auch sein mag – erst möglich macht, »einen alten Zustand aus den Angeln zu heben«. Den Anfang machen nicht die im alten Zustand am elendesten Lebenden, sondern die »Emporstrebenden«[11].

Ausmaß und Charakter einer Krise lassen sich bei ihrem Beginn nicht einschätzen, weil sie zunächst unterschiedlichste Unzufriedenheiten zum Ausbruch bringt. »Wahre Krisen« kommen durch den Widerstand, den sie finden, zur vollen Entfaltung, während andere erlahmen. Drängen sie weiter, so werden 1. die früheren Führer beiseite geschoben, und *eine* führende Kraft setzt sich durch; es kommt 2. das »Soziale«, nämlich Not und Gier ins Spiel, und es gerät 3. »das ganze übrige Leben der Welt« in Gärung und verbindet sich auf vielfältigste Weise mit der Krise[12]. Schon während die Krise noch expandiert, kann in ihrem Ausgangsland bereits die Reaktion eingesetzt haben, und zwar als Folge von Ermüdung, Abfall der mitlaufenden Massen, Anwachsen der widerstehenden Kräfte, Erschlaffen der Führer und Epigonentum ihrer Nachfolger. Es folgen Ernüchterung und Gleichgültigkeit; die »neu entstandene Güterverteilung« kommt zur Wirkung, die von den Gewinnern als das Wesentliche der Krise angesehen wird, und die älteren Machtträger organisieren sich neu; es schlägt die Stunde des militärischen Staatsstreichs und eines neuen Despotismus, schließlich der Restauration[13]. Die in der Krise aufgewachsene Generation ist jedoch vom »Geist der Neuerung« erfaßt und gibt Anlaß zu »sekundären und tertiären Neubildungen der Krisis«[14]. Aber »irgend etwas von der ursprünglichen Bewegung setzt sich wohl bleibend durch«, ist allerdings in seinen »wahren Folgen« erst

[9] Ebd., S. 122f.
[10] Ebd., S. 124.
[11] Ebd., S. 125f.
[12] Ebd., S. 128f.
[13] Ebd., S. 131ff.
[14] Ebd., S. 137.

aus einem Abstand erkennbar, der der Größe der Krise entspricht[15].

Offensichtlich ist diese Krisenphänomenologie vorrangig am Beispiel Frankreichs seit 1789 orientiert und von der Beurteilung der eigenen Zeit als »Zeitalter der Revolution« motiviert. Obwohl er sie mit wachsender Sorge beobachtete, hat Burckhardt in geschichtlichen Krisen doch große Auslöser menschlicher Kräfte, »Zeichen des Lebens« gesehen; denn »alle geistigen Entwicklungen [geschehen] sprung- und stoßweise, wie im Individuum, so ... in irgendeiner Gesamtheit. Die Krisis ist als ein Entwicklungsknoten zu betrachten.«[16] Dieser Begriff unterscheidet sich von dem medizinischen Krisenbegriff dadurch, daß nicht Wiederherstellung von Gesundheit erfolgt, sondern die Ausformung eines neuen Zustandes bzw. einer neuen Konstellation; die »Entwicklung« hat einen außerordentlichen Schritt getan, wenn auch unter großen Kosten. Die Krise der eigenen Zeit aber kann Burckhardt mit diesem Krisenmodell nicht mehr recht fassen. Es ist – einmal abgesehen von seiner ästhetisierenden Neigung, die Krise als einen Prozeß an sich, als ein historisches Subjekt zu verstehen – zu teleologisch konstruiert; die Krise ist zwar als eine Entwicklung mit vielfältigen Auswirkungen gesehen, aber sie wird doch zu sehr als ein im wesentlichen einliniger Prozeß begriffen, der abgeschnitten, verschoben, abgelenkt werden kann und dessen Entstehung wohl beschrieben, aber nicht erklärt wird. Die Vielfalt möglicher Krisenphänomene und ihr Zusammenhang kommen dabei zu kurz.

Auch für die historische Forschung relevant sind die Krisentheorien von Karl Marx, Thomas S. Kuhn und Jürgen Habermas, die an verschiedenen Beobachtungen entwickelt sind: am ökonomischen Prozeß des Kapitalismus, am Prozeß der modernen Wissenschaft und am gesamtgesellschaftlichen Prozeß des Spätkapitalismus. Die wirtschaftlichen Schwierigkeiten, die aus industrieller Überproduktion bei nicht nachkommender Konsumtion entstehen, hat Marx als systemimmanente Notwendigkeit des Kapitalismus und als Ausgang einer allgemeinen sozialen und politischen Krise gedeutet, die schließlich zu revolutionärem Umbruch und zu einem neuen Zeitalter führen muß[17]. Dieses Konzept, das dann – weniger von Marx selber als von den

[15] Ebd., S. 132.
[16] Ebd., S. 138.
[17] Marx hat seine Krisentheorie an keiner Stelle als solche explizit entwickelt; sie ist Teil seiner Analyse des Kapitalismus.

»Marxisten« – auf die gesamte Menschheitsgeschichte übertragen worden ist, indem generell das Auseinandertreten von Produktivkräften und Produktionsverhältnissen und das Auftreten von Kräften, die die bestehende Gesellschaftsordnung in Frage stellen und schließlich überwinden, als Krise verstanden werden, übergreift und verbindet langfristige Entwicklungen und mehr oder weniger plötzlichen Wandel. Gerade das macht diesen Krisenbegriff für den Historiker attraktiv.

In Kuhns Konstruktion der Wissenschaftsgeschichte[18] treten Krisen auf, wenn »normale Wissenschaft« nicht mehr in der Lage ist, neue, methodisch korrekt gewonnene Beobachtungen und Erkenntnisse zu integrieren, wenn die Problemlösungen, die dem noch geltenden »Paradigma« entsprechen, zu versagen beginnen. In solchen Krisen können neue Theorien und Problemlösungsmodelle auftauchen, mit deren Durchsetzung die Krise überwunden wird. Krisen sind nach Kuhns Meinung »notwendige Voraussetzungen« für neue Theorien; den »Übergang zu einem neuen Paradigma« nennt er eine »wissenschaftliche Revolution«. Dieses Konzept enthält ein beträchtliches allgemeingeschichtliches Deutungspotential, insofern auch im Hinblick auf ökonomische, politische und soziokulturelle Systeme davon ausgegangen werden kann, daß sie ein für sie jeweils spezifisches Ensemble von Steuerungsmitteln und Problemlösungen aufweisen, mit dem sie neue Erfahrungen und Probleme, selbst strukturelle Veränderungen zunächst zu bewältigen versuchen. Gelingt das nicht mehr, erweisen sich die neu andrängenden Kräfte als zu stark oder die Steuerungsmittel und Integrationskapazitäten der bestehenden Systeme als zu schwach, dann läßt sich in der Tat von Krisen sprechen, die allerdings sich nicht immer in der relativen Eindeutigkeit lösen, wie es durch »wissenschaftliche Revolutionen« geschieht. Politische und soziale Krisen müssen überhaupt nicht in Revolutionen münden; und diese schaffen keinen eindeutig neuen Entwicklungsstand; sie erledigen nicht Probleme für immer, sondern kennen Restaurationen.

Bei Burckhardt, Marx und Kuhn ist eine gewisse Kriseneuphorie nicht zu verkennen: Krise – ob sie nun die Revolution mit einschließt oder sie vorbereitet – erscheint als notwendiger Prozeß, der Geschichte voranbringt und Kontinuität garantiert.

[18] Thomas S. Kuhn, *The structure of scientific revolutions.* Chicago 1962; deutsch: *Die Struktur wissenschaftlicher Revolutionen.* Frankfurt a. M. 1967.

Dieser Akzent fehlt dem Habermas'schen Krisenbegriff[19]. Er ist überdies strikt mit dem Systembegriff verknüpft: Krisen entstehen jeweils im ökonomischen, im politischen oder im sozio-kulturellen System und greifen auf andere Systeme aus. Ihre Erscheinungsformen hängen von der Gesellschaftsformation ab, in der sie auftreten. Von diesen Grundannahmen ausgehend und im Hinblick auf den organisierten oder Spätkapitalismus hat Habermas einen komplizierten Katalog von Krisentendenzen entwikkelt und zwischen ökonomischer Krise, Rationalitätskrise, Legitimationskrise und Motivationskrise unterschieden. Krisen treten auf, wenn diese Systeme das erforderliche Maß an Leistungen nicht beschaffen, das ihr Funktionieren garantiert. Es ist hier nicht auf diese Theorie näher einzugehen; auch nicht auf die wichtige und richtige Unterscheidung zwischen allgemeinen »Gefährdungen«, die »Folgeerscheinungen des kapitalistischen Wachstums« sind, und systemspezifischen Krisentendenzen – eine Unterscheidung, die darauf hinweist, daß nicht alle Spannungen und Verzerrungen im historischen Prozeß bereits als Krisen bezeichnet werden dürfen. Insgesamt erscheint jedoch die strenge Systematik von Gesellschaftsformationen, ihnen entsprechenden Organisationsprinzipien, durch die die drei »Entwicklungsdimensionen« (Produktion, Steuerung und Sozialisation) festgelegt sind, Formen der Sozial- und Systemintegration und Krisentypen trotz aller Differenzierung, die sie ermöglicht, für den Historiker zu starr. Für ihn liegen die Chancen des Krisenbegriffs gerade in einem relativ flexiblen und konkreten Gebrauch, der freilich nicht naiv, d. h. nicht außerhalb und ohne Theorie des historischen Prozesses erfolgen darf.

Was aber muß der Krisenbegriff oder besser gesagt: das Konzept der »historischen Krise« leisten, wenn es sinnvoll und fruchtbar in der Geschichtswissenschaft gebraucht werden soll?

3.

Folgende Bedingungen, so scheint es, müssen erfüllt sein, wenn von historischen Krisen gehaltvoll gesprochen werden soll:

1. Geschichtliche Vorgänge, die als Krise bezeichnet werden können, müssen zeitlich abgrenzbar sein. Von einer Krise ohne

[19] Jürgen Habermas, *Legitimationsprobleme im Spätkapitalismus.* Frankfurt 1973.

Ende, als Dauerzustand, zu sprechen, ist sinnlos. Da die Abgrenzung jedoch nur im Rückblick auf Vorhergehendes und unter Einbeziehung des Nachfolgenden erfolgen kann, müssen Krisen gleichwohl im Zusammenhang langfristiger historischer Prozesse gesehen werden.

2. Von historischer Krise zu sprechen, hat nur dann Sinn, wenn die Gesellschaft, in der sie aufgetreten ist, substantiell von ihr betroffen wurde und aus ihr verändert hervorgegangen ist. Die Veränderung braucht nicht die Form einer »Revolution« gehabt zu haben, und sie braucht auch nicht eine Totalveränderung gewesen zu sein, die es in der Geschichte kaum jemals gegeben hat.

3. Der Begriff der Krise muß einen geschichtlichen Vorgang besonderer Art in seiner Besonderheit hervorheben; unter dem Krisenbegriff müssen Ursachen, Struktur und Folgen des Geschehens deutlicher gemacht, also treffender und präziser benannt werden können, als es mit anderen Begriffen möglich wäre.

4. Unter dem Krisenbegriff müssen Wandel und Bruch, aber auch Kontinuität subsumiert werden können, denn politische und soziale Krisen haben unterschiedliche Verlaufsformen.

5. Der Krisenbegriff muß Vorgänge auf verschiedenen Ebenen des geschichtlich-gesellschaftlichen Lebens übergreifen und deshalb interdisziplinär gebraucht werden können.

Versucht man, einige offensichtliche Merkmale von Prozessen aufzuzählen, die gehaltvoll als historische Krisen bezeichnet werden können, so stellen sich die folgenden ein:

1. Krisen verlaufen meist ungleichmäßig. Es können Beschleunigungen, aber auch Verzögerungen und Aufstauungen eintreten, und gerade sie können die besonderen Krisenerfahrungen auslösen.

2. Krisen haben komplexen Charakter. Krisenhafte Entwicklungen in einem Bereich des gesellschaftlichen Lebens, oder anders gesagt: in einem Subsystem des gesamtgesellschaftlichen Systems, machen allein noch keine Krise aus, sondern erst das Zusammentreffen von ähnlichen Erscheinungen in mehreren Lebensbereichen und ihr wechselseitiges Aufeinanderwirken bzw. die von der Krise in einem Lebensbereich ausgreifende Verzerrung im sozialen Funktionszusammenhang. Dadurch entsteht

3. Krisengefühl oder, in gesteigerter Form, Krisenbewußtsein. Die Betroffenen bemerken Veränderungen, ohne Ursachen,

Ausmaß und Folgen schon übersehen oder gar erklären zu können; sie fühlen sich verunsichert, weil der gewohnte Zuschnitt der Lebensverhältnisse nicht mehr stimmt; weil bisherige Erfahrungen nicht mehr ausreichen, das, was geschieht, beurteilen und sich darauf einstellen zu können; weil die einen sich von Verlusten bedroht, die anderen Chancen vor sich sehen. Subjektives Krisenbewußtsein, das das Handeln der Menschen mitbestimmt und dadurch auch Verlauf und Ausgang der Krisen beeinflußt, genügt jedoch nicht, um von einer tatsächlichen Krise zu sprechen. Daß Menschen ihre eigene Zeit als krisenhaft erfahren und als Krise benannt haben, berechtigt deshalb den Historiker nicht, dieses Urteil zu übernehmen. Denn Krisen müssen

4. einen objektiven Charakter haben. Das heißt: es müssen tatsächliche strukturelle Veränderungen feststellbar sein, die nicht intendiert zu sein brauchten und die meistens auch dann, wenn Veränderungsabsichten an ihrem Anfang standen oder in sie eingegangen sind, in ihren Auswirkungen nicht intendiert waren. Krisen in ihrem vollen Ausmaß sind nicht gemacht; sie entwickeln eigene Dynamik und werden von den betroffenen Menschen deshalb als ein nicht (mehr) lenkbarer Vorgang ungewissen Ausgangs erlebt. Damit ist

5. die Offenheit von Krisen angesprochen. Krisen sind nicht streng kausale, zielgerichtete Abläufe, sondern Entwicklungen mit alternativen Möglichkeiten, auch wenn diese nicht realisiert werden. In jedem Falle aber geht eine in Krise geratene Gesellschaft verändert aus ihr hervor. Auch sogenannte Restaurationen stellen nicht den Zustand vor der Krise wieder her.

Grundsätzlich lassen sich politisch-soziale Krisen nicht auf *naturale Ursachen* zurückführen: also z. B. auf geologische Katastrophen, Dürren oder Epidemien. Diese können allerdings eine Rolle spielen, insofern sich ökonomische Krisenfolgen aus ihnen ergeben oder Administrationen sich als unfähig erweisen, mit ihnen fertig zu werden und deshalb an Ansehen und Geltung verlieren. *Ökonomische Ursachen,* also z.B. Währungszerfall, Verzerrungen in Produktion und Konsumtion, Preisinflationen etc. können durch ihre Auswirkungen auf die Gesellschaft und die politischen Institutionen zur großen Krise werden – nämlich durch Vertrauensverlust der Menschen, Verarmung von erheblichen Gruppen, dadurch erzwungene Abwanderung, defizitäre Politik und Ansehensverlust von Regierungen, die der Entwicklung ohnmächtig gegenüberstehen oder falsch reagieren. *Soziale*

Ursachen, also z. B. demographische Katastrophen oder Überbevölkerung, sich verschärfende Rassen-, Klassen-, Generationskonflikte, Emanzipationsbestrebungen aufstiegswilliger und Abwehrmaßnahmen abstiegsbedrohter Gruppen, haben in der Regel auch politische Auswirkungen. Und direkte *politische Ursachen*, also Verschlechterungen der internationalen Beziehungen, Mißerfolge der Regierungen in der inneren und äußeren Politik, Unfähigkeit, mit politischen Gegnern fertigzuwerden oder den geltenden Gesetzen Beachtung zu verschaffen oder gesetzgeberische Maßnahmen zu ergreifen, offenbar werdende Korruption der Regierenden und Abkehr der Regierten vom bestehenden System, Sturz von Regierungen und revolutionäre Veränderungen von Regierungssystemen, wirken zurück auf das Verhalten der sozialen Gruppen untereinander und auf die wirtschaftliche Stabilität.

Infolge der hier nur angedeuteten Interdependenzen von vielfältigen Krisenerscheinungen im Rahmen ihrer politisch-sozialen Bedingungen ist es nötig, den Systembegriff in die Überlegungen einzubeziehen. Auch er wird dabei »weicher« verstanden, als es die theoretischen Sozialwissenschaften tun. Systeme sollen sein institutionell eingebundene soziale Bedingungs-, Funktions- und Wirkungszusammenhänge, die sich geschichtlich entwickelt und eine gewisse Stabilität erreicht haben. Krisen sind Erscheinungen innerhalb solcher Systeme. Krisen eines Systems können sich – vertikal oder horizontal – auf andere Systeme auswirken. Teilkrisen, also etwa im ökonomischen Bereich, können sich zu politischen Systemkrisen und diese wiederum – unter den Bedingungen etwa von Weltwirtschaft und Weltpolitik – zu globalen Krisen ausweiten.

Charakteristische Erscheinungen politisch-sozialer Systemkrisen sind u. a.:

das Hervortreten neuer sozialer Interessen und Ideen und neuer Eliten, die unter den gegebenen Verhältnissen keine Erfüllung finden;

stärker werdende Desintegrationstendenzen infolge zunehmender Interessengegensätze;

Ansehensverlust überlieferter Normen, sozialer Hierarchien und Institutionen infolge ihrer zunehmenden Unfähigkeit, das Denken und Verhalten der Menschen zu leiten und sie zur Anerkennung ihrer Geltung zu veranlassen;

die damit eintretenden Legitimierungsschwierigkeiten der bestehenden Autoritäten;

das Versagen bislang funktionierender Steuerungsmechanismen des betreffenden Systems und

seine damit zunehmende Integrationsschwäche, wodurch die systemsprengenden Kräfte eine eigene Legitimität gewinnen.

Solche Erscheinungen brauchen nicht gleichzeitig aufzutreten, und ihr sachlicher Zusammenhang ist variabel; er muß nicht notwendig auf eine prima causa zurückführbar sein.

4.

Revolutionen sind nach allem Gesagten nicht identisch mit Krisen, sondern Teile von Krisen, vielleicht ihr Ausgang, ihre Lösung oder ihr Umschlag. Deshalb hat sich in letzter Zeit z.B. das Schwergewicht der Erforschung der Englischen Revolution im 17. Jahrhundert von den Ereignissen der Jahre 1629/40 (oder gar 1688/89) einerseits zurückverlagert auf wirtschaftliche und soziale Veränderungen seit der Mitte des 16. Jahrhunderts, andererseits ausgeweitet auf die sog. »allgemeine Krise des 17. Jahrhunderts«, in der sich das Verhältnis der »Gesellschaft« zum Staat geändert, aber auch eine »grande mutation intellectuelle de l'homme« vollzogen hat[20]. Auch von den Vorgängen von 1789 in Frankreich hat sich der Blick zunehmend auf die »Krise des Ancien Régime« gerichtet, die nicht mehr allein als Vorgeschichte der Revolution verstanden wird, sondern als eine langfristige Systemdesintegration infolge zahlreicher nichtkoordinierter Veränderungen, die dem lenkenden Griff der Herrschenden und den tradierten sozialen Steuerungsmechanismen sich entzogen. Der soziale Prozeß lief zunehmend »aus dem Ruder«; der institutionelle Rahmen, die rechtliche Ordnung, das bestehende System sozialen Prestiges – sie alle entsprachen immer weniger den tatsächlichen wirtschaftlichen, gesellschaftlichen und kulturellen Verhältnissen; ökonomisches und soziales System drifteten auseinander, und die mit unzureichenden Mitteln unternommenen und am aristokratischen und ständisch-korporativen Widerstand scheiternden politischen Reformversuche verringerten den Handlungsspielraum der Regierung und vertieften das Krisenbewußtsein in der Bevölkerung. Dieser Prozeß mündete in die

[20] Vgl. dazu: Trevor Aston, *Crisis in Europe 1560–1660. Essays from ›Past and Present‹*. London 1965. Lawrence Stone, *The crisis of the aristocracy 1558–1641*. Oxford 1965; ders., *The causes of the English Revolution 1529–1642*. London 1972.

Revolution von 1789 ein; die Revolution ist also keine notwendige Voraussetzung dafür, von einer Krise des Ancien Régime sprechen zu können. Wohl war diese Krise die Voraussetzung der Revolution, die Revolution jedoch keine notwendige Folge der Krise. Dieser Sachverhalt spiegelt sich in der derzeitigen Diskussion, ob die Revolution von 1789 stärker unter dem Aspekt des Umbruchs (rupture) oder der Kontinuität (continuité) gesehen werden müsse[21].

Die Dimensionen einer politisch-sozialen Krise hängen von Zeit, Ort und Struktur der Gesellschaft ab, in der sie stattfindet. So hat, wie Lawrence Stone feststellt, in der englischen Gesellschaft zwischen dem 14. und 19. Jahrhundert relativ wenig struktureller Wandel stattgefunden; »was sich änderte, war die Rolle der verschiedenen sozialen Klassen innerhalb eines ziemlich statischen Rahmens«. Einen solchen Rollenwandel hat Stone als Voraussetzung des »socio-political breakdown« der Jahre 1640/42 in seinem Buche *The crisis of the aristocracy, 1558–1641* untersucht. Drei Hauptgründe seien dafür verantwortlich gewesen: erstens ein langfristiger Niedergang der Achtung und des Gehorsams gegenüber der Monarchie, der z. T. durch die Unfähigkeit von Königen, z. T. durch wachsende finanzielle Auslaugung des Landes, durch strukturelle Mängel im Hofsystem und durch die sich erweiternde Kluft zwischen Moralstandards, Bestrebungen, Lebensweise des Hofes und denen des Landes bewirkt wurde; zweitens die Unfähigkeit der Established Church, alle Gläubigen – außer den Katholiken – in sich zu vereinigen, und drittens die Krise in den Angelegenheiten der erblichen Elite, der Aristokratie, die durch ihre zeitweilige Schwäche den Weg für den Aufstieg der Gentry freigab[22].

Noch ist kein Schlußstrich unter die Diskussion über die Deutung der Krise des 17. Jahrhunderts gezogen. Neuerdings hat ein amerikanischer Historiker zeitlich weiter ausgegriffen und versucht, die Reformation, die überseeische Expansion, die Preisentwicklung, das Bevölkerungswachstum und die Ausbildung von Zentralregierungen zusammen mit den Versuchen, die Krise

[21] Vgl. dazu: Hubert Méthivier, *L'Ancien régime.* Paris 1968; (Que sais-je? 925); Albert Soboul, *Précis de l'histoire de la révolution française.* Paris 1962, Part. I: ›La crise de l'ancien régime‹; ders., *La civilisation et la révolution française.* I: ›La crise de l'ancien régime‹. Paris 1970; *Vom Ancien Régime zur Französischen Revolution. Forschungen und Perspektiven.* Hrsg. von E. Hinrichs, E. Schmidt und R. Vierhaus, Göttingen 1978 (Veröff. d. Max-Planck-Instituts f. Geschichte 55).

[22] Siehe oben Anm. 20.

zu überwinden, unter dem Titel *The struggle for stability in early modern Europe*[23] zusammenzufassen. Darüber aber besteht offenbar kein Dissens, daß es sich um eine Transformationskrise handelt, in der sich das institutionelle Gefüge Europas wie die Denk- und Verhaltensweisen der Menschen nicht grundlegend und nicht in dem Ausmaß wie im Zuge der Demokratisierung und Industrialisierung, aber doch erheblich veränderten. Das England des 17. Jahrhunderts, aber auch das kontinentale Europa waren um 1700 anders, als sie um 1600 gewesen waren; die innere Differenzierung Europas hatte sich verstärkt und damit auch die Gleichzeitigkeit des Ungleichzeitigen. Und auch darüber gibt es keinen Meinungsstreit, daß die Krise in einer Fülle von Einzelvorgängen bestand, von denen kein einzelner »die« Krise schon ausmachte; erst ihr Zusammentreffen und Aufeinanderwirken unter bestimmten zeitlichen und sozialen Bedingungen läßt den geschichtlichen Prozeß krisenhaft erscheinen.

Das bestätigt die Mehrdimensionalität und Mehrsträhnigkeit, die Komplexität als ein konstitutives Element historischer Krisen. Ebenso kann an der Diskussion um die Krise des 17. Jahrhunderts erkannt werden, daß die Frage nach Ursache und Anfang einer historischen Krise nur multikausal beantwortbar ist. Das allerdings enthebt den Historiker nicht der Aufgabe, zwischen Ursachen größerer und geringerer Reichweite zu unterscheiden und sie zu gewichten. Das Ergebnis wird, wie auch in der Beurteilung der Wirkungen von Krisen, unterschiedlich ausfallen, und zwar nicht nur infolge verschiedener politischer und sozialer Interessen der Historiker, sondern auch auf Grund ihrer anthropologischen Annahmen über die Antriebe menschlichen Handelns oder ihrer geschichtsphilosophischen Überzeugungen von den Antriebskräften der Geschichte. So kann es denn bei weitgehendem Konsens über Tatsache, Ausmaß und Folgen einer bestimmten geschichtlichen Krise dennoch erheblichen Dissens über die Ursachen, ihre Verhinderbarkeit, ihre Folgerichtigkeit und ihren Tiefgang geben.

In manchen Fällen besteht jedoch auch jener Konsens nicht. Waren der lang sich hinziehende, 1918 endende Niedergang des Osmanischen Reiches oder die Entwicklung im russischen Zarenreich seit etwa 1860 Krisen? Kann von einer Krise der Spätantike seit dem Ausgang des zweiten nachchristlichen Jahrhunderts gesprochen werden? Oder von einer Krise der liberalen Demo-

[23] Verfasser dieses 1975 in Oxford erschienenen Buches ist Theodore K. Rabb.

kratie seit dem Ersten Weltkrieg? Im Falle des Osmanenreichs muß wohl festgestellt werden, daß es sich nur um Erlahmen, um Niedergang und Auflösung ohne Alternative und eben deshalb nicht um eine wirkliche Krise gehandelt hat[24]. In Rußland hingegen war doch wohl ein anderer Ausgang möglich, und deshalb darf von einer Krise des zaristischen Systems gesprochen werden[25]. In diesem Sinne läßt sich auch von einer Krise des Römischen Reiches im 3. Jahrhundert reden, die mit Reformen überwunden werden sollte, deren Scheitern dann erst den Weg zum alternativenlosen Untergang freigegeben hat[26]. Von einer Krise der liberalen Demokratie in der Zwischenkriegszeit sind nicht alle Länder Europas in gleicher Weise betroffen worden; sie begann nicht erst 1918 und ist auch heute nicht überwunden. Aber es trifft eben doch zu, daß sie infolge bestimmter wirtschaftlicher Entwicklungen und sozialer Widersprüche in der Zwischenkriegszeit erstmals deutlich bewußt wurde – zu einer Zeit überdies, als das politische System der liberalen Demokratie naiv auf dafür nicht oder zu wenig vorbereitete Staaten übertragen wurde, aber gleichzeitig bereits politisch mächtige Gruppen andere, direktere Formen der Demokratie oder plebiszitäre Diktaturen forderten[27]. Wenn diese Krise heute noch andauert, so zeichnen sich inzwischen die Dimensionen klarer ab, in denen sie gesehen werden muß. Es stellt sich die Frage, ob die Krise der liberalen Demokratie Symptom oder Konsequenz einer allgemeinen Struktur- oder Systemkrise des Spätkapitalismus, vielleicht sogar aller hochentwickelten, weltweit abhängigen poli-

[24] Alessio Bombaci, *Das Osmanische Reich.* In: *Historia Mundi*, Bd. 7, Bern 1957, überschreibt sein Schlußkapitel ›Der Verfall des Osmanischen Reiches‹.

[25] Günther Stökl, *Russische Geschichte von den Anfängen bis zur Gegenwart.* Stuttgart, 2. Aufl. 1965, spricht (S. 536ff.) vom ›Verfall des Reiches‹; Theodor H. von Laue (in: *Propyläen Weltgeschichte*, Bd. 8, Berlin 1960, S. 610ff.) vom »wirtschaftlichen und politischen Dilemma der Modernisierung (1880–1900)«.

[26] Vgl. dazu: Alfred Heuss, *Römische Geschichte.* Braunschweig 1960. Er spricht von einer »inneren Krise« des Reichs im 3. Jahrhundert n. Chr. (S. 414ff.), die von Reformen aufgefangen wurde. Nach der Einführung des Christentums setzt Heuss eine neue Krise von 337–395 an (S. 451ff.), schließlich nach Theodosius den »Auseinanderfall« des Reiches (S. 474ff.). S. besonders das Kapitel ›Der Untergang des Römischen Reiches und der antiken Welt als Problem‹ in: *Der Untergang des Römischen Reiches.* Hrsg. von K. Christ, Darmstadt 1970 (Wege der Forschung CCLXIX), S. 492ff.; Franz Wieacker, *Die Krise der antiken Welt.* Göttingen 1974. William Seston dagegen überschreibt seinen Beitrag zur *Propyläen Weltgeschichte* (Bd. 4, Berlin 1963, S. 487ff.) ›Verfall des römischen Reiches im Westen. Die Völkerwanderung‹.

[27] Vgl. dazu: Ernst Nolte, *Die Krise des liberalen Systems und die faschistischen Bewegungen*, München 1968.

tisch-sozialen Systeme ist. Wird die Krise in ihnen zur Dauererscheinung, Politik zum Krisenmanagement? Müssen also, wenn Anarchie verhindert werden soll, Regierungen und Administrationen mit immer größeren Handlungsvollmachten ausgestattet werden und damit das System der liberalen Demokratie zwangsläufig zum Erliegen kommen?

Die gegenwärtige Krise des Spätkapitalismus, die zwar in ihren Dimensionen noch nicht übersehen, als Tatsache jedoch kaum bestritten werden kann, ist – von heute her geurteilt – durchaus offen; sie scheint Alternativen zu enthalten, und eben das berechtigt dazu, in ihr eine echte Krise zu sehen.

Das leitet zum Ausgangsargument zurück, daß gegenwärtige Krisenerfahrung den Blick für krisenhafte Prozesse in der Vergangenheit schärft und dem Historiker Anlaß zur Verwendung des Krisenbegriffs gibt. Dazu können ihn aber auch methodologische Anforderungen an eine Begrifflichkeit präziseren und stärker systematisierbaren Charakters veranlassen. Historiker bilden ihre Begriffe entweder nach der Sprache der Quellen – d. h. sie nehmen geschichtliche Begriffe auf – oder sie finden sie im umgangssprachlichen Gebrauch ihrer eigenen Zeit, und dann können gerade solche Begriffe, in denen sich Zeiterfahrungen ausdrücken, besonders aufschlußreich werden, oder sie übernehmen sie aus anderen Wissenschaften – also im Falle des Krisenbegriffs aus den Wirtschafts- und Sozialwissenschaften. »Krise« sagt mehr und ist konturierter als die Metaphern Aufstieg und Niedergang, Zerfall und Auflösung, ist präziser und inhaltlich gefüllter als »sozialer Wandel«, weiter gespannt als »Revolution«, weniger dramatisch als »Katastrophe«[28].

In der Tat ist »Krise« unter den historisch brauchbaren und gehaltvollen Prozeßbegriffen einer derjenigen, die eine naive Anwendung am wenigsten zulassen. Obwohl er keineswegs eindeutig ist, vermag er doch eine bestimmte Qualität der durch ihn bezeichneten Prozesse anzudeuten: Krisen sind Prozesse, die durch Störungen des vorherigen Funktionierens politisch-sozia-

[28] Hier seien nur, recht wahllos, einige Werke genannt, in denen der Krisenbegriff zur Kennzeichnung bestimmter großer Prozesse verwendet wird: Hans Baron, *The crisis of the early Italian Renaissance.* 2 Bde., Princeton 1955; Jacques Le Goff, *La civilisation de l'occident médiéval.* Paris 1964 (hier wird im Hinblick auf das 14. und 15. Jahrhundert von »Krise« gesprochen); Paul Hazard, *La crise de la conscience européenne.* Paris 1935; deutsch: *Die Krise des europäischen Geistes.* Hamburg 1939; Roland Mousnier, *Les XVIe et XVIIe siècles.* Paris 1961 (Histoire générale des civilisations IV); Joel Hurstfield, *The reformation crisis.* London 1971.

ler Systeme entstehen und dadurch gekennzeichnet sind, daß die systemspezifischen Steuerungskapazitäten nicht mehr ausreichen, sie zu überwinden, bzw. nicht mehr zur Anwendung gebracht werden. Solche Störungen können an verschiedenen Stellen und in unterschiedlichsten Bereichen des jeweiligen Systems auftreten und sich mit zeitlichen Verzögerungen auf andere Bereiche, schließlich das ganze System auswirken. Damit wird ein krisenhafter Vorgang zur Systemkrise.

Odo Marquard

Kompensation
Überlegungen zu einer Verlaufsfigur geschichtlicher Prozesse[1]

in memoriam Joachim Ritter 1903–1974

1. Am Anfang – jedenfalls am Anfang der modernen Welt – war der Prozeß; dort ist, wie Reinhart Koselleck gezeigt hat, beim Selbstverständnis der einen Geschichte das Wort Prozeß im juristischen Sinne wörtlich zu nehmen; denn da kommt es zur »Verwandlung der Geschichte in einen forensischen Prozeß«[2]: »Aus dem historischen Urteil wurde eine geschichtliche Erwartung der Rechtsvollstreckung ... die ganze Geschichte wurde nunmehr prozessualisiert, indem ihrem Vollzug eine rechtsstiftende und rechtswaltende Aufgabe vindiziert wurde.«[3] Die Geschichte wird ein Gerichtsverfahren, das seiner Intention nach der gerechten Sache unwiderstehlich zum Siege verhilft, indem es die an ihrem Fortschritt schuldig Gewordenen – übrigens bei fallender Begnadigungsrate – verurteilt. Dies ist zugleich der Prozeß schlechthin: »die Weltgeschichte ist das Weltgericht«[4]. Dieser Universalprozeß hatte mindestens drei aufeinanderfolgende Gestalten. Zuerst – im Sinne der biblischen Erwartung des Jüngsten Gerichts – macht Gott den Menschen den Prozeß; darüber wurden die Menschen zu Christen. Dann – in der Theo-

[1] Erste Fassung: September 1975; zweite Fassung: Januar 1976; dritte Fassung: Februar/März 1977. – *Gliederung:* 1. Anfang. 2. Aktualität des Kompensationsbegriffs. 3. Übliche Genealogie: Adler, Jung. 4. Burckhardt. 5. Azaïs und Leibniz. 6. Tertullian, Clauberg, Kant: von der Heilsökonomie zur Theodizee. 7. Spekulativer Exkurs. 8. Von der Theodizee zur Geschichtsphilosophie. 9. Kompensation als Verlaufsfigur moderner Geschichtsprozesse. 10. Resultat.

[2] Reinhart Koselleck, *Kritik und Krise. Ein Beitrag zur Pathogenese der bürgerlichen Welt* (1959). Freiburg-München 2. Aufl. 1969, S. 156; vgl. S. 6–8, 80, 81 ff., 130f., 147–157, 215 (Anm. 147).

[3] Reinhart Koselleck, Artikel *Geschichte* in: *Geschichtliche Grundbegriffe.* Hrsg. von O. Brunner, W. Conze und R. Koselleck, Bd. 2, Stuttgart 1975, S. 667; vgl. S. 666–668. Vgl. auch: Odo Marquard, *Idealismus und Theodizee* (1965). In: ders., *Schwierigkeiten mit der Geschichtsphilosophie.* Frankfurt a. M. 1973, bes. S. 60f.

[4] Friedrich Schiller, *Resignation* (1784), Vers 85.

dizee – machen die Menschen Gott den Prozeß; darüber wurden die Menschen zu Bürgern. Schließlich – in der Geschichtsphilosophie – machen die Menschen den Menschen den Prozeß; darüber wurden die Menschen zu Feinden. Aber sie wollen Menschen sein; so sind die Gewinner dieses Prozesses zugleich seine Verlierer und also – zumindest – verwirrt: Menschen unterm Himmelszelt, ratlos.

Am Ende – jedenfalls am Ende dieser einen Geschichte und in diesem begrenzten Sinne im »posthistoire« – interessieren die Prozesse: also just dort, wo der eine Universalprozeß dieserart am Ende ist. Denn beim großen Aufschwung der Menschen zum absoluten Weltrichter mit totaler Weltkontrolle machen sie Ohnmachtserfahrungen: die Geschichte wird – im Effekt – zum Felde des Entgleitens. Die Dinge laufen anders, sie entlaufen, und zwar auch und gerade dort, wo sie – zunehmend – nicht mehr »naturwüchsig« laufen. Die Autonomisierung erzeugt Heteronomien. Es gibt die Dialektik der Aufklärung, die Abenteuer der Dialektik, die hausgemachten Mißgeschicke der Emanzipation: den Illusionsertrag der total gemachten Desillusionierung, die Entmündigung durch kritische Bemündigung, den Verfeindungszwang beim Kampf gegen die Zwänge, die Repressionseffekte der Emanzipation. Der Prozeß gerät außer Kontrolle; Intentionen und Resultate divergieren; die Geschichte läuft aus dem Ruder. Die geschichtsphilosophisch proklamierte Menschenabsicht, es zu sein, wird ersetzt durch die Kunst, es nicht gewesen zu sein[5]. Der im Namen der einen guten Sache – des Heils, der Würde und des Glücks, der Freiheit und Gleichheit –

[5] So bereits innerhalb der Geschichtsphilosophie der menschlich machbaren einen Geschichte, und zwar nicht nur durch ihre verschiedenen Hilfstheorien über nichtmenschliche Protagonistenvikare (Gott, Natur). Daß die Menschen ihre Geschichte selber – »aber ... unter ... gegebenen und überlieferten Umständen«: Karl Marx, *Der 18. Brumaire des Louis Bonaparte.* MEW, Bd. 8, S. 115 – machen: dieser Vorbehalt wird gerade auch innerhalb der revolutionären Geschichtsphilosophien wachsend bedeutsam. Wo diese »gegebenen und überlieferten Umstände« selber zunehmend auf geschichtsphilosophisch-revolutionärer Orthopraxis beruhen, werden negative Gegebenheiten als Verratsresultate interpretiert durch »polizistische Geschichtsauffassung«: vgl. Manès Sperber, *Die Achillesferse.* Frankfurt a. M. – Hamburg 1969, S. 75 f.: »Ohne den Verrat könnte die absolute Herrschaft den Betrug ihrer Vollkommenheit nicht aufrechterhalten ...; die ausschließliche, die totale Macht muß sich der Verantwortung für all jene Geschehnisse entledigen, die weder Ruhm noch Erfolg bringen ... So stellt die Überzeugung, verraten worden zu sein ... eine Art negativen Trost dar«; energischen Hinweis auf diese Stelle verdanke ich Christian Meier; vgl. auch Manès Sperber, *Der verbrannte Dornbusch.* Bd. 1, Frankfurt-Berlin-Wien 1971, S. 322 ff.

geführte eine absolute Prozeß kompromittiert sich: er ist also schließlich am Ende. Danach bleiben zwei Bestimmungen für die Geschichte als Prozeß möglich[6]. Entweder, die juridische Bedeutung des Prozeßbegriffs wird festgehalten; aber nicht mehr den gewonnenen, sondern den »verlorenen Prozessen« gilt fortan Aufmerksamkeit und Sympathie[7]. Oder, die juridische Bedeutung des Prozeßbegriffs wird preisgegeben; die gute Sache verschwindet ins Jenseits der idealen Sollensforderungen, Normen, Geltungen, Werte und Regulative; im Diesseits der Geschichte aber dominieren mittelfristig ablaufende Zwangsläufigkeiten. Die eine große Freiheit wird überlebt von den vielen mittleren Notwendigkeiten. Dieser Prozeßcharakter des intentionsverwischenden, zerstreuten, störbaren, sich erschöpfenden Ablaufens – non ex opere operantis sed ex opere operato, ohn' all Verdienst allein aus Fatum – entlastet: er deckt einen elementaren Fatalismusbedarf, den nicht nur diejenigen haben, die – opportunistisch – vom laufenden Ablauf Vorteile erwarten, oder diejenigen, die – defätistisch – der Ungewißheit des Ausgangs die Gewißheit der Niederlage vorziehen. Es braucht nämlich jedermann viel Fatalismus, der kein Fatalist sein will: daß man nicht alles machen muß, daß also – anders gesagt – viele Dinge »immer schon« ohne Zutun laufen und gelaufen sein müssen, ist die Möglichkeitsbedingung des Handelns in Reichweiten, in denen man handeln kann[8]. Die Praxis macht stets nur das Wenige, was noch zu machen ist; damit sie möglich sei, muß in einem sehr beträchtlichen Umfang schon nichts mehr zu machen sein. Das ist dann

[6] Eine dritte Möglichkeit deutet an Jürgen Habermas, *Zur Kritik an der Geschichtsphilosophie (R. Koselleck, H. Kesting;* 1960). In: ders., *Kultur und Kritik.* Frankfurt a.M. 1973, S. 364: »Machbarkeit ... wenn nicht der Geschichte selber, so doch der geschichtlichen Prozesse, die uns, wenn wir sie nicht meistern, auf diese oder jene Weise aufreiben würden.« – Andererseits ist an das Feld jener »Hilfsbegriffe« zu erinnern, die nicht nur »im Umkreis des Entwicklungsbegriffs« sich gebildet haben: »So beruft man sich gerne auf objektiv gegebene ›Trends‹, ›Triebkräfte‹, ›Strömungen‹ oder ›Tendenzen‹«: Wolfgang Wieland, Artikel *Entwicklung* in: *Geschichtliche Grundbegriffe,* Bd. 2, S. 225.

[7] Siegfried Kracauer, *Geschichte – Vor den letzten Dingen* (posth. 1969). Schriften, Bd. 4, Frankfurt a.M. 1971, S. 80, 185, 195; S. 201: »Das ›Genuine‹, das in den Zwischenräumen der dogmatisierten Glaubensrichtungen der Welt verborgen liegt, in den Brennpunkt stellen und so eine Tradition verlorener Prozesse begründen.« Vgl. die Reflexion über Tocqueville bei Carl Schmitt, *Ex captivitate salus.* Köln 1950, S. 25–33.

[8] Das heißt, in denen man Verantwortung wirklich zu übernehmen vermag; vgl. Robert Spaemann, *Nebenwirkungen als moralisches Problem.* Philosophisches Jahrbuch 82 (1975). Vgl. außerdem Niklas Luhmann, *Status quo als Argument.* In: *Studenten in Opposition.* Hrsg. von H. Baier, Bielefeld 1968.

zugleich bereits das Stichwort für die Theorie, denn Theorie ist das, was man macht, wenn gar nichts mehr zu machen ist[9]. Daß all dieses – und vieles andere dieser Art – in den Vordergrund drängt, gehört zum geschichtsbetreffenden Bedeutungswandel des Prozeßbegriffs, der darin besteht, daß aus dem richtenden Prozeß die gerichteten Prozesse werden. Der Blick auf diesen Wandel ist – beim Thema »Geschichte als Prozeß« – die große Perspektive.

Indes, Kleinvieh macht auch Mist. Wo die Historiker – so oder anders – aufs transzendentale Panorama bedacht sind, darf der Philosoph sich – kompensatorisch – kümmern um ein Detail. Deswegen geht es im folgenden um die Metaphysik eines Details. Zu den Details gehören jene Verlaufsfiguren-Begriffe, die – nach dem Exitus des Totalbegriffs des absoluten Prozesses und diesseits vom Langstreckenbegriff des Systems und vom Kurzstrekkenbegriff des Ereignisses – Mittelstreckenbegriffe sind und nunmehr gerade dadurch Aufmerksamkeit auf sich ziehen: dort, wo mit dem totalen Prozeßbegriff der Geschichtsphilosophie in bezug auf die Geschichte die Idee der Totalität insgesamt suspekt oder allenfalls zum Regulativ emeritiert wird[10], können und müssen insbesondere jene Kategorien interessant werden, die zwar nicht mehr die Geschichte als Totalität, also als Ganzes, wohl aber geschichtliche Prozesse als Ergänzungen und Wiederergänzungen – sozusagen als Ergänzungen ohne Ganzes[11] – zu begrei-

[9] Hegels geschichtshinsichtliche These des grundsätzlichen Zuspätkommens der Theorie: *Grundlinien der Philosophie des Rechts* (1821). Theorie Werkausgabe, Bd. 7, S. 28; vgl. Arthur C. Danto, *Analytische Philosophie der Geschichte* (1965). Frankfurt a. M. 1974, S. 465. Ich neige dazu, hier auch die antizipatorischen Konzepte zu subsumieren: ein Futurologe ist ein vorwärts gekehrter Antiquar.

[10] Hans Michael Baumgartner, *Kontinuität und Geschichte.* Frankfurt a. M. 1972.

[11] Analog zur alternativen Bestimmung des Menschen als »Zielstreber« und »Defektflüchter« könnte man zwischen »erfüllenden« und »entlastenden« Ergänzungen unterscheiden: Kompensationen gehören – als Ergänzungen ohne Ganzes – zur zweiten Sorte. Ebenso wie die Anregung zu dieser Überlegung verdanke ich einigen Diskussionen des im folgenden entwickelten Gedankengangs den Hinweis darauf, daß sich die Verlaufsfigur der Kompensation als Spezialfall der Dynamik von »challenge« und »response« (Toynbee) deuten läßt. Hier kann man im übrigen eine ganze Reihe von Fragen zwanglos anschließen, die teilweise das Themenfeld dieser Überlegungen überschreiten; etwa die folgende: Wie verhält sich zu der im folgenden untersuchten Verlaufsfigur die von Thomas S. Kuhn, *The structure of scientific revolutions.* Chicago-London-Toronto 1962, analysierte Verlaufsform des »paradigm change«: a) wenn dabei doch gilt: »a scientific theory is declared invalid only if an alternate candidate is available to take its place« (S. 77) – ein eine Paradigmakrise kompensierendes Paradigma? –, so daß immer nur »an older

fen erlauben. Zu ihnen gehört der Begriff »Kompensation«, darum scheint er mir wichtig. Meine These ist: Kompensation ist eine geschichtsphilosophische Kategorie, oder genauer gesagt: Kompensation ist eine wesentliche – eine gleichwohl nicht unproblematische – Kategorie zum Begreifen einer Verlaufsfigur oder eines Verlaufsmoments insbesondere moderner geschichtlicher Prozesse.

2. Um diese These plausibel zu machen, beginne ich bescheiden, nämlich mit dem Hinweis darauf, daß der Begriff Kompensation – wie immer es sich sonst mit ihm verhalten mag – jedenfalls eines ist: ein aktueller Begriff. Ich möchte das durch drei Beispiele belegen.

Erstens: Kontrovers, aber heftig diskutiert wird heutzutage das Programm »kompensatorischer Erziehung«, zunächst, seit 1958, in der Folge des »National Defense Education Act« in den Vereinigten Staaten[12], dann, mit nur geringem Zeitverzug, auch hierzulande: »kompensatorische Erziehung« wird schnell zum Erfolgswort der Bildungsreform-Literatur[13]. Und gemeint ist mit diesem pädagogischen Kompensationsprogramm grob gesagt folgendes: das Bildungssystem ist so zu reformieren, daß Chancendefizite eines Teils seiner Sozialisationsklienten im Interesse der Chancengleichheit aller ausgeglichen – eben kompensiert – werden. Die kontroverse Diskussion im einzelnen braucht hier nicht zu interessieren[14], sondern nur dies: das Prinzip Kompensation ist pädagogisch aktuell.

paradigma is replaced ...by an incompatible new one« (S. 91); b) wenn es sich dabei handelt um einen »process that moved steadily from primitive beginnings but toward no goal« (S. 171), so daß man muß »substitute evolution-from-what-we-do-know for evolution-toward-what-we-wish-to-know« (S. 170), was »the abolition of that teleological kind of evolution« bedeutet (S. 171) zugunsten von – wie ich sagen würde – Defektfluchtprozessen.

[12] *Compensatory education for culturally deprived.* Hrsg. von S. Bloom, A. Davis und R. Hess, New York 1958; vgl. die Programme: *Demonstration Guidance Project*, 1957/62; *Higher Horizons Program*, 1959/62; *Head Start*, 1964 ff.; vgl. B. Brüggemann u. a. (Red), *Sozialisation und Kompensatorische Erziehung*. Berlin, Juni 1969, S. 176 ff. – Literaturhinweise zur kompensatorischen Erziehung verdanke ich G. Wilkending.

[13] Vgl. Gerd Iben, *Kompensatorische Erziehung*. 3. Aufl. München 1974; dort S. 14: »Kompensatorische Erziehungsprogramme wollen Eingriffe in soziale Systeme sein ... Durch Kompensation von Funktionsmängeln wird ein Funktionszusammenhang verändert. Die von nun an kompensatorisch Erzogenen gelangen in ein anderes Verhältnis zur Gesellschaft.«

[14] Vgl. u. a.: A. Jensen, *How much can we boost IQ and scholastic achievment?*

Zweitens: Durchgesetzt hat sich – obwohl es umstritten bleibt – heutzutage allenthalben das Programm »kompensatorischer Wirtschaftspolitik«. Erfunden wurde es von Lord Keynes[15]; den Kompensationsbegriff lancierte einschlägig – zunächst für den Teilbereich der »compensatory fiscal policy« – ein Ökonom aus der Keynes-Schule, nämlich 1941 der Amerikaner Alvin H. Hansen[16]. Seither hat dieser Begriff sich allgemeiner durchgesetzt. Und gemeint ist mit diesem ökonomischen Kompensationsprogramm grob gesagt folgendes: im Konjunkturzyklus sind bei Rezessionen Investitionsneigungsdefizite der privaten Wirtschaft durch stimulierende Interventionen der öffentlichen Hand auszugleichen. In den westlichen Staaten ist das inzwischen offizielle Doktrin der Konjunkturpolitik; sie übernehmen dadurch – nach der Formulierung von Jürgen Habermas – »marktkompensierende Aufgaben«[17]. Auch hier muß nicht

(1969). In: ders., *Genetics and education.* London 1972; I. N. Sommerkorn, *Kompensatorische Erziehung.* Deutsche Schule 61 (1969), S. 720: »Kompensation zur Anpassung, zur Integration in das bestehende System«; Iben, *Kompensatorische Erziehung,* bes. S. 58ff.; Basil Bernstein, *Der Unfug mit der ›kompensatorischen Erziehung‹.* Betrifft Erziehung (1970), bes. S. 16. Beiseite bleiben muß auch, daß in dieser Diskussion der Kompensationsbegriff inzwischen durch den Leitbegriff des Komplementären ersetzt ist; innerhalb der Pädagogik wird dadurch der Kompensationsbegriff frei für die Verwendung in der speziellen Curriculardiskussion; vgl.: Bildungswege in Hessen. Eine Schriftenreihe des Hessischen Kultusministeriums (o. J.) Heft 7, S. 4f.: die »Jahrgangsstufe 11 ... hat ... zu erfüllen: ... Die Aufgabe des Ausgleichs von unterschiedlichen Ausbildungsvoraussetzungen zur Herstellung gleicher Ausgangschancen (Kompensation) ... Deshalb soll das 1. Halbjahr der Jahrgangsstufe 11 (11/I) vorrangig der Kompensation ... dienen.« Zum schulbezüglichen Gebrauch des Wortes in den zwanziger Jahren vgl. – stellvertretend für ein beträchtliches Belegpotential – Walter Schulz in: *Philosophie in Selbstdarstellungen.* Bd. 2, Hamburg 1975, S. 270: »Ich war im Sport ein völliger Versager, daher mußte ich ›kompensieren‹ und konzentrierte mich ganz ... auf die Fächer Deutsch, Geschichte und Religion.«

[15] John Maynard Keynes, *The general theory of employment, interest and money* (1936). Collected writings, Bd. 7; Wortgebrauch dortselbst S. 254. Vgl. Robert Lekachman, *John Maynard Keynes* (1966); deutsch: München o. J., S. 148ff.; Lekachman datiert (vgl. S. 311ff.) für die USA die Durchsetzung des Keynesianismus im nicht-akademischen Raum oberhalb der Beratungsbürokratie zur offiziellen ökonomischen Regierungsdoktrin auf die Kennedy-Ära; das ist zugleich die Zeit der Durchsetzung des Begriffs »compensatory education«: es darf also nicht ausgeschlossen werden, daß der Kompensationsbegriff aus der ökonomischen in die pädagogische Diskussion kam.

[16] A. H. Hansen, *Fiscal policy and business cycles.* New York 1941, bes. S. 261–300: »the concept of compensation« (S. 261) »implies ... that public expenditures may be used to compensate for the decline in private investment« (S. 263).

[17] Jürgen Habermas, *Legitimationsprobleme im Spätkapitalismus.* Frankfurt a. M. 1973, S. 97; vgl. S. 78ff.

eigens betont werden: das Prinzip Kompensation ist ökonomisch aktuell.

Drittens: Joachim Ritter hat in verschiedenen Untersuchungen[18] auf moderne Phänomene kompensatorischer Lebensführung aufmerksam gemacht: wo die moderne Gesellschaft technisch-artifiziell und dadurch naturfern, wo sie rationell und dadurch beziehungslos zur geschichtlichen Tradition wird, dort – gerade dort und nur dort – entsteht der emphatische Sinn für die Natur und für die Geschichte: etwa die Landschaftsmalerei, etwa die Geschichtswissenschaft, etwa die Institution des Museums. Weil die versachlichte Gesellschaft zur Verlustrealität wird, schaffen die Menschen sich zum Ausgleich – also »kompensatorisch« – Bewahrungsrealitäten. Ein wichtiges Trivialphänomen aus diesem Kontext ist der Urlaub: erst dort, wo die Arbeitswelt sich extrem versachlicht und beziehungslos wird zum individuellen Leben, kommt es kompensatorisch zur allgemeinen Institutionalisierung des Urlaubs, sozusagen zur Geburt des Urlaubs aus dem Geiste der Kompensation. Wir pflegen zu vergessen, daß dies – Natursinn, Geschichtssinn, Urlaub und manch anderes dieser Art – weder ewige noch auch nur alte, daß sie vielmehr ganz moderne Tatbestände sind; darum muß man eigens darauf hinweisen: das Prinzip Kompensation ist im täglichen Gegenwartsleben aktuell.

Ich könnte weitere Beispiele bringen[19]. Ich unterlasse das, weil die angeführten Beispiele, wie ich meine, schon hinlänglich bele-

[18] Seit 1940, jetzt zusammengefaßt in: J. Ritter, *Subjektivität. Sechs Aufsätze.* Frankfurt a. M. 1974; vgl. außerdem ders., *Metaphysik und Politik.* Frankfurt a. M. 1969, bes. S. 319–354.

[19] Zum m. W. aktuellsten signifikanten Einsatz des Kompensationsbegriffs kommt es in der philosophischen Diskussion der Beschleunigung des »sozialen Wandels« – bezogen auf Phänomene wie »Wellen der Nostalgie«, »Historisierung und Musealisierung unserer kulturellen Umwelt« (S. 7f.), »Neoutopismus«, »Subkultur der Verweigerung« (S. 15f.) – bei Hermann Lübbe, *Zukunft ohne Verheißung? Sozialer Wandel als Orientierungsproblem.* Zürich (1976), S. 9: »Kompensation ist das entscheidende Stichwort. Wir haben es ... zu tun mit ... Kompensationen eines änderungstempobedingten Vertrautheitsschwunds«; angesichts der dadurch bedingten »Orientierungskrisen« ist »hilfreich ... nicht die Intensität progressiver Gesinnung, sondern der Pragmatismus der Politik der Kompensation kritischer Fortschrittsnebenfolgen« (S. 19). Lübbes Thesen sind, wenn ich das richtig sehe, Weiterentwicklungen derjenigen Ritters a. a. O. – Auch umgangssprachlich reüssiert der Kompensationsbegriff. Beispiel: im Sportteil der FAZ vom 15. 11. 1976 heißt es über Borussia Mönchengladbach, »daß die Mannschaft in der Lage ist, den Ausfall einer kompletten Mittelfeldreihe (Stielike, Wimmer, Danner) zu kompensieren«.

gen, was ich belegen wollte: Kompensation, das ist ein aktueller Begriff.

3. Eine Definition dieses Begriffes könnte folgendermaßen lauten: Kompensation bedeutet Ausgleich von Mangellagen durch ersetzende oder wiederersetzende Leistungen. Auch diese Definition – die nicht gut ist, aber es gibt keine gute Kompensationsdefinition – scheint mir etwas zu belegen: daß nämlich Definitionen zuweilen wenig Aufschluß geben über das, was sie definieren. Darum genügen – insbesondere für Wichtigkeitsnachweise – Definitionen nur selten oder gar nicht. Freilich genügt, obwohl es weiterführt, dafür auch nicht, nur – wie ich das für den Kompensationsbegriff eben versucht habe – festzustellen, in welchen Zusammenhängen Begriffe aktuell verwendet werden. Denn was diese Begriffe gegenwärtig attraktiv macht, ist häufig nicht das, was sie – im aktuellen Zusammenhang – aktual bedeuten, sondern das, was sie darüber hinaus – meist unbewußt – mitbedeuten. Dieses latente, aber wirkungswichtige Bedeutungspotential von Begriffen erfährt man in der Regel nur dadurch, daß man auf ihre Geschichte blickt, auf die Begriffsgeschichte. Was für Menschen die erste Liebe, ist für Begriffe der erste Gebrauch: er hat bahnende oder gar prägende Bedeutung. So muß man – und zwar gerade im Zusammenhang einer philosophischen Überlegung – auch beim Kompensationsbegriff fragen: woher kommt er, wo wurde er in philosophisch erheblicher Weise zuerst gebraucht?

Auf diese Frage gibt es unter Philosophen – das ist belegbar etwa durch die Kompensationsartikel der heutigen philosophischen Wörterbücher[20] – folgende gängige und allgemein anerkannte Antwort: der Kompensationsbegriff kommt aus der Psychologie, und zwar aus dem Umkreis der Psychoanalyse. Erfunden und durchgesetzt hat ihn einer ihrer berühmten Häretiker: jener, der seine Psychoanalyse, um sie von derjenigen Freuds zu unterscheiden, Individualpsychologie nannte. Das ist Alfred Adler: 1907 in seiner *Studie über Minderwertigkeit von Organen*

[20] Ausnahme: *Historisches Wörterbuch der Philosophie*. Hrsg. von J. Ritter und K. Gründer, Bd. 4, Basel-Stuttgart 1976; aus der Arbeit des Verfassers am Kompensationsartikel dieses Lexikons ist diese Vorlage entstanden. Zur vorher üblichen Genealogie vgl. Odo Marquard, *Skeptische Methode im Blick auf Kant*. Freiburg-München 1958, S. 20, Anm. 31, insbesondere aber D. L. Hart, *Der tiefenpsychologische Begriff der Kompensation*. Zürich 1956; den Hinweis auf diese Arbeit verdanke ich Niklas Luhmann.

und in späteren Schriften hat er untersucht, wie Organdefekte oder »Minderwertigkeitskomplexe« entweder geglückte oder neurotisch-mißglückte psychische Ausgleichsaktionen erzwingen, eben »Kompensationen«[21]. Freud hat diesen Erfolgsterminus seines zum Konkurrenten gewordenen Schülers verständlicherweise nach Möglichkeit vermieden[22]; ebenso verständlicherweise hat ihn C. G. Jung, ein anderer Häretiker der Psychoanalyse, aufgegriffen. Jung hat ihn allgemeiner gewendet: »Kompensation«, heißt es in seiner Schrift *Psychologische Typen*, »bedeutet Ausgleichung oder Ersetzung ... Während Adler seinen Begriff der Kompensation auf die Ausgleichung des Minderwertigkeitsgefühls einschränkt, fasse ich (sc. Jung) ... Kompensation allgemein als ... Selbstregulierung des psychischen Apparates ... (und) in diesem Sinne ... die Tätigkeit des Unbewußten als Ausgleichung der durch die Bewußtseinsfunktion erzeugten Einseitigkeit der ... Einstellung auf.«[23] Kompensation: dieser Begriff kommt also, scheint es, aus der Psychoanalyse. Und wenn er in unserem Jahrhundert in anderen Bereichen – der Pädagogik, der Ökonomie, der kulturkritischen Reflexion – Erfolg hat, dann ist das, scheint es, jener Zufall, der auch andere psychoanalytische Begriffe einschlägig erfolgreich werden läßt, im Grunde aber ist es ein nur sekundärer Gebrauch, eine Zweckentfremdung. Denn sein Ursprung, seine Heimat, seinen ersten und legitimen Anwendungsbereich hat dieser Begriff, so scheint

[21] Alfred Adler, *Studie über Minderwertigkeit von Organen*. Wien-Berlin 1907, 2. Aufl. 1927, S. 69: »alle Erscheinungen der Neurosen und Psychoneurosen (sind) zurückzuführen auf Organminderwertigkeit, den Grad und die Art der nicht völlig gelungenen zentralen Kompensation und auf eintretende Kompensationsstörungen«; vgl. ders., *Über den nervösen Charakter* (1912), 3. Aufl. München-Wiesbaden 1922, bes. S. 25 ff.; ders., *Praxis und Theorie der Individualpsychologie* (1920). 2. Aufl. München-Wiesbaden 1924, S. 4, 10, 22 ff.

[22] Vgl. Sigmund Freud, *Selbstdarstellung* (1925). Gesammelte Werke, Bd. 14, S. 79.

[23] Carl Gustav Jung, *Psychologische Typen* (1921). Gesammelte Werke, Bd. 6, S. 484 f.; »Kompensation« bei Jung zuerst in: *Über die Psychologie der dementia praecox* (1907). Ebd., Bd. 3, S. 34. Vgl. außerdem: ders., *Über die Psychologie des Unbewußten* (1916). 6. Aufl. Zürich 1948, S. 195 ff.; ders., *Die Beziehungen zwischen dem Ich und dem Unbewußten* (1928). 5. Aufl. Zürich 1950, S. 98: »daß die unbewußten Vorgänge in einer kompensatorischen Beziehung zum Bewußtsein stehen«; vgl. ff. – In der psychologischen Persönlichkeitstheorie haben das Konzept der Kompensation weitergeführt, modifiziert, differenziert: Philipp Lersch, *Aufbau der Person* (1938). 9. Aufl. München 1964; Gordon W. Allport, *Gestalt und Wachstum in der Persönlichkeit* (1949). Meisenheim 1973, S. 174 ff., S. 603; K. H. Seiffert, *Grundformen und theoretische Perspektiven psychologischer Kompensation*. Psychologia universalis 12 (1969), bes. S. 35.

es, in der Psychologie psychoanalytischer Provenienz; und sein Geburtsjahr ist das Jahr 1907.

Diese Begriffsgenealogie hat offenbar allgemein überzeugt; und sie klingt ja auch überzeugend. Sie hat nur einen einzigen, einen winzigen Nachteil: sie stimmt nicht.

4. Auch das möchte ich belegen. Für den Zusammenhang dieser Überlegung bringt es wenig, wenn ich zeige, daß Adler den Kompensationsbegriff aus einer um 1900 heftig geführten Diskussion der Hirnphysiologie (Neurologie) übernommen hat[24]. Darum zitiere ich hier gleich einen anderen, einen älteren, einen historio-philosophischen Text. 1868 sucht Jacob Burckhardt in der letzten seiner *Weltgeschichtlichen Betrachtungen*, der »über Glück und Unglück in der Weltgeschichte«, angesichts ihrer Schrecken durch Blick auf die »Ökonomie der Weltgeschichte«[25] einen »unserer Ahnung zugänglichen Trost«[26]; und da, schreibt er, »meldet sich als Trost das geheimnisvolle Gesetz der Kompensation, nachweisbar wenigstens an einer Stelle: an der Zunahme der Bevölkerung nach großen Seuchen und Kriegen. Es scheint ein Gesamtleben der Menschheit zu existieren, welches die Verluste ersetzt. So ist es ... wahrscheinlich, daß das Zurückweichen der Weltkultur aus dem östlichen Becken des Mittelmeeres im 15. Jahrhundert ... kompensiert wurde durch die ozeanische Ausbreitung der westeuropäischen Völker; der Weltakzent rückt nur auf eine andere Stelle ... So substituiert hier statt eines untergegangenen Lebens die allgemeine Lebenskraft der Welt ein neues. Nur ist die Kompensation nicht etwa ein Ersatz der Leiden, auf welchen der Täter hinweisen könnte, sondern nur ein Weiterleben der verletzten Menschheit mit Verlegung des Schwerpunktes.«[27] Als »Schattierungen« der »Kompensation« nennt Burckhardt »Verschiebung« und »Ersatz«[28]. Indes, so schreibt er: »die Lehre von der Kompensation ist meist

[24] L. Luciani, *Das Kleinhirn* (1893); J. R. Ewald, *Über die Beziehungen zwischen der excitablen Zone des Großhirns und dem Ohrlabyrinth*. Berliner klinische Wochenschrift 33 (1896); G. Anton, *Über den Wiederersatz der Funktion bei Erkrankungen des Gehirns*. Monatsschrift für die Psychiatrische Neurologie 19 (1906), Kompensation ist dabei »selbsterzeugter Kontrast«. Den Hinweis auf diese Diskussion verdanke ich U. Schönpflug; vgl. Hart, *Der tiefenpsychologische Begriff*.

[25] Jacob Burckhardt, *Weltgeschichtliche Betrachtungen* (1868). Gesammelte Werke, Basel-Stuttgart 1955 ff., Bd. 4, S. 192.

[26] Ebd., S. 191.

[27] Ebd., S. 193.

[28] Ebd., S. 194.

doch nur eine verkappte Lehre von der Wünschbarkeit, und es ist und bleibt ratsam, mit diesem aus ihr zu gewinnenden Troste sparsam umzugehen, da wir doch kein bündiges Urteil über diese Verluste und Gewinste haben«[29].

Dieser Text zeigt zunächst zumindest das eine: von einem Erstgebrauch des Kompensationsbegriffs allererst in der psychoanalytischen Individualpsychologie kann keine Rede sein; ein schon 1868 zentral gebrauchter Begriff kann nicht erst 1907 zentral geworden sein. Am Kompensationsbegriff – einem psychoanalytischen und dann allgemeiner und dadurch auch philosophisch aktuell gewordenen Begriff – zeigt sich so, was zugleich für viele psychoanalytische Grundbegriffe gilt: daß sie zu allgemein interessanten und philosophischen Begriffen in der Tat gegenwärtig werden, aber dies nur deswegen, weil sie allgemein interessante und philosophische Begriffe schon waren, ehe sie zu psychoanalytischen Begriffen wurden; sie haben eine – in der Regel vergessene – philosophische Vorgeschichte[30]. Dies eben gilt auch und gerade für den Begriff Kompensation. Ich formuliere das gleich als begriffsgeschichtliche These meiner Überlegung: Der Begriff Kompensation – nur vermeintlich individualpsychologisch-psychoanalytischer Herkunft – wird heutzutage zum allgemein interessanten und philosophisch erheblichen Begriff, aber dies nur deswegen, weil er ein allgemein interessanter und philosophisch erheblicher Begriff schon war, ehe er zum psychoanalytisch-individualpsychologischen Begriff wurde; auch und gerade der Begriff Kompensation hat eine – vergessene – philosophische Vorgeschichte.

5. Um diese Behauptung zu erhärten, reicht freilich der Hinweis auf die zitierte weltgeschichtliche Betrachtung des Historikerphilosophen Burckhardt nicht aus. Indes, dieser Burckhardt-Text selber weist ja auch über sich hinaus: Burckhardt behandelt »das geheimnisvolle Gesetz der Kompensation« und »die Lehre von der Kompensation« offenkundig nicht als etwas, das vor seinen Ausführungen unbekannt gewesen wäre. Und das alles war in der Tat auch nicht unbekannt. Zuerst 1808, und dann bis 1846 in vier weiteren Auflagen, erscheint von Pierre-Hyacinthe Azaïs, einem von 1766 bis 1845 lebenden französischen Philoso-

[29] Ebd., S. 193f.

[30] Vgl. Odo Marquard, *Zur Bedeutung der Theorie des Unbewußten für eine Theorie der nicht mehr schönen Kunst.* In: *Die nicht mehr schönen Künste.* Hrsg. von H.-R. Jauß, München 1968, S. 379.

phen, der u. a. auch ein *Jugement philosophique sur Jean-Jacques Rousseau et sur Voltaire* geschrieben hat, ein Buch mit dem Titel *Des compensations dans les destinées humaines*[31]; Azaïs nennt dieses Buch – einen philosophischen Dialog mit einem zweibändigen Novellenanhang, der teilweise eine integrierte Gruppenarbeit von Monsieur und Madame Azaïs ist – einen »Traité de la Justice providentielle«[32]. Unterschwellig spielt in ihm das Gesetz der großen Zahl – das meines Wissens erst Cournot 1843 mit dem Kompensationsbegriff ausdrücklich in Verbindung gebracht hat[33] –, insbesondere in der Form des Gesetzes der langen Dauer, eine Rolle: à la longue werden malheurs kompensiert. So kommt Azaïs zu dem, was er schlicht »la loi« nennt: »Das Los der Menschen, in seiner Gesamtheit betrachtet, ist das Werk der ganzen Natur, und alle Menschen sind gleich in bezug auf ihr Schicksal. Das ist alles, was Gott tun kann, und es ist alles, was seine höchste bienveillance (Güte) für uns tut.«[34] Dieses Gleichheitsprinzip hinsichtlich der Menschenschicksale ist – wenn es auch zugleich pauschaler und einzelschicksalbezogener ist – »familienähnlich«[35] mit Rankes berühmtem Prinzip der Chancengleichheit der Epochen: wäre – das hat Hans-Robert Jauß in einer mir wohlgesonnenen Anmerkung seines auflagenstärksten Buches betont[36], und ich habe es in der von Helmut Berding miterzeugten Ausgabe von Rankes *Über die Epochen der neueren Geschichte*[37] noch einmal überprüft: Jauß hat recht – wäre

[31] Pierre-H. Azaïs, *Des compensations dans les destinées humaines*. Paris 1. Aufl. 1808, 2. Aufl. 1818, 3. Aufl. 1818, 4. Aufl. 1825, 5. Aufl. 1846, ab der 2. Aufl. vermehrt um sechs Novellen von Mme. Azaïs; hier zit. nach der 3. Aufl. Paris 1818, 3 Bde. Für Hilfe bei der Ortung und Beschaffung danke ich H. Hudde und B. Klose. – Zur Philosophie von Azaïs vgl. J. Schwieger, *Der Philosoph Pierre-Hyacinthe Azaïs*. Phil. Diss. Bonn 1913. Dort S. 70 und S. 73 der Hinweis, daß das Gesetz »Tout est compensé ici bas« in dieser Formulierung als »loi de compensation, loi de fer« sich bereits findet bei A. de Lasalle, *La balance naturelle*. Paris 1788, Bd. 1, S. 272, das Azaïs kannte.

[32] Azaïs, *Des compensations*, Bd. 1, S. XII.

[33] A. Cournot, *Exposition de la théorie des chances et des probabilités*. Paris 1843, ch. 9 § 103.

[34] Azaïs, *Des compensations*, Bd. 1, S. 29: »Le sort de l'homme, considéré dans son ensemble, est l'ouvrage de la nature entière, et tous les hommes sont égaux par leur sort. C'est tout ce que Dieu pouvait faire, et c'est tout ce qu'a fait pour nous sa bienveillance suprême.«

[35] Im Sinne von Ludwig Wittgenstein, *Philosophische Untersuchungen* (1953), I, Nr. 67.

[36] Hans-Robert Jauß, *Literaturgeschichte als Provokation*. Frankfurt a. M. 1970, 4. Aufl. 1974, S. 151, Anm. 17.

[37] Leopold von Ranke, *Über die Epochen der neueren Geschichte* (1854). Histo-

nicht jede Epoche unmittelbar zu Gott, wäre Gott nicht gerecht; und hätte – dies meint Azaïs – nicht jeder Mensch ein gleich glückliches Schicksal, wäre Gott auch nicht gerecht. »Man beklagt sich«, schreibt er, »über das Unglück; aber es ist Gott, der – in seiner Gerechtigkeit – es unter die Menschen verteilt. Man braucht ein edles Herz und einen wachen Geist, um diese Wahrheit anzuerkennen«[38]; und um sie wirklich einzusehen, braucht man, meint Azaïs, eben »l'idée des compensations générales«, »le Principe des Compensations«, insbesondere »des compensations de l'infortune«[39], das eine idée »consolante«[40] ist: ein Trost. Azaïs geht allen »applications« dieses Prinzips nach, er ist unendlich kompensationsfindig (man könnte sagen: kompensationsspitzfindig), praktisch jedes Malheur erscheint ihm als treffliche Investition für alsbaldige Bonheurs. Beispiel: Frau und Kinder kommen um, welch einmalige Trainingschance für sagesse[41]! So will er begreifen, daß die Glücks-Unglücks-Bilanz bei allen gleich und bei jedem ausgeglichen ist[42]. Wo für diesen Ausgleich

risch-Kritische Ausgabe, hrsg. von Th. Schieder und H. Berding, München-Wien 1971, S. 59f.

[38] Azaïs, *Des compensations,* Bd. 1, S. 1: »On se plaint du malheur; et c'est Dieu qui, dans sa justice, l'a distribué sur les hommes. Il faut un cœur généreux et un bon esprit pour reconnaitre cette verité.«

[39] Ebd., S. 332; Bd. 2, S. XIV; Bd. 1, S. 331.

[40] Ebd., Bd. 1, S. 6.

[41] Vgl. ebd.; der rationale Kern ist die traditionelle Charakteristik des Weisen: er vermag ausgeglichen zu leben, weil er ausgleichen d. h. kompensieren kann; vgl. Cicero, *De natura deorum* 1, 23: »quod ita multa sunt incommoda in vita, ut ea sapientes commodorum conpensatione leniant«; *Tusculanae Disputationes* 5, 95: »itaque hac usurum compensatione sapientem, (ut) et voluptatem fugiat, si ea maiorem dolorem effectura sit, et dolorem suscipiat maiorem efficientem voluptatem«: den Hinweis auf diese Stellen verdanke ich P. Sittig.

[42] H. Hudde weist mich hin auf eine ähnliche Vorstellung bei S. Maréchal (anonym), *Apologues modernes, à l'usage du Dauphin, premières leçons du fils ainé d'un Roi.* Bruxelles 1788, Nachdruck Paris 1976. Leçon XLV: »La Balance ... C'étoit une balance faite avec beaucoup de justesse. J'y pesai les biens & les maux de la vie. Elle resta dans un équilibre assez perfait. Elle m'apprit que tout est compensé dans la vie« (S. 20f.). Untersucht werden muß m. E. außerdem sachliche Kongruenz und – zweifellos nur indirekter – historischer Zusammenhang der These von Azaïs mit den Überlegungen von Immanuel Kant, *Versuch, den Begriff der negativen Größen in die Weltweisheit einzuführen* (1763), insbes. Akademie-Ausgabe, Bd. 2, S. 197: »Alle Realgründe des Universum, wenn man diejenigen summiert, welche einstimmig, und die voneinander abzieht, die einander entgegengesetzt sind, geben ein Fazit, das dem Zero gleich ist«: man kann jene These von Azaïs als Spezialfall dieser Kantischen deuten. Azaïs folgt – wie Schwieger, Azaïs, S. 74ff. plausibel macht – u. a. P. L. M. de Maupertuis, *Essai de cosmologie* (1750), obwohl er dessen – im *Essai de philosophie morale* (1749), S. 21 formulierte – Bilanz »dans la Vie ordinaire la somme des Maux surpasse la somme des Biens«

»dieses Leben« nicht ausreicht, muß dann die Lehre von der Unsterblichkeit herbei: in religiös-metaphysischen Ansätzen – und jetzt spreche ich nicht mehr nur von Azaïs – kommt man dadurch endgültig aus den roten Zahlen. Es war – schreibt darum Auguste Comte in seinem *Discours sur l'esprit positif* 1844 rückblickend und kritisch: und gewiß kannte er das Buch von Azaïs, und ebenso gewiß meinte er nicht nur das Buch von Azaïs – es war in der »alten Philosophie« »die Aussicht auf die Ewigkeit«

zugunsten seiner Ausgeglichenheitsthese zurückweist, just so wie Kant, a.a.O., Bd. 2, S. 181f.: »Der Calcul gab diesem gelehrten Manne ein negatives Facit, worin ich ihm gleichwohl nicht beistimme«; vgl. insgesamt S. 180ff. Man muß hier sehen: a) daß Maupertuis Präsident der Königlich Preußischen Akademie der Wissenschaften war, als sie 1753 (für 1755) die – indirekt gegen Leibniz aufgeworfene – Preisfrage einer Prüfung des »système de l'optimisme« (»l'examen du système de Pope, contenu dans la proposition: Tout est bien«) stellte, deren Beantwortungsabsicht Kant u.a. auf die Thesen der Schrift über die »Negativen Größen« brachte; b) daß diese Schrift in einer bisher kaum voll gewürdigten Weise wirkungsreich war: nicht nur ist ihr Begriff der »Realrepugnanz« (a.a.O., Bd. 2, S. 172 u. ff.) Vorläufer des Kantischen »Antagonism«-Begriffs (vgl. Akademie-Ausgabe, Bd. 8, S. 20) und damit des daran anknüpfenden Konzepts der geschichtlichen Widersprüche der geschichtsdialektischen Philosophien; auch das an Newton anknüpfende Theorem einander entgegengesetzter Kräfte – Repulsion und Attraktion –, die sich wechselseitig zu Produkten einschränken, kommt aus dieser Schrift einerseits über das Dynamikhauptstück von Immanuel Kant, *Metaphysische Anfangsgründe der Naturwissenschaft* (1786), Akademie-Ausgabe, Bd. 4, S. 496ff., bes. S. 523, andererseits über Johann Gottlieb Fichte, *Grundlage der gesammten Wissenschaftslehre* (1794), I § 3. Sämtliche Werke, hrsg. von I. H. Fichte, Bd. 1, S. 105ff., bes. S. 110 (»das Nicht-Ich ... dem eingeschränkten Ich entgegengesetzt ist es eine *negative Größe*«) in F. W. J. Schelling, *Ideen zu einer Philosophie der Natur* (1797). Sämtliche Werke, hrsg. von K. F. A. Schelling, bes. Bd. 2, S. 231ff.: hier muß einschlägig die Frage interessieren, wieweit bei dieser Bewegung der Überlegung aus der These einer vorhandenen Zero-Bilanz die These einer werdenden Zero-Bilanz (»Identität«) geworden ist: der »dynamische Prozeß« wird zum ständigen Versuch des Ausgleichs – der Kompensation? – eines Negations-, eines Einschränkungs-, d.h. eines Verendlichungsdefizits. Dies ist wichtig, weil – jedenfalls in dieser Zeit – die Naturphilosophie kategorienhinsichtlich der Probevorlauf der Geschichtsphilosophie ist. Wo dieser Ansatz heute – psychologisch-biologisch transformiert – in der »genetischen Erkenntnistheorie« (unter Opferung der idealistischen Endzweckteleologie) reaktualisiert wird, reüssiert der Terminus »Kompensation«: vgl. Jean Piaget, *Die Äquilibration der kognitiven Strukturen* (1975). Stuttgart 1976; den Hinweis auf die Kompensationsterminologie dieses Buchs verdanke ich W. Kretschmer. – Auch im Kontext »le plus grand bonheur du plus grand nombre d'individus« gibt es ein Kompensationstheorem (»le bonheur se compense assez«); vgl. Chastellux, Chevalier de (anonym), *De la Félicité publique ou Considérations sur le sort des hommes dans les différentes époques de l'histoire*. Amsterdam 1772, 2. Aufl. 1776; dem Hinweis darauf, den ich H. Hudde verdanke, habe ich bisher ebensowenig nachgehen können wie dem Hinweis von Jörn Rüsen auf Kompensationsterminologie bei David Hume.

eine »unermeßliche Kompensation jedweder Übel«[43]. Wer, wie ich, hier hinreichend heuristisch voreingenommen ist, sieht schnell, wofür diese Bilanztechnik der Kompensationssuche in einer Zeit, die – noch – mit einem guten göttlichen Weltschöpfer zu rechnen sich bemühte, letzten Endes philosophisch wichtig sein mußte: für die Verteidigung Gottes gegen den Einwand, der angesichts der Übel in der Welt gegen seine Güte erhoben werden kann, also – um den philosophischen Terminus technicus zu verwenden, den das 18. Jahrhundert einschlägig einführte – für die Theodizee. Und so hat denn auch Leibniz, der Verfasser der ersten Theodizee, 1710 den Kompensationsbegriff zur Verteidigung der Gottesgüte eingesetzt: »der Schöpfer der Natur«, schreibt er, »hat die Übel und Mängel durch zahllose Annehmlichkeiten kompensiert«[44]. Dieses Argument ist im so genannten »System des Optimismus«, das Leibniz und seine Schule vertraten, ein wichtiger Posten im argumentativen Gottesverteidigungsetat: das Prinzip Kompensation ist eine wohletablierte Kategorie der Theodizee. Hierauf werde ich zurückkommen.

6. Denn natürlich ist der Begriff Kompensation noch älter: er stammt nicht aus der Theodizee; nicht einmal philosophisch relevant geworden ist er dort zuerst.

Ganz am Anfang freilich war er überhaupt kein philosophi-

[43] »Cette éternelle perspective, immense compensation spontanée de toutes les misères quelconques«: Auguste Comte, *Discours sur l'esprit positif* (1844), Nr. 66. Hamburg 1956 (Philos. Bibl.), S. 192. Den Hinweis auf diese Stelle verdanke ich Manfred Riedel. – Noch C. G. Jung formuliert: »Das allgemeine Problem des Übels . . .erzeugt . . . kollektive Kompensationen wie kein anderes«: *Die Beziehungen zwischen dem Ich und dem Unbewußten* (1933). 5. Aufl. Zürich 1950, S. 104.

[44] »L'auteur de la nature a compensé ces maux et autres qui n'arrivant que rarement, par mille commodités ordinaires et continuelles«: Gottfried Wilhelm Leibniz, *Essais de Théodicée* (1710). Philosophische Schriften, hrsg. von C. J. Gerhardt, Bd. 6, S. 409. Reinhart Koselleck verweist im Artikel *Fortschritt* in *Geschichtliche Grundbegriffe*, Bd. 2, S. 401 auf Leibniz, *De rerum originatione radicali* (1667). Opera philosophica, hrsg. von J. E. Erdmann, S. 150: »daß Schicksalsschläge in der Gegenwart von Übel, im Effekt aber gut seien, ›cum sint viae compendiariae ad majorem perfectionem‹«. H. Poser hat mir hier mit Recht eingewandt, daß der Nachweis einer innerweltlichen Kompensation der Übel durch Güter nicht das tragende Argument der Theodizee von Leibniz ist. In der Tat: Wenn Gott schaffen und das Bestmögliche schaffen wollte, mußte er – nach Leibniz – die Übel gegf. auch unkompensiert in Kauf nehmen: das ist – wenn ich richtig sehe – die kreationstheologische Anwendung des Satzes »der Zweck heiligt die Mittel« (wobei diese Heiligung wiederum eine entfernte Ähnlichkeit mit einer Kompensation hat). Leibniz »braucht« also nicht das Argument einer innerweltlichen »Kompensation«: dies erklärt, warum dieses Wort bei Leibniz trotz allem nur selten vorkommt.

scher Begriff; er kommt – das griechische Äquivalenzwort ἐξίσωσις oder ἀνίσωσις einmal beiseitegelassen – vielmehr aus der Ökonomie, nämlich aus der römischen Handelssprache. Compensus, compensatio, Kompensation bedeutet Geschäft[45], insbesondere das geldvermeidende Geschäft: ein Wortsinn, der den Älteren von uns aus der unmittelbaren Nachkriegszeit ebenfalls wohlgeläufig ist. Andererseits ist im angelsächsischen Sprachraum »compensation« das Entgelt, der Lohn, das, worüber Tarifpartner verhandeln. Im übrigen nehme ich an, daß es an meiner notorischen historiographischen Ignoranz liegt, daß ich nur vermute, daß der Kompensationsbegriff in der Geschichte der Diskussion der judicia commutativa eine Rolle spielt. Als offizieller Rechtsbegriff bedeutet Kompensation eine Spezialregelung beim Schadensersatz[46] und insbesondere die Entschuldung durch Aufrechnung gegenseitiger Schulden: so kommt der Begriff im 2. Jahrhundert nach Christus in den *Institutiones* von Gajus[47], so kommt er Ende des 17. Jahrhunderts in juristischen Schriften von Leibniz, so kommt er im 18. Jahrhundert in den ausschließlich juristischen Kompensationsartikeln der französischen *Encyclopédie*[48] und bei Zedler[49], so kommt er schließlich in der Kommentarliteratur zu den Aufrechnungsparagraphen 387ff. des BGB vor[50]: Juristen sind offenbar – jedenfalls in ihrer Begrifflichkeit – konservativ.

[45] »Non licet compensos ... in festivitatibus Sanctorum facere«: so noch mittelalterlicher Wortgebrauch, vgl. Du Cange, *Glossarium mediae et infimae latinitatis* (*1937), Artikel *Compensus, Compensum;* vgl. Artikel *Compensa, Compensatio.*

[46] »Compensatio lucri cum damno«: ein aus einem Schadensersatz sich ergebender Vorteil muß bei der Festsetzung der Ersatzleistung ausgleichend angerechnet werden; den Hinweis auf diesen Wortgebrauch verdanke ich Th. Raiser.

[47] Gajus, *Institutiones* 4, 66: »inter conpensationem ... quae argentario opponitur et deductionem, quae obicitur bonorum emptori, illa differentia est, quod in conpensatione hoc solum vocatur, quod eiusdem generis et naturae est ... in deductionem ... vocatur et quod non est eiusdem generis«. Zur Literatur über »compensatio« im römischen Recht vgl. Artikel *compensatio* in: *Der kleine Pauly. Lexikon der Antike.* Bd. 1, Stuttgart 1964, S. 1264f.

[48] *Encyclopédie ou dictionnaire raisonné.* Hrsg. v. Diderot und d'Alembert. Paris 1751ff., Neudruck 1966: »Compensation (Jurisprud.) est la confusion qui se fait d'une dette mobiliaire liquide, avec une autre dette de même nature.«

[49] Johann Heinrich Zedler, *Großes vollständiges Universallexikon aller Wissenschaften und Künste.* Halle-Leipzig 1732ff.

[50] H. Sieber, *Kompensation und Aufrechnung* (1899). Vgl. auch StGB §§ 199, 233; einschlägig ist die unter Berufung auf Thomas von Aquin, *Summa theologiae,* II/II, q.89, von Francisco Suárez, *Commentaria in Secundam Secundae D. Thomae,* im *Tractatus V: De juramente et adjuratione,* lib. II, cap. 37 (Opera omnia, Bd. 14, S. 646–652) diskutierte Frage: »an in juramento implendo liceat compensatione uti?« Verwandte moraltheologische Probleme im sog. »Kompensationssy-

Immerhin, wenn es sich bei »Kompensation« um einen herkunftsmäßig ökonomischen und um einen Rechtsbegriff des Schadensersatzes und der Entschuldung handelt, liegt es nahe zu vermuten, daß der Begriff Kompensation dort philosophisch erhebliche Bedeutung gewinnen konnte und mußte, wo die Philosophie Theologie war und die Theologie christlich vom Ereignis der Erlösung und Vergebung menschlicher Schuld durch Gott handelt: von der menschlichen Sünde und der providentiellen Heilsökonomie Gottes. Der erste Theologenphilosoph, der überhaupt – weil er als erster christlicher Philosoph und Patristiker lateinisch schrieb – die Chance hatte, das Wort compensatio zu benutzen, hat diese Chance sogleich einschlägig ergriffen. Das ist – Ende des 2. Jahrhunderts – Tertullian. Die Erlösungstat Gottes in Christus, schreibt er, geschieht »durch eine Kompensation, die in seinem Blute besteht«; die Sünde, meint er, »ist durch diese Kompensation erledigt worden«[51]. Diesen Wortgebrauch – den fast 900 Jahre später Anselm bei seiner Juridifizierung der Rechtfertigungslehre zur Satisfaktionstheologie durch einen ähnlichen[52] bestätigt – kennen m. W. in der Regel nicht einmal Theologen; ich möchte, was hier bei Tertullian sich ankündigt, ebenso schlicht wie waghalsig auf folgende Formel

stem« bei D. M. Prümmer, *Manuale theologiae moralis* (1915). – Beiseite bleiben muß hier eine Besprechung der Bedeutung von »compensatio« in der Rhetorik; vgl. *Aquilae Romanae de figuris sententiarum et elocutionis liber,* § 14, in: C. Halm, *Rhetores Latini minores* (1863), Neudruck 1964 S. 26: »ἀντεισαγωγή, compensatio. Est autem huius modi, ubi aliquid difficile et contrarium confitendum est, sed contra inducitur non minus firmum«; diese Bedeutung noch bei J. Micraelius, *Lexicon philosophicum terminorum philosophis usitatorum.* 2. Aufl. 1662, Neudruck 1966: dort Verweis von »compensatio« auf Art. ἀνθυποφορά, dort Hinweis auf ἀντεισαγωγή.

[51] »compensatione sanguinis sui«: Tertullian, *Apologeticum,* 50, 15. Opera (Corpus Christianorum Series Latina), Bd. 1, S. 171; »compensatione res acta est ... Compensatio autem revocabilis non est, nisi denique revocabitur iteratione moechiae utique et sanguinis et idolatriae«: ders., *De pudicitia,* 12, 8. Opera, Bd. 2, S. 1303; vgl. ders., *De paenitentia,* 6, 4. Opera, Bd. 1, S. 330; *Scorpiace,* 6, 8. Opera, Bd. 2, S. 1080. – Interessant wäre die Frage nach Kongruenz und Inkongruenz dieses theologischen Kompensationsgedankens mit dem Gedanken der Stellvertretung; vgl. – ohne daß dort (was innerhalb der heideggertheologischen Ansätze auch ganz unwahrscheinlich ist) das Wort Kompensation gebraucht ist – Dorothee Sölle, *Stellvertretung.* Stuttgart-Berlin 1965. – Zum Wortgebrauch bei Augustinus vgl. *De libero arbitrio* 3, 23, 68: »Quis ... novit, quid ipsis parvulis in secreto iudiciorum suorum bonae compensationis reservet Deus?«

[52] Vgl. Anselm von Canterbury, *Cur Deus homo?* (um 1095), Lib. II, cap. XVIII: Christus hat durch das Opfer seines Lebens Gott etwas gegeben, »quod pro omnibus omnium hominum debitis recompensari potest«; vgl. Lib. I, cap. XXIV.

bringen: Kompensation ist in der philosophischen Tradition der christlichen Theologie ein Äquivalenzwort für Erlösung.

Ich will Sie mit der Schilderung der weiteren Entwicklung quer durch das Mittelalter nicht langweilen, dies auch deswegen nicht, weil ich da immer noch zu wenig gesucht und gefunden habe. In dieser Tradition kann es – unter anderem – strittig werden, ob Gott, der Erlöser, in bezug auf die sündige Korruption der Schöpfung das Kompensationsmonopol hat, oder ob die Menschen da – durch gute Werke – mitkompensieren können oder gar sollen, weil sie dadurch die göttliche Erlösung herbeizukompensieren vermögen. Die Reformatoren bestreiten dies: die Erlösung durch Gott ist nicht erzwingbar, sondern eine »ungeschuldete Kompensation«; so nennt sie 1696 Johannes Andreas Quenstedt[53]. Die Problemlage verschärft sich dann durch den Zweifel von Philosophen: es gibt – so etwa lautet dieses Bedenken – ja nicht nur die Sünde, die eine »felix culpa« ist, weil sie die erfolgreiche erlösende Kompensation Gottes erforderlich machte; es gibt doch auch die – und dieses Argument hat das Gewicht der tagtäglichen Erfahrung des Leidens – nicht (oder nicht mehr) heilsgeschichtlich qualifizierbaren Übel: hat der Schöpfer denn die – etwa durch eine »compensatio rerum«[54], von der Johannes Clauberg 1647 am Schluß seiner *Ontosophia* spricht – hinreichend kompensiert? Der Verdacht, daß dies nicht der Fall sein könnte, zieht Gottes Güte in Zweifel: das führt dann – im 18. Jahrhundert – zum Problem der Theodizee. Hierzu hatte ich die einschlägig »optimistische« Antwort von Leibniz schon zitiert: Gott läßt zwar – notgedrungen – die Übel zu, aber er kompensiert sie hinreichend: »denn eben«, schreibt noch 1755 der junge Kant, der damals die »optimistische« Theodizee von Leibniz verteidigte, »die Kompensation der Übel ist eigentlich

[53] J. A. Quenstedt, *Theologia didactico-polemica* (1696). Bd. 4, cap. IX, sect. II, q.4: er betont in bezug auf die »quaestio ... an Deus bona opera praemiis temporalibus et aeternis compenset«, daß Gott durch »gratuita compensatione« belohnt in einer »compensatio ... qua propter unum non redditur aliud«. Den Hinweis auf diese Stelle verdanke ich C. H. Ratschow.

[54] Überschrift des letzten Kapitels (Kap. XXIV, §§ 350–356) von J. Clauberg, *Ontosophia* (1647). Opera omnia philosophica, Amsterdam 1691, Neudruck 1968, Bd. 1, S. 398f. Dort die Definition: »Compensationis nomine hic generaliter intelligimus affirmationis relationem, qua unum sumitur pro alio, ponitur loco alterius, vices ejus supplet, utpote simile vel aequivalens seu tantundem praestans. Vocatur alias commutatio, subrogatio, substitutio.« Dort auch § 356 eine Urformulierung des Prinzips kompensatorischer Erziehung: »Causa universalis compensat particularem, uti respublica in educandis orphanis supplet vices parentum.«

jener Zweck, den der göttliche Schöpfer vor Augen gehabt hat«[55].

Kompensation: das war also (zunächst) in der philosophischen Tradition der christlichen Theologie – angesichts der Sünde – ein Äquivalenzwort für Erlösung, d.h. für die Entschuldigung der Menschen durch Gott; und Kompensation: das wurde (dann) in der Theodizee – angesichts der Übel – zum Argumentenwort für die Entschuldigung Gottes durch die Menschen: zu einer, wie ich schon sagte, im Kontext der Theodizee wohletablierten Kategorie. Hierauf, ich wiederhole es, werde ich zurückkommen.

7. Zuvor diskutiere ich eine scheinbare Paradoxie des Ergebnisses meiner bisherigen Überlegung. Diese Überlegung ergab: der philosophisch relevante Erstgebrauch des Kompensationsbegriffs erfolgte nicht bei Adler, sondern bei Tertullian, also nicht 1907, sondern um 200. Das ist, begriffsgeschichtlich gesehen, in Richtung Vergangenheit ein temporaler Geländegewinn von 1700 Jahren; doch es ist für die eigentliche Absicht dieser Überlegung – so wird man einwenden und dies sportsprachlich oder bildungssprachlich ausdrücken – ein Eigentor, ein Pyrrhussieg: also offenbar ruinös. Denn meine Überlegung wollte eigentlich doch dies: den Begriff Kompensation vorstellen als eine geschichtsphilosophische, eine Kategorie zum Begreifen insbesondere moderner geschichtlicher Verläufe, also als etwas besonders gegenwartsfähig Neues. Das bisherige Ergebnis meiner Überlegung aber ist etwas, das fast das Gegenteil ist: Kompensation – dies zeigt sich – ist ein ganz besonders uralter Begriff. Wie stimmt das zusammen? Kann man die Aktualität eines Begriffs bekräftigen, indem man sein Alter beweist? Kann man das gegen-

[55] »Nam ea ipsa malorum ... compensatio ... est proprie ille finis, quem ob oculos habuit divinus artifex«: I. Kant, *Principiorum primorum cognitionis metaphysicae nova dilucidatio* (1755), Akademie-Ausgabe, Bd. 1, S. 405. In den Zusammenhang paßt, daß »Kompensation« in einem kantinterpretierenden Text auch gegenwärtig genau dort auftaucht, wo dieser in einem erweiterten Theodizeekontext steht; vgl. Hans Blumenberg, *Die Genesis der kopernikanischen Welt.* Frankfurt a.M. 1975, S. 17: »die nackte Frage, ... was das Faktum des Lebens ... rechtfertigen könnte, ... gehört in den philosophischen Untergrund und tritt spätestens zutage, wenn Kant aus der Unmöglichkeit, die Zustimmung der ins Leben Tretenden zuvor einzuholen, die Folgerung der ihnen rechtlich durch ihre Erzeuger geschuldeten Kompensation zieht, sie nachträglich mit der ungewollten Existenz zu versöhnen und ihnen dadurch die eigene Zustimmung zu diesem Faktum zu ermöglichen« (Bezug: I. Kant, *Metaphysik der Sitten:* Rechtslehre, § 28).

wartsfähig Neue einer Kategorie zeigen, indem man ihr ganz Altes zeigt?

Ich glaube, man kann. Hierzu eine kurze abstrakte Zwischenbetrachtung, die möglicherweise etwas unkonventionell gerät. Es gibt (Stichwort: sozialer Wandel[56]) die außerordentlich plausible These von der wachsenden Veränderungs- und Innovationsgeschwindigkeit der modernen Welt: alles wird immer schneller zum Überholten und Alten. Daraus folgert man u.a. die Notwendigkeit des Dauer-Umlernens. Indes, ich gebe zu bedenken: mit dem Wachstum der Innovationsgeschwindigkeit wächst möglicherweise auch die Chance, daß scheinbar Überholtes sich als tatsächlich nicht Überholtes, daß scheinbar Veraltetes sich wieder als gegenwartsfähig erweist. Die Renaissance des Systemdenkens oder des Marxismus und andere Nostalgiewellen der sechziger und siebziger Jahre sind dafür Indizien. Wo Neues immer schneller zum Alten wird, könnte es sein, daß Altes immer schneller wieder das Neueste werden kann. Mir genügt es hier, daß dies – unter Voraussetzung der Knappheit nicht nur der Ressourcen Energie, Zeit und Sinn, sondern gerade auch der Ressource Sicht – auf Philosopheme zutrifft; es wäre dies – nota bene – ein Kompensationsbefund: die zunehmende Veraltungsgeschwindigkeit wird kompensiert durch Zunahme der Reaktivierungschancen fürs Alte.

Hierzu ein Exkurs: für Philosophen – und vielleicht nicht nur für sie – würde daraus folgen, daß es ratsam ist, bei Veränderungen nicht allzuschnell mitzulaufen. Beim Dauerlauf Geschichte rechnen ohnehin nur die fortschrittlichsten Fortschrittsphilosophen damit, daß er ad finem stattfindet: für sie lohnt es sich, sich zu sputen und möglichst jeden zu überholen, um stets ganz vorn zu sein. Aus abstrakteren Gründen eilig sind auch noch die Transzendentalphilosophen; sie brauchen ihr regulatives Prinzip wie Nurmi die Stoppuhr, auch das treibt an. Die anderen aber dürfen bummeln, denn sie können einsehen: die aussichtsreiche Aktualitätsstrategie besteht gar nicht darin, die eigene Aktions- und Lerngeschwindigkeit zu steigern, sondern im Gegenteil darin, gelassen zu warten, bis der Weltlauf – von hinten überrundend – wieder bei einem vorbeikommt; vorübergehend gilt man dann bei denen, die überhaupt mit Avantgarden rechnen, irrtümlich wieder als Spitzengruppe. Diesen Tatbestand kann man auch

[56] Vgl. u.a. Hermann Lübbe, *Traditionsverlust und Fortschrittskrise. Sozialer Wandel als Orientierungsproblem.* In: ders., *Fortschritt als Orientierungsproblem.* Freiburg i.Br. 1975, S. 32ff.

formulieren, indem man Günther Patzigs Maulwurfshügel-Metapher aufgreift und weiterdenkt: »Den Urheber des Hügels«, schreibt Patzig in seinem Nachwort zu Carnaps *Scheinproblemen*[57], »wird man unter ihm selten antreffen«, und ebenso, meint er, zeigen »die Werke des Philosophen ... immer nur an, wo er einmal gewesen ist, was ihm einmal als wahr und wichtig erschien«; diese verlassenen Maulwurfshügel alias Denkwerke sind dann, wenn ich ihn richtig verstehe, das Studierfeld der Historiographie. Aber was Patzig schreibt, das gilt, meine ich, nur für naturwüchsig traditionelle Maulwürfe, die sich – wie dies ihrer Art gemäß zu sein scheint – fleißig, aber langsam bewegen. In dem Maße jedoch, in welchem Maulwürfe – wie schon faktisch die Philosophen – ins moderne Lebenstempo fallen würden, in dem Maße also, in dem auch die unterirdische Bewegungsgeschwindigkeit von Maulwürfen (exponentiell) zunähme, würde – bei begrenztem Raum – die Wahrscheinlichkeit wachsen, daß sie immer wieder unter ihren alten Hügeln vorbeikommen und dortselbst anzutreffen sind. Für den weisen Maulwurf – und entsprechend für den weisen, faulen, skeptischen Philosophen – folgt daraus: er erzeugt am besten nur einen einzigen Hügel und bleibt drunter sitzen; erstens ist es so bequemer; zweitens stört er nicht die anderen; drittens fällt es, im Zeitalter massenhafter Dauerbewegung und Überinformation, gar nicht auf; und viertens sichert es die führende Position in nicht geringerem Maße als die angestrengte Bewegung.

Zurück zum Grundgedanken: Die zunehmende Veraltungsgeschwindigkeit, sagte ich, wird kompensiert durch Zunahme der Reaktivierungschancen fürs Alte. Wenn dies stimmt, wird es – je schneller die moderne Welt umlebt und umdenkt – immer wahrscheinlicher, daß – jedenfalls im Terrain der Philosophie und bei Knappheit der Ressource Sicht – die Historiographie des Alten sich gar nicht mit verlassenen Positionen beschäftigt; denn mit wachsender Innovationsgeschwindigkeit wächst – zumindest im Bereiche der Philosophie – zugleich die Chance, daß gerade das Alte das Neueste ist. Die Philosophiegeschichte gehört insofern – zumindest auch und zumindest möglicherweise – zu den Renovierungsunternehmen: sie ist Altbausanierung im Reiche des Geistes. Dies bedeutet – vielleicht haben Sie das gemerkt – unter radikal modernen Bedingungen eine Liebeserklärung an die Wis-

[57] Rudolf Carnap, *Scheinprobleme der Philosophie. Das Fremdpsychische und der Realismusstreit.* Nachwort von Günther Patzig. Frankfurt a.M. 1966, S. 85.

senschaft Geschichte: an die, die an das Alte denkt; gerade sie beschäftigt sich ebendadurch wahrscheinlicherweise mit dem nächsten Neuesten.

Darum – dies folgere ich – ist es nicht absurd, die Modernität des Kompensationsbegriffes dadurch zu bekräftigen, daß man ihn als ganz alten erweist. Freilich: daß er wirklich geschichtsphilosophisch gegenwartsfähig ist, das ist damit noch nicht konkret gezeigt. Eine Überlegung, die wie diese sich mit ihrer Aufmerksamkeit zuletzt hauptsächlich vor dem 19. Jahrhundert herumgetrieben hat, hat einschlägig noch nicht genug getan. Sie hat einstweilen noch ein Modernitätsdefizit; dieses gilt es nunmehr zu kompensieren.

8. Kompensation: das war, so sagte ich, zunächst in der philosophischen Tradition der christlichen Theologie – angesichts der Sünde – ein Äquivalenzwort für Erlösung d. h. für die Entschuldigung der Menschen durch Gott; und Kompensation: das wurde, so sagte ich, dann in der Theodizee – angesichts der Übel – zum Argumentenwort für die Entschuldigung Gottes durch die Menschen: zu einer im Kontext der Theodizee wohletablierten Kategorie.

Aber der Argumentationswert der Kompensationsargumentation blieb umstritten. Sobald – und so lief ja das Schicksal der Theodizee – der Eindruck sich verstärkte, daß die weltlichen Übel durch Gott zu wenig kompensiert werden, geriet die »optimistische« Theodizee in Schwierigkeiten. Darum sieht sich die Philosophie – wo Gott als Kompensator zu versagen scheint – um nach einem Ersatzkompensator. Der naheliegende Kandidat dafür ist die Natur, zumal man seit Spinoza zwischen Gott und der Natur zuweilen ohnehin nicht mehr so recht hat unterscheiden können. Dann ist es nicht mehr die providentielle Ökonomie Gottes, sondern die »Ökonomie der Natur«, die die Übel und Mängel ausgleicht und innerhalb ihres »Etats« die Verluste kompensiert: das hat vor allem – in seinem *Ersten Entwurf einer allgemeinen Einleitung in die vergleichende Anatomie* von 1795 – Goethe betont[58], und Adolf Meyer-Abich hat das Goethes »Kompensationsprinzip« genannt[59]. Aber dieses Vertrauen in

[58] Johann Wolfgang Goethe, *Erster Entwurf einer allgemeinen Einleitung in die vergleichende Anatomie, ausgehend von der Osteologie* (1795). Hamburger Ausgabe, Bd. 13, S. 176f.

[59] Adolf Meyer-Abich, *Naturphilosophie auf neuen Wegen* (1948), S. 268; vgl. ders., *Goethes Kompensations-Prinzip, das erste holistische Grundgesetz der mo-*

die Kompensationskraft der Natur – mit der im Grunde ja auch die Physiologen und Mediziner rechnen, wenn sie untersuchen, wie Organe oder Organpartien vikarierend füreinander eintreten, und schließlich auch die Psychoanalytiker und dort vor allem Jung –, diese Kompensationskraft der Natur hat ihre Gefahren; das hat Wilhelm Szilasi mit einer kurzen Äußerung ebenso sarkastisch wie präzis charakterisiert: »Natur«, sagte er, »Natur ist gerecht: macht sie ein Bein kurz, macht sie das andere dafür um so länger.«[60]

Darum – weil dergleichen schließlich passiert – haben die emanzipatorischen Geschichtsphilosophen – und ich meine hier vor allem die Formation des deutschen Idealismus mit seinen extremen Exponenten Fichte und Marx und deren Jünger – sich lieber nicht auf die Natur verlassen wollen. Freilich: auch auf Gott mochten sie nicht zurückgreifen; vielmehr machten sie – angesichts der Übel – die Verteidigung seiner Güte (die Theodizee) dadurch konsequent, daß sie – im Prinzip jedenfalls – Gottes Existenz negierten: »die einzige Entschuldigung für Gott ist, daß es ihn nicht gibt«[61]; angesichts der unbewältigten Übermacht der Übel ist, radikal gedacht, Gott gut genau nur dann, wenn er nicht existiert, wenn also Gott der Schöpfer dieser Welt der Übel nicht ist: darum wird in dieser geschichtsphilosophischen Extremtheodizee zum Schöpfer der Mensch; und seine Schöpfung wird gerade deswegen fundamental als Geschichte bestimmt, damit es gelingt, den Menschen als Schöpfer dieser Schöpfung zu begreifen; denn Geschichte: das ist seit Vico per definitionem das, was der Mensch selber macht. Aber wenn jetzt der Mensch der Schöpfer ist, muß – angesichts der Übel – nun der Mensch mit ihnen fertigwerden; er muß sie kompensieren oder radikaler bereinigen: durch Totalemanzipation, durch Fortschritt, durch Revolution, durch ein letztes Gefecht. Die Dominanz dieser »großen« geschichtsphilosophischen Begriffe verdrängt, scheint mir, zunächst den Begriff Kompensation, den die Geschichtsphilosophie – nach eigenem Bekunden ja die Erbin der Theodizee[62] –

dernen Biologie. In: *Biologie der Goethezeit* (1949). Vgl. Hermann Driesch, *Philosophie des Organischen* (1909). 4. Aufl. 1928, S. 90ff.; K. Goldstein, *Der Aufbau des Organismus* (1934). Neudruck 1963, S. 71, 236f.

[60] Wilhelm Szilasi, 1954 gesprächsweise.

[61] Stendhal, zit. bei Walter Mehring, *Die verlorene Bibliothek. Autobiographie einer Kultur* (1944). München 1975, S. 15. Zum folgenden vgl. Odo Marquard, *Idealismus und Theodizee* (1965). In: ders., *Schwierigkeiten mit der Geschichtsphilosophie.* Frankfurt a. M. 1973, S. 52–65; dort auch S. 69ff.

[62] Vgl. Georg Wilhelm Friedrich Hegel, *Vorlesungen über die Philosophie der*

der Sache nach als Denkfigur gleichwohl aus dem Erbe der Theodizee übernimmt; dabei muß man freilich unterscheiden, ob diese Figur vor oder nach jener Zuversichtserschütterung formuliert wird, die etwa Schopenhauer artikuliert. Vor Schopenhauer formuliert Friedrich Hölderlin, nach Schopenhauer Wilhelm Busch; Hölderlin: »wo aber Gefahr ist, wächst das Rettende auch«[63]; Busch: »wer Sorgen hat, hat auch Likör«[64]; beides – die Formel aus *Patmos* und die Formel aus der *Frommen Helene* – sind Kompensationsformeln, sehr ähnliche sogar, nur in verschiedenem Stadium. Außerdem ist natürlich der Gedanke, daß durch scheinbar Unvernünftiges Vernünftiges bewirkt wird – also Hegels Theorie der »List der Vernunft« –, zumindest potentiell ein Kompensationskonzept[65].

Im übrigen aber kann man sagen: die Karriere der Kategorie Kompensation innerhalb des Schicksals der Geschichtsphilosophie verläuft selber als Kompensation. Sie kompensiert die Erschütterung und den Zusammenbruch der geschichtsphilosophischen Fundamentalbegriffe: Fortschritt, Revolution, Reich der Freiheit, klassenlose Gesellschaft. Wo es diesen Begriffen nicht mehr gut geht, wo die Zuversicht in diese unbedingten Totalkompensationen schwindet, da sucht man nach den – bunt und mannigfaltig zufallenden oder machbaren – Partialkompensationen. Und dort wird Kompensation als Kategorie aktuell. Sie gehört sozusagen zur geschichtsphilosophischen Einsatzreserve: gerade weil sie in der klassischen Geschichtsphilosophie der Totalemanzipation allenfalls ein Nebengedanke war, mitlaufende Konkursmasse der Theodizee, gerade darum kann sie für nachgeschichtsphilosophische Historiker – siehe Burckhardt –

Geschichte (1822 ff.). Theorie Werkausgabe, Bd. 12, S. 540 (»dies ist die wahrhafte Theodizee«); vgl. noch J. G. Droysen, *Grundriß der Historik* (1858). Hrsg. von R. Hübner, 3. Aufl. 1958, S. 341, und im Vorwort zur *Geschichte des Hellenismus*, Bd. 2, S. 371: »die höchste Aufgabe unserer Wissenschaft ist ja die Theodicee«.

[63] Friedrich Hölderlin, *Patmos* (1803). Sämtliche Werke (Kl. Stuttgarter Ausgabe), Bd. 2, S. 173 bzw. 181 bzw. 187 bzw. 192.

[64] Wilhelm Busch, *Die fromme Helene* (1872), 16. Kap. Vers 1.

[65] G. W. F. Hegel, u.a. *Vorlesungen über die Philosophie der Geschichte* (1822 ff.). Theorie Werkausgabe, Bd. 12, S. 49. An Hegels Überlegungen zur Bewegungsart der Geschichte (Kreislauf: S. 74; Veränderung: S. 97; Verjüngung: S. 98; etc.) läßt sich die Frage nach der Bewegungsmetaphorik, hier die spezielle nach der Kompensationsmetaphorik anschließen: es wäre u. a. reizvoll, das Phänomen der Kompensation mit dem Bildfeld des »Wiederwuchses« in Verbindung zu bringen; vgl. J. Trier, *Renaissance* (1950). In: ders., *Holz. Etymologien aus dem Niederwald.* Münster-Köln 1952.

zur interessanten Kategorie werden[66]: als eine, die zwar nicht mehr die Geschichte als Ganzes, wohl aber geschichtliche Prozesse als Ergänzungen (als Ergänzungen ohne Ganzes) zu begreifen erlaubt. Kompensation wird schließlich sogar zur anthropologischen Hauptkategorie, allerdings – plausiblerweise – erst dort, wo die Geschichtsphilosophie brüchig wird. Erst dort – in

[66] Die erforderlichen Recherchen nach einem Gebrauch des Kompensationsbegriffs innerhalb der historischen Schule des 19. Jahrhunderts stehen noch aus. Plausibel wäre eine Verzögerung seines Einsatzes durch die Konjunktur verwandter Kategorien in der ersten Hälfte des 19. Jahrhunderts: z.B. »Wiederherstellung«; vgl. Friedrich Schlegel, *Philosophie der Geschichte* (1828). Kritische Friedrich-Schlegel-Ausgabe, Bd. 9, S. 3 u.i.w.; einschlägig literarhistorisch: C. Heselhaus, *Wiederherstellung. Restauratio – Restitutio – Regeneratio.* Deutsche Vierteljahrsschrift für Literaturwissenschaft und Geistesgeschichte 25 (1951): »diese Untersuchung will den Nachweis erbringen, daß im ›wiederherstellenden‹ Dichter auch der Künstler etwas vom Restaurator erhält« (S. 78); dieser »Poeta restaurator« (S. 79) operiert im Terrain zwischen zwei Grenzen: der einen »Grenze, wo die Wiederherstellung sich ins Utopische verliert. Die andere Grenze liegt in der bloßen Restauration. Zwischen diesen Grenzen möchte ich den Kern des Wiederherstellungsgedankens sehen« (S. 77): diese Untersuchung zeigt literaturgeschichtlich, daß zwischen 1809 und 1868 (Stifter) im Sinnbezirk der Wiederherstellung – zu dem dann schließlich auch die Kompensation als Wiederersatz gehört – andere Kategorien dominieren. – Der Kompensation sinnverwandte Wendungen finde ich bei Leopold von Ranke, *Über die Epochen der neueren Geschichte,* S. 439: »indem alles sich rekorrigierte«; Johann Gustav Droysen, Vorwort zur *Geschichte des Hellenismus* (1843), Bd. 2, S. 384: »Ist denn die Geschichte nicht reich genug, jeden Verlust, den sie bringt, mit vollen Händen zu ersetzen?« – Auch die gegenwärtige Historiographie ist einschlägig ununtersucht; z.B. bei Reinhart Koselleck, *Preußen zwischen Reform und Revolution.* Stuttgart 1967, ist Kompensation kein Geschichtsverlaufsbegriff (vgl. S. 636: »ein schroffes Gesetz, dessen soziale Bestimmungen von schärfster Kontrolle kompensiert werden«); einschlägig in etwa S. 51: »Diesem Schrumpfungsvorgang entsprach nun eine nicht minder wichtige Gegenbewegung«. – Gleiches gilt von der modernen Philologie; meine Frau macht mich aufmerksam auf Harald Weinrich, *Tempus. Besprochene und erzählte Welt* (1964). Stuttgart-Berlin-Köln-Mainz 2. Aufl. 1971, S. 274: »in der modernen städtischen Gesellschaft ... (hat das) ... Besprechen ... vom Tagewerk her auch den Feierabend erobert und verdrängt die Erzählrunde. Das Geschichtenerzählen zieht sich auf den Raum der schönen Literatur zurück, wo es nun freilich in der Form des Romans nach wie vor unangefochten herrscht und vielleicht stärker ist denn je – eine Kompensation?« – Weitere Desideratenanmerkung: Kompensation hat mit Ausgleich, Bilanz, Balance, Gleichgewicht zu tun; es wäre also auch das Begriffsfeld des politischen – außenpolitischen, diplomatischen, völkerrechtlichen etc. – Gleichgewichtsdenkens nach dem Gebrauch des Wortes Kompensation – in Hoffnung auf die Ermittlung eines Phänomens »kompensatorischer Diplomatie« – abzusuchen (Kompensationen von Störungen dieses Gleichgewichts): dies war mir – der Artikel *Gleichgewicht* in *Geschichtliche Grundbegriffe,* Bd. 2, gibt keine einschlägigen Belege – bisher nicht möglich. – Es gibt auch eine Balance (Ausgewogenheit) der im Sinne der Gewaltenteilung geteilten Gewalten: wo dieses Gleichgewicht gestört ist, mögen ebenfalls Kompensationen erforderlich sein. Jedenfalls stand der – neben den in Anm. 39 zitierten Stellen –

der philosophischen Gegenwartsanthropologie – wird, nachdem die psychoanalytischen Individualpsychologen vorgearbeitet haben, der Mensch fundamental als Kompensationswesen begriffen: bei Arnold Gehlen als der, der primär durch »Mängel« gekennzeichnet ist; »kompensiert«, sagt Gehlen, »werden diese Mängel aber durch die Fähigkeit« des Menschen, »die Mängelbedingungen seiner Existenz eigentätig in Chancen seiner Lebensfristung umzuarbeiten«[67]; und bei Jean-Paul Sartre ist er »Exi-

vortheologisch philosophische Erstgebrauch des Kompensationsbegriffs im Kontext einer Vorform der Gewaltenteilungslehre; vgl. M. Tullius Cicero, *De re publica* 2.57: »nisi aequabilis haec in civitate conpensatio sit et iuris et officii et muneris, ut et potestatis satis in magistratibus et auctoritatis in principum consilio et libertatis in populo sit, non posse hunc incommutabilem rei publicae conservari statum«: den Hinweis auf diese Stelle verdanke ich P. Sittig, dessen weitere Untersuchungsergebnisse über den lateinischen Gebrauch des Wortes »compensatio« und griechische Äquivalenzworte ich ebenso wie andere Ergebnisse aus meinem Kompensationsseminar im Sommersemester 1976 und Wintersemester 1976/77 hier leider noch nicht berücksichtigen kann.

[67] Arnold Gehlen, *Anthropologische Forschung*. Hamburg 1961, S. 8 u. i. w.; ders., *Der Mensch. Seine Natur und seine Stellung in der Welt* (1940). 9. Aufl. Frankfurt a. M. 1971, S. 36; »so die Mängel seiner organischen Ausstattung irgendwie ersetzend«, S. 40. Die erstgenannte Stelle, auf die mich R. W. Schmidt hingewiesen hat, ist m. W. die einzige bei Gehlen, an der er den Kompensationsbegriff ausdrücklich verwendet; seinen sonstigen Nichtgebrauch bei Gehlen erkläre ich mir durch die bei ihm – durch deren Subsumtion unter den »unwirklichen Geist« bedingte – vorherrschend negative Besetzung als psychoanalytisch geltender Vokabeln. Auch Herder, auf den Gehlen sich vor allem beruft (S. 82 ff.), benutzt m. W. nicht das Wort »Kompensation«; wohl aber hat er seine deutsche Übersetzung versucht: er will angesichts »der allgemeinen thierischen Ökonomie« beim Menschen »eben in der Mitte« seiner »Mängel ... den Keim zum Ersatze« finden und »diese Schadloshaltung« – was doch wohl Kompensation bedeutet – als »seine Eigenheit«, den »Charakter seines Geschlechts« verstehen: Johann Gottlieb Herder, *Abhandlung über den Ursprung der Sprache* (1772). Werke, hrsg. von Suphan, Bd. 7, S. 27. Soweit Niklas Luhmann das Konzept des Entlastungsprinzips – unter Verwendung systemtheoretischer Mittel – fortsetzt, ist zu erwarten, daß auch für ihn der Kompensationsbegriff interessant sein muß, und zwar nicht nur für Details; zu diesen vgl. die Analyse der »Taktkompensationen« »der Taktunfähigkeit des Routinehandelns« in: Niklas Luhmann, *Lob der Routine* (1964). In: ders., *Politische Planung*. 2. Aufl. Opladen 1971, S. 136, 135, vgl. 134 ff.: »Folgeprobleme und Kompensationen«. Denn es ist doch so: Komplexitätsreduktion d.h. Verzicht an einer Stelle ermöglicht oder erzwingt Aufwand an einer anderen; in diesem Sinne ist z. B. ein Kompendium eine Kompensation, indem es dem Leser durch Detailersparung Übersichtsgewinne verschafft; nach dem gleichen Kompensationsprinzip arbeiten – vgl. schon N. Ach, *Das Kompensations- oder Produktionsprinzip der Identifikation*. Berichte des XII. Kongresses für experimentelle Psychologie (1931) – die menschlichen Sinnessysteme: just in dieser Form könnten wohl auch in Luhmanns Theorie Orientierungs-, Stabilisierungs-, Kontingenzbewältigungs- und Identitätserträge durch »Komplexitätsreduktion« als Kompensationen gedeutet werden. Etwa in diesem Sinn interpretiert er inzwischen »Identität« als »Kompensativ für Kontingenz«: N. Luhmann, *Identitätsge-*

stenz«, die ihren Mangel an Essenz durch »Entwurf« kompensieren muß, indem der Mensch sich »erfindet« durch »die Wahl, die er ist«[68]. Kompensation wird zum Anthropinon schlechthin und der Mensch zum homo compensator: zu dem, der etwas stattdessen tun muß, tun kann und tut.

Kompensation – das möchte ich mit all diesem sagen – ist eine in der Theologie angelegte, in der Theodizee großgewordene und darum in die Geschichtsphilosophie übergegangene, dort aber kleingehaltene Kategorie; gerade deswegen ist sie prädestiniert, spätgeschichtsphilosophisch oder gar nachgeschichtsphilosophisch das zu werden, was ich von ihr behauptet habe: eine wesentliche Kategorie zum Verständnis des Menschen, insbesondere aber zum Verständnis einer Verlaufsfigur moderner geschichtlicher Prozesse. Erst kompensierte Gott, dann kompensierte die Natur, schließlich kompensiert der Mensch selber als Täter der einen Emanzipationsgeschichte: doch erst dort, wo diese eine Emanzipationsgeschichte problematisch wird und dadurch die Geschichten wieder zu Ehren kommen und statt des einen richtenden Prozesses die vielen gerichteten Prozesse, wird die Kategorie Kompensation – die in den bisherigen Verwendungstraditionen trotz allem nur Randbedeutung hatte – frei für die Aufmerksamkeit derer, die moderne geschichtliche Verläufe, geplante oder erduldete, gestalten oder besichtigen.

9. Burckhardt, der diese Aufmerksamkeit entwickelte, verdächtigt die Kategorie Kompensation als einen als Gesetz getarnten Wunsch. Er wittert sozusagen ihre theologische Vergangenheit: das, was in ihr nur Prinzip Hoffnung ist; ihr illusionärer Trostcharakter ist ihm suspekt.

brauch in selbstsubstitutiven Ordnungen, besonders Gesellschaften. Manuskript für das Kolloquium »Poetik und Hermeneutik VIII« (1976), S. 11.

[68] »Le choix que je suis«: Jean-Paul Sartre, *L'être et le néant.* Paris 1943, S. 638. Durch »néantisation« ist das »pour-soi« »défaut d'être« (S. 128): »c'est le manque. Ce manque n'appartient pas à la nature de l'en-soi, qui est tout positivité. Il ne paraît dans le monde qu'avec le surgissement de la réalité humaine ... La réalité humaine ... doit être elle-même un manque« (S. 129f.). Diese Mängelverfassung der puren Existenz muß kompensiert werden: dabei wird auch bei Sartre – soweit ich sehe – das Wort »Kompensation« in eigener Sache nicht terminologisch verwendet, weil es – vgl. ebd., S. 551ff., bes. 552 – für den speziellen Zusammenhang der Auseinandersetzung mit Adler reserviert bleibt. So heißen bei Sartre die mängelkompensierenden Leistungen »projet«, »choix« etc. Indes: auch Sartres Existenzphilosophie der kompensatorischen »transcendance« des zur puren Existenz genichteten Mängelwesens Mensch ist grundsätzlich ein Kompensationstheorem.

Aber man muß – und jetzt kurz vor Schluß meiner Überlegung beginne ich endlich zu philosophieren: gefährliche und verdächtige Tätigkeiten soll man schnell und tunlichst dort verrichten, wo die Aufmerksamkeit möglicher Zeugen schon erlahmt ist – man muß fragen: sind Kompensationen eigentlich notwendigerweise ein Trost? Zunächst einmal ist die Kompensation – als eine auf dem Umweg über eine Defizienz erzeugte Entschädigung, als indirekt ermächtigtes Gegenteil eines primären Scheiterns – Produkt einer Divergenz zwischen Intention und Effekt. Es kommt anders, als man denkt und will; zumindest muß man mehr und anderes in Kauf nehmen, als man vorhatte. Auch wo das gutgeht, vollstreckt eine Kompensation dieses »Gesetz der Heterogonie der Zwecke« (im Sinne Wilhelm Wundts) bzw. der »Innovation und Folgelast« (im Sinne Rainer Spechts)[69], und zwar gerade bei Makroverläufen; etwa: man will die Wirklichkeit rationalisieren, stattdessen entstehen die Geisteswissenschaften. Man erledigt nicht nur ein Pensum, sondern zusätzlich noch ein – unbeabsichtigtes – Kon-Pensum. In der Regel aber denkt man bei einer solchen Divergenz – und zwar ganz mit Recht – gerade nicht an etwas Gutes. Darum kann und darf man den Gedanken der Kompensation aus seinem »optimistischen« Kontext lösen. Sobald man das tut, sieht man, daß es Kompensationen auch und gerade als Restitution des Negativen gibt: als Vollstreckung des Gesetzes der Erhaltung der Absurdität. Ein Minimum an Durcheinander wird stets wiederhergestellt: wo es durch Ordnung gestört wird, wird diese Störung wieder ausgeglichen, kompensiert. Wer das Planungswesen, insbesondere das Bildungsplanungswesen, betrachtet, muß eigentlich zum Schluß kommen, diese Ausgleichsbewegung sei die wahrscheinlichere: Planung ist – jedenfalls häufig – Fortsetzung des Chaos unter Verwendung anderer Mittel. Ordnung ist – das hat Aristoteles gesagt[70] – privativ, eine Steresis; gerade auch ein Mangel an Chaos erzwingt dann seinen Ausgleich: eine Kompensation im Dienste der Erhaltung des Chaos durch List der Unvernunft. Das ist gewiß keine »Lehre von der Wünschbarkeit«, hier bewirkt der Einsatz des Kompensationsgedankens eher das Gegenteil von Trost.

[69] Vgl. Wilhelm Wundt, *Ethik*. Bd. 1, 1912, S. 284f.; Rainer Specht, *Innovation und Folgelast*. Stuttgart 1972: »Abstand zwischen Entscheidungsintention und geschichtlichem Resultat«: S. 227; vgl. insbes. S. 13–18 und 225–229.

[70] Vgl. die Interpretation bei Wilhelm Szilasi, *Macht und Ohnmacht des Geistes*. Freiburg i. Br. 1946, S. 216ff.

Das mag auch dort zutreffen, wo die Sache auf den ersten Blick milder aussieht. Helmuth Plessner hat in seinem Buch *Die verspätete Nation* die Philosophie – speziell die deutsche – als Kompensation der zerbrechenden »heilsgeschichtlichen Deutung des Menschen« interpretiert: sie ist, schreibt er, »ein vom Schicksal erzwungener grandioser Schadenersatz«[71]. Aber er zeigt zugleich, wie – insbesondere, wenn aus Verspätungsgründen mitkompensierende Realitäten nicht zureichend ausgebildet werden – die Philosophie sich in dieser Rolle nahezu zwangsläufig selber zerstört und dadurch Fanatismen indirekt ermächtigt: das ist offenbar – und so etwas gibt es also – eine Kompensation mit dickem Ende, eine, die als Hoffnung begann und als Enttäuschung aufhörte. Weiter: wenn, wie Reinhart Koselleck darlegt, in der modernen Welt eine wachsende »Kluft zwischen Erfahrung und Erwartung« aufreißt[72], die »Entzweiung« von »Herkunft und Zukunft«, wie Joachim Ritter das nannte[73], dann gehören dazu Prozesse, durch die die Menschen versuchen, diesen Bruch in sich selbst, dieses Zusammenhangsdefizit zu kompensieren. Wie sehen – im Detail – diese Kompensationen aus? Zweifellos gibt es den Versuch, zu diesem Kompensationszweck die Erwartung preiszugeben, um innerhalb der Reichweite der eigenen Erfahrung leben zu können; das reduziert den Aktionskreis auf überschaubare Kleinsituationen approximativ mit dem Radius Null; diese Kompensation tendiert zum Glück im Winkel oder gar im Schmollwinkel. Aber dazu gehört immer die Frage, wem dadurch das Feld – sozusagen der Nicht-Winkel, von dem die erfahrungsgeborgenen Winkel leben – überlassen wird, eine bestenfalls bange Frage. Zweifellos gibt es auch den entgegengesetzten Versuch: den, zu diesem Kompensationszweck die Erfahrung an die Erwartung heranzumogeln, also die kompensatorische Ermächtigung der Illusion, wie sie heute

[71] Helmuth Plessner, *Die verspätete Nation. Über die politische Verführbarkeit bürgerlichen Geistes* (1935). Frankfurt a.M. 1974, S. 107, 167. Auch dort der Kompensationsbegriff nicht expressis verbis; aber: »Ausgleich« S. 96, 97, 101; der »in vielen geschichtlichen Vorgängen wirksame Mechanismus des Ersatzes irgendwie überlebter Dinge durch lebensfrische Äquivalente«: S. 104; »ständig absinkende Ersatzformen«: S. 119; usf.

[72] Reinhart Koselleck, Artikel *Geschichte* in *Geschichtliche Grundbegriffe*, Bd. 2, S. 702 ff.

[73] »Die mit der Gesellschaft beginnende Zukunft verhält sich diskontinuierlich zur Herkunft«: Joachim Ritter, *Subjektivität*. Frankfurt a.M. 1974, S. 27; vgl. ders., *Europäisierung als europäisches Problem* (1956). In: ders., *Metaphysik und Politik*. Frankfurt a.M. 1969, bes. S. 329, 335, 338 ff.; ders., *Hegel und die französische Revolution* (1957). Ebd., S. 212 u.ff.

Brauch ist bei der Reflexions-Schickeria im Einflußbereich der Kritischen Theorie; dieser Njet-Set operiert veränderungssüchtig und erwartungseuphorisch mit der emanzipatorisch teilhaberrechthaberischen Maxime »dabeisein ist alles«: dort muß dann auch die Erfahrung dabeisein, und wenn sie es nicht ist, wird – etwa indem man a priori festlegt, was bei den dann so genannten verbindlichen Erprobungen das Resultat zu sein hat – die Erfahrung zur illusionären Anpassung an die Erwartung gezwungen. Dabei aber wächst die Enttäuschungswahrscheinlichkeit. Das also wären – hier ganz unexpliziert nur angedeutet – Beispiele für Kompensationen, die wirklicher- oder möglicherweise bös enden und somit kaum anders sind als Scheintröstungen: trostloser Trost.

Erst wenn diese – historiographisch sicher interessanten – Normalfälle hinreichend ins Auge gefaßt sind, darf man auch den Grenzfall erwägen, und erst dann kommen all jene Phänomene ins Spiel, von denen eingangs und bei Burckhardt die Rede war: daß die Menschen sich bei Beschädigung ihres Humanitätsniveaus durch Ersatzleistungen schadlos halten. Wo – das ist Hegels klassisches Beispiel[74] – in der modernen Welt der »heilige Hain« entzaubert wird zum bloßen »Holz«, wird seine Heiligkeit kompensatorisch festgehalten im »Gefühl«. Die Versachlichung der Welt entschädigt sich durch die Genese der Innerlichkeit. Zur Entzauberung der Wirklichkeit gehört als Kompensation die Entwicklung der Subjektivität als Stätte einer ausgleichenden – der ästhetischen – Faszination. Wo die Vernunft zur Kontrollvernunft der Experimente und Formeln sich konzentriert und das nicht Experimentable dabei notwendigerweise ausklammern muß, entstehen nicht nur – durch diese Operation des methodischen Zweifels – die exakten Naturwissenschaften, sondern auch – als gegenläufige Entschädigung, als Kompensation – der historische Sinn, der dasjenige geltend macht, was die Experimentalvernunft gerade nicht erschließen kann: angesichts der Experimentalwelt ist er – kompensatorisch – der Agent der Lebenswelt. Dies in der Form der Wissenschaft zu sein – und ich referiere hier im wesentlichen nur Thesen von Joachim Ritter[75] – ist *Die Aufgabe der Geisteswissenschaften in der modernen Gesellschaft:* eine Kompensationsaufgabe. Weil diese Gesell-

[74] G. W. F. Hegel, *Glauben und Wissen* (1802). Theorie Werkausgabe, Bd. 2, S. 289f.

[75] Joachim Ritter, *Die Aufgabe der Geisteswissenschaften in der modernen Gesellschaft.* In: ders., *Subjektivität.*

schaft – und zwar im Interesse von Wohlstand und Gleichheit unvermeidlicherweise – geschichtslos wird und dadurch abstrakt, erzwingt diese ihre Mängelverfassung die Ausbildung dieser Erinnerungswissenschaften als – so Ritter – »Organ ihrer geistigen Kompensation«[76]. »Das wird« – und dies ist jetzt ein längeres Ritter-Zitat – »unmittelbar an dem nur scheinbar abseitigen Vorgang der ›Modernisierung‹ in seiner typischen Verlaufsform deutlich. Wo er einsetzt, ist immer die reale Bewegung das Erste, in der das alte geschichtliche Gut: Trachten, Einrichtungen, Gerät aus den Häusern und Orten des Wohnens und Lebens verdrängt wird. Aber dazu gehört, daß das so aus der gegenwärtigen Wirklichkeit Entfernte gleichsam sein Sein verändert; es wird ›das Historische‹ und zieht – als dieses sein reales Nichtsein hinter sich lassend – nunmehr der Bewahrung würdig in die Museen ein, die für es geschaffen werden.«[77] Ritter spricht hier von einer »typischen Verlaufsform«: es ist die geschichtliche Verlaufsform der Kompensation. Modernisierungen verlaufen ganz allgemein so, daß sie zugleich Defizite und Kompensationen erzeugen. Das gilt auch dann, wenn – ich erwähnte eingangs die Beispiele der kompensatorischen Erziehung und Wirtschaftspolitik – die Modernisierungsprozesse selber schon als Kompensation auftreten: sie erzwingen dann ihrerseits Kompensationsschäden-Kompensationen.

Beispiele für diese typische Verlaufsform sind nicht zuletzt die Modernisierungsaktionen im Bildungssystem. Etwa im Bereich jener Altersheime für Twens, zu denen die reformierten Universitäten geworden sind, vertreiben die Maßnahmen zur Förderung der Bildungsegalität die Forschung in den außeruniversitä-

[76] Ebd., S. 132; vgl. S. 131. Kompensation ist also nicht nur eine individualbiographische, sondern eine historische Kategorie; darum scheint es mir zwar legitim, aber keineswegs notwendig, den Kompensationsbegriff – wie R. Heinz, *Geschichtsbegriff und Wissenschaftscharakter der Musikwissenschaft in der zweiten Hälfte des 19. Jahrhunderts.* Regensburg 1968, dies in bezug auf die Genesis der autonomen, historisch sich wendenden Musiktheorie tut (»Theorie als Kompensation mangelnder kompositorischer Befähigung«: S. 81) – nur für die Interpretation »subjektiver Motive« einzusetzen: vgl. S. 81 ff.

[77] Ritter, *Aufgabe,* S. 132 f. Man muß übrigens sehen, daß die hier von Ritter entwickelte Deutungsfigur im Prinzip dieselbe ist, mit der er in seinem Aufsatz *Über das Lachen* (1940) die Funktion des Lachens charakterisiert: Wiederherstellung von offiziell negierter Zugehörigkeit unter Verwendung anderer Mittel; damit hängt »die seltsame Tatsache« zusammen, »daß in unserer Welt philosophisch in der Erscheinung des Humors dem Lachen eine Bedeutung zugefallen ist, durch die es gleichsam in den philosophischen Mittelpunkt der Welt selbst gerückt ... ist« als ein Kompensationsphänomen: Ritter, *Subjektivität,* S. 84.

ren oder wenigstens interuniversitären Bereich; die Reformschäden der Universität ermöglichen ihre Kompensation durch die Aktivität privater Stiftungen und öffentlicher Träger: man ist an der Universität, aber man denkt woanders. Die Forscher – und dieses wohl nicht zufällig gerade in der letzten Zeit kräftig expandierende Phänomen gehorcht eben der Logik oder Dynamik des Wiederersatzes –, insbesondere die Geisteswissenschaftler verschwinden in die Intermundien der überregionalen – gegebenenfalls der interkontinentalen – Interdisziplinarität und des Wissenschaftstourismus[78]. Wenn sie am Orte ihrer Residenzpflicht nur mehr verwalten, denken sie einzig noch dann, wenn sie reisen: darum müssen sie viel reisen. Das ist – frei nach Burckhardt – ein Weiterleben der verletzten Forschung mit Verlegung des Schwerpunktes. Mit anderen Worten: gerade das Wirken der Werner-Reimers-Stiftung ist ein besonders gutes Beispiel für eine geschichtliche Kompensation.

10. Ein mir nicht schlechthin fernstehender Autor hat in einer früheren Arbeit geschrieben: »In die Historie sind Philosophen in der Regel unglücklich verliebt.«[79] Es kam mir hier darauf an, einige Gründe oder wenigstens Vorwände zu liefern, dienlich, diese Meinung zu festigen.

Meine hier hauptsächlich zu diesem Zweck – im übrigen zunächst vorwiegend mit begriffsgeschichtlichen Mitteln, dann vorwiegend mit Mitteln, sagen wir, einer spekulativen Phänomenologie – entwickelte These läßt sich folgendermaßen zusammenfassen: Kompensation, ein einigermaßen aktueller Begriff, kommt nicht – wie man gemeinhin annimmt – ursprünglich aus dem Umkreis der Psychoanalyse, sondern er kommt aus einer langen – vergessenen – philosophischen Geschichte schließlich auch in den Umkreis der Psychoanalyse hinein und dann wieder aus ihm heraus in die allgemeine Reflexion. Der Begriff Kompensation wird philosophisch erheblich nicht erst kurz nach 1900, sondern um 200. Kompensation, das habe ich zeigen wollen, ist eine in der christlichen Theologie angelegte, in der Theodizee großgewordene und darum in die klassische Geschichtsphilosophie übergegangene, dort aber kleingehaltene Kategorie. Gerade deswegen ist sie prädestiniert, spätgeschichtsphilosophisch oder

[78] Das Phänomen der – im Sinne von Touropa und Bert Brecht – Tui-Tui (Touristik Union International der Intellektuellen): vgl. Bertolt Brecht, *Der Tui-Roman. Fragmente.* Frankfurt a. M. 1973.

[79] Marquard, *Skeptische Methode im Blick auf Kant*, S. 11.

gar nachgeschichtsphilosophisch und also gegenwärtig das zu werden, was ich zu Anfang von ihr behauptet hatte: eine wesentliche – eine gleichwohl nicht unproblematische – Kategorie zum Verständnis einer Verlaufsfigur insbesondere moderner geschichtlicher Prozesse, und zwar nicht zuletzt deswegen, weil sie dies ist: eine Kategorie zum Begreifen der Verlaufsfigur oder wenigstens eines Verlaufsmoments des geschichtlichen Prozesses der Modernisierung selber.

Dritter Teil
Das Prozeß-Problem in anderen Wissenschaften

Helmut Coing

Zum juristischen Prozeßbegriff

1. Zur Geschichte des Wortes »Prozeß« in der juristischen Sprache

Das antike Latein verwendet weder den Ausdruck »procedere« noch den Ausdruck »processus« im Zusammenhang mit einem juristischen Verfahren. Die römischen Juristen sowohl wie das praetorische Edikt brauchen den Ausdruck »iudicium«. Dieses Wort hängt mit »iudex« und »iudicare« zusammen, hat also mit einer Abfolge von Schritten oder Handlungen nichts zu tun. Ferner begegnet der Ausdruck »lis«, für den die zweite Bemerkung ebenfalls zutrifft. »Processus« begegnet nach dem *Handlexikon zu den Quellen des römischen Rechts* (1846) von H. G. Heumann und E. Seckel im Sinne eines feierlichen Aufzuges oder auch des Fortganges irgendeiner Angelegenheit, nicht aber für juristische Verfahren. »Processus« begegnet ferner in dem berühmten Fragment des Pomponius zur Geschichte des römischen Rechts: »Necessarium ... nobis videtur ipsius iuris originem atque processum demonstrare« (Dig. 1,2,2) – hier aber gerade im Sinne einer geschichtlichen Entwicklung und Fortbildung[1].

Das gleiche scheint noch für die früheste Prozeßliteratur der Bologneser Rechtsschule, die sich seit dem Anfang des 11. Jahrhunderts bildet, zu gelten. In einer Prozeßschrift des Bulgarus (geschrieben zwischen 1123 und 1141) findet sich folgende Definition: »Judicium est actus ad minus trium personarum, actoris, rei intentionem evitantis, iudicis medio cognoscentis.« Bulgarus verwendet als Termini weiter die Ausdrücke »lis« und »causa«.

Die hier wiedergegebene Formel, wonach der Prozeß aus den Handlungen von wenigstens drei Personen besteht, ist in der Prozeßliteratur des Mittelalters immer wiederholt worden.

Der Ausdruck »processus« im Sinne von juristischem Verfahren taucht dagegen nach J. F. Niermeyer, *Mediae latinitatis lexicon minus* zum Stichwort »processus« erst im 13. Jahrhundert

[1] Vgl. dazu neuestens Dieter Nörr, *Pomponius.* In: *Aufstieg und Niedergang der römischen Welt.* Hrsg. von H. Temporini, Teil II, Bd. 1, Berlin 1974.

auf. Du Cange, *Glossarium mediae et infimae latinitatis* bringt für »processus« im Sinne von juristischem Verfahren Belege aus dem späten 13. und dem 14. Jahrhundert, und zwar aus Akten der päpstlichen Kanzlei (Honorius IV., 1286) sowie der Kanzlei Eduards III. von England.

Mein Kollege Nörr in Tübingen macht mich darauf aufmerksam, daß die Verwendung des Ausdrucks »processus« im Sinne von juristischem Verfahren wahrscheinlich auf die Konstitution ›Quoniam contra‹ des IV. Laterankonzils zurückgeht, die später in die Dekretalen Gregors IX. (1234) aufgenommen ist (dort 2,19,11). Diese grundlegende Konstitution bestimmte, daß die wichtigsten Prozeßakte protokollarisch festzuhalten seien, für den Fall, daß »super processu iudicis fuerit suborta contentio«. Hier ist das Wort zwar eigentlich untechnisch gebraucht (das »Vorgehen« des Richters); es ist aber einleuchtend, daß hieraus die technische Bedeutung entstehen konnte. – Für die Literatur bedürfte die Frage neuer Untersuchung.

Es zeigt sich also, daß das Wort »Prozeß«, das wohl Anlaß gegeben hat, den juristischen Prozeß in die Überlegungen über die Erfassung des historischen Prozesses einzubeziehen, in der lateinischen Sprache ursprünglich nicht mit dem Gerichtsverfahren verbunden worden ist. Die ursprünglichen Bezeichnungen, die für das gerichtliche Verfahren verwendet werden, deuten darauf hin, daß im gerichtlichen Verfahren ganz andere Seiten für charakteristisch gehalten werden. Das Wort »iudicium« hängt doch wohl mit Rechtsprechen zusammen. Die mittelalterliche Definition »actus trium personarum« hebt hervor, daß der Prozeß ein Handlungsgefüge ist, eine geordnete Abfolge von Handlungen verschiedener Beteiligter. Ein näherer Blick auf die Funktion und die Eigenart des juristischen Verfahrens zeigt meines Erachtens, daß diese Beschreibungen durchaus ihr Recht haben und wahrscheinlich sogar das Phänomen in einer sehr charakteristischen Weise erfassen.

2. Zur Eigenart des juristischen Verfahrens

1. Allgemein läßt sich der Prozeß als geordnetes (formalisiertes) Verfahren definieren, also als eine Folge von Handlungen verschiedener Personen mit dem Ziel, auf der Grundlage der Ermittlung der dafür relevanten Tatsachen eine Rechtsfrage zu entscheiden.

Die Art der Rechtsfrage kann durchaus verschieden sein. Es kann sich um die Frage handeln, ob eine bestimmte strafbare Handlung von einer bestimmten Person begangen worden ist, ob der einen Person A gegen eine andere Person B ein bestimmter Anspruch zusteht, ob ein Verwaltungsakt, den die Behörde X gegen den Bürger Y erlassen hat, gesetzmäßig ist oder nicht.

Welche *Tatsachen* in einem juristischen Prozeß ermittelt werden müssen, hängt davon ab, welche Tatsachen nach den Rechtsnormen, die die zu entscheidende Rechtsfrage beherrschen, für diese Entscheidung relevant sind. Die Auswahl der zu klärenden Tatsachen hängt also von der Norm ab, die anzuwenden ist.

Soweit in einem juristischen Prozeß die Wahrheit von behaupteten Tatsachen erforscht wird, handelt es sich nicht um ein freies Verfahren, wie etwa bei der historischen Forschung, also einem Verfahren, das nur an bestimmte methodische Grundsätze gebunden wäre. Vielmehr ist die Wahrheitsermittlung an zwingende Ordnungsregeln gebunden; welche Folgen eintreten, wenn sich aufgrund dieser Regeln die Wahrheit oder Nichtwahrheit der relevanten Tatsache nicht ermitteln läßt, ist wiederum durch Regeln festgesetzt. Hierher gehört die Maxime »in dubio pro reo« oder die Beweislastregeln des Zivilprozesses. Das Verfahren spielt sich also in festen zwingenden Regeln ab; werden sie verletzt, so kann das zur Aufhebung der Entscheidung führen.

Die Regeln im einzelnen sind natürlich sehr verschieden, nicht nur nach der jeweils erreichten Kulturstufe oder in unterschiedlichen Kulturen, sondern auch nach dem Zweck und der Art des Verfahrens. Der Unterschied, den die verschiedenen Kulturstufen bedeuten, kann hier nur in Stichworten angedeutet werden. Ich nenne etwa Gottesurteil auf der einen Seite, Wahrheitsermittlung mit rationalen Beweismitteln wie Urkunde und Zeugenaussage auf der anderen Seite, oder Bindung des Richters an feste Beweisregeln, bei deren Erfüllung er zu bestimmten Annahmen gezwungen wird, oder der Grundsatz der freien Würdigung der Beweise durch den Richter. Was Zweck und Art des Verfahrens angeht, so ist vor allem der Unterschied zwischen Straf-, Zivil- und Verwaltungsprozeß hervorzuheben, auf den gleich noch etwas näher eingegangen werden soll.

Die Regeln selbst, welche die Verfahrensordnung ausmachen, beruhen im einzelnen auch auf verschiedenen Gesichtspunkten. Sie sichern zunächst die Gleichmäßigkeit verschiedener Verfahren. Das Verfahren A gegen B soll nicht anders ablaufen als das

Verfahren C gegen D, wenn die Gegenstände des Verfahrens analog sind, also z.B. in beiden Fällen ein Zivilprozeß vorliegt.

Die Regeln ergeben sich weiter aus dem allgemeinen Gedanken der Beschränkung der Staatsgewalt oder des gesetzlichen Handelns der Staatsgewalt. Sie beschränken die Befugnis des Richters gegenüber den Parteien und dienen damit zugleich dem Schutz der Parteien, man denke an Regeln wie das rechtliche Gehör, Verbot der Folterung usw. Die Regeln dienen aber auch dem Ziel, das Verfahren sachdienlich und zeitgerecht zu gestalten. Sie sollen sichern, daß der Richter wesentliche Gesichtspunkte nicht außer acht läßt, z.B. bei der Einvernahme der Zeugen die Klärung der Frage der eventuellen Interessiertheit der Zeugen usw. Sie sichern den zeitgerechten Ablauf, insbesondere dadurch, daß für die Handlungen der Parteien, wie der Richter, bestimmte Fristen vorgesehen sein können.

Dies sei im folgenden noch kurz dadurch erläutert, daß der Unterschied im Ablauf eines Strafprozesses und eines Zivilprozesses dargestellt wird. Dabei wird das moderne Recht zugrundegelegt.

2. Der *Strafprozeß* dient der Bekräftigung und Durchsetzung des materiellen Strafrechts im Einzelfalle durch Ermittlung des wahren Tathergangs und der richtigen Anwendung des Strafrechts. Er soll im Ergebnis dafür sorgen, daß der schuldige Verdächtige gerecht bestraft wird und der unschuldige Verdächtige freigesprochen wird[2].

Der Verfahrensablauf gliedert sich in Ermittlungsverfahren durch die Staatsanwaltschaft und Hauptverfahren vor dem Richter. Das Hauptverfahren ist als Parteiprozeß gestaltet. Der moderne Strafprozeß ist Anklageprozeß; im Gegensatz zum Inquisitionsprozeß, bei dem der entscheidende Richter selbst die Tatsachen ermittelt und beurteilt, erhebt im Anklageprozeß der Staatsanwalt, der die Ermittlungen geführt hat, aufgrund des ermittelten Materials Anklage. Ihm steht der Verteidiger als Partei gegenüber (Waffengleichheit), während der Richter neutral die Verhandlungen leitet und das Ergebnis der Verhandlungen feststellt.

Das Verfahren ist ferner mündlich und unmittelbar, d.h. es dürfen der Urteilsfindung nur solche Tatsachen zugrundegelegt werden, die in der mündlichen Verhandlung und in Gegenwart

[2] Vgl. dazu die treffenden Formulierungen von Rudolphi in der Zeitschrift für Rechtspolitik 9 (1976), S. 165ff.

der Verteidigung vorgetragen sind, und nur diejenigen Beweismittel verwendet werden, welche in der Hauptversammlung unmittelbar dem Richter vorgeführt worden sind. Der Gegensatz wäre der frühere geheime Aktenprozeß, bei dem der entscheidende Richter in der Regel die Zeugen nicht selbst gesehen hat, sondern nur die Protokolle der Zeugenaussagen zur Verfügung hatte.

Es gilt ferner der Grundsatz der Öffentlichkeit. Die Verhandlung darf nur in besonderen Fällen unter Ausschluß der Öffentlichkeit erfolgen.

Endlich gilt der Grundsatz der freien Beweiswürdigung. Der Richter ist also nicht an bestimmte Beweisregeln gebunden, und was die Schlußfolgerungen angeht, die aus dem Beweisergebnis zu ziehen sind, so gilt die Regel »im Zweifel für den Angeklagten«, d.h. wenn die Beweise für die Schuld nicht ausreichen, muß der Angeklagte freigesprochen werden, auch wenn erhebliche Verdachtsmomente bestehen. Diese Regel löst, wie vorhin schon hervorgehoben, das Problem, das dadurch entstehen kann, daß im Rahmen der gesetzlichen Regeln eine volle Klärung des Sachverhaltes nicht zu erreichen ist. Dies geht dann sozusagen zu Lasten der Anklage.

Der Prozeß wird abgeschlossen mit dem Urteil des Richters, der entweder den Angeklagten aufgrund festgestellter Schuld verurteilt oder ihn freispricht.

3. Der *Zivilprozeß*. Ich gebe zunächst die Definition von Lent-Jauernig: »Der Zivilprozeß ist das staatlich angeordnete und geregelte Verfahren vor den Gerichten des Staates, welches die Rechte der einzelnen feststellen, schützen und durchsetzen soll.«[3]

Im Zivilprozeß wird also nicht die staatliche Privatrechtsordnung von Amts wegen durchgesetzt; sie wird nur dann geschützt, wenn jemand sich in seinen Rechten verletzt glaubt und dementsprechend Klage erhebt. Dementsprechend steht die Klage grundsätzlich zur Disposition der Parteien. Vergleichen sich die Parteien oder nimmt der Kläger die Klage zurück, so findet der Prozeß sein Ende. Auch der Verfahrensablauf ist durchaus anders gestaltet als im Strafprozeß. Zwar gelten auch hier die Grundsätze der Mündlichkeit und damit der Unmittelbarkeit, Öffentlichkeit und der freien Beweiswürdigung. Im Ge-

[3] Friedrich Lent und Othmar Jauernig, *Zivilprozeßrecht*. 14. Aufl. München 1968, S. 2.

gensatz zum Strafprozeß findet aber keine Wahrheitsermittlung von Amts wegen statt. Dem Zivilprozeß geht kein amtliches Ermittlungsverfahren voraus, und auch während des Verfahrens hat der Richter grundsätzlich nicht das Recht, von Amts wegen die Wahrheit zu ermitteln. Die Tatsachen vorzutragen und diejenigen Beweismittel anzubieten, aus denen sich die Richtigkeit des Tatsachenvortrages ergeben soll, ist vielmehr Sache der Parteien (sogenannte Verhandlungsmaxime). Der Richter entscheidet aufgrund desjenigen Tatsachenmaterials, das ihm Kläger und Beklagter während des Prozesses vorgetragen haben, und, soweit es relevant ist, bewiesen haben. Die Folgen, die eintreten, wenn offengeblieben ist, ob eine bestimmte Tatsachenbehauptung richtig war oder nicht, sind im Zivilprozeß nicht durch eine einfache Maxime, wie etwa »in dubio pro reo« geregelt. Es gibt vielmehr ein sehr differenziertes System von Einzelregeln, die sogenannten Beweislastregeln, welche feststellen, welcher Tatsachenkomplex vom Kläger und welcher gegebenenfalls vom Beklagten zu beweisen ist. Danach bestimmt sich, zu wessen Nachteil es ist, wenn eine Tatsachenbehauptung nicht zur vollen Überzeugung des Richters hat bewiesen werden können.

Zusammenfassend kann man sagen, daß der Zivilprozeß, soweit er Parteiprozeß ist, nach geltendem deutschen Recht eine Entscheidung über das Klagebegehren aufgrund des von den Parteien eingeführten Tatsachenmaterials darstellt. Die Parteien, Kläger und Beklagter, sind nicht verpflichtet, in diesem Sinne mitzuwirken, sie tragen aber nach den Beweislastregeln den Nachteil, wenn sie bestimmte Dinge nicht vorgetragen oder nicht bewiesen haben.

4. In jedem Falle, gleich um welche Prozeßart es sich handelt, stellt sich ein juristischer Prozeß als Folge von Handlungen dar, die stets einen präzisen Anfang (Erhebung der Klage oder Anklage, Einleitung des Ermittlungsverfahrens usw.) und einen präzisen Endpunkt hat: Erlaß des Urteils.

3. Folgerung

1. Will man die Frage beantworten, ob der juristische Begriff des Prozesses für die Geschichtswissenschaft von Wert sein kann, so ist es vielleicht zweckmäßig, sich zunächst einmal vor Augen zu stellen, wie das Wort »Prozeß« von Historikern verwendet wird.

Wir finden etwa den Ausdruck *Prozeß der Objektivation*[4]. Damit soll zusammenfassend eine langsame Änderung in der Haltung der Gelehrten in der europäischen Kultur bezeichnet werden, die sich im 17. und 18. Jahrhundert vollzogen hat und bei der die Frage nach dem rationalen Beweis der von den Gelehrten aufgestellten Behauptungen in den Vordergrund trat, und zwar sowohl in den Naturwissenschaften wie in den Geisteswissenschaften. In den Naturwissenschaften sollte dieser Beweis durch Beobachtung und Experiment, in den historischen Disziplinen durch den Urkundennachweis erbracht werden, wobei ein Autor wie Leibniz sogar auf die juristische Beweislehre als Muster verwiesen hat.

Wir sind ferner gewohnt, von dem Prozeß der Industrialisierung im 19. Jahrhundert zu sprechen. Wiederum wird damit zusammenfassend eine Änderung im Verhalten von Unternehmern bezeichnet, die zu bestimmten Produktions- und Vertriebsmethoden übergehen (Produktion für den Markt, Kapital, intensiver Betrieb mit Maschinen, Lohnarbeit, die in Fabriken konzentriert wird usw.).

Jedesmal handelt es sich also um eine Änderung in Verhaltensweisen (Denk- und Handlungsweisen) unbestimmt vieler Menschen, die aber möglicherweise zu einer bestimmten Berufsgruppe gehören. Dabei vollzieht sich diese Änderung durch das Verhalten einer wachsenden Zahl von Personen, also im zeitlichen Ablauf; sie vollzieht sich auch nicht ohne Gegenwirkung durch das Handeln und Verhalten anderer Personen oder Gruppen.

Für den nachträglichen Beobachter entsteht dadurch der Eindruck, daß eine Gesamtbewegung, eine Tendenz auf ein bestimmtes Ziel hin erfolgt, und dieses Ziel auch voll oder teilweise erreicht.

2. Stellt man dem gegenüber den juristischen Prozeß, so ergeben sich erhebliche Unterschiede.

(1) Zunächst ist der juristische Prozeß ein Erkenntnisverfahren. Entscheidend ist die Feststellung bestimmter Tatsachen und die Anwendung bestimmter Rechtssätze. Natürlich begegnen im Rahmen dieses Verfahrens auch Willensentscheidungen, aber sie spielen sich immer im Rahmen des Erkenntnisverfahrens ab, beantworten z. B. die Fragen, ob ich einem Zeugen glauben soll oder nicht, oder wie ich mich unter den verschiedenen Ausle-

[4] So Karl-Georg Faber, *Theorie der Geschichtswissenschaft*. München 1971, S. 29.

gungsmöglichkeiten eines Rechtssatzes entscheiden soll. Im Mittelpunkt des juristischen Verfahrens steht, wie dies einem Erkenntnisverfahren entspricht, die Frage der Beweise und ihrer Würdigung.

Insofern kann man zunächst festhalten, daß das juristische Verfahren eher dem wissenschaftlichen Erkenntnisverfahren als einer politisch-wirtschaftlichen Entwicklung gleicht.

(2) Der juristische Prozeß spielt jeweils zwischen ganz bestimmten Beteiligten, denen Rollen fest zugewiesen sind. Demgegenüber haben wir es im historischen Prozeß jeweils mit einer Vielfalt von handelnden Personen zu tun, und wenn ich recht sehe, gibt es dabei keine festgelegten beteiligten Kräfte und Gegenkräfte mit bestimmten ihnen zugewiesenen Rollen.

(3) Der juristische Prozeß erreicht sein Ziel im Widerstreit nach festliegenden Regeln; Kräfte und Gegenkräfte haben bestimmte Möglichkeiten oder Rechte, die die Rechtsregeln ihnen garantieren, auf die sie aber auch beschränkt sind. Ihr Handeln hat einen ganz bestimmten Adressaten, den Richter. Die Entscheidung fällt nicht durch das Schwergewicht von Kräften und Gegenkräften, sondern dadurch, daß es gelingt, einen Schiedsrichter, eben den entscheidenden Richter, von der Wahrheit bestimmter Tatsachen oder der Richtigkeit einer bestimmten Rechtsauffassung zu überzeugen. Auch hier zeigt sich natürlich wieder, daß es sich um ein Erkenntnisverfahren handelt.

(4) Der juristische Prozeß erreicht, einmal angefangen, stets sein Ziel. Dies ist, was die Tatsachenermittlung angeht, die Folge der Beweisregeln. Läßt sich die Schuld des Angeklagten zur Überzeugung des Richters nicht voll beweisen, so gilt der Grundsatz »in dubio pro reo«. Im Zivilprozeß haben die Beweislastregeln die gleiche Funktion. Was die Rechtsfragen angeht, so kann sich kein Richter darauf berufen, er könne im Gesetz keine Lösung finden. Dies ist klassisch in Artikel 4 des *Code Civil* formuliert worden: »Le juge qui refusera de juger sous prétexte du silence de l'obscurité de l'insuffisance de la loi, pourra être poursuivi comme coupable de déni de justice.«

Weder an Tatsachen noch an Rechtsfragen kann der juristische Prozeß also scheitern. Sein Ziel, die Entscheidung, muß erreicht werden – muß es, weil er nicht nur der Erkenntnis, sondern dem Rechtsfrieden dient.

Dagegen kann eine bestimmte historische Tendenz ebenso Erfolg haben wie letzten Endes scheitern. Man denke in der

Kirchengeschichte etwa an große Bewegungen wie die der Marcioniten.

(5) Diese Besonderheiten des juristischen Prozesses im Gegensatz zu dem, was man in der Geschichte als Prozeß bezeichnen kann, liegen natürlich letzten Endes darin begründet, daß der juristische Prozeß sich im Rahmen von vorher festgestellten Regeln abspielt, an welche alle Beteiligten gebunden sind und welche von allen Beteiligten anerkannt werden. Das Urteil wird rechtskräftig, mag es nun die materielle Wahrheit und die materielle Gerechtigkeit erreicht haben oder nicht.

Man kann die Figur des juristischen Prozesses unter drei Gesichtspunkten in der Historie heranziehen: als Erkenntnisverfahren, als Kategorie philosophischer Geschichtsbetrachtung, als analytische Kategorie zum Verständnis historischer Abläufe. Je nachdem wird ihr verschiedene Bedeutung zukommen. Am nächsten kommen sich juristisches und historisches Erkenntnisverfahren; es ist gewiß kein Zufall, daß Leibniz die Historiker auf das juristische Beweisverfahren hingewiesen hat. Aber Unterschiede bestehen auch hier, da das historische Erkenntnisverfahren ein solches freier Forschung ist, das mit einem »non liquet« enden kann, während das juristische an Normen gebunden ist und stets zu einem Abschluß gebracht werden kann.

Die Geschichtsphilosophie – insbesondere eine moralisierende – mag sich der Kategorie des juristischen Prozesses bedienen. Sehr naheliegend scheint mir dies allerdings nicht zu sein. Hegel hat zwar gesagt, die Weltgeschichte sei das Weltgericht: Das mag man annehmen oder nicht. Der Ausspruch kann aber immer nur hinsichtlich des Ergebnisses, nicht hinsichtlich des Verfahrens Geltung beanspruchen.

Die Verwendung als analytische Kategorie endlich scheint mir noch problematischer; denn dem historischen Ablauf fehlt der normative Rahmen und damit die vorgeschriebene Rollenverteilung, die den juristischen Prozeß kennzeichnet. Vielleicht gibt uns hier die Wortgeschichte doch einen Hinweis: dadurch nämlich, daß sie zeigt, daß Prozeß = »Ablauf« die ältere, Prozeß als »juristisches Verfahren« die jüngere und abgeleitete Bedeutung ist, die das Wort erst – relativ spät – in einer Fachsprache erhalten hat.

ERHARD SCHEIBE

Der naturwissenschaftliche Prozeßbegriff

1.

Ein Versuch zu verdeutlichen, was in den Naturwissenschaften unter einem Prozeß verstanden wird, muß wohl mit der Bemerkung beginnen, daß der Begriff des Prozesses in den Naturwissenschaften kein spezifischer Begriff ist, über den man in einem Fachlexikon etwas nachlesen könnte oder den man im Sachindex eines Lehrbuches verzeichnet fände. Es ist wahr, daß man in manchen Gebieten der Physik, z.B. in der Thermodynamik, häufiger von Prozessen spricht als in anderen, zum Beispiel der Mechanik. Ebenfalls wird dieses Wort in Chemie, Biologie und Medizin im ganzen wohl häufiger verwendet als in der Physik Aber ich glaube, daß jeder Versuch, aus solchen Unterschieden im tatsächlichen Sprachgebrauch einen Begriff von Prozessen als einen Begriff *besonderer* Veränderungen ablesen zu wollen, letztlich nur auf eine Wortklauberei hinausliefe. Linguistisch-empirische Untersuchungen dieser Art würden sowohl zufällige Verfestigungen des Sprachgebrauchs zeigen[1] als auch eine verbreitete Promiskuität in einem Wortfeld zutage fördern, das neben »Prozeß« auch »Vorgang«, »Veränderung«, »Geschehen«, »Ablauf« und dergleichen enthält. Es führt daher weiter, gleich zu Beginn festzustellen, daß uns das Stichwort »Prozeß« im Kontext der Naturwissenschaften in jene Gegend führt, wo auch in diesem Wissenschaftsbereich Terminologie und Bedeutung schwankend sind und wo noch aus dem Reservoir vorwissenschaftlicher Sprache und Vorstellung geschöpft wird. Gerade der Naturwissenschaftler kann sich in einem solchen Bereich im übrigen bedenkenlos bewegen, weil er weiß, daß die Hauptmasse seiner Begriffe außerhalb desselben fällt und ihre Einführung und Handhabung verläßlicher, disziplinspezifischer Kontrolle unterliegt.

Aus dem bisher Gesagten folgt, daß die Behandlung des natur-

[1] Ziemlich fest verankert ist das Wort »Prozeß« z.B. in der Terminologie der (mathematischen) Theorie stochastischer Prozesse. Wie sich weiter unten zeigen wird, geht es in dieser Theorie aber auch um eine sehr umfangreiche Klasse von zeitlichen Vorgängen.

wissenschaftlichen Prozeßbegriffs der *Wissenschaftstheorie* obliegt, da eben sie für jenen schon bezeichneten Grenzbereich von wissenschaftlichem und vorwissenschaftlichem Verstehen verantwortlich ist und insbesondere die von der Wissenschaft nicht mehr geleistete Explikation einiger, vornehmlich grundlegender Begriffe in ihren Zuständigkeitsbereich gehört. Eine Sichtung der einschlägigen Literatur ergibt allerdings auch hier, daß der naturwissenschaftliche Prozeßbegriff bisher kaum um seiner selbst willen einer genaueren Analyse unterzogen worden ist. Statt dessen sind alle Anstrengungen auf die Klärung des mit ihm eng verwandten Begriffs der *Zeit* gerichtet. Hier finden wir nun selbst dann noch eine als sehr umfangreich zu bezeichnende Literatur vor, wenn man von der langen und großen Tradition des philosophischen Zeitproblems absieht und sich außerdem auf die naturwissenschaftlichen, insbesondere physikalischen Aspekte desselben beschränkt[2]. In den einschlägigen Abhandlungen treten die Begriffe des Prozesses und der Veränderung, veranlaßt durch ihr korrelatives Verhältnis zum Zeitbegriff, zwar auf, aber sie werden nur mehr oder weniger beiläufig abgehandelt und nicht zum eigentlichen Gegenstand der Betrachtung gemacht. Das mag daran liegen, daß man die philosophisch bedeutsamen Probleme nicht in ihnen, sondern eben im Begriff der Zeit liegend gesehen hat. Die Berechtigung dieser Auffassung kann hier dahingestellt bleiben. Denn ich betrachte als die mit diesem Aufsatz vor mir liegende Aufgabe nun einmal allein die vornehmlich begriffstechnisch orientierte Explikation des Prozeßbegriffs der Naturwissenschaften. Diese Aufgabe kann man zwar nicht lösen, ohne auf den von den Naturwissenschaften benutzten Zeitbegriff einzugehen. Aber man kann sie, jedenfalls bis zu einem gewissen Grade, lösen, ohne den philosophischen Hintergrund aufhellen zu müssen. Denn gerade *so* ist die entsprechende Aufgabe von den Naturwissenschaften gelöst worden.

2.

Das Verständnis der folgenden Ausführungen, die sich einerseits auf einen naturwissenschaftlichen Begriff beziehen und anderer-

[2] Da ich den Zeitbegriff nur ganz kurz resümieren werde, seien hier wenigstens zur Einführung genannt die Monographien von R. Schlegel, *Time and the physical world.* Ann Arbor 1961; G. J. Whitrow, *The natural philosophy of time.* London 1961, und die Aufsatzsammlungen *Interdisciplinary perspectives of time.* Hrsg.

seits vornehmlich an den weder mit den Wissenschaften noch mit den zu deren Analyse heute üblichen wissenschaftstheoretischen Methoden vertrauten Geisteswissenschaftler gerichtet sind, würde gewiß durch eine Reihe von Vorüberlegungen gefördert werden, welche die sich hier auftuende Kluft ein wenig überbrücken könnten. Leider muß diese Hilfestellung hier schon aus Raumgründen weitgehend unterbleiben. *Eine* methodische Vorbemerkung erscheint mir jedoch unerläßlich, und mit ihr will ich jetzt zur Sache selbst hinüberleiten. Sie betrifft die Frage, ob die folgende Erläuterung des naturwissenschaftlichen Prozeßbegriffs nach bestimmten und vielleicht sogar bekannten Grundsätzen abgefaßt ist – ob mit ihr eine *Theorie der Erläuterung* oder gar *Definition eines Begriffs* zur Anwendung gelangt. Ich kann diese Frage nicht geradezu mit ja oder mit nein beantworten. Die moderne Wissenschaftstheorie bedient sich zur Explikation grundlegender Begriffe, wie des Begriffs der Erklärung, der Bestätigung, der Wahrscheinlichkeit und dergleichen, einer Methode, deren Bestimmtheitsgrad noch durchaus von dem jeweils zu explizierenden Begriff, dem sogenannten Explikandum, abhängt. Im Idealfall führt diese Methode von der vorläufigen Kennzeichnung des Explikandum über die Aufstellung von bereits verbindlichen Adäquatheitsbedingungen für eine künftige Definition bis hin zu einem vollständigen Explikat, das die Explikation leisten soll[3]. Die Beschreitung dieses Weges ist jedoch durch Hindernisse mehr oder weniger erschwert, auf die schon Kant mit Nachdruck hingewiesen hat[4].

Kant unterscheidet zwischen synthetischen und analytischen Definitionen. Bei den ersteren, die nach seiner Auffassung ausschließlich in der Mathematik vorkommen, ist »der Begriff, den ich erkläre, ... nicht vor der Definition gegeben, sondern er entspringt allererst durch dieselbe«. Demgegenüber können philosophische und auch empirische Begriffe nur analytisch definiert werden, und dies bringt die Schwierigkeit mit sich, daß »hier der Begriff von einem Dinge schon gegeben (ist), aber

von R. Fischer. Annals of the New York Academy of Science 138 (1967); *The study of time.* Hrsg. von J. T. Fraser u. a., Berlin 1972; *The study of time II.* Hrsg. von dens., Berlin 1975.

[3] Vgl. etwa Rudolf Carnap, *Logical foundations of probability.* 2. Aufl. Chicago 1962, Kap. I.

[4] Siehe Immanuel Kant, *Untersuchungen über die Deutlichkeit der Grundsätze der natürlichen Theologie und Moral* (1764). Akademie-Ausgabe, Bd. 2; *Kritik der reinen Vernunft* (1787), 2. Aufl. ebd., Bd. 3, S. 477 ff. Die folgenden Zitate stammen aus der ersteren Schrift S. 276 f. und S. 284.

verworren oder nicht genügsam bestimmt«. Daher kann man nie sicher sein, daß sich eine zunächst vorgenommene Analyse schließlich so in eine synthetische Definition umkehren läßt, daß der *gegebene* Begriff von ihr getroffen wird. Gerade der Begriff der Zeit ist Kant ein Beispiel für diese Schwierigkeit: »Jedermann hat zum Beispiel einen Begriff von der Zeit; dieser soll erklärt werden ... Wollte ich hier synthetisch auf eine Definition der Zeit zu kommen suchen, welch ein glücklicher Zufall müßte sich ereignen, wenn dieser Begriff gerade derjenige wäre, der die uns gegebene Idee völlig ausdrückte!« Mit anderen, nämlich den oben angeführten Worten: Das Explikat wird so gut wie nie mit dem Explikandum zur Deckung gebracht werden können.

Auch die Auflösung dieser Schwierigkeit sieht heute nicht grundsätzlich anders aus als schon bei Kant: Auf dem Wege vom Explikandum zum Explikat baut man in Form der erwähnten Adäquatheitsbedingungen einen sicheren Zwischenstand ein. Formell sind die Adäquatheitsbedingungen nämlich einfach Bedingungen, denen ein eventuelles Explikat genügen muß, das einem gegebenen Explikandum adäquat sein soll, und materiell sind sie evidente Merkmale des Explikandum, die als solche die Adäquatheit des Explikats garantieren. In demselben Sinne sagt auch Kant: »In der Philosophie ... kann man oft sehr viel von einem Gegenstande deutlich und mit Gewißheit erkennen, auch sichere Folgerungen daraus ableiten, ehe man die Definition desselben besitzt, auch selbst dann, wenn man es gar nicht unternimmt, sie zu geben. Von einem jeden Dinge können mir nämlich verschiedene Prädikate unmittelbar gewiß sein, ob ich gleich deren noch nicht genug kenne, um den ausführlich bestimmten *Begriff der Sache*, d.i. die Definition, zu geben.« Hiermit ist die Methode beschrieben, der ich in der Explikation des naturwissenschaftlichen Prozeßbegriffs folgen will, wobei mir besonders an der Hervorhebung dessen liegt, was auch Kant hervorheben will, daß wir nämlich über einen gegebenen Begriff schon viel Verläßliches sagen können, »ehe man die Definition desselben besitzt, auch selbst dann, wenn man es gar nicht unternimmt, sie zu geben«. Eben dies, eine Definition zu geben, werde ich im vorliegenden Falle auch nicht unternehmen, und darin liegt sogar ein Vorteil, auf den meine methodische Vorbemerkung recht eigentlich abzielt.

Wenn man die Kluft zwischen den systematisch orientierten Naturwissenschaften und den historisch orientierten Geisteswissenschaften gewissermaßen an ihrer tiefsten Stelle zu bezeichnen wünscht, so würde man wohl nicht auf Unterschiede in der Methode, sondern auf die Verschiedenheit der Gegenstände hinzuweisen haben. Zugleich aber würde uns heute wohl kein bisheriger Versuch zufriedenstellen können, den Gegenstandsbereich der Naturwissenschaften von dem der Geisteswissenschaften definitiv abzugrenzen. Dieser Umstand spiegelt sich auch darin wider, daß die naturwissenschaftlichen bzw. geisteswissenschaftlichen Begriffe, vor allem die grundlegenden, kaum so vollständig festgelegt werden können, daß immer nur Gegenstände des einen bzw. des anderen Wissenschaftsbereichs unter sie fallen würden. Wir haben – mit anderen Worten – keine Definitionen der in Frage kommenden Begriffe, welche zugleich das Wesen der Gegenstände enthielten, die darunter fallen. Nehmen wir etwa den Begriff der Veränderung, so konnte es lange als Programm der Naturwissenschaften gelten, als Veränderungen nur Bewegungen anzunehmen und alle Veränderungen, die uns zunächst nicht als Bewegungen erscheinen, dennoch aber fraglos Gegenstand der Naturwissenschaften waren, irgendwie auf Bewegungen zurückzuführen. Ein solches Programm konnte zunächst durchaus mit der Hoffnung verbunden werden, die fragliche Abgrenzung zumindest in einer gewissen Hinsicht zu leisten, weil der Bewegungsbegriff eine Klasse von Gegenständen als solche, die sich bewegen *können,* also im Raum anzutreffen und womöglich zu lokalisieren sind, einigermaßen gut festlegt. Aber es hat immanente Schwierigkeiten mit dem Bewegungsbegriff gegeben, zuerst in der klassischen Feldtheorie und dann verstärkt in der Quantentheorie, so daß das Programm, zumindest in seiner ursprünglichen Gestalt, aus prinzipiellen Gründen nicht aufrechtzuerhalten war. Hinzu kommt, daß es den hier fraglichen Effekt der Abgrenzung ohnehin erst *nach seiner Vollendung* gehabt hätte: Solange nicht erkannt war, *wie* jede Veränderung als Bewegung rekonstruiert werden konnte, hätte man doch mit einem weiteren Begriff der Veränderung von entsprechend geringerer Abgrenzungsleistung arbeiten müssen.

De facto hat man dies auch stets getan und tut es auch heute – unter veränderten Zielsetzungen – noch ebenso. Der Zerfall eines Elementarteilchens, eine chemische Reaktion, die Abkühlung eines Metalls, das Wachstum einer Pflanze, die Entstehung der Alpen, die Evolution der Organismen, die Bewegung der Planeten, die Expansion des Universums – dies alles sind auf den ersten Blick so verschiedenartige Vorgänge, daß der Versuch, das ihnen Gemeinsame herauszupräparieren, auch angesichts des heutigen Erkenntnisstandes noch nicht zu einem Prozeßbegriff führen kann, aus dem sich das Wesen der *allein* von den Naturwissenschaften untersuchten Gegenstände *folgern* ließe. Vielmehr wird man nur zu einem oder mehreren Prozeßbegriffen gelangen, welche die Natur der Gegenstände, die sich solchen Prozessen gemäß ändern können, noch weitgehend offen läßt, und das wird gerade dann ein Vorteil sein, wenn man eventuelle Gemeinsamkeiten zum Beispiel mit der Geschichtswissenschaft nicht von vornherein aus dem Blick verlieren will. Die Einheit unserer Wissenschaft wird am wenigsten dadurch gefördert, daß man zu früh eine derselben zur grundlegenden Disziplin erklärt und dann nur noch deren Begriffe analysiert. Statt dessen muß man die Aufmerksamkeit auf die Überlappungsbereiche verschiedener Wissenschaften richten, und das kann gerade dadurch geschehen, daß man die Rekonstruktion der Begriffe auf einer hinreichend allgemeinen Ebene angeht und beläßt.

3.

Mit dieser eingeschränkten Zielsetzung vor Augen kann ich nun zur Sache selbst kommen und muß – wie angekündigt – zunächst ein paar Bemerkungen zum *Zeitbegriff* machen, die den natürlichen Einstieg in eine Betrachtung des naturwissenschaftlichen Prozeßbegriffs bilden[5]. Die für diesen Begriff zuständige Naturwissenschaft, die Physik, lehrt uns, anders als so manche philosophische oder doch philosophisch inspirierte Zeittheorie, wie sie im geisteswissenschaftlichen Bereich anzutreffen ist, daß die Zeit eine zwar höchst bedeutsame, elementare, aber eben darum auch *arme Struktur* ist, in die noch nicht aufgenommen wird, was, wie wir ja auch sagen, erst *in* der Zeit geschieht – was sie als *Inhalte* erfüllt. Gerade dadurch liefert die Physik aber auch einen Zeitbegriff von universaler Bedeutung, den zu akzeptieren für keine auf zeitliche Verhältnisse rekurrierende Wissenschaft ein Problem sein sollte. Die erwähnte Strukturarmut der physikalischen Zeit ist das Ergebnis eines Abstraktionsvorganges, bei dem aus der an sich so reichen Ereignis- und Prozeßstruktur der Welt, wie sie

[5] Das Folgende ist eine sehr knappe Zusammenfassung der ausführlicheren, aber ebenfalls allgemeinverständlich gehaltenen Darstellung in Erhard Scheibe, *Der Zeitbegriff in der Physik. Ein Beitrag zum Gespräch zwischen den Natur- und Geisteswissenschaften.* Saeculum 23 (1972). Für ein eingehendes Studium des physikalischen Zeitbegriffs ist auf die in Anm. 2 zitierte Literatur hinzuweisen.

schließlich auch noch Gegenstand der Physik wird, zunächst einmal einige wenige Züge herausgehoben werden. Diese werden dann als Zeitstrukturen zugrundegelegt, um mit ihrer Hilfe eine generelle Beschreibung von Prozessen zu erhalten. Dieses scheinbar zirkelhafte Verfahren läßt sich mit einigem begrifflichen Aufwand zirkelfrei durchführen – ein Unternehmen, das hier aus naheliegenden Gründen allerdings nicht seinen Platz hat. Andererseits darf auch nicht verschwiegen werden, daß eine physikalische Begründung des Zeitbegriffs bereits vom Prozeßbegriff Gebrauch macht, weil darin die Intention der neueren Physik zum Ausdruck kommt, zu einem sowohl objektiven als auch empirisch gehaltvollen Zeitbegriff zu gelangen[6].

Der entscheidende Schritt in dem erwähnten Abstraktionsvorgang erfolgt sogleich am Anfang durch die Auffassung der Zeit als einer Gesamtheit von *Zeitpunkten*, die ihrerseits als Klassen von gleichzeitigen Ereignissen definiert werden[7]. Durch diesen Ansatz wird die weiter unten ausführlich aufzunehmende und für die Naturwissenschaften so entscheidend gewordene Vorstellung von Prozessen als Funktionen der Zeit vorbereitet. Indem nämlich Prozesse jedenfalls gewisse Zusammenfassungen nicht gleichzeitiger Ereignisse sind, können sie auch aufgefaßt werden als Funktionen, welche in jeder Klasse gleichzeitiger Ereignisse genau eines derselben auswählen. Ehe diese Vorstellung weiter ausgebaut wird, ist aber zunächst einmal zu fragen, welche strukturellen Eigenschaften der auf die angedeutete Weise gebildeten Menge $\underline{T}$ von Zeitpunkten zugeschrieben wird. Die Antwort lautet, daß zu $\underline{T}$ noch eine *Metrik* und eine damit verträgliche *Ordnung* gehören, die $\underline{T}$ zu einem linearen und ein-dimensionalen Kontinuum machen. Die Metrik gestattet, den Abstand irgend zweier Zeitpunkte und damit die Dauer beliebiger Vorgänge anzugeben. Die Ordnung ist die des Früher und Später von Zeitpunkten. Ohne daß auf diese Strukturen und ihre Eigenschaften hier näher eingegangen werden kann, sollte doch erwähnt werden, daß durch die letztlich empirische Definition von Zeitmetrik und Zeitordnung mittels einzelner, realer

[6] Die Physik folgt hierin also weder Kant noch Newton. Für Kant war die Zeit eine apriorische und insofern subjektive Form der Anschauung, vgl. Kant, *Kritik der reinen Vernunft.* Newtons absolute Zeit »verfließt an sich und vermöge ihrer Natur gleichförmig und ohne Beziehung auf irgendeinen äußeren Gegenstand«.

[7] Der relativistische Zeitbegriff, bei dem die Gleichzeitigkeit vom Bewegungszustand des Beobachters abhängig wird, kann im Folgenden ganz außer Betracht bleiben.

Prozesse Eindeutigkeitsprobleme entstehen, die eine Rechtfertigung des Redens von *der* Zeit notwendig machen.

Am deutlichsten wird dieses Problem der *Einheit der Zeit* bei Einführung der Zeitmetrik[8]. Die Zeitmetrik muß durch eine geeignete reale Uhr definiert werden, welche den Zeitpunkten Zahlen als ihre Koordinaten zuordnet und den Abstand zweier Zeitpunkte durch den Betrag der Differenz ihrer Koordinaten mißt. Die Frage ist nur: Welche Uhr oder welcher Typus von Uhren ist hierfür geeignet? Schon unsere alltägliche Erfahrung lehrt uns ja, daß unsere Uhren einen jeweils verschiedenen Gang haben, und das heißt nichts anderes, als daß jede Uhr ihre eigene Zeitmetrik definiert und daß damit im metrischen Sinne eben keine Rede von *der* Zeit sein kann. Die Physik hat die hier hereinkommende Mehrdeutigkeit und Willkür dadurch zu reduzieren versucht, daß sie als letztlich verbindliche Uhren möglichst elementare Prozesse auszeichnet, zum Beispiel eine elektromagnetische Schwingung von bestimmter Frequenz. Innerhalb der durch eine Theorie elementarer Wechselwirkung als Uhren einheitlich ausgezeichneten Prozesse ist dann keine Abweichung zu erwarten, während die Abweichungen gröberer Uhren von den elementaren Uhren theoretisch erklärt werden können. Dieses Verfahren hat sich sehr bewährt und findet heute seine Grenze allenfalls darin, daß zum Beispiel Uhren auf elektromagnetischer Basis anders gehen könnten als Gravitationsuhren.

Bleibt somit das Reden von *der* Zeit immer noch etwas problematisch in einem grundsätzlichen Sinne, so ist eine andere, abschließend zu erwähnende Unbestimmtheit überwiegend praktischer Natur. Beim Studium dieser oder jener Art von Prozessen ist es nicht immer nötig, *alle* vorhin aufgezählten Strukturmomente der Zeit zu berücksichtigen. Das kann sogar dazu führen, daß etwa beim Studium diskreter Prozesse die Zeit selbst nicht als Kontinuum, sondern nur als eine diskrete Folge von Zeitpunkten eingeführt wird. Im Extremfall werden nur zwei Zeitpunkte herangezogen, die Anfang und Ende eines Vorganges angeben, wobei auch die Dauer desselben außer Betracht bleibt – so etwa bei einer chemischen Reaktion, wenn man sich nur für deren Ausgangs- und Endprodukt interessiert. Diese rudimentä-

[8] Für eine ausführlichere Behandlung des Problems der Einheit der Zeit siehe Erhard Scheibe, *Die Einheit der Zeit.* In: Festschrift für Joseph Klein. Göttingen 1967, und Peter Mittelstaedt, *Der Zeitbegriff in der Physik*. Mannheim 1976, Kap. I und II.

re Inanspruchnahme des Zeitbegriffs, der häufiger in den noch weniger systematisierten Naturwissenschaften auftritt, bedeutet aber nie eine Leugnung des von der Physik gelehrten theoretischen Konzepts der Zeit. Vielmehr geht es um vereinfachende Abstraktionen oder um Modifikationen aus praktischen Gründen, deren Kompatibilität mit dem letztlich verbindlichen Zeitbegriff stets gesichert bleibt.

4.

Nach dieser kurzen Rekapitulation des physikalischen Zeitbegriffs möchte ich jetzt zu einem ersten Begriff von Prozessen, den sogenannten Zustandsabläufen, kommen, der die Thematik des naturwissenschaftlichen Prozeßbegriffs zwar keineswegs erschöpft, wohl aber eine natürliche Generalisierung jener Prozesse darstellt, die historisch als erste Gegenstand naturwissenschaftlicher Forschung waren und zu präzisen, wenn auch vorerst spezielleren Begriffsbildungen geführt haben. Gemeint sind die von der Mechanik und Astronomie seit dem 17. Jahrhundert systematisch behandelten Bewegungsvorgänge und die am Ausgang der klassischen Physik stehenden zeitlich veränderlichen elektromagnetischen Felder. Zur Ausbildung eines geeigneten Oberbegriffs für diese Vorgänge müssen neben dem Zeitbegriff noch die Begriffe des *Systems* und seiner möglichen *Zustände* eingeführt werden. Erst durch ihre Heranziehung wird in jedem konkreten Fall festgelegt, *was* in der Zeit geschehen, was sich verändern kann, zugleich aber auch, was sich *nicht* verändern kann. Indem andererseits für den zu gewinnenden Begriff selbst, also sozusagen für den allgemeinen Fall, offengelassen wird, von welcher Natur die fraglichen Systeme und ihre Zustände sind, werden wir zu einem Begriff gelangen, der im Sinne der Ausführungen im 2. Abschnitt auch auf nicht-physikalische oder überhaupt außerhalb des Zuständigkeitsbereichs der Naturwissenschaft fallende Vorgänge anwendbar ist und der auf diese Weise zu Fragestellungen nach Gemeinsamkeiten und Unterschieden gegenüber anderen Disziplinen Anlaß gibt.

Die Begriffe von System und Zustand lassen sich entsprechend ihrer Herkunft am besten am Phänomen der *Bewegung* erläutern. So hat man es zum Beispiel in der Himmelsmechanik mit einem System von *Körpern*, der Sonne und den Planeten, zu tun, das als System in dem Sinne unveränderlich ist, daß die einzelnen

Körper mit bestimmten Massen und auch ihre Gesamtzahl dieselben bleiben. Das System ändert aber von Augenblick zu Augenblick seinen Zustand, der in der uns jetzt interessierenden Hinsicht durch die *Orte* der einzelnen Körper gegeben ist. Ein möglicher Zustand eines Systems von Körpern ist also, wenn wir einmal der Einfachheit halber von der Ausdehnung der Körper absehen, ein System verschiedener Punkte im Raum. Es ist hier wichtig, die Kategorie der Möglichkeit zu betonen: Ein System von Raumpunkten ist nicht selbst schon Zustand eines Systems von Körpern, sondern es repräsentiert nur einen *möglichen* Zustand eines solchen, der erst dann de facto vorliegt, wenn die Körper sich in den einzelnen Raumpunkten befinden. Was andererseits den Systembegriff angeht, so kann man auch dessen wichtigste Funktion für den Begriff des Prozesses am Bewegungsbeispiel vorteilhaft illustrieren. Er sorgt für die sogenannte *Genidentität* eines Vorgangs. Die Genidentität eines Vorgangs ist das Mit-sich-identisch-Bleiben des Trägers des Vorganges während der Änderung seiner Zustände. Wenn ich zum Beispiel durch die Stadt gehe und mein jeweiliger Ort von Minute zu Minute registriert wird, dann erhält man eine ungefähre Beschreibung, wie ich mich durch die Stadt bewegt habe. Die registrierten Orte und damit Zustände sind hier mit hinreichender Eindeutigkeit auf ein und dasselbe Objekt als *dessen* Zustände bezogen. Dasselbe gilt mutatis mutandis, wenn es sich um ein System von mehreren Objekten handelt, das sowohl als Ganzes als auch in seinen Teilen in einer wesentlichen Hinsicht seine Identität durch die Zeit hindurch bewahrt.

Man sieht an dieser Erläuterung, wie die zwei Begriffe des Systems und des Zustandes die Zweideutigkeit der umgangssprachlichen Ausdrucksweise, daß »sich etwas verändert«, auflösen. Wenn wir zu jemandem, den wir länger nicht gesehen haben, sagen: »Du hast dich aber verändert«, dann ist zwar klar, wie wir dies meinen, aber es ist nicht klar ausgedrückt. Die reflexive Verbform, die das Subjekt noch einmal aufgreift, bringt mit sich, daß man einerseits von dem Subjekt sagt, es habe sich *geändert*, und doch andererseits mit ihm gerade an das anknüpfen will, was durch die Zeit hindurch *dasselbe* geblieben ist. Diese Schwierigkeit wird durch die Trennung von System- und Zustandsbegriff behoben: Nicht die Systeme ändern sich, und auch die Zustände ändern sich nicht, sondern ein System ändert seinen Zustand.

Nehmen wir nun noch den im 3. Abschnitt eingeführten Zeitbegriff hinzu, so kommen wir zu folgendem Begriff dieser oder jener Art von Zustandsabläufen. Neben der Zeit, aufgefaßt als eine Menge $\underline{T}$ von Zeitpunkten, haben wir noch eine Gesamtheit $\underline{S}$ von möglichen Zuständen, einen sogenannten *Zustandsraum*, und die (intensional verstandene) Klasse wirklicher Systeme, von denen jeder jene Zustände als *seine* Zustände haben kann. Ein Zustandsablauf dieser Art ist dann ein System Σ zusammen mit einer Funktion $\underline{f}$ von $\underline{T}$ in $\underline{S}$. Die Funktion $\underline{f}$ gibt für jeden Zeitpunkt $\underline{t}$ an, in welchem seiner möglichen Zustände das System Σ im Zeitpunkt $\underline{t}$ wirklich ist, nämlich in $\underline{f}$ ($\underline{t}$). Diese Konzeption eines Prozesses – die Zustände eines Systems Σ als eine eindeutige Funktion der Zeit – setzt implizit voraus, daß die im Zustandsraum $\underline{S}$ zusammengefaßten Zustände die Bedingungen erfüllen, daß Σ in jedem Zeitpunkt 1) in *mindestens* einem Zustand aus $\underline{S}$ ist, zugleich aber 2) auch nicht *mehr* als einen Zustand aus $\underline{S}$ einnehmen kann.

Denn wäre 1) nicht erfüllt, so ließe sich für gewisse Zeitpunkte unter alleiniger Bezugnahme auf $\underline{S}$ überhaupt nicht sagen, was mit dem System los ist. Wäre $\underline{S}$ etwa durch die Gesamtheit der Städte Frankreichs definiert, so ließe sich für mich, der ich gerade in Göttingen sitze, unter alleiniger Berufung auf $\underline{S}$ nicht sagen, in welchem (räumlichen) Zustand ich mich im Augenblick befinde, obwohl eine Stadt Frankreichs auch für mich ein möglicher Aufenthaltsort wäre. Gegenüber echten Beschreibungslücken bei einem Verstoß gegen 1) würde eine Verletzung von 2) zu Mehrdeutigkeiten Anlaß geben: Wären zum selben Zeitpunkt mehrere Zustände aus $\underline{S}$ für ein System Σ möglich, so würde nicht mehr das Geschehen selbst die Funktion $\underline{f}$ festlegen. Stattdessen müßte $\underline{f}$ durch zusätzliche Willkür eindeutig gemacht werden, ließe dann aber auch nicht mehr erkennen, was eigentlich passiert ist. Im täglichen Leben und ebenfalls in den weitgehend der Umgangssprache verpflichteten Wissenschaften wird gegen die Bedingung 2) im Ausdruck häufig verstoßen, so daß der Sinn des Gesagten mehrdeutig wird. An unserem unwillkürlichen Versuch, den Sinn eindeutig zu rekonstruieren, merken wir dann, daß die Erfüllung der Bedingung 2) wesentlich ist. Wenn ich etwa von meiner letzten Reise erzähle, daß sie mich erst zwei Wochen in die Alpen und anschließend noch eine Woche nach Italien geführt habe, dann bleibt ohne weiteren Kontext oder wenigstens unausdrückliche Konventionen unklar, worin die *Änderung* meines (räumlichen) Zustandes bestanden hat. Im vorliegenden Fall würde man vielleicht unterstellen, daß ich zunächst nicht in Italien und später nicht mehr in den Alpen war. Gerade damit würde man die Bedingung 2) einführen, aber offenbar nur eine von mehreren Möglichkeiten abdecken. Denn selbst wenn man unterstellt, daß das Gesagte wenigstens eine Änderung meines Zustandes mit aussagt (kein dreiwöchiger Aufenthalt in den italienischen Alpen), wäre es auch damit verträglich, daß ich mich vom italienischen Teil der Alpen in den nichtalpinen Teil Italiens begeben habe.

Das hiermit angeschnittene Problem hat offenbar nichts mit dem weiteren Umstand zu tun, daß Ortsangaben wie »Aufenthalt in den Alpen« bzw. »... in Italien« *für sich genommen* ungenau sind. Hätte ich gesagt, daß es sich um einen Bergurlaub zunächst in den Alpen und dann im Kaukasus gehandelt hat, so wäre diese Mitteilung im Hinblick auf die erfolgte *Änderung* völlig eindeutig gewesen. Es besteht also allenfalls ein neues Problem darin, daß die in einem Zustandsraum zusammengefaßten Zustände, selbst wenn sie sich nicht überlappen, doch jeder für sich die in Frage kommenden Systeme nur mehr oder weniger *vollständig* erfassen. In dieser Hinsicht sind die Naturwissenschaften stets sehr bescheiden gewesen, und das hat sich auch als die richtige Strategie erwiesen. Denn die vollständige Zustandsbeschreibung eines Systems kann allenfalls das Ziel, aber nie der Anfang empirischer Forschung sein. Dementsprechend ist eine Vollständigkeitsforderung auch nicht in den allgemeinen Begriff des Zustandsablaufs aufzunehmen. Man muß sich allerdings bewußt halten, daß die Zustandsänderungen eines Systems dann in der Regel nur in einer bestimmten *Hinsicht* ins Auge gefaßt werden, wobei der jeweilige Aspekt durch den jeweils zugrunde gelegten Zustandsraum $\underline{S}$ repräsentiert wird. Mit dieser Maßnahme ist das im übrigen fundamentale Erkenntnisproblem der Vollständigkeit unserer Naturbeschreibung selbstverständlich nicht gelöst. Gerade im Kontext des Prozeßbegriffs wird darauf zurückzukommen sein. Denn der eingeführte Begriff des Zustandsablaufs eines Systems zerlegt das, was im *ganzen* über das System gesagt werden kann, in charakteristischer Weise in einen instanten und einen geschichtlichen Anteil.

Am Ende dieses Abschnitts ist noch einmal aufzunehmen, was an seinem Beginn schon hervorgehoben wurde, daß nämlich in dem eingeführten Begriff des Zustandsablaufs die *Natur* der Zustände, um deren Änderung es geht, gänzlich offengelassen wird[9]. Dadurch ist dieser Begriff keineswegs auf die Physik, aus

[9] Da sich dieser Aufsatz in erster Linie an Nicht-Naturwissenschaftler richtet,

der er stammt, festgelegt. In der Physik werden die Zustände in der Regel durch die Werte einer Reihe von Größen gegeben. Durch die Art der Größen wird dann auch (intentional) festgelegt, welche realen Systeme als solche in Frage kommen, die sich in einem der ausgewählten Zustände befinden können und deren Änderungen eben Änderungen dieser ihrer Zustände sind. Soweit andere Naturwissenschaften, wie Chemie und Biologie, dazu übergegangen sind, systematische Untersuchungen über zeitliche Prozesse anzustellen, haben sie den skizzierten Begriff des Zustandsablaufs übernommen, obwohl sie ihn oft nicht in dem Maße explizieren, wie dies etwa für Bewegungen heute in jedem Lehrbuch der Mechanik geschieht[10]. Eine Disziplin, mit der die Naturwissenschaft verlassen wird, in der aber dennoch unser Begriff bereits eine erhebliche Rolle spielt, ist die Ökonomie, genauer: die Ökonometrie[11]. Das Eindringen des physikalischen Zustands- und Prozeßbegriffs in die Ökonomie ist in dem Maße plausibel, in dem es gelang, ökonomisch relevante Umstände durch quantitative Parameter und deren zeitliche Änderungen wiederzugeben. Freilich beruht das eigentliche Interesse an der Erfassung von Zustandsabläufen in diesem Bereich auf der Hoffnung, es auch im Hinblick auf Gesetzmäßigkeiten, denen ökonomische Prozesse genügen, der Physik gleichzutun. Und dasselbe würde, um nun noch eine reine Geisteswissenschaft zu

kann ich davon ausgehen, daß der eingeführte Zustandsbegriff von selbst *nicht-probabilistisch* aufgefaßt wird. Gerade so ist er zunächst einmal auch intendiert. Man scheut sich aber, geradezu zu fordern, daß es hier um wahrscheinlichkeitsfreie Zustände gehen soll. Denn eine saubere Begriffsbildung wäre dies gewiß nicht. Im 7. Abschnitt wird von Wahrscheinlichkeiten noch die Rede sein.

[10] Ich zitiere in dieser Arbeit keine naturwissenschaftliche Fachliteratur. Denn das hätte in einer sich vor allem an Historiker wendenden Arbeit nur dann einen Zweck, wenn es unter dem einheitlichen Aspekt des Prozeßbegriffs verfaßte und im übrigen elementar gehaltene Literatur gäbe. Wie schon eingangs erwähnt, scheint derartiges aber nicht vorzuliegen: die Naturwissenschaftler benutzen den Prozeßbegriff, aber sie objektivieren ihn nicht mit besonderer Ausdrücklichkeit. Eine notable Ausnahme ist allerdings W. R. Ashby, *An introduction to cybernetics.* London 1956; *Design for a brain.* 2. Aufl. London 1960. Auch in der allgemeinen Systemtheorie gehört ein allgemeiner Prozeßbegriff zu den Grundlagen, vgl. Ludwig von Bertalanffy, *An outline of General System Theory.* British journal of the philosophy of science 1 (1950). Im übrigen werde ich mehr solche Literatur zitieren, in der naturwissenschaftliche Prozeßbegriffe auf Gegenstände angewendet werden, die dem Historiker näherstehen.

[11] Grundsätzliches z.B. in P. A. Samuelson, *Foundations of economic analysis.* Cambridge, Mass. 1947, Kap. XI. Ein Überblick über moderne Wachstumstheorie in E. Burmeister und A. R. Dobell, *Mathematical theories of economic growth.* New York 1970.

nennen, für die Geschichtswissenschaft gelten. Die in Rede stehende Offenheit des Zustandsbegriffs eröffnet jederzeit die Möglichkeit, auch historische Prozesse im Rahmen der hier vorgenommenen Präzisierung und Generalisierung des Prozeßbegriffs zu reformulieren. Aber *lohnen* würde sich das erst dann, wenn zugleich die Möglichkeit in Sicht wäre, auch historisch relevante Gesetzmäßigkeiten für diese Prozesse zumindest modellmäßig aufzustellen. Daher wird es notwendig sein, auch auf diesen Aspekt von seiten der Naturwissenschaften einzugehen.

5.

Ehe dies geschieht, soll jedoch die bisherige Begriffsbildung eines Zustandsablaufs noch in einer anderen Richtung vertieft werden. Schon zu Beginn des vorigen Abschnitts wurde gesagt, daß mit dem dort angegebenen System- und Zustandsbegriff in jedem konkreten Fall, das heißt für jeden bestimmten Zustandsraum $\underline{S}$, angegeben wird, nicht *nur*, was sich in der Zeit ändern kann, nämlich die Zustände in $\underline{S}$, sondern auch, was sich *nicht* ändern kann. Etwas vorsichtiger hätte es wohl heißen müssen, daß hiermit *auch* etwas angegeben wird, das sich nicht ändern kann, allerdings möglicherweise nicht *alles*. Denn es ist die Frage, ob nicht zum Beispiel auch Gesetze zeitabhängig sein können, selbst wenn diese Abhängigkeit nicht angestrebt wird. Für das Folgende genügt aber auch die Feststellung, daß irgendeine *zeitlose Strukur,* was immer für Ausmaße sie haben mag, gleichsam als fester Hintergrund da sein muß, um vor diesem zeitliche Änderungen *als solche* erkennen und beschreiben zu können. Wenn wir diesen Hintergrund nicht haben, verlieren wir jegliche Orientierung. Der Fall der Bewegung zeigt dies wieder besonders anschaulich. Der schon vorhin herangezogene Gang durch die Stadt ist auch abgesehen von der ebenfalls schon hervorgehobenen Genidentität des jeweiligen Systems eine wohldefinierte Bewegung nur dadurch, daß die Stadt mit ihren festen Häusern, Mauern und Straßen den Raum zeitlos strukturiert und daß eine Uhr mit ihrem Gang, jetzt scheinbar paradox formuliert, die Zeit zeitlos strukturiert. Wir alle haben dies für unsere praktischen Zwecke gelernt und wissen etwa, daß es unzweckmäßig ist, sich am Ort eines gerade dort parkenden Autos wieder treffen zu wollen und daß in zeitlicher Hinsicht Verabredungen durch verschieden gehende Uhren scheitern können. Entsprechende

Verfehlungen beruhen einfach darauf, daß Vorgänge auf verschiedene, jeweils für invariabel gehaltene Strukturen bezogen werden.

Prozesse werden also als zeitliche Änderungen immer nur *relativ* zu einer bestimmten zeitlosen Struktur verstanden. Eine abstrakte Charakterisierung des Begriffs der zeitlosen Struktur im Anschluß an die Begriffsbildungen im 4. Abschnitt wäre sehr schwierig und soll hier nicht versucht werden[12]. Wichtiger ist aber vielleicht auch eine weitere Verdeutlichung der wechselseitigen Bedingtheit von Prozessen und Strukturen durch einen wenn auch nur flüchtigen Blick in die Geschichte der Naturwissenschaften. Diese Geschichte ließe sich geradezu unter dem Aspekt schreiben, wie sich der *Schnitt* zwischen der Auffassung von etwas als zeitloser Struktur einerseits und als zeitlicher Prozeß andererseits allmählich verlagert hat[13]. Folgende allgemeine Aussagen würden dann die Entwicklung kennzeichnen:

1. Der Schnitt verlagert sich monoton *zuungunsten der Strukturen.* Das heißt, wenn wir einmal etwas als einen Prozeß erkannt haben, dann bleibt es auch dabei. Umgekehrt kommt es jedoch immer wieder vor, daß das, was zunächst als zeitlose Struktur genommen wurde, sich schließlich als veränderlich herausstellt.

2. Hypothesen und Entdeckungen, die eine Erkenntnis ausmachen, mit der wir Strukturen in Prozesse auflösen, sind oft von einschneidender Bedeutung, weil sie *neue* Strukturen aufdecken.

3. Diese neuen Strukturen sind in der Regel *tieferliegend* als diejenigen, die ihnen weichen mußten.

4. Die entstehende neue Gesamtlage kann nur von einer *neuen Theorie* beschrieben werden, die sich von ihrem Vorgänger oft erheblich unterscheidet.

Man kann diese allgemeinen Thesen an vielen Beispielen erläutern, von denen ich jedoch nur drei, vielleicht die drei bedeutendsten, herausgreifen will. Das erste Beispiel ist die neuzeitliche Erkenntnis von der atomistischen Struktur der Materie. Sie hat sich grob auf den vier Ebenen der Umwandlung eines Stoffes von

[12] Das Thema ist eingehender behandelt in Erhard Scheibe, *Die kontingenten Aussagen in der Physik.* Frankfurt a.M. 1964; ders., *Gesetzlichkeit und Kontingenz in der Physik.* In: *Natur und Geschichte* (Deutscher Kongreß für Philosophie 1972), hrsg. von K. Hübner und A. Menne, Hamburg 1973.

[13] Unter dem speziellen Aspekt der allmählichen Entdeckung der Geschichtlichkeit der Natur wird dies unternommen von Stephen Toulmin und June Goodfield, *The discovery of time.* London 1965.

einem in einen anderen Aggregatzustand, von chemischen Verbindungen in andere Verbindungen, von Atomkernen in andere Atomkerne und schließlich von Elementarteilchen in andere Elementarteilchen abgespielt. Die Erkenntnis bestand in jedem Falle darin, daß eine zunächst als unwandelbar erscheinende Struktur – ein Aggregatzustand, eine chemische Verbindung, ein Atomkern, ein Elementarteilchen – als veränderlich erkannt wurde. In jedem Falle wurde dabei eine jeweils tieferliegende Struktur entdeckt, die sich bei der betreffenden Umwandlung *nicht* ändert, nämlich für den Aggregatzustand die chemische Konstitution des betreffenden Stoffes, für diesen Stoff die Atomkerne, die ihn konstituieren, für den Atomkern die Elementarteilchen, aus denen er besteht und für die Elementarteilchen etwas, wovon wir noch nicht recht wissen, was es ist. Den verschiedenen Ebenen der genannten Strukturen sind als ihre jeweiligen Theorien die Mechanik, die Thermodynamik, die Chemie, die Kernphysik und die Theorie der Elementarteilchen zugeordnet, wobei jede dieser Theorien gerade die Zeitlichkeit derjenigen Verhältnisse verstehen läßt, die die jeweils vorhergenannte Theorie durch Strukturannahmen verdeckt hat. Zugleich haben wir hier ein Stück Geschichte der Naturwissenschaft vor uns. Denn die verschiedenen Ebenen sind ungefähr in der angegebenen Reihenfolge freigelegt worden.

Ein zweites Beispiel liefert die Geschichte der Kosmologie. Hier war das antike Weltbild beherrscht von der strengen Trennung zwischen sublunarer Physik und planetarischer Astronomie. Abgesehen von Sonderbewegungen überwog in beiden Bereichen das Bedürfnis nach Strukturerkenntnis. Dies zeigen in erster Linie die Grundzüge dieses Weltbildes mit der ruhenden Erde im Mittelpunkt des in gleichförmiger Kreisbewegung befindlichen Himmelsgewölbes mit seinen gegeneinander unverrückbaren Fixsternen. In der Physik waren Statik und Harmonielehre die bleibenden Leistungen, und in der Astronomie waren die Planeten ein Kuriosum, dessen Erklärung man mit den Strukturelementen der Geometrie und der gleichförmigen Kreisbewegung zu erzwingen suchte. Der Weg seit Kopernikus ist dann aber die allmähliche Zerstörung dieser einfachen Strukturen zugunsten von Veränderung und Kontingenz. Die Grundstruktur der Trennung des sublunaren Bereichs von den darüberliegenden Sphären geht verloren, die Erde bewegt sich, die Fixsterne bewegen sich, Theorien der Entstehung des Planetensystems kommen auf, die Fixsterne erweisen sich als veränderliche

Gebilde mit Geburt und Tod. Schließlich wird auch noch die einzige neue Grundstruktur, die diesen zerfließenden Phänomenbereich zusammengehalten hat, die Newtonsche Gravitation, mit der einzigen alten Grundstruktur, die sich bis dahin gehalten hatte, der Geometrie, zu einem zeitlich variablen Größensystem, der Metrik der allgemeinen Relativitätstheorie, verschmolzen. Und diese Theorie lehrt eine Entstehungsgeschichte des ganzen Universums, die dessen Zustand zu Beginn derselben als wesentlich verschieden von seinem heutigen Zustand ausweist.

Mein drittes Beispiel erzählt eine viel kürzere Geschichte, die uns aber besonders stark berührt: die Evolution der Organismen. Hier geht es um die scheinbare zeitliche Konstanz der biologischen Arten. Ebenso offensichtlich, wie die Individuen der zeitlichen Veränderung unterliegen, scheinen die Arten, in die man sie klassifiziert, feste Strukturen zu sein. Anders als für den atomaren und kosmologischen Bereich ist der Täuschungseffekt hier nicht wesentlich durch die räumliche Dimension mit bestimmt, sondern überwiegend die Folge einer zeitlichen Perspektive. Auch die Entdeckung der Evolution war dann begleitet von der Tieferlegung der makroskopisch-morphologischen Strukturebene auf die molekularbiologische Ebene, und es entstand eine völlig neue biologische Theorie: die moderne Genetik.

Diese Beispiele und ebenso die allgemeinen Aussagen 1. bis 4., zu deren Erläuterung sie dienen sollen, könnten zu der Folgerung verleiten, daß mit ihnen der zu Beginn dieses Abschnitts eingeführte Unterschied zwischen unveränderbaren Strukturen und möglicher Veränderung unterworfenen Zuständen wieder verwischt würde. Hier ist ein Warnschild insbesondere für den Historiker aufzustellen, der einen Strukturbegriff auch aus seiner Wissenschaft kennt. Wie es scheint, werden dort Strukturen in einer gewissen Komplementarität *Ereignissen* gegenübergestellt und zugleich in die Nähe von Prozessen gerückt, jedenfalls aber noch im Bereich des Zeitlichen angesiedelt. »Unter Strukturen werden im Hinblick auf ihre Zeitlichkeit solche Zusammenhänge erfaßt, die nicht in der strikten Abfolge von erfahrenen Ereignissen aufgehen. Damit werden – temporal gesprochen – die Kategorien der relativen Dauer, der Mittel- oder Langfristigkeit ... wieder in die Untersuchungen einbezogen.«[14] Strukturen in der

[14] Reinhart Koselleck, *Ereignis und Struktur.* In: *Geschichte – Ereignis und Erzählung* (Poetik und Hermeneutik V), hrsg. von R. Koselleck und W.-D. Stem-

Menschheitsgeschichte sind mithin zwar als gleichsam *zeitüberbrückende* Einheiten gemeint, aber nicht als *schlechthin zeitlos*, – als dem Zugriff der Veränderung prinzipiell entzogen. Nun scheinen die obigen Beispiele aus den Naturwissenschaften zu lehren, daß auch dort Strukturen Zustände von nur relativer zeitlicher Konstanz sind, die sich als solche schnellerem Wechsel überlagern. Und dieser Schluß könnte sowohl aus der immer wiederkehrenden Täuschung gezogen werden, der wir in der Beurteilung der zeitlichen Verhältnisse unserer Umwelt unterliegen, als auch aus der nicht abbrechenden Prozessualisierung der Wirklichkeit, die weniger und weniger Platz läßt für schlechthin zeitlose Strukturen und die die Frage unabweislich werden läßt, ob und wo im Naturgeschehen überhaupt noch derartiges zu finden sei. Aber es ist *eine* Sache, daß man etwas als eine zeitlose Struktur auffaßt und als solche – mit erheblichen Konsequenzen – in eine Theorie einbaut, und eine ganz *andere* Sache ist die Bewährung oder das eventuelle Versagen dieser Maßnahme. Entscheidend ist, daß die in den aufgeführten Beispielen jeweils kritischen Entitäten als zeitlose Strukturen *gemeint* waren, selbst wenn sich hinterher herausstellte, daß diese Meinung ein Irrtum war. So gesehen geht es hier um etwas durchaus Prinzipielles: die trotz der Verwicklung in die Untersuchung immer neuer und neuartiger Vorgänge beibehaltene Grundeinstellung der Naturwissenschaften, durch alle Veränderung hindurch das Unwandelbare zu erblicken.

pel, München 1973, S. 562. Einen Überblick über verschiedene Verwendungsweisen des Strukturbegriffs in der Geschichtswissenschaft gibt Karl-Georg Faber, *Theorie der Geschichtswissenschaft*. 3. Aufl. München 1974, S. 100ff. und 235ff. Von seiten der Naturwissenschaft liegt es näher, wie im Haupttext ausgeführt, Strukturen und Prozesse einander gegenüberzustellen, denn Ereignisse spielen dort keine herausgehobene Rolle. Trotzdem ergeben sich gewisse Parallelen zu Kosellecks Ausführungen über Struktur und Ereignis. So wurde im Haupttext schon der defiziente oder gar fehlende Zeitcharakter von Strukturen erwähnt. Die wechselseitige Bedingtheit von Struktur und Ereignis sieht Koselleck im Zusammenhang mit der zeitlichen Mehrschichtigkeit der Geschichte. Derartiges gibt es im Naturgeschehen auch, wobei vor allem perspektivische Verschiebungen auffallen. Jedenfalls kommt hier noch eine tiefste Schicht schlechthin zeitloser Strukturen hinzu, und da die Argumentation hierfür allgemein erkenntnistheoretischen Charakter hat, dürfte auch die Geschichtswissenschaft davon betroffen sein. Eine letzte Parallele scheint sich dort zu ergeben, wo Koselleck die Lehren der Geschichte in zeitliche Abhängigkeit setzt von strukturellem Wandel. An die Stelle der Lehren der Geschichte sind hier die Theorien über die Natur zu setzen, von denen im Haupttext ausgeführt wurde, wie sie sich ändern müssen, wenn Strukturen als Prozesse erkannt wurden.

6.

Dem Naturwissenschaftler selbst viel bewußter kommt diese Grundeinstellung auf der der strukturellen Ebene nachgeordneten Ebene der *Gesetzlichkeit* im Naturgeschehen zur Geltung. Auch der Wissenschaftstheorie ist die Thematik der Naturgesetzlichkeit geläufiger als die mit dem Strukturbegriff verbundene, und sie hat sich bemüht, den Begriff der gesetzlichen Aussage zu definieren, wenigstens aber zu entsprechenden Adäquatheitsbedingungen zu gelangen[15]. Für die weiteren Ausführungen, die natürlich der methodischen Vorbemerkung im 2. Abschnitt verpflichtet bleiben, ist ohnehin an nicht mehr zu denken als an die Aufreihung von Merkmalen der Gesetzlichkeit, wobei die Einschränkung hinzukommt, daß es im Rahmen des Prozeßbegriffs auch nur um die Gesetzlichkeit zeitlicher Veränderungen, im Augenblick also der Zustandsabläufe, gehen wird. Das so eingeschränkte Thema ist dann als eine erste Antwort auf die generelle Frage zu verstehen, *was* den Naturwissenschaftler an Naturvorgängen vor allem interessiert. Auch der durch den vorigen Abschnitt erfolgte Hinweis auf die zeitlosen Strukturen kann im weitesten Sinne bereits als eine Antwort auf diese Frage verstanden werden. Aber dort ging es eigentlich noch um Verhältnisse, die zum Prozeßbegriff selbst gehören und die als solche nicht der Frage subsumierbar sind, auf welche *Eigenschaften von Prozessen* sich das Interesse vornehmlich richtet. Denn solche Eigenschaften wird man nur in dem Maße sinnvoll angeben können, in dem zum Beispiel der zugehörige Zustandsraum schon mit gewissen Strukturen versehen ist. Demgegenüber sind Gesetze für Zustandsabläufe aus logischer Sicht in der Tat Eigenschaften derselben. Daher wäre die Frage, was Gesetze sind, wenn man – wie hier – nur auf Merkmale derselben aus ist, die Frage nach gewissen Eigenschaften von Eigenschaften von Zustandsabläufen – eben solchen, welche die letzteren Eigenschaften haben, wenn sie Gesetze sind.

Mit unserer allgemeinen Fragestellung befinden wir uns mithin schon auf einer höheren (zweiten) Abstraktionsstufe, und daher wird es gut sein, zunächst einmal einen speziellen Typ von Gesetzen zeitlicher Veränderungen ins Auge zu fassen. Es ist derjenige Typ, der von den Naturwissenschaften, insbesondere

[15] Eine Übersicht findet sich in Wolfgang Stegmüller, *Wissenschaftliche Erklärung und Begründung*. Berlin 1969, Kap. V. Kritische Überlegungen dazu werden in Scheibe, *Gesetzlichkeit und Kontingenz*, angestellt.

von der Physik, in erster Linie erprobt worden ist. Die ihn kennzeichnende Eigenschaft läuft historisch gesehen unter dem Namen der *Kausalität.* Aus heutiger Sicht gibt diese Bezeichnung für den gemeinten Gesetzestyp wohl vor allem Anlaß zu Mißverständnissen. Ich erwähne sie aber, um die Tradition zu bezeichnen, aus der die moderne Begriffsbildung hervorgegangen ist[16]. Im direkten Zugriff und im Anschluß an die im 4. Abschnitt eingeführte Terminologie läßt sich die entscheidende Eigenschaft eines, wie man heute besser sagt, *deterministischen Gesetzes* folgendermaßen formulieren[17]: Sei $\underline{T}$ die Zeit, $\underline{S}$ ein Zustandsraum und $\underline{F}$ eine Eigenschaft von Zustandsabläufen der Art $\underline{S}$. Soll $\underline{F}$ ein deterministisches Gesetz sein, so muß Folgendes gelten:

(a) Haben zwei Zustandsabläufe $\underline{f}$ und $\underline{g}$ Eigengenschaft $\underline{F}$ und liefern sie für zwei Zeitpunkte $\underline{t}'$ und $\underline{t}''$ denselben Zustand, d. h. ist

$\underline{f}\,(\underline{t}') = \underline{g}\,(\underline{t}'')$, so ist

$\underline{f}\,(\underline{t}) = \underline{g}\,((\underline{t}'' - \underline{t}') + \underline{t})$

für alle Zeitpunkte $\underline{t}$[18].

(b) Für jeden Zustand $\underline{x}$ (aus $\underline{S}$) und jeden Zeitpunkt $\underline{t}$ gibt es einen Zustandsablauf $\underline{f}$ mit der Eigenschaft $\underline{F}$ und mit $\underline{f}\,(\underline{t}) = \underline{x}$.

In (a) wird das traditionelle Prinzip aufgegriffen, daß gleiche Ursachen gleiche Wirkungen haben. Dies führt offensichtlich zu einer drastischen Beschränkung der von $\underline{F}$ zugelassenen Zustandsabläufe. Demgegenüber wird mit (b) dafür gesorgt, daß immerhin alle Zustände aus $\underline{S}$ mögliche Anfangszustände für Prozesse aus $\underline{F}$ sind.

Man kann die Bedingungen (a) und (b) mannigfach in logisch

[16] Diese Entwicklung ist ausführlicher dargestellt in Erhard Scheibe, *Bemerkungen über den Begriff der Ursache.* In: *Vom Geist der Naturwissenschaft.* Hrsg. von H. H. Holz und S. Schickel, Zürich 1969; ders., *Ursache und Erklärung.* In: *Erkenntnisprobleme der Naturwissenschaften.* Hrsg. von L. Krüger, Köln 1970; ders., Artikel *Kausalgesetz* im *Historischen Wörterbuch der Philosophie.* Hrsg. von K. Gründer, Bd. 4, Basel 1976.

[17] Eine elementare und anschauliche Darstellung der im Folgenden nur sehr abstrakt wiedergegebenen Verhältnisse findet sich in Ashby, *Introduction to cybernetics,* Kap. 2 bis 4, und Ashby, *Design for a brain,* Kap. 2, 3 und S. 194. Die Reichweite des deterministischen Standpunktes hinsichtlich der möglichen Anwendungen kommt gut zur Geltung in dem allerdings mathematisch anspruchsvollen Buch von C. C. Lin und L. A. Segel, *Mathematics applied to deterministic problems in the natural sciences.* New York 1974.

[18] $\underline{f}$ ist also der um die Zeitdifferenz $\underline{t}''-\underline{t}'$ gegenüber $\underline{g}$ verschobene Zustandsablauf: In $\underline{f}$ geschieht dasselbe wie in $\underline{g}$, nur um $\underline{t}''-\underline{t}'$ (z. B. eine Stunde) früher oder später.

äquivalente Aussagen umformen und so immer besser verstehen, was sie besagen. In einer dieser Möglichkeiten treten an die Stelle von (a) die beiden Bedingungen

(a′) Haben zwei Zustandsabläufe die Eigenschaft F und liefern sie für einen Zeitpunkt denselben Zustand, so sind sie identisch.

(a″) Hat ein Zustandsablauf g die Eigenschaft F, so hat auch jeder gegenüber g um eine Zeitdifferenz t″-t′ verschobene Zustandsablauf f (wie in der Gleichung aus (a) angegeben) die Eigenschaft F.

Wie sich zeigen läßt, besagen (a′), (a″) und (b) dasselbe über F wie (a) und (b). Von (b) einmal abgesehen ist mit (a′) der *deterministische* Charakter von F und mit (a″) ein typisches Merkmal des gesetzlichen Charakters von F isoliert, nämlich die *zeitliche Invarianz*[18]. Dies sind zwei voneinander unabhängige Eigenschaften von Gesetzen, und sie sollen jetzt sowohl gesondert als auch in ihrem Zusammenwirken noch etwas näher betrachtet werden.

Zeitliche Invarianz im Sinne von (a″) besitzen z. B. alle Erhaltungsgesetze, ohne daß diese im allgemeinen auch deterministisch im Sinne von (a′) wären. Das bekannteste Erhaltungsgesetz aus der Physik besagt, daß die Energie eines abgeschlossenen Systems zeitlich konstant ist. Im Rahmen der hier eingeführten allgemeinen Begrifflichkeit wäre F als Erhaltungsgesetz zu bezeichnen, wenn F besagt, daß bezüglich einer Teilmenge M von S für alle Zustandsabläufe f mit der Eigenschaft F für alle Zeitpunkte t der Zustand f (t) zu M gehört, also – locker gesagt – ein System aufgrund von F ständig die Eigenschaft M hat. Ein solches F erfüllt offenbar (a″). In Erhaltungsgesetzen kommt eine zeitliche Konstanz des Geschehens zum Ausdruck, die an die Betrachtungen des vorigen Abschnitts erinnert. Trotzdem geht es hier um etwas anderes, spezielleres. Wir befinden uns hier schon in dem Bereich, in dem es um empirische Feststellungen geht, daß z. B. gewisse Größen ihren Wert zeitlich nicht ändern, während es damals um den Hinweis darauf ging, daß gewisse zeitlich invariante Verhältnisse bestehen müssen, die solche Feststellungen allerorts *ermöglichen*.

Diese Bemerkung gilt wohl auch noch für die allgemeine Eigenschaft (a″), wenn es dort auch nicht mehr so auf der Hand liegt. Mit (a″) wird ja versucht, präzise zu formulieren, daß ein Gesetz (F) selbst nicht »von der Zeit abhängt«, obwohl es eine Aussage über zeitliche Veränderungen macht. Für eine Eigenschaft M eines *Systems* der Art S ist klar, was es heißt, daß sie von der Zeit abhängt oder auch nicht abhängt. So wurde oben von der zeitlichen Unabhängigkeit bei der Definition des Begriffs eines Erhaltungsgesetzes Gebrauch gemacht. Aber jetzt ginge es um eine Eigenschaft $\underline{F}$ von *Zustandsabläufen*, und da ist von vornherein ziemlich unklar, was es heißt, daß ein solches $\underline{F}$ zeitabhängig beziehungsweise zeitunabhängig ist. Eine generelle Klärung kann hier auch nicht herbeigeführt werden. Man hat sich daran gewöhnt, (a'') als eine zeitliche Invarianz anzusehen, und dafür hat man im *Zusammenhang* mit den beiden anderen Forderungen (a') und (b) den folgenden Grund. Wenn man ein System Σ, das dem Gesetz $\underline{F}$ mit (a') und (b) gehorcht, zu zwei verschiedenen Zeitpunkt $\underline{t}'$ und $\underline{t}''$ betrachtet, dann weiß man, daß es sich von einem Zustand $\underline{x}$ zur Zeit $\underline{t}'$ bzw. $\underline{t}''$ in je einer durch $\underline{F}$ wohlbestimmten Weise weiterentwickeln wird. (a'') würde nun dafür sorgen, daß diese Weiterentwicklung in *derselben* Weise vor sich geht[19]. In diesem Sinne wäre dann das Gesetz $\underline{F}$ zeitunabhängig. Würde (a'') jedoch nicht gelten, dann wäre bei gleichem Anfangszustand $\underline{x}$ der Zustandsverlauf nach $\underline{t}'$ ein anderer als nach $\underline{t}''$ und man hätte in diesem Sinne Zeitabhängigkeit. Dabei würde man die »Ursache« für die Zeitabhängigkeit außerhalb der Systeme zu suchen haben, die sich nach dem Gesetz $\underline{F}$ verändern, und $\underline{F}$ würde insofern eine dynamisch unvollständige Beschreibung geben. In der Physik hat man dies stets als einen Hinweis darauf angesehen, daß $\underline{F}$ noch kein fundamentales Gesetz sein kann. Hierin liegt also die Bedeutung der mit (a'') geforderten zeitlichen Invarianz: Das Naturgeschehen als Ganzes mag ein einmaliger Ablauf sein und insofern eine kontingente Geschichte haben. Aber soweit sich darin (partiell) Gesetze feststellen lassen, möchte man auf deren Ebene nicht noch einmal nur einen historischen Verlauf konstatieren müssen[20].

Damit ist nun auch schon darauf hingewiesen worden, daß so, wie die zeitliche Invarianz ohne den Determinismus auftreten

[19] Häufig werden (a') und (b) zusammen als charakteristisch für den Determinismus von $\underline{F}$ genannt. Aber die eindeutige Determiniertheit eines Geschehens wird tatsächlich nur in (a') ausgedrückt, vgl. R. Montague, *Deterministic theories*. In: *Decisions, values and groups*, Bd. 2, hrsg. von N. F. Washburne, Oxford 1962, S. 339f. Allerdings wären ohne (b) im allgemeinen zu wenig Determinanten vorhanden und damit $\underline{F}$ nicht allgemein genug. Besteht $\underline{F}$ z. B. aus einem einzigen Zustandsablauf, so ist (a') bereits erfüllt.

[20] In Samuelson, *Foundations*, Kap. XI, wird auch im Bereich der Ökonomie für dynamische Systeme der »kausale« (deterministische) Fall kontradiktorisch dem »historischen« Fall gegenübergestellt.

kann, auch die umgekehrte Möglichkeit besteht. In der Physik spricht man in solchen Fällen von Systemen mit äußeren Kräften. Die äußeren Kräfte sind dabei in ihrem zeitlichen Verlauf fest vorgegeben und insofern nicht in den Zustandsraum der Systeme aufgenommen, die unter ihrem Einfluß stehen. Man kann an diesen Fällen besonders deutlich sehen, was der Determinismus ohne das Hinzutreten der zeitlichen Invarianz besagt – deutlicher als wir umgekehrt einsehen konnten, was zeitliche Invarianz ohne Determinismus bedeutet. Um etwas Bestimmtes vor Augen zu haben, denke man an ein Beispiel aus der Himmelsmechanik, etwa das System Sonne – Erde – Jupiter. Streng genommen bewegt sich in diesem System keiner der drei Körper unter dem Einfluß der Gravitationskräfte der beiden anderen als äußerer und damit einseitig wirkender Kräfte. Denn die Gravitation ist eine echte *Wechselwirkung.* Aber man kann unter den kontingenten Umständen, die für diese drei Himmelskörper tatsächlich bestehen, die Rückwirkung der Erde auf Sonne und Jupiter in guter *Näherung* vernachlässigen. Das heißt, man kann die Erde näherungsweise als ein System betrachten, dessen Bewegung unter den Gravitationskräften von Sonne und Jupiter als äußeren Kräften erfolgt. Das »Gesetz« $\underline{F}$, also nach obiger Auffassung die Menge der möglichen Bewegungen der Erde unter diesen Umständen, wäre durchaus deterministisch im Sinne von (a') und (b):

Eine gegebene Bewegung von Sonne und Jupiter legt zusammen mit dem Gravitationsgesetz eindeutig fest, wie sich die Erde bei festgelegtem Anfangszustand zu bewegen hat. Aber von zeitlicher Invarianz kann dabei keine Rede sein. Denn das »Gesetz«, nach dem die Erdbewegung erfolgt, hängt jetzt von der angenommenen Bewegung der beiden anderen Himmelskörper ab, und die jeweilige Weiterbewegung der Erde zu einem Zeitpunkt $\underline{t}$ hängt offensichtlich davon ab, wo Sonne und Jupiter zur Zeit $\underline{t}$ gerade stehen: Wir haben ein deterministisches »Gesetz«, in das ein *factum brutum* eingeht.

Dieses Beispiel zeigt noch einmal (negativ) die ganze Bedeutung der zeitlichen Invarianz eines Naturgesetzes, wie sie im übrigen den *strengen* Gravitationsgleichungen eigen ist. Auch die Möglichkeit der *Voraussage* beruht weitgehend auf dieser Eigenschaft. Der deterministische Charakter eines Gesetzes ist für Voraussagen (oder auch Retrodiktionen) zwar notwendig, aber nicht hinreichend[21]. Wenn die zeitliche Invarianz fehlt und

[21] Hier ist anzumerken, daß die Forderung (a) natürlich dahingehend abge-

auch kein Ersatz für sie vorhanden ist, dann fehlen (nur durch neue empirische Erhebungen zu gewinnende) Informationen gerade für die Zeitpunkte, für die man Voraussagen machen will. Im obigen Beispiel wäre ein Ersatz vorhanden, da dort das System Sonne – Jupiter seinerseits nach dem Gravitationsgesetz behandelt werden kann. Aber wenn zum Beispiel, wie am Schluß des 3. Abschnitts angedeutet, die Gravitationskonstante sich als zeitabhängig herausstellen sollte, dann würde dieses »historische« Element innerhalb eines Gesetzes seine Anwendung für Voraussagen grundsätzlich einschränken.

Die Möglichkeit von Voraussagen beruht allerdings auch noch auf anderen, eher pragmatischen Voraussetzungen als dem Determinismus und der zeitlichen Invarianz. Man kann auf große, ja prinzipielle Schwierigkeiten in der theoretischen Manipulierbarkeit eines Gesetzes oder in der experimentellen Zugänglichkeit der notwendigen Zustandsdaten stoßen[22]. Es ist wichtig, gegenüber der Geschichtswissenschaft zu betonen, daß die Naturwissenschaften auch in solchen Fällen nicht davon Abstand genommen haben, deterministische Gesetzmäßigkeiten aufzustellen. Denn andere, strukturelle Einsichten konnten damit immer noch gewonnen werden. Das Heil der Naturwissenschaften liegt keineswegs nur in der Möglichkeit von Voraussagen vom Typ der Voraussage einer Sonnenfinsternis. Zum anderen ist zu betonen, daß dort, wo die Naturwissenschaft die größten Triumphe der Voraussage gefeiert hat, nämlich in der Himmelsmechanik, *eine* Voraussetzung *nicht* notwendig war, die ihr bisweilen von der Geisteswissenschaft in einem Globalurteil unterstellt wird. Es geht hier um die bekannte Gegenüberstellung von auf Wiederholbarkeit der Ereignisse beruhender Gesetzmäßigkeit und einmaliger, unwiederholbarer Individualität. Es ist zwar richtig, daß viele Gesetzmäßigkeiten durch die Naturwissenschaft gerade dadurch bestätigt werden konnten, daß sie sich auf reproduzierbare Fälle bezogen. Aber gerade für die zeitlichen Verlaufsgesetze gibt es noch eine weitere Möglichkeit: Die zeitliche Entwicklung schafft hier schon an *einem* Objekt eine Vielfalt möglicher Bestätigungsfälle, die bei Gesetzen, welche Größen zeitlos in Beziehung setzen, nur an *mehreren* Objekten

schwächt werden kann, daß $\underline{t}''$ nicht früher als $\underline{t}'$ und $\underline{t}$ nicht früher als $\underline{t}'$ (Voraussage) bzw. nicht später als $\underline{t}''$ (Retrodiktion) ist.

[22] Über Einschränkungen dieser Art finden sich interessante Ausführungen in K. Popper, *Indeterminism in quantum physics and classical physics*. British journal for the philosophy of science 1 (1950).

aufweisbar sind. Das Planetensystem hat seit seinem Bestehen und jedenfalls seit es systematisch beobachtet wird, nicht einen einzigen Zustand zweimal durchlaufen. Die hierfür zu verzeichnenden Erfolge sind daher vom Typ der Erfolge, die ein Laplacescher Dämon hätte: Seine Voraussagen über die ganze Weltgeschichte würden offenbar nicht auf irgendwelchen Wiederholungen beruhen[23].

Nachdem die beiden Eigenschaften des Determinismus und der zeitlichen Invarianz von Gesetzen erwogen wurden, sowohl wenn sie beide bestehen als auch wenn nur jeweils eine der beiden vorhanden ist, muß abschließend noch ein Wort zu der Möglichkeit gesagt werden, daß *keine* von beiden vorliegt. Dies ist der für *offene Systeme* typische Fall. Wenn man sich jenen schon erwähnten Weg vor Augen hält, der die neuere Physik von den älteren Vorstellungen über Kausalität zum modernen Begriff des deterministischen (und zeitinvarianten) Gesetzes geführt hat, so war dieser Weg vor allem bestimmt durch eine Beschränkung auf die Untersuchung *abgeschlossener Systeme*[16]. Eine präzise Definition des Begriffs eines abgeschlossenen Systems dürfte kaum möglich sein. Man hat die Vorstellung, daß es dabei um Systeme geht, die nicht in Wechselwirkung mit ihrer Umwelt stehen. Nun gibt es streng genommen eine derartige Isolierung in der Natur überhaupt nicht. Die alltägliche Erfahrung konfrontiert uns im Gegenteil häufig mit ganz massiven Wirkungszusammenhängen. Da sich die ursprünglichen Kausalvorstellungen an Hand der alltäglichen Erfahrung gebildet haben, wird verständlich, daß sie nicht ohne weiteres für die Formulierung von Gesetzmäßigkeiten in abgeschlossenen Systemen verwendbar waren. So ist zum Beispiel die Verwendung des Begriffspaares von Ursache und Wirkung an die Aufteilung unserer Umwelt in offene Teilsysteme gebunden, indem wir dasjenige System, an dem eine jeweilige Wirkung dokumentiert ist, z. B. eine zerbrochene Fensterscheibe, als in der Vergangenheit nicht abgeschlossen betrachten und die zugehörige Ursache, z. B. einen Steinwurf, in der Umwelt des betroffenen Systems zu einem früheren Zeitpunkt suchen. Aber auch in den Naturwissenschaften, vor allem in der Biologie, kann die Betrachtung offener Systeme wesentlich werden. Zumindest die höher organisierten Lebewesen haben eine Selbständigkeit, die es unzweckmäßig erscheinen läßt, ein solches Wesen nur im

[23] Es waren bekanntlich die Erfolge der planetarischen Astronomie, die Laplace die Idee seines »Weltgeistes« fassen ließen, vgl. Emil Du Bois-Reymond, *Über die Grenzen des Naturerkennens.* 11. Aufl. Leipzig 1916.

Zusammenhang mit einer bestimmten Umwelt zu betrachten, obwohl seine Lebensfähigkeit davon abhängt, daß es mit einer geeigneten, aber eben nur mehr oder weniger bestimmten Umwelt in Wechselwirkung steht. Viele Biologen würden heute wohl schon zugeben, daß ihre Betrachtungsweise in wichtigen Fällen reduzierbar sei auf die deterministische Analyse jeweils hinreichend umfassender, abgeschlossener Systeme. Aber es scheint noch keine allgemeine Theorie zu geben, die uns lehren würde, welches die Hauptaspekte der bei der Reduktion ins Spiel kommenden Zerlegung abgeschlossener in offene Systeme sind. Die älteren Kausaltheorien kommen hierfür, ganz abgesehen von anderen Schwächen, schon deswegen nicht in Frage, weil sie nur einseitige Einwirkungen der Teilsysteme aufeinander berücksichtigen.

7.

Die Betrachtung deterministischer Gesetzmäßigkeit im Kontext der Naturwissenschaften mag heute auch dem Außenstehenden etwas antiquiert vorkommen, da er gehört hat, daß es *statistische Gesetze* seien, mit denen man es neuerdings in der Analyse des Naturgeschehens überwiegend zu tun hat. Das ist auch richtig. Aber zum einen ist damit die von der klassischen Physik gelehrte deterministische Gesetzmäßigkeit innerhalb ihrer doch ziemlich weiten Geltungsgrenzen nicht außer Kraft gesetzt, und zum anderen findet sich ein Grundgedanke dieser Art Gesetzmäßigkeit auch für statistische Gesetze wieder, nämlich der Gedanke der Determiniertheit gewisser Verhältnisse zu einer Zeit durch gewisse Gegebenheiten zu anderen Zeiten. Geändert haben sich nur die Partner, die in solche Beziehungen jeweils eingehen. Dem Historiker mag der Determinismus in seiner bisher diskutierten Form darüber hinaus deswegen als ein Seitenweg erscheinen, weil er es, anders als der Naturwissenschaftler, mit gezielten Handlungen von Menschen zu tun hat, die auf freien Entscheidungen beruhen – frei zumindest in dem Sinne, daß alle als Entscheidungsgrundlage verfügbaren Daten immer noch mehrere Möglichkeiten so oder so zu handeln offenlassen. Wohlbekannte, tieferliegende Probleme von Determinismus und Freiheit, die hier in Sicht kommen, beiseite lassend, möchte ich im Übergang zur Betrachtung statistischer Prozesse doch noch deutlich machen, daß der bisher zugrunde gelegte Prozeßbegriff

– der Begriff des Zustandsablaufs – auch für die Formulierung von Gesetzmäßigkeiten ausreicht, die einem zeitlichen Geschehen noch jenen Spielraum lassen, den man, wenn Menschen dieses Geschehen bestimmen, als einen Entscheidungsspielraum interpretiert. In logischer Hinsicht ist diese Möglichkeit wegen der ungeheuren Allgemeinheit des Begriffs des Zustandsablaufs trivial. Aber es mag nützlich sein, ihr durch Hinweis auf einen wohlbekannten Typ von Gesetzmäßigkeiten noch etwas größeren Gehalt zu verschaffen.

Gemeint sind die Regeln von *Spielen.* Jedermann kennt die sich in einer oft amüsanten Mischung von Zufall, Geschick und Willkür vollziehenden Partien der Gesellschaftsspiele. Für die Wissenschaft sind sie zu Illustrations-Beispielen einer Theorie, der *Spiel-* oder *Entscheidungstheorie,* geworden, deren Anwendungen weit über sie hinausreichen und vor allem im Gebiete der Ökonomie liegen[24]. Die Spieltheorie interessiert sich letztlich für den Umstand, daß Spiele gewonnen oder verloren werden können, und sie konzentriert ihre Aufmerksamkeit daher auf die möglichen Ausgänge eines Spiels. Demgegenüber interessiert für die folgende Betrachtung der Umstand, daß Spiele, ehe sie zu Ende gehen, einen gewissen, sich zumeist in diskreten Schritten oder »Zügen« vollziehenden Verlauf haben, daß nach jedem Schritt eine bestimmte, wenn auch den einzelnen Spielern nicht immer vollständig bekannte Spielsituation besteht, das Spiel sich also – mit anderen Worten – in einem bestimmten Zustand befindet, und daß schließlich der Spielverlauf nicht völlig beliebig, sondern durch die Regeln des Spiels in seinen Möglichkeiten eingeschränkt ist, allerdings nur insoweit, als nach jedem Schritt im allgemeinen mehrere Möglichkeiten für den weiteren Verlauf offenstehen. Bei einigen Spielen werden die Entscheidungen der Spieler, welche dieser Möglichkeiten sie ergreifen wollen, durch Entscheidungen des Zufalls, zum Beispiel durch Würfeln, ergänzt oder gar ersetzt. Hier kommen auch bei Spielen schon statistische Elemente hinein. Aber wenn wir von diesen Fällen zunächst einmal absehen, dann dürfte schon durch das bisher Gesagte plausibel sein, daß die einzelnen Partien eines Spiels als Zustandsabläufe im Sinne des 4. Abschnitts und die Regeln eines Spiels insgesamt als ein »Gesetz«, nämlich im Sinne des 6. Ab-

[24] Die Grundlagen der Spieltheorie und ihrer ökonomischen Anwendungen wurden in John von Neumann und Oskar Morgenstern, *Theory of games and economic behavior.* Princeton 1944 gelegt. Eine neuere, elementare Einführung ist R. Vogelsang, *Die mathematische Theorie der Spiele.* Bonn 1963.

schnitts jedenfalls als eine Eigenschaft von Zustandsabläufen rekonstruierbar sind. Ein Spielverlauf hat diese Eigenschaft genau dann, wenn mit ihm nicht gegen die Regeln des Spiels verstoßen wird.

Natürlich ist es im Sinne der Ausführungen im 2. Abschnitt auch hier aussichtslos, die übliche Bedeutung des Wortes »Spiel« dadurch einfangen zu wollen, daß man eine bestimmte Klasse von Zustandsräumen zusammen mit Eigenschaften von Zustandsabläufen in ihnen so angibt, daß genau das, was zu dieser Klasse gehört, ein Spiel im üblichen Sinne des Wortes ist. Aber *wenn* man eingesehen hat, daß es *darauf* nicht ankommen kann, dann ist eine über das bisher Gesagte noch ein wenig hinausgehende Analyse des Spielbegriffs immerhin nützlich. Der Leser mag im Folgenden an ein ihm bekanntes Beispiel denken. Der *Zustandsraum* $\underline{S}$ eines Spiels ist natürlich endlich, und es ist zweckmäßig, in die durch $\underline{S}$ gegebenen möglichen Spielzustände den Spieler mit aufzunehmen, der jeweils an der Reihe ist (also beim Schach etwa eine Situation auf dem Brett *und* die Angabe »Weiß am Zug«). Außerdem sind in $\underline{S}$ ein Zustand als *Anfang* und eine Menge weiterer Zustände als mögliche *Endzustände* ausgezeichnet. Nun sind Spielregeln offensichtlich zeitlich invariant, und es kommt im einzelnen Spielverlauf (fast) nicht auf die Dauer, wohl aber wesentlich auf die zeitliche Ordnung an. Außerdem vollziehen sich Spiele (meist) in diskreten Schritten. Daher kann man die möglichen *Spielverläufe* normieren auf endliche Folgen

$$\underline{a}_0, \underline{a}_1, \ldots\ldots, \underline{a}_N$$

mit Zuständen $\underline{a}_n$ aus $\underline{S}$, die während des Spiels der Reihe nach durchlaufen werden. Hier geht es also um endliche Prozesse, in denen die Indizes 0, 1, ..., N nur noch ganz rudimentär die Zeitpunkte der durchlaufenen Zustände andeuten.

Auch bei Spielen legen die *Regeln* derselben eine wohlbestimmte Eigenschaft oder (extensional gesprochen) Menge $\underline{F}$ obiger Folgen fest. Aber dies geschieht ebensowenig wie bei den Gesetzen, die wir für natürliche Prozesse *erforschen*, in der Form, daß $\underline{F}$ explizit angegeben würde, obwohl wir hier die Regeln willkürlich *vorschreiben* und obwohl die Angabe häufig – wie man zu sagen pflegt – im Prinzip möglich wäre. Denn die meisten $\underline{F}$ von Spielen sind im Unterschied zu denen der Naturgesetze endlich. Aber sie sind zumeist auch sehr groß, und daher wird hier das Vergnügen der Befolgung von Prinzipien vorgezogen. In der Tat ist es witzlos, ein Spiel zu spielen, dessen definierende Eigenschaft $\underline{F}$ als Menge explizit bekannt ist. Denn dann kennt man alle Spielverläufe. Nicht auf diese Weise also, sondern durch die Angabe der erlaubten Möglichkeiten, eine Spielsituation $\underline{a}$ in einen neuen Zustand $\underline{a}'$ überzuführen, werden die Regeln eines Spiels fixiert. Bei gegebenem $\underline{a}$ ist die Menge dieser Möglichkeiten übersehbar, sie ist zumeist sogar sehr viel kleiner als $\underline{S}$, ganz zu schweigen von $\underline{F}$, und sie hängt nur von wenigen Eigenschaften von $\underline{a}$ ab. Zum Beispiel ist sie leer, wenn $\underline{a}$ bereits ein Endzustand ist. So ist es im ganzen leicht, Spielregeln zu verstehen, schwer oder geradezu unmöglich hingegen, die durch sie eindeutig bestimmte Menge zulässiger Spielverläufe zu überblicken.

Deswegen sind Spiele amüsant. Aber sind sie auch interessant in irgendeinem tieferen Sinne, der in unserem Zusammenhange in Betracht kommen könnte? In dieser Frage ist vor allem zu betonen, daß sie von *methodischem* Interesse sind. Sie können Verständnisbrücken bauen zwischen den scheinbar so grundverschiedenen Ansätzen zur Analyse von ohne unser Zutun gegebenen Naturvorgängen einerseits und durch menschliches Handeln bestimmten historischen Vorgängen andererseits. Gewiß nicht der einzige, wohl aber ein wesentlicher Umstand, der diese Verschiedenheit ausmacht, ist der, daß im einen, nicht aber im anderen Falle *Entscheidungen* eine maßgebende Rolle spielen. Wiederum nur ein Teilaspekt des Entscheidungsbegriffs ist dann der Umstand, daß Entscheidungen nur dort möglich sind, wo sich Alternativen bieten. So gesehen ist ein deterministisches Naturverständnis nichts anderes als die folgerichtige Ausprägung eines entscheidungsfreien Naturbegriffs: Man hat neben dem Gesetz nur noch einen unbegreiflich bleibenden momentanen Zustand als Determinante. In Spielen hat man aber noch ein drittes: Ein konkreter Spielverlauf wird wesentlich mitbestimmt durch die Entscheidungen der Spieler. Ganz abgesehen von den im Bereich des Konfliktbegriffs herstellbaren Analogien, die hier unberührt bleiben müssen, simulieren Spiele ein typisch menschliches Verhalten also auch hinsichtlich des Entscheidungsbegriffs. Auf der anderen Seite geht in den Begriff des Spieles der Entscheidungsbegriff in ganz präziser Weise ein. Anders als in Lebensvorgängen ist völlig geregelt, in welchen Situationen man sich entscheiden darf und muß. Die Elimination des Entscheidungsbegriffs führt daher auf einen Spielbegriff, der sofort auch auf Naturvorgänge anwendbar ist. Selbst unter Zugrundelegung eines deterministischen Gesetzes kann man durch Vergröberung des Zustandsraumes sofort erreichen, daß sich von jedem der gröberen Zustände von Zeitpunkt zu Zeitpunkt eine ganze Kaskade von (mit dem Gesetz verträglichen!) Möglichkeiten entfaltet. Hier fallen dann gewissermaßen »objektive Entscheidungen« auf der tiefer liegenden Ebene des ursprünglichen Zustandsraumes. Jenseits des problematischen Entscheidungsbegriffs hat man mithin als tertium comparationis von Natur und Geschichte einen dritten Freiheitsgrad, den Spiele besonders gut demonstrieren.

Die vermittelnde Rolle des Spielbegriffs kann noch dadurch verstärkt werden, daß man ihn durch Zulassung statistischer Elemente erweitert. Man weiß, wie in einem Spiel die Entscheidungen des einzelnen Spielers durch einen bestimmten Spielverlauf und daher u.a. durch die Entscheidungen der Mitspieler nach und nach eingeschränkt werden können. Eine solche Einschränkung kann darüberhinaus *alle* Spieler gleichermaßen betreffen, wenn Zufallsprozesse in das Spiel eingebaut sind. Im Extremfall der reinen Glücksspiele ist die Entscheidungsdimension überhaupt ausgeschaltet. Dann wird aus einem Spiel ein *stochastischer Prozeß*. Die vor allem in mathematischer Hinsicht weit fortgeschrittene Theorie dieser Art von Prozessen kann hier kaum angetippt werden. Sie ist ein Teilgebiet der allgemeinen Wahrscheinlichkeitstheorie und daher auch mit den Deutungsproblemen des *Wahrscheinlichkeitsbegriffs* behaftet[25]. Legt man den rudimentären Zeitbegriff dieses Abschnitts zugrunde, läßt aber (idealisierend) auch unendlich lange Prozesse mit beliebigen Anfangszuständen aus dem Zustandsraum $\underline{S}$ zu, so kann man das für einen stochastischen Prozeß Wesentliche ungefähr folgendermaßen wiedergeben:

Hat man ein deterministisches Gesetz wie im 6. Abschnitt, wobei wir jetzt nur die Determination zukünftiger Zustände heranziehen werden[21], so würde das Gesetz für jeden Zustand $\underline{a}_n$ im Zeitpunkt $\underline{n}$ eindeutig festlegen, in welchem Zustand $\underline{a}_{n+1}$ zum Zeitpunkt $\underline{n}+1$ er übergeht. Schon in diesem Falle könnten es allerdings die Umstände mit sich bringen, daß man den Anfangszustand $\underline{a}_0$ nicht genau kennt, wohl aber für jeden möglichen Zustand die Wahrscheinlichkeit festliegt, mit der er zu Beginn vorliegt. Da der weitere Ablauf nach Voraussetzung eindeutig ist, liegen dann auch für jeden späteren Zeitpunkt die entsprechenden Wahrscheinlichkeiten fest. Damit hätte man die

[25] Eine anwendungsorientierte, verhältnismäßig leichte Einführung ist W. Feller, *An introduction to probability theory and its applications*. 2. Aufl. New York 1957. Deutungsprobleme werden in Carnap, *Logical Foundations*, behandelt.

Anhebung des deterministischen Falles auf die Wahrscheinlichkeitsebene: der Verlauf liegt fest, und allenfalls der Anfang ist unbestimmt. Wie wir schon vom Spielbegriff her gesehen haben, kann es aber schlimmer kommen und die zeitliche Entwicklung eines Prozesses nicht gesetzlich determiniert sein. Dann wäre auch hier die nächstbeste Möglichkeit, daß wenigstens die Wahrscheinlichkeiten festliegen, mit denen ein vorliegender Zustand $\underline{a}_n$ im folgenden Augenblick, in diesen oder jenen der überhaupt möglichen Zustände übergeht, *und* daß diese Wahrscheinlichkeiten nur von $\underline{a}_n$, nicht aber von der weiteren Vorgeschichte des Prozesses abhängen. Dies sind die *Markoff-Prozesse*.

Allerdings bedarf hier noch der Klärung, was es heißt, daß die Wahrscheinlichkeit eines Überganges von $\underline{a}_n$ in $\underline{a}_{n+1}$ »nur von $\underline{a}_n$, nicht aber von der weiteren Vorgeschichte des Prozesses abhängt«. Die Klärung liegt im allgemeinen Begriff eines stochastischen Prozesses. Dieser Begriff verlangt nämlich nur, daß für jeden möglichen mit der Zustandsfolge $\underline{a}_0, \underline{a}_1, \ldots, \underline{a}_n$ beginnenden Prozeß die sogenannte *Übergangswahrscheinlichkeit* festliegt, mit der er durch einen Zustand $\underline{a}_{n+1}$ fortgesetzt wird. Dabei können für zwei Anfänge $\underline{a}_0, \underline{a}_1, \ldots, \underline{a}_n$ und $\underline{b}_0, \underline{b}_1, \ldots, \underline{b}_n$, die im $\underline{n}$-ten Glied übereinstimmen – $\underline{a}_n = \underline{b}_n$ –, die für den Zeitpunkt $\underline{n}+1$ zuständigen Wahrscheinlichkeitsverteilungen durchaus verschieden sein, und in einem solchen Falle hätte man eine Abhängigkeit von der weiteren Vorgeschichte. Zwei Beispiele mögen den fraglichen Unterschied und zugleich die neu eingeführte Begrifflichkeit überhaupt erläutern.

Unseren Prozessen mögen Folgen von Ziehungen aus einer Urne zugrunde liegen, in der sich schwarze und weiße Kugeln befinden. Nach jedem Zug werde nicht nur die gezogene Kugel in die Urne zurückgelegt, sondern außerdem noch eine feste Anzahl $\underline{m}$ von Kugeln derjenigen Sorte neu hinzugefügt, der die jeweils zuletzt gezogene Kugel angehörte[26]. Betrachten wir nun als erste Art von Prozessen einfach die sich aus den Ziehungen ergebenden Merkmalfolgen, also Folgen, in denen sich im statistischen Kunterbunt die Merkmale »weiß« beziehungsweise »schwarz« abwechseln. Sei $\underline{a}_0, \underline{a}_1, \ldots, \underline{a}_n$ der Anfang einer solchen Folge. Es ist offensichtlich, daß die Wahrscheinlichkeit, bei der nun folgenden $(\underline{n}+1)$-ten Ziehung »weiß« bzw. »schwarz« zu erhalten, nicht nur von $\underline{a}_n$, sondern von der *gesamten* Vorge-

[26] Dies ist das Polyasche Urnenmodell. Für Einzelheiten siehe Feller, *Introduction*, Kap. V. 2 und XV. 10.

schichte $\underline{a}_0$, $\underline{a}_1$, ... abhängt. So wird zum Beispiel die Wahrscheinlichkeit für »schwarz« viel größer sein, wenn die Vorgeschichte viele schwarze Fälle enthält, als wenn sie nur wenige enthält. Denn im ersteren Fall sind viele schwarze, im letzteren hingegen viele weiße Kugeln neu in die Urne gekommen und haben die Wahrscheinlichkeiten zugunsten der schwarzen bzw. weißen Kugeln verschoben. Dies ist also kein Markoff-Prozeß. Fassen wir demgegenüber als zweite Art von Prozessen die sich aus der obigen Prozeßvorschrift ergebenden sukzessiven Zustände der Urne hinsichtlich der Anzahl z.B. der schwarzen Kugeln in ihr ins Auge, so ist dies ein Markoff-Prozeß: Ist $\underline{a}_n$ diese Anzahl nach der $\underline{n}$-ten Ziehung, so ist sie nach der $(\underline{n} + 1)$-ten Ziehung wiederum $\underline{a}_n + \underline{m}$ mit genau der Wahrscheinlichkeit, mit der bei dieser Ziehung eine weiße bzw. eine schwarze Kugel gezogen wird, und diese Wahrscheinlichkeiten hängen offenbar nur vom Zustand der Urne nach der $\underline{n}$-ten Ziehung, also nur von $\underline{a}_n$ ab. Natürlich ist auch dieser Prozeß, obgleich Markoffsch, *nicht* deterministisch.

Im Begriff des stochastischen Prozesses muß man scharf unterscheiden zwischen den *einzelnen* Prozessen, die durch einen stochastischen Prozeß als möglich zugelassen sind, einerseits und der durch die sämtlichen Wahrscheinlichkeiten eines stochastischen Prozesses bestimmten *statistischen Gesamtheit* einzelner Prozesse andererseits. Der einzelne Prozeß (im obigen Beispiel etwa eine Folge von Ziehungen unter Beachtung des Ergebnisses) ist ein wahrscheinlichkeitsfreier Zustandsablauf im Sinne des 4. Abschnitts. Die statistische Gesamtheit ist eine (im Idealfall) unendliche Menge solcher Einzelprozesse, in der (im Idealfall) Grenzwerte relativer Häufigkeiten des Auftretens der Zustände den gegebenen Wahrscheinlichkeiten gleichen. Ein stochastischer Prozeß ist, nach üblichem Sprachgebrauch, stets diese Gesamtheit, nicht der einzelne Zustandsablauf. Ein Hauptunterschied zwischen stochastischen Prozessen und Zustandsabläufen ist der folgende: Die Beschreibung der Veränderungen an einem System Σ als Beschreibung eines Zustandsablaufs geht völlig darin auf, daß für jeden Zeitpunkt angegeben wird, in welchem Zustand sich Σ zur Zeit $\underline{t}$ befindet. So war der Begriff des Zustandsablaufs im 4. Abschnitt ja definiert worden. Dabei war die Redeweise, daß Σ sich zur Zeit $\underline{t}$ im Zustand $\underline{a}$ befindet, natürlich so zu verstehen, daß $\underline{a}$ sich ausschließlich auf $\underline{t}$ bezieht und nicht auf frühere oder spätere Zeitpunkte, also – epistemisch gesprochen – $\underline{a}$ allein aus Beobachtung von Σ zur Zeit $\underline{t}$ ermittelt werden kann[27]. Demgegenüber kann ein echt stochastischer Prozeß *nicht* als eine reine Funktion der Zeit in diesem Sinne dargestellt werden, nicht nur nicht im Hinblick auf die Zustände der zugehörigen Einzelprozesse, sondern überhaupt nicht. Vielmehr gehören zu einer vollständigen Beschreibung stets auch Angaben, die sich auf ganze zeitliche *Intervalle* beziehen. Man könnte zunächst denken, daß, wenn nicht die ursprünglichen Zustände, dann doch wenigstens ihre Wahrscheinlichkeiten als Funktion der Zeit zur Beschreibung ausreichen. Aber diese Funktion sagt zum Beispiel gar nichts darüber aus, welche Werte die oben eingeführten Übergangswahrscheinlichkeiten haben und damit z.B. auch nichts über die Wahrscheinlichkeit, mit der Σ während eines ganzen Zeitintervalls im gleichen Zustand $\underline{a}$ ist.

So haben wir also mit stochastischen Prozessen eine Art von Prozessen vor uns, die nicht in einer bloßen Abfolge momentaner Situationen aufgehen. Vielmehr treten für jede zeitliche Epoche noch Aussagen über sie als *Ganzes* hinzu. Dies ist der Preis, den man für die bloß probabilistische und damit unvollständige Beschreibung des jeweiligen instantanen Zustandes bezahlt. Der Begriff des stochastischen Prozesses findet heute zahlreiche Anwendungen in Physik und Biologie, wenn immer es dort um dynamische Probleme geht, die Massenphänomene betreffen, also Phänomene, bei denen es aufgrund der großen Anzahl der beteiligten Konstituenten unzweckmäßig oder unmöglich wird, die Einzelprozesse zu verfolgen[28]. Weitere Anwendungen finden sich aber auch in der Psychologie (Lerntheorie), Ökonomie, Soziologie, Kybernetik und Sprachwissenschaft[29]. Wie schon beim Begriff des Zustandsablaufs geht es auch beim Begriff des stochastischen Prozesses um einen interdisziplinären Begriff, und gerade darauf sollte hier hingewiesen werden. Der Begriff des stochastischen Prozesses ist dabei ein um das Hineinspielen

[27] Bei kontinuierlicher Zeit ist auch noch eine infinitesimale Umgebung von $\underline{t}$ zuzulassen. Dies zeigt schon der Begriff der Geschwindigkeit.

[28] Auf eines der wichtigsten Grundlagenprobleme der heutigen Physik, nämlich die Frage der Eliminierbarkeit der statistischen Betrachtungsweise im Prinzip, kann hier überhaupt nicht eingegangen werden. Einfache spiel- und wahrscheinlichkeitstheoretische Simulationsmodelle in der Genetik und Evolutionstheorie finden sich in Manfred Eigen und Ruthild Winkler, *Ludus vitalis.* Mannheimer Forum 73/74 (1973).

[29] R. D. Luce, R. R. Bush und E. Galanter, *Readings in mathematical psychology.* Bd. 1, Teil II; dies., *Handbook of mathematical psychology.* Bd. 2, Kap. 9, 10 und 14; *Systemtheorie und sozio-ökonomische Anwendungen.* Hrsg. von S. Baetge, Berlin 1976; *Mathematics and social sciences.* Hrsg. von S. Sternberg u. a., Paris 1965.

von Wahrscheinlichkeiten verfeinerter Begriff möglicher Veränderungen, der im übrigen, wie wohl deutlich geworden ist, auf dem Begriff des Zustandsablaufs aufbaut. Bedingt durch die reichere, probabilistische Struktur ist er genau genommen eine Verallgemeinerung des Begriffs des deterministischen Gesetzes für Zustandsabläufe. Für einen einzelnen Zustandsablauf kann man nicht sinnvoll fragen, ob er deterministisch sei. Er wäre es entweder in dem trivialen Sinne, daß in ihm geschieht, was eben geschieht, oder in dem gleichermaßen trivialen Sinne, daß sich (fast) jeder Zustandsablauf in eine Menge $\underline{F}$ einbetten läßt, die gemäß dem 6. Abschnitt ein deterministisches Gesetz ist. Daher wurde dort auch hervorgehoben, daß Gesetzmäßigkeit von Zustandsabläufen bereits eine Eigenschaft zweiter Stufe ist. Demgegenüber ist es *direkt* eine mögliche Eigenschaft stochastischer Prozesse, deterministisch zu sein oder markoffsch zu sein oder was immer für Gesetzmäßigkeiten hier auftreten können.

8.

Mit dem Begriff des Zustandsablaufs und dem ihn in gewisser Weise umgreifenden Begriff des stochastischen Prozesses sind die Grundformen naturwissenschaftlicher Begriffsbildung angegeben, wie sie zur systematischen Erfassung von Veränderungen entwickelt wurden, in denen weder relativistische noch quantentheoretische Effekte eine Rolle spielen[30]. Für den Begriff des Zustandsablaufs wurden auch schon Aspekte angegeben, unter denen man sich in den Naturwissenschaften für Zustandsabläufe interessiert hat: Es ging um die Strukturen, die sozusagen hinter den Veränderungen stehen, und um die Gesetzmäßigkeiten, insbesondere die deterministischen, denen sie gehorchen. Als beiden Fällen gemeinsamer Aspekt wurde die Wiederfindung des Zeitlosen hervorgehoben. Als Antwort auf die Frage nach dem Interesse gerade an *Veränderungen* klingt dies etwas paradox. Aber man wird es wohl so sehen müssen und die Frage eher dahin wenden, wie lange diese Einstellung gut gehen konnte. Die Identifikation zeitloser Strukturen wurde im 5. Abschnitt in einem prinzipiellen Sinne als eine erkenntnistheoretische Notwendig-

[30] Die Relativitätstheorie wurde schon durch Anm. 7 für unsere Betrachtungen ausgeschlossen. Die Quantentheorie ist eine wesentlich probabilistische Theorie, die aber andere Wahrscheinlichkeitsräume benutzt, als sie hinter der Darstellung im 7. Abschnitt stehen.

keit hingestellt. Insofern damit Zeitloses identifiziert werden soll, mag außerdem ein metaphysisches Bedürfnis des Menschen ausschlaggebend sein. Andererseits wurde im selben Abschnitt gezeigt, daß die Geschichte der Naturwissenschaften eine Herausforderung der fraglichen Einstellung war. Denn diese Geschichte lehrt eine ständige Prozessualisierung von Strukturen. Ähnliches läßt sich nun auch für die deterministische Gesetzmäßigkeit zeigen und ist im übrigen sogar viel bekannter: Ihre Ablösung durch statistische Gesetzmäßigkeit in der Naturwissenschaft unseres Jahrhunderts. In der Tat ist der Begriff des deterministischen (und zeitinvarianten) Gesetzes der Idealtyp eines Gesetzes, das trotz unmittelbarer Bezogenheit auf Veränderung dieser durch seinen Reduktionsmechanismus auf einen einzigen und beliebigen Zeitpunkt nur ein Minimum an Zeitlichkeit zubilligt. Auch die im 6. Abschnitt erwähnten Erhaltungsgesetze sind, obwohl nicht selbst deterministisch, doch Folgerungen deterministischer Gesetze und manifestieren auf ihre Weise einen neuen Aspekt der Zeitlosigkeit. Wiederum also zeigte sich, daß man hiermit den Bogen überspannt hatte, und im vorigen Abschnitt wurde angedeutet, wie im Begriff des stochastischen Prozesses die Überwindung der Zeit nicht mehr in dem Maße gelingt[31].

Die Wiederfindung des Zeitlosen in der Auseinandersetzung mit Veränderungen kann aber noch auf einer dritten Ebene nachgewiesen werden. Betrachtet man Gesetze als kontingent relativ zu zeitlosen Strukturen und stellt sie damit auf eine zweite Ebene über die letzteren, so gibt es auf einer nächsten Ebene noch die gegenüber Gesetzen kontingenten Eigenschaften von Prozessen. Indem man sich hier dem Phänomen der Veränderung gleichsam Auge in Auge gegenübersieht, wird man kaum erwarten, daß sich noch einmal ein Schauspiel wiederholt, das schon auf den unteren Bühnen nur mit bedingtem Erfolg gespielt wurde. Und doch ist es so: Die Begriffe der *Stabilität* und des *Gleichgewichts* bezeichnen ein drittes Stück, in dem wir die Naturwissenschaftler mit einem Typ von Veränderungen beschäftigt sehen, mit denen die Zeit nunmehr schlechthin kontingenterweise und wie in letzter Instanz anzuhalten versucht wird. Die Wirklichkeit ist durch eine Fülle von Systemen strukturiert, die über längere oder kürzere Zeitspannen hinweg bezüglich

[31] Hauptthese von M. Čapek, *The philosophical impact of contemporary physics*. Princeton 1961 ist, daß auch die Relativitäts- und Quantentheorie dazu zwingen, die Elimination der Zeit – die Laplacesche Illusion – zurückzunehmen.

gewisser ihrer Eigenschaften stabil sind, und dieses Phänomen ist in dem Sinne kontingent, daß die Stabilitäten nicht aus den dynamischen Gesetzen folgen, wenn auch mit ihnen verträglich sind. In nicht-trivialer Weise ist das Phänomen der Stabilität erstmalig am Planetensystem studiert worden. Eine Grobstruktur, welche die Stabilität des Planetensystems zum Ausdruck bringt, tritt uns in den üblichen Tabellen entgegen, in denen die Sonne und die neun großen Planeten als distinkte Körper mit bestimmten Massen, die mittleren Abstände der Planeten von der Sonne, ihre Umlaufzeiten, die Anzahl ihrer Monde und dergleichen aufgeführt werden. Das Stabilitätsproblem war nun die Frage, ob das in dieser Weise strukturierte Planetensystem durch kleine Störungen oder aufgrund langandauernder, kaum merklicher Veränderungen, die auf seinen Ursprung zurückgehen, nicht schließlich vollkommen durcheinander geraten kann und damit seine uns heute bekannte Struktur zerstört würde.

Wenn wir den Astronomen Glauben schenken wollen, dann sind die Aussichten in dieser Frage durchaus günstig, aber das interessiert uns hier weniger als die Bemerkung, daß unsere Welt in einem signifikanten Ausmaß durch stabile Prozesse, die man als solche auch Quasi-Strukturen nennen könnte, hierarchisiert ist. Unbeschadet ihres Prozeßcharakters gewinnen diese Gegebenheiten hinsichtlich ihrer Stabilität ein um so größeres Interesse, je länger sie andauern und je komplizierter und höher organisiert zugleich die Systeme sind, in denen sie ablaufen – besser noch: die durch sie geradezu konstituiert sind. Die besten Beispiele liefern hier ohne Zweifel die Physiologie der höheren Lebewesen und die Ökologie ihrer Lebensräume[32]. Ihre Stabilität wird weitgehend durch autokatalytische Prozesse garantiert, bei denen gewisse lebenswichtige oder – neutraler gesagt – strukturerhaltende Parameter durch einen Rückkopplungsmechanismus auf einem bestimmten Ablauf, häufig einfach zeitlicher Konstanz, gehalten werden. Es ist hier, wo wir in vielen Darstellungen kausales und bisweilen sogar teleologisches Denken immer noch antreffen. Dies läßt sich erklären, wenn man bedenkt, daß die in Rede stehenden Verhältnisse am einfachsten durch Zerlegung abgeschlossener in offene Systeme beschreibbar sind und hier, wie am Ende des 6. Abschnitts ausgeführt, das kausale Denken zu Hause ist. Grundsätzlich hat aber diese Betrach-

[32] Siehe z.B. Ashby, *Introduction* und *Design for a brain*, sowie R. S. May, *Stability and complexity in model ecosystems*. Princeton 1973.

tungsweise bereits einen atavistischen Zug, weil die im übrigen zur Beschreibung verwendeten Grundmodelle bereits dem eingangs geschilderten Begriffsapparat verpflichtet sind, demgegenüber das Reden von Ursachen und Zwecken einen Rückfall bedeutet, der entweder absichtliche Vereinfachung oder noch nicht genug gemeisterte begriffliche Schärfe auf der neuen Grundlage andeutet[33].

Noch größere Schwierigkeiten haben wir mit der begrifflichen Fassung einer Art von Prozessen, mit denen – anders als bei den bisher betrachteten – die Zeit wahrhaft ihre Zähne zeigt. Da mit dieser Arbeit unter anderem auch demonstriert werden sollte, welche begriffliche Schärfe in der Analyse des naturwissenschaftlichen Prozeßbegriffs immerhin erreichbar ist, kann diese Art von Prozessen nur noch mit einem Ausblick gestreift werden. Denn hier liegen die Dinge vergleichsweise noch im argen. Gemeint sind Prozesse, von denen wir in irgendeinem Sinne zunächst einmal sagen würden, daß sie *gerichtet* oder *irreversibel* seien. Wenn bisher betont wurde, daß die Naturwissenschaftler, gerade *indem* sie das Phänomen der Veränderung zum Gegenstand systematischer Untersuchung machten, doch das zeitlose Element darin wiederzufinden bestrebt waren, dann muß nun auch gesagt werden, daß diese Einstellung angesichts gerichteter oder irreversibler Prozesse *als solchen* zuschanden wird. Man spürt dies vielleicht am ehesten durch eine Wendung in der Ausgangsfragestellung. Strukturen, Gesetze und Gleichgewichtszustände sind methodologisch von Interesse als Hilfsmittel naturwissenschaftlicher Erklärungen. Man sucht sie, nicht nur, aber jedenfalls auch, um sie hernach zu *verwenden.* Man kann aber auch gegen sie selbst eine ganz andere Frage stellen: die Frage nach *Entstehung* und *Entwicklung* derjenigen Verhältnisse, zu deren Beschreibung oder Erklärung sie eingeführt wurden. Hier, bei Vorgängen der Entstehung und Entwicklung, ist es nun nicht mehr so einfach, auch nur präzise Merkmale anzugeben, die entweder ihnen selbst oder aber erst dieser oder jener ihrer Eigenschaften dann zukommen, wenn wir eben von Entstehung oder Entwicklung sprechen. Eine wichtige Stellung dürfte hierbei der Begriff der *Ordnung* einnehmen.

Man kann ihn illustrieren an einer noch anthropozentrisch orientierten Hauptentwicklungslinie innerhalb der Evolution

[33] Siehe hierzu den sehr instruktiven Aufsatz von P. A. Samuelson, *Some notions on causality and teleology in economics.* In: *Cause and effect.* Hrsg. von D. Lerner. New York 1965, der die Lage der Ökonomie wiedergibt.

des Universums. Ihre einzelnen Stadien sind die Bildung der heute bekannten chemischen Elemente, die Bildung chemischer, insbesondere organischer Verbindungen, die Entstehung von Einzellern und die Entwicklung zu höheren Lebewesen bis hin zum Menschen. Dazwischen schieben sich kosmologische Stadien ein, wie die Entstehung von Sternen und die von Planeten als möglichen Trägern von Leben. In solchen Entwicklungsreihen versteht man das Anwachsen der Ordnung deswegen ganz gut, weil in einem Stadium neu gebildete Strukturen die schon vorhandenen Strukturen voraussetzen und erhalten. Es geht also grob gesagt um Kumulation. In zeitlicher Hinsicht könnte man Kumulation als Bestandteil von Evolution fordern und hätte es damit vielleicht am einfachsten. Aber unser Vorverständnis des Ordnungsbegriffs verlangt dies nicht. Wir können direkt fragen, ob Bienen oder Nashörner höher organisierte Arten repräsentieren. Auch die heute bevorzugte Explikation des Ordnungsbegriffs in Gestalt des Shannonschen *Informationsmaßes* erschöpft sich nicht in einem rein additiven Vergleich von Ordnung. Die Schwierigkeiten dieses Begriffs liegen darin, daß er auf dem Wahrscheinlichkeitsbegriff fußt und daher dessen Auslegungsprobleme enthält. Auch liefert er ein nur sehr grobes Maß für Ordnung, das wichtige Differenzierungsmöglichkeiten nicht wiedergibt.

Auch die Entstehungs- und Entwicklungsvorgänge sind wie die stabilen Prozesse in dem Sinne kontingent, daß sie nicht durch Gesetze erklärt werden können. Abgesehen von den begrifflichen Problemen wird das Verständnis ihres tatsächlichen Auftretens auch noch durch den Umstand erschwert, daß sie stets in größere Zusammenhänge eingebunden sind, bei denen prozessual gesehen ein *Verlust* an Ordnung zu verzeichnen ist[34]. Ich will auf diese Verhältnisse jedoch nicht mehr eingehen, sondern zum Schluß kommen. Vor allem wichtig war mir die begriffliche Dreiteilung von Struktur, Gesetz und zeitlichem Vorgang zusammen mit dem im 5. Abschnitt gegebenen Hinweis, daß diese Differenzierung im derzeitigen Aufbau der Naturwissenschaften, soweit man von einem solchen überhaupt reden

[34] Dies sind die irreversiblen Prozesse im engeren Sinne, wie sie in der statistischen Thermodynamik betrachtet werden. Für eine eingehende Behandlung siehe A. Grünbaum, *Philosophical problems of space and time*. Dordrecht 1973, Teil II. Für den Zusammenhang von thermodynamischer Irreversibilität und Entwicklung siehe Carl Friedrich von Weizsäcker, *Die Geschichte der Natur*. Göttingen 1948, Kap. VI und IX.

kann, nicht nur *einmal* auftritt, sondern auf jeder von einer Reihe von Stufen, die sowohl ontologische als auch epistemologische und semantische Relevanz haben. Da das dabei herausgestellte Bindeglied jeweils als Prozeß erkannte Strukturen sind, macht sich in diesem Aufbau einerseits eine Unvollkommenheit bemerkbar. Man mogelt gewissermaßen, wenn man auf einer jeweils neuen Stufe eine Begrifflichkeit ansetzt, die mit der auf den Nachbarstufen verwendeten streng genommen nicht verträglich ist. Andererseits liegt in dieser Sichtweise vielleicht eine winzige Chance, eines Tages den Anschluß an Stufen des Daseins und ihrer begrifflichen Erfassung zu gewinnen, die nicht Tummelplatz naturwissenschaftlicher, sondern z. B. psychologischer, soziologischer oder historischer Forschung sind. Bisher stand dem entgegen das wiederholt betonte Interesse der Naturwissenschaften, selbst nach ihrem Aufbruch in das Reich zeitlichen Wandels zunächst einmal die zeitlichen Invarianten im Naturgeschehen herauszuarbeiten. Gegensätzlich wäre auch eine fundamentalistische Sichtweise, die sich von seiten der Naturwissenschaften von vornherein auf einen Zustandsraum festlegt, in dem alle nur möglichen Vorkommnisse wesentlich Veränderungen z. B. im *Raum* sind. Abgesehen von Schwierigkeiten der Denkökonomie schon innerhalb der Naturwissenschaften würde dieses Verfahren aber zu gänzlich unvermittelten Konfrontationen z. B. von gewissen räumlichen Veränderungen in einem menschlichen Gehirn und z. B. gewissen Absichten der zugehörigen Person führen. Selbst derjenige, der davon überzeugt ist, daß seine Absichten chemische Prozesse im Gehirn *sind,* würde dies so lange nicht *verstehen* können, wie er den in ganz anderem Zusammenhang erlernten Begriff der Absicht nicht in einem naturwissenschaftlichen Begriffsarsenal gleichsam wiedergefunden hätte. Ich brauche nicht eigens hervorzuheben, daß auch die andere, von mir bevorzugte Sichtweise derzeit noch keinen wissenschaftlich gangbaren Weg zu jenen Grenzen erkennen läßt, hinter denen die Prozesse liegen, um deren Aufklärung etwa ein Historiker bemüht ist.

Niklas Luhmann

Geschichte als Prozeß
und die Theorie sozio-kultureller Evolution

1.

In ontologischer Perspektive hat selbstverständlich alles, was ist, seine Geschichte, solange sein Sein dauert: auch und gerade hochaggregierte Einheiten, die vermutlich länger dauern, wie Welt, Sein, Heil, Himmel, Staat, Gesellschaft. So viel Geschichte steht gleichsam fest, und es bleibt nur übrig, sie mit unzureichenden Mitteln von der jeweiligen Gegenwart aus zu erkennen. Die Einheit des Seienden und/oder seiner Aggregationsweise garantiert die Einheit seiner Geschichte. Die Weltgeschichte ist zum Beispiel die Geschichte der aggregatio corporum. In temporaler Perspektive erscheint die Einheit dessen, was ist und dauert, als ein Prozeß, der Bestand mit Wandel verknüpft. Die Einheit des Seienden hat im Prozeß ihr zeitliches Korrelat. Insofern kann man im Rahmen dieser Prämissen an der These, Geschichte (welcher Seinsaggregate immer) sei ein Prozeß, nicht zweifeln. Die Zweifel können sich nur auf die Erkennbarkeit dieses Prozesses beziehen.

Die Kritik an dieser Konzeption kann – und das liegt nahe, weil sie sich in der Wissenschaft vollzieht – zunächst die Zweifel an der Erkennbarkeit »des« Prozesses »der« Geschichte generalisieren und von transzendentalistischen oder subjektivistischen Positionen aus mit der Erkennbarkeit den Gegenstand zum Verschwinden bringen. Denn: Was ist Geschichte schließlich anderes als erkannte, bekannte Geschichte im Horizont weiterer Erforschbarkeit? Und was soll die Aggregation zu einer Einheit, der keine Erkenntnis mehr entspricht? Damit wird der Theorieplatz, den die Auffassung der Geschichte als Prozeß besetzt hielt, geräumt und für unbesetzbar erklärt[1]. Historiker können sich

[1] Dem kommt es nahe, wenn man bei einem extramundanen (oder jedenfalls einem durch Reflexion sich diskontextierenden) Subjekt Zuflucht sucht. Vgl. etwa Eugen Fink, *Welt und Geschichte*. In: Actes du 2me Colloque Internationale de Phénoménologie, Den Haag 1959. Siehe dazu ferner die Diskussionen der Gruppe Poetik und Hermeneutik, in: *Geschichte – Ereignis und Erzählung*. Hrsg. von R. Koselleck und W. D. Stempel, München 1973.

dann entschließen, so zu verfahren, »als ob« die Einheit des historischen Prozesses durch ein Subjekt gewährleistet sei[2]. Das mag als Theorie einer letztlich theorielosen Geschichtswissenschaft genügen und braucht den Fortschritt der historischen Faktenforschung nicht zu behindern. Andererseits kann diese kritische Auffassung, die von Erkennbarkeitszweifeln ausgeht und darin ihr Recht hat, den Zweifel an sich selbst nicht ablegen. Die Frage nach einer Theorie der Geschichte bleibt zumindest als Desiderat erhalten.

Von Zeit zu Zeit mag es sich deshalb lohnen, nach Theorie-Ressourcen Ausschau zu halten, die es ermöglichen könnten, das Problem der prozessualen Einheit der Geschichte zu reformulieren. Hierzu bieten sich heute vor allem system- und evolutionstheoretische Überlegungen an. Deren gemeinsamer Ausgangspunkt ist, daß Einheitsaussagen auf die *Differenz* von System und Umwelt bezogen werden müssen. Diese Differenz ist nicht nur eine Differenz verschiedener Dinge, die zu Sachgesamtheiten zusammengefaßt werden könnten. Sie limitiert darüber hinaus in mehrfacher Hinsicht das, was Zeit und Prozeß sein können. Zeitlichkeit und Prozessualität entstehen erst durch Ausdifferenzierung von Systemen und sind so von vornherein nicht unabhängig von dem zu begreifen, was diese Ausdifferenzierung problematisch macht.

Vor allem kann kein System lediglich aus Punkt-für-Punkt-Beziehungen zur Umwelt bestehen; dafür ist die Komplexität der für das System relevanten Umwelt zu hoch. Kein System kann sich in jeder Hinsicht in jedem Moment über Koppelung externer und interner Ereignisse mit der Umwelt abstimmen. Vielmehr sind neben solchen Abstimmungen immer auch zeitbindende Mechanismen erforderlich, in der Person zum Beispiel ein Gedächtnis, im Wirtschaftssystem zum Beispiel Geld, die Strukturen aufbauen, über die nicht von Moment zu Moment neu disponiert werden muß. Strukturen entlasten dann von Energieaufwand (zum Beispiel: Aufmerksamkeit, Kommunikation) und verfeinern zugleich die Sensibilität für bestimmte Umweltereignisse. Die Differenz von System und Umwelt wird im System also gedoppelt relevant: über Strukturen und Ereignisse. Darauf beruht die Relevanz von Zeit für den Aufbau von Systemen[3].

[2] Vgl. Alfred Heuß, *Zur Theorie der Weltgeschichte*. Berlin 1968.
[3] Vgl. hierzu Talcott Parsons, *Some problems of General Theory in sociology*. In:

Eine zweite Überlegung führt in die gleiche Richtung. Sie geht nicht von der System/Umwelt-Differenz aus, die sich immer zugleich in der Zeitdimension und in der Sachdimension artikuliert, sondern setzt beim Problem systeminterner Interdependenzen an. Kein komplexes System kann es sich leisten, vollständige Interdependenz von allem mit allem zu realisieren. »Loose coupling«[4] ist sowohl aufbautechnisch als erhaltungsmäßig unerläßlich, weil andernfalls der Zeitbedarf für interne Prozesse überproportional anschwellen würde. Außerdem fluktuieren die Umweltbedingungen, sei es regelmäßig, sei es unregelmäßig, sei es mit, sei es ohne Abhängigkeit vom System, so stark, daß kein System mit all seinen Komponenten zu jedem Zeitpunkt gut angepaßt sein kann[5]. Komplexe Systeme weisen deshalb immer eine mehr oder weniger weite *zeitliche Streuung* von Entstehung, Erhaltungsmöglichkeit und Änderung einzelner Strukturmomente bei *jeweils gleichzeitiger Relevanz* auf, und diese Spannung wird zunehmen, wenn das System und seine Umwelt komplexer werden[6]. Jedes System arbeitet deshalb mit Strukturen, die in der Vergangenheit entstanden sind, deren Entstehungsbedingungen bereits entfallen sind und die ihre »beste Zeit« vielleicht schon hinter sich haben. Diese Veralterung braucht, funktional gesehen, nicht Obsoleszenz zu bedeuten, und sie kann vielleicht gerade deshalb, weil sie die Struktur dem aktuellen Anpassungsdruck entzieht, ihr die Funktion geben, als relativ invariantes Moment den Gegenhalt für die Variation anderer Strukturen zu bieten.

Es würde diese Einsichten zu stark raffen und zu hoch aggregieren, wollte man weiterhin von »Ungleichzeitigkeit des Gleichzeitigen«[7] sprechen. Außerdem setzt diese Formel eine Theorie des historischen Prozesses voraus, an der die Ungleich-

Theoretical sociology. Perspectives and developments. Hrsg. von J. C. Mc Kinney und E. A. Tiryakian, New York 1970, S. 29ff.

[4] Vgl. Robert B. Glassman, *Persistance and loose coupling in living systems.* Behavioral Science 18 (1973).

[5] Auch dies ist ein Strukturmoment bereits in der organischen Evolution. Dazu Richard Levins, *Evolution in changing environments. Some theoretical explorations.* Princeton 1968.

[6] Eine genauere Analyse müßte das Problem der Strukturänderung einbeziehen und könnte dann zeigen, daß das umweltausgelöste Erfordernis von Strukturänderungen zugleich eine komplexere Umwelt für das System relevant werden läßt.

[7] Vgl. Hans Blumenberg, *Die Genesis der kopernikanischen Welt.* Frankfurt 1975, S. 66ff.; Reinhart Koselleck, Artikel *Fortschritt* in *Geschichtliche Grundbegriffe. Historisches Lexikon zur politisch-sozialen Sprache in Deutschland,* Bd. 2, Stuttgart 1975, S. 363–423.

zeitigkeit des gleichzeitig Vorhandenen abgelesen werden kann. Auch die Versuche, Tradition und Modernität nicht mehr gegeneinander auszuspielen, sondern Traditionen unter dem Gesichtspunkt der Modernisierungsfähigkeit zu differenzieren[8], greifen noch zu kurz. Theoretisch gesehen geht es letztlich darum, die Zeitelastizität von Systemen, und besonders Gesellschaften, im Anschluß an allgemeine systemtheoretische und evolutionstheoretische Annahmen zu begreifen und in ihren Schranken und Folgeproblemen zu klären. Zeitelastizität soll dabei heißen: relative Unabhängigkeit von Zeitpunkten der Entstehung und der Spitzenleistung, also zeitliche Erstreckungsfähigkeit bei vergänglichen Entstehungs- und Optimierungschancen. Zeitelastizität und Interdependenzunterbrechung sind Voraussetzungen dafür, daß überhaupt Prozesse erscheinen und identifiziert werden können.

Diese Überlegungen müssen vorausgesetzt werden, wenn man begreifen will, wie zunächst die Differenz von System und Umwelt und sodann mit Hilfe dieser Differenz auch Zeit in psychischen und sozialen Systemen zum Thema gemacht werden kann. Dabei geht es weder um Welterfahrung noch um subjektive Konstitution, diese Kontrastierung aggregiert zu hoch, sondern um den Einbau von Zusatzstrukturen in das System, die in der Lage sind, sich auf Beziehungen zu beziehen. Vor allem ist das umfassende Sozialsystem der Gesellschaft darauf angewiesen, Formen für die Thematisierung von Zeit bereitzuhalten und damit Horizonte zu bilden, in denen die Zeitlichkeit der Gesellschaft selbst als Geschichte sichtbar wird. Hierfür gibt es sehr komplizierte besondere Voraussetzungen, die sich ihrerseits mit der Ausdifferenzierung von Gesellschaftssystemen und der Thematisierung besonderer Formen für Sozialität historisch entwikkeln[9]. Man kann die Identität des Gesellschaftssystems gar nicht abgelöst von der Zeitdimension zur Vorstellung bringen, denn in die Konstitution von Sozialität geht, wie man seit George H. Mead wissen müßte, das differente Nacheinander des Erlebens und Handelns der Beteiligten immer mit ein[10]. Deshalb sind Prozesse gesellschaftlicher Selbst-Thematisierung immer be-

[8] Siehe etwa Shmuel N. Eisenstadt, *Tradition, change, and modernity.* New York 1973.

[9] Vgl. z. B. John G. Gunnell, *Political philosophy and time.* Middletown, Conn. 1968; Niklas Luhmann, *Weltzeit und Systemgeschichte.* In: ders., *Soziologische Aufklärung,* Bd. 2, Opladen 1975.

[10] Siehe vor allem *The Philosophy of the present.* Chicago – London 1932.

frachtet mit der Aufgabe, die Einheit der Geschichte genau dieses Systems in seiner Umwelt mitzubedenken, mitzuentwerfen, mitauszuwählen. Dafür suggeriert die Kategorie des Prozesses eine objektive Grundlage ihrer Einheit, zumindest eine objektivierende Terminologie. Diese Objektivität ist in der Reflexion jedoch nicht einholbar, und die Grundlage ihres Geltungsanspruchs liegt nicht in einer entsprechenden Realität, sondern in der Differenz von System und Umwelt.

Dieser systemtheoretische Ansatz sprengt die klassische Epistemologie, die nur danach fragen konnte, ob einem theoretischen Konzept eine Realität entspricht. An deren Stelle tritt die Vorstellung der Realität als eines selbstreferentiellen Prozesses, der 1. in der Form von Evolution sich selbst die Bedingungen seiner eigenen Möglichkeit schafft und 2. im Selbstvollzug Systeme bildet, die sich von ihrer Umwelt unterscheiden und sich zu dieser System/Umwelt-Differenz in Beziehung setzen können. Dies Konzept gehört zu derjenigen Sorte von Theorien, die nicht umhin können, sich selbst als Gegenstand ihrer Theorie zu akzeptieren. Es nötigt sich selbst durch die Logik seines Gegenstandskonzepts, sich auf sich selbst anzuwenden, sich seiner eigenen Konsequenz zu unterwerfen und sich daher selbst als Leistung eines evolutionär aufgebauten sozialen Systems zu begreifen[11].

2.

Diese einleitenden Überlegungen haben, da sie Erkenntnistheorie einbeziehen, eine Tragweite, die weit über unser Thema hinausreicht. Sie sind gleichwohl unerläßlicher Vorspann für alle evolutionstheoretischen Forschungen, da sie das Verhältnis von Evolution und Erkenntnis zirkulär konstruieren. Die Erkenntnis der Evolution ist selbst ein Resultat der Evolution und hat genau darin die Begründung ihrer eigenen Regeln zu finden.

Die Auflösung dieses Zirkels erfolgt durch Einführung von Interdependenzunterbrechern, vor allem 1. durch Wahl eines Zeitpunktes oder einer historischen Epoche, die als Gegenwart

[11] Hierzu prinzipiell: Donald T. Campbell, *Evolutionary epistemology*. In: *The philosophy of Karl Popper*. Hrsg. von A. Schilpp, La Salle, Ill. 1974; ders., *Unjustified variation and selective retention in scientific discovery*. In: *Studies in the philosophy of biology. Reduction and related problems*. Hrsg. von F. J. Ayala und Th. Dobzhansky, London 1974.

behandelt wird und alles Vorangehende nicht mehr beeinflussen kann, und 2. durch Wahl einer Systemreferenz, für die alles andere Umwelt ist.

Die folgenden Analysen sind an Möglichkeiten des heutigen Wissenschaftssystems interessiert, und speziell an Möglichkeiten, die Geschichtswissenschaft in der Frage der Einheit des historischen Prozesses theoretisch zu beraten. Sie akzeptieren daher den Standpunkt des Wissenschaftssystems heute. Dabei muß allerdings im Auge behalten werden, daß dies Wissenschaftssystem Teilsystem der Gesellschaft ist. Diese Zugehörigkeit läßt das Wissenschaftssystem partizipieren an den Reflexionserfordernissen der Gesellschaft selbst. Auch die Wissenschaft kann nicht umhin anzuerkennen, daß die eine Gesellschaft eine Geschichte hat, und sie kann nicht umhin, diese Geschichte im Kontext der durch die gegenwärtige Gesellschaft konstituierten Zeithorizonte (also zum Beispiel: mit hoher möglicher Differenz von Vergangenheit und Zukunft) zu lesen. Wir müssen deshalb unterscheiden zwischen den Reflexionserfordernissen, die von der Thematisierung der Identität des Gesellschaftssystems ausgehen, und den begrifflich und theoretisch noch integrierbaren analytischen Leistungen, die das Wissenschaftssystem sich selbst zumuten kann; und wir müssen beides aufeinander beziehen.

Eine wenig ausdifferenzierte, zum Beispiel eine national oder sozial interessierte (nationalistische, sozialistische) Geschichtswissenschaft müßte demnach dazu tendieren, die Kategorie des historischen Prozesses in der vollen Breite gesellschaftlicher Reflexionserfordernisse durchzuhalten. Die historischen Materialien müßten dann im Hinblick darauf arrangiert werden, daß die Kategorie des Prozesses, soll sie konkrete gesellschaftliche Plausibilität behalten, keine allzu großen Zeitdistanzen zuläßt, daß sie Handlungsnähe oder doch Bewußtseinsnähe erfordert und daß sie in Bedeutungszusammenhängen artikuliert wird, die Kontinuität und Diskontinuität übergreifen, also einen späteren Zustand auch dann noch prägen, wenn er (mehr oder weniger bewußt) mit dem früheren Zustand bricht.

Man sollte diese Bindung an gesamtgesellschaftliche Reflexionserfordernisse und Plausibilitäten nicht als Theorie auffassen. Theorie hätte hier allenfalls eine Hilfsfunktion beim Seligieren und Weglassen von »relevanten« Daten. Der andere Weg wäre, die Vorstellung eines einheitlichen historischen Prozesses als Vehikel gesellschaftlicher Reflexion zwar zu ehren, sie aber aus den Prämissen wissenschaftlicher Analyse zu eliminieren. Sie müßte dann als Metapher bewahrt werden, wenn es um Beiträge der Geschichtswissenschaft zum Prozeß gesellschaftlicher Selbst-Thematisierung geht; für Forschungszwecke müßte sie aber aufgelöst und durch theoretisch adäquatere Begriffe ersetzt werden. Erst bei dieser Distanzierung kann man dann auch die Frage stellen, welche Beziehungen zwischen ausdifferenzierter wissenschaftlicher Theorie und gesellschaftlicher Reflexion anzunehmen sind (und dies ist eine Frage der Wissenschafts*soziologie*).

Die Wahl zwischen diesen beiden Wegen ist, wiederum soziologisch gesprochen, nicht nur eine Frage wissenschaftlicher Ergiebigkeit und nicht nur ein Problem der erreichbaren Sachnähe, Gegenstandstreue oder Erzählbarkeit; es geht zuallererst um die Bestimmung des Grades der Ausdifferenzierbarkeit des Wissenschaftssystems. Der Historiker bleibt dem Kontext gesamtgesellschaftlicher Reflexion stärker verpflichtet – er forscht sozusagen als Zeitgenosse –, wenn er *die* Geschichte *des* Gesellschaftssystems (bzw.: *der* Menschheit, *des* Bewußtseins, *des* Subjekts) als Prozeß sieht. Er wird sich stärker distanzieren, wenn er theoretische Konzepte findet, die solche »Kollektivsingulare«[12] auflösen.

Systemtheoretisch gesprochen trennt er damit die Systemreferenzen Gesellschaftssystem und Wissenschaftssystem. Da aber das Wissenschaftssystem Teilsystem der Gesellschaft bleibt, kann die Beziehung zur Gesellschaft und ihren Reflexionserfordernissen nicht gekappt werden. In keinem Falle scheidet der Wissenschaftler aus der Gesellschaft aus. Aber er kann, wenn ihm wissenschaftsspezifische Theorie gelingt, die *kategoriale* Integration von gesamtgesellschaftlicher und wissenschaftlicher Reflexion auflösen und sie durch *relationale* Konzepte ersetzen. Er wird sich dann von Zeit zu Zeit die Frage vorlegen, was seine theoriegesteuerten Forschungen für die Selbst-Thematisierung der Gesellschaft besagen. Die Erhaltung dieses Bezugs auf gesellschaftliche Reflexion bedeutet für die Theorie: Abstraktionszwang. Nur hochabstrakt angesetzte theoretische Perspektiven können diese Doppelfunktion erfüllen: 1. wissenschaftsintern Forschungen zu steuern und 2. für den Kontext zeitgenössischer Gesellschaftsreflexion etwas zu bedeuten.

[12] Siehe Reinhart Koselleck, Artikel *Geschichte* in *Geschichtliche Grundbegriffe*.

3.

Die Theorie sozio-kultureller Evolution findet sich heute in einer Lage, in der die soeben skizzierte Frage zu entscheiden ist. Geboren im 18. Jahrhundert und aufgewachsen im 19. Jahrhundert, ist sie bisher relativ unbefangen entwicklungstheoretischen Perspektiven gefolgt[13]. Alle großen Kontroversen sind von dieser Grundorientierung der Evolutionstheorie ausgegangen und sind um sie geführt worden. Evolution wurde als Entwicklungsprozeß gesehen, die Evolutionstheorie schien damit zu stehen oder zu fallen. Die Angriffspunkte konnten verschieden gewählt werden je nachdem, von welchen Gegenpositionen man ausging. Der Historiker setzte Geschichte gegen Evolution, weil er der historischen Einmaligkeit konkreter Verläufe ihr Recht geben wollte. Der Strukturalist sah, daß es Strukturzusammenhänge gibt, die sich nicht voll in Prozeßsequenzen auflösen lassen. Der Diffusionist wandte sich gegen die Einheit von System und Prozeß, weil nicht alle Strukturänderungen endogen erklärt werden können. Evolution versus Geschichte, Evolution versus strukturbezogene Analyse, Evolution versus Diffusion – in jedem Falle war die Auffassung der Evolution als Entwicklungsprozeß der Gegenstand der Kritik. Es war diese Identifikation mit Entwicklung, die die Evolutionstheorie einem Dreifrontenkrieg aussetzte.

Diese Identifikation aber hing damit zusammen, daß der Evolutionstheorie die Aufgabe gestellt war, die Identität der modernen Gesellschaft in der Zeitdimension zu reflektieren. Der Fortschrittsglaube des 18. und 19. Jahrhunderts war eine Variante dieser Identifikation. Aber auch unabhängig davon hatte die Evolutionstheorie für die bürgerliche Gesellschaft die Funktion übernommen, die offene Zeitstruktur mit Inhalt zu füllen, nämlich den sachlich-analytischen Apparat zu bieten, der Vergangenheit und Zukunft noch integrieren konnte, nachdem Zeit- und Geschichtsbegriffe dies nicht mehr vermochten.

Die Hypothek gesellschaftlicher Reflexionserfordernisse führt, das kann man heute wissen, zu erheblichen Belastungen im innerwissenschaftlichen Verkehr, und zwar zunächst einmal zu Belastungen mit *theoretisch* unergiebigen, unentscheidbaren Kontroversen. Die Hypothek läßt sich nicht einfach annullieren,

[13] Vgl. John W. Burrow, *Evolution and society. A study in Victorian social theory*. London 1966; Robert Nisbet, *Social change and history*. London 1969.

aber man könnte an eine »Umschuldung« denken, die eine höhere Spezifikation wissenschaftsspezifischer Theoriestrukturen ermöglicht und die die gesellschaftliche Reflexion sozusagen nur langfristig bedient. Die dazu nötigen Operationen müßten sich auf die zentrale »Gleichung« der klassischen Theorie sozio-kultureller Evolution beziehen: daß der Einheit der Gesellschaft die Einheit eines Prozesses zu entsprechen hätte.

Wissenschaftsimmanente Theorie-Entwicklungen führen vor die gleiche Frage. Dabei unterscheiden sich der ethnologische und der soziologische Diskussionskontext in der Form der Problembehandlung, aber nicht in den Konsequenzen. Die neuere ethnologische Diskussion geht von der Unterscheidung von generellen und speziellen Evolutionstheorien aus und hält nur spezielle Evolutionstheorien für wissenschaftlich vertretbar[14]. Zum gleichen Ergebnis kommen Forscher, die versuchen, evolutionäre Sequenzen mit Hilfe von Guttman-Skalen zu rekonstruieren. Auch dies scheint nur für politische Einrichtungen, Rechtsinstitutionen, Glaubensformen, Erziehungsorganisationen oder ähnliches zu funktionieren – aber nicht für ganze Gesellschaften oder gar für die Entwicklung der Menschheit. Ein solcher Rückzug auf das Fachlich-Mögliche läßt den Platz des allgemeinen Evolutionsprozesses einfach leer.

Für die soziologische Diskussion ist eine andere Form des Rückzugs bezeichnend. Hier werden nach und nach alle Einzelattribute des evolutionären Prozesses der Kritik geopfert, ohne daß die Prozeßkategorie selbst aufgegeben würde. Nach heute allgemein akzeptiertem Verständnis (das sich aber auch aus Spencer schon herauslesen ließe) ist Evolution kein unilinearer Prozeß, kein kontinuierlicher Prozeß, kein nur endogener, sondern ein auch exogener Prozeß, kein irreversibler Prozeß und kein notwendiger Prozeß. Wenn ein Prozeß aber alle diese Attribute verliert, inwiefern ist er dann noch Prozeß? Der alte Begriff greift dann nicht mehr[15]. Er leistet das nicht mehr, was wir als sachlich-analytische Kompensation der Offenheit temporaler Strukturen bezeichnet hatten, und bringt schließlich nur noch zum Aus-

[14] Vgl. Marshall D. Sahlins, *Evolution. Specific and general.* In: *Evolution and culture.* Hrsg. von M. D. Sahlins und E. R. Service, Ann Arbor 1960, S. 12–14. Für eine soziologische Rezeption dieser Unterscheidung siehe Heinz Hartmann, *Moderne amerikanische Soziologie. Neuere Beiträge zur soziologischen Theorie.* Stuttgart-München 1967, S. 70ff.

[15] Man könnte auch daran erinnern, daß die Bestimmung via remotionis einen anderen Gegenstand hatte (Thomas von Aquin, *Summa contra gentiles* I, 14).

druck, daß der Soziologe (stärker als der Ethnologe) sich nach wie vor gesellschaftlichen Reflexionsansprüchen verpflichtet fühlt, die in seiner Fachtradition im Begriff der Evolution untergebracht waren.

Oder daß er, gefangen durch diese Tradition, keine Alternativen sieht? Eine Quelle möglicher Alternativen, der Darwinismus und die Theorie organischer Evolution, ist zu früh mißbraucht und dann blockiert worden. Inzwischen sind jedoch die theoretischen Strukturen dieses Bereichs durchsichtiger geworden. Voreilige Analogien verbieten sich von selbst. Dafür lassen sich auf abstrakterer Ebene Anregungen gewinnen, die den Evolutionsbegriff selbst betreffen und seine Assoziation mit der Einheit eines Entwicklungsprozesses auflösen.

4.

In Anlehnung an die erfolgreich arbeitende Theorie präorganischer und organischer Evolution kann auch sozio-kulturelle Evolution begriffen werden als ein *spezifischer Mechanismus für Strukturänderungen*, und zwar als ein Mechanismus, der »Zufall« zur Induktion von Strukturänderungen benutzt. Zufall heißt dabei nicht: ursachelose Spontaneität oder ungeregeltes Geschehen. Der Begriff hat nur systemrelative Bedeutung und bezeichnet das Fehlen einer Vorwegkoordination zwischen Ereignissen und Systemen. Für ein System sind Ereignisse zufällig, wenn sie nicht im Hinblick auf das System produziert werden.

Nur unter näher anzugebenden Bedingungen können solche Ereignisse – trotzdem und deswegen – strukturändernde Bedeutung gewinnen. Evolution ist, weil sie die Verarbeitung von Zufall betrifft, eine *sehr spezielle* Form von Strukturänderung. Das zeigt sich schon daran, daß keineswegs alle Systeme, im Bereich sozio-kultureller Evolution zum Beispiel nur Gesellschaftssysteme, evolutionäre Veränderungen erzeugen können. Deutlicher wird diese Besonderheit des evolutionären Strukturwandels, wenn man beachtet, daß drei Mechanismen zusammenwirken müssen, um Evolution zu erzeugen: *Variation, Selektion und Retention oder Stabilisierung.* Ihre Trennung und Reintegration dient der systeminternen Rekonstruktion des Zufalls und zugleich seiner Transformation in Strukturänderungen. Die Rekonstruktion des Zufalls erfordert, daß die Variation zunächst keine Rücksicht darauf nimmt, was seligiert werden kann; und daß die Selektion unter Kriterien operiert, die nicht schon Stabilisierbarkeit des Bevorzugten garantieren. Ausreichende Nichtabgestimmtheit der Mechanismen ist unerläßliche Evolutionsbedingung. Andererseits operieren die Mechanismen nicht beziehungslos nebeneinander. Sie definieren füreinander Bedingungen der Möglichkeit und Operationsspielräume; sie gewinnen ihre je spezifische Funktion nur mit Bezug auf Probleme, die sich aus den jeweils anderen Mechanismen ergeben, und produzieren im Effekt durch ihr Zusammenwirken bestimmte Wahrscheinlichkeiten, Häufigkeiten und Zeitverhältnisse von Strukturänderungen, die dann bei globaler Betrachtung wie ein Prozeß erscheinen können.

Wichtig aber bleibt für die Beurteilung des Fortschritts im Theorie-Arrangement, *daß die Vorstellung der Einheit des universalhistorischen Prozesses als Prämisse der Theorie zunächst entbehrt werden kann.* Man kommt beim Zugriff auf historische Daten ohne sie aus. Keine forschungstechnisch wichtige Entscheidung hängt von ihr ab. Ob die Effekte von Evolution bei genügender Verdichtung wie ein einziger Prozeß erscheinen, braucht die Evolutionstheorie nicht zu kümmern. Sie kann dies der Phänomenologie des Wahrnehmers überlassen oder dem besonderen Identifikationsbedarf der gesellschaftlichen Reflexion anheimstellen. Sie macht ihre theoretische Struktur davon unabhängig, ohne auszuschließen, daß ihre Ergebnisse im Sinne eines einheitlichen universalhistorischen Prozesses interpretiert werden können.

5.

Statt dessen wird die Frage relevant, wie die einzelnen Mechanismen, deren Zusammenwirken evolutionäre Strukturänderungen erzeugt, im Falle der soziokulturellen Evolution identifiziert werden können. Für die organische Evolution ist der Fall klar. Variation wird durch *Mutation* und bei komplexeren Organismen zusätzlich durch *genetische Rekombination* mittels bisexueller Reproduktion erzeugt. Die Selektion obliegt der *natürlichen Auslese*, die durch die Umweltbeziehungen des Einzelorganismus entscheidet, welche Formen größere Chancen haben, zur Reproduktion zu gelangen[16]. Die Stabilisierung erfolgt durch

[16] Vorausgesetzt ist hier die nachdarwinsche Erkenntnis, daß der Mechanismus

reproduktive Isolation von Populationen in ökologisch adäquaten Systemen, gibt also dem Einzelorganismus Überlebens- und Reproduktionschancen, die er für sich allein nicht hätte.

Für die Theorie sozio-kultureller Evolution fehlt einstweilen jeder Versuch, die zur Evolution beitragenden Mechanismen zu identifizieren[17], nachdem ein roher »Sozialdarwinismus«, der nur einen einzigen Faktor, den »Kampf ums Dasein«, heraushob, gescheitert war. Neuere Konzeptentwicklungen in der Theorie sozialer Systeme und in der Theorie symbolisch gesteuerter Kommunikation erlauben es jedoch, diese Lücke zu schließen.

Der Variationsmechanismus soziokultureller Evolution dürfte in der *sprachlichen Kommunikation* selbst liegen, die linguistisch nahezu unbegrenzte (aber doch genau geregelte und daher leicht verständliche) Möglichkeiten des Negierens bereitstellt. Jeder Kommunikation kann daher ein entsprechendes Negativ entgegengesetzt werden. Was immer in den Kommunikationsprozeß Eingang und in ihm Ausdruck findet, kann auch negiert werden. Von dieser Möglichkeit wird auch antizipativ Gebrauch gemacht. Deshalb verändern die großen Schwellen in der Entwicklung der Kommunikationstechniken, nämlich der Übergang von mündlicher zu zusätzlich schriftlicher und der Übergang von mündlich/schriftlicher zu zusätzlich technisch verbreiteter Kommunikation (Massenkommunikation) auch die Bedingungen der Evolution: Die Kapazitätserweiterung des Variationsmechanismus erfordert andere Formen der Selektion und andere Formen der Stabilisierung[18].

genetischer Reproduktion auf der Ebene der Organismen keinerlei Umwelteinflüssen mehr unterliegt, sondern nur noch über Chancen der Reproduktion im Effekt beeinflußt werden kann. Darin liegt für die organische Evolution die Trennung von Variationsmechanismus und Selektionsmechanismus.

[17] Eine ähnliche Problemstellung findet sich immerhin bei Donald T. Campbell, *Variation and selective retention in socio-cultural evolution.* In: *Social change in developing areas. A reinterpretation of evolutionary theory.* Hrsg. von H. R. Barringer, G. J. Blanksten und R. W. Mack, Cambridge, Mass. 1965, neu gedruckt in: General Systems 14 (1969). Vgl. auch Robert A. Le Vine, *Culture, behavior and personality.* Chicago 1973, S. 101 ff. als Anwendung des Darwin-Modells auf die Bezugseinheit »Culture and personality«; ferner Karl E. Weick, *The social psychology of organizing.* Reading, Mass. 1969.

[18] Es ist erstaunlich, wie wenig diese Zusammenhänge in der fachhistorischen Forschung bisher beachtet worden sind. Daher müssen sie zur Zeit als ungesicherte Hypothese formuliert werden. Für die sozialen und kulturellen Rückwirkungen der Verbreitung des Schriftgebrauchs siehe Eric A. Havelock, *Preface to Plato.* Cambridge, Mass. 1963; Harold A. Innis, *Empire and communications.* 2. Aufl. Toronto 1972 und *Literacy in traditional societies.* Hrsg. von J. Goody, Cambridge 1968. Für unmittelbare Konsequenzen der Erfindung der Drucktechnik

Außerdem kommen mit der Entwicklung von Institutionen der Konfliktkontrolle weitere Verstärkermechanismen ins Spiel, die die Wahrscheinlichkeit des Negierens, Ablehnens und Verweigerns erhöhen. Ähnlich wie im Falle organischer Evolution wird also auch hier mit dem Aufbau komplexerer Systeme die Variation verstärkt und beschleunigt, weil es anderenfalls extrem unwahrscheinlich werden würde, daß überhaupt Strukturänderungen auftreten; die evolutionäre Unwahrscheinlichkeit und die Schwierigkeitsschwelle sehr komplexer Systeme läge zu hoch. So war für die Entwicklung der modernen Gesellschaft sicher einer der ausschlaggebenden Faktoren, daß die als Eigentum in Rechtsform etablierte Abwehr-, Ablehnungs- und Selektionsfreiheit durch den Geldmechanismus verstärkt und zugleich von religiösen, politischen und nachbarlichen Hemmungen befreit wurde. Höhere Freiheit zum Nein war unerläßliche Voraussetzung einer höheren Spezifikation des Ja.

Für die Analyse des Selektionsmechanismus der soziokulturellen Evolution müßte eine Theorie *symbolisch generalisierter Kommunikationsmedien* entwickelt werden[19]. Solche Medien entstehen auf älteren Grundlagen (wie Eigentum oder politischer Macht) nach der Erfindung und Verbreitung von Schrift. Sie haben die spezifische Funktion, auch für relativ unwahrscheinliche Kommunikationsumstände und Kommunikationsinhalte noch gesicherte Annahmebereitschaft zu beschaffen. So toleriert man den Zugriff auf knappe Güter, *wenn* der Zugreifer Eigentümer ist oder bezahlt. Man übernimmt auch überraschende, enttäuschende Informationen oder sogar gedankliche Konstrukte, die man erst nach langer Bemühung versteht, *wenn* sie wahr sind. Man stellt sein Handeln auf höchstpersönliche Meinungen, Wertungen oder Empfindlichkeiten eines anderen ein, *wenn* man ihn liebt. Diese »Wenns« bleiben selbstverständlich nicht dem indi-

vgl. namentlich Elisabeth Eisenstein, *The advent of printing and the problem of the renaissance.* Past and Present 45 (1969); dies., *L'avènement de l'imprimerie et la réforme. Une nouvelle approche au problème du démembrement de la chrétienté occidentale.* Annales E.S.C. 26 (1971); R. Mondrou, *La trasmission de l'hérésie à l'époque moderne.* In: *Hérésies et sociétés dans l'Europe pré-industrielle 11e–18e siècles.* Hrsg. von J. Le Goff, Paris-Den Haag 1968; Otthein Rammstedt, *Stadtunruhen 1525.* In: *Der Deutsche Bauernkrieg 1524–1526* (Sonderheft 1 der Zeitschrift Geschichte und Gesellschaft). Hrsg. von H.-U. Wehler, Göttingen 1975, S. 265 ff.

[19] Vgl. Niklas Luhmann, *Einführende Bemerkungen zu einer Theorie symbolisch generalisierter Kommunikationsmedien.* In: ders., *Soziologische Aufklärung,* Bd. 2, Opladen 1975.

viduellen Belieben überlassen, sondern werden kulturell ausformuliert und vorgeschrieben. Problemsituationen dieses Typs, die kommunikativen Erfolg zunächst unwahrscheinlich machen, wirken wie Katalysatoren, die zur Entwicklung symbolischer Codes führen, die die Übertragungsleistung dann doch motivieren oder zumindest, aufs Ganze gesehen, wahrscheinlich machen. Kommunikativer Erfolg aber ist der Selektionsmechanismus sozialer Systeme, denn die dafür geltenden Bedingungen sichern, daß Sinngehalte nicht psychisch eingekapselt werden und verschwinden, sondern soziale Resonanz und Breitenwirkung gewinnen.

Was nicht heißt, daß damit allein schon die Erhaltung und Stabilität von Strukturmustern gesichert wäre. Nur über Kommunikationserfolge seligierte Sinngehalte können als Struktur retiniert werden. Ob dies geschieht, hängt aber von dem dritten evolutionären Mechanismus ab: der *Systembildung und Systemdifferenzierung*. Es müssen zusätzlich Bedingungen der Kompatibilität erfüllt werden, die sich auf Formen beziehen, welche das Komplexitätsgefälle zwischen System und Umwelt überwinden; nur dann gewinnt ein Sinngehalt Dauer dadurch, daß er sich in einen Kontext von Problemlösungen einfügt oder in diesem Kontext neue Varianten der Problemlösung substituiert.

Wie im Bereich der Variations- und Selektionsmechanismen gibt es auch im Falle der Systemstabilisierung eine Beziehung zur Komplexität der jeweiligen Gesellschaft, die die weiteren Analysen sozusagen historisiert und auf die Evolution der Evolution selbst zurückverweist. Hier werden die wesentlichen historischen Schwellen durch Übergänge zu anderen Formen primärer Systemdifferenzierung der Gesellschaft markiert, die jeweils andere, zunehmend offenere Möglichkeiten der Stabilisierung von Problemlösungen in Kraft setzen. Bei allen Schwierigkeiten, Übergangsfragen zu entscheiden und Epocheneinteilungen zu begründen, unterscheiden sich drei Typen deutlich: segmentäre Gesellschaften, stratifizierte Gesellschaften und funktional differenzierte Gesellschaften. Sie unterscheiden sich durch das für die Primärstrukturierung benutzte Differenzierungsprinzip und sodann durch die Komplexität gesellschaftsinterner und -externer Umwelten, die ermöglicht und mit Systembildungen kompatibel gemacht wird. In der Richtung von segmentären zu stratifizierten und zu funktional differenzierten Gesellschaften wächst das Potential für Stabilisierung von Neuerungen in Teilsystemen und damit zugleich das Tempo evolutionär erzeugter Strukturänderungen.

Nur auf sehr abstrakter Ebene läßt sich das Zusammenspiel dieser Mechanismen zureichend analysieren. Ihr Zusammenspiel ist eine höchst spezifische, höchst voraussetzungsvolle Weise, Strukturänderungen zu erzeugen. Strukturänderungen werden bei komplexen Systemen zunehmend schwieriger, weil zu hohe Interdependenzen und zu viele Voraussetzungen für jede Einzelentscheidung zusammentreffen. Daher wirkt das Problem der Komplexität selektiv auf die Mechanismen und ihr Zusammenspiel. Zunehmende Systemkomplexität wird durch Leistungsverstärkungen in den Einzelmechanismen kompensiert, die dann das Zusammenspiel ändern. Insofern »historisiert« das Problem der Komplexität die Mechanismen. Selbst ein Resultat der Evolution, ändert es die Bedingungen der Evolution ohne eine immanente Garantie dafür, daß für jede Komplexitätslage Strukturänderungen in der spezifischen Form von Evolution möglich sein werden. Es gibt eine Evolution der Evolution, und eben deshalb ist Evolution nicht notwendig.

6.

Die knappe Skizze der Theorie evolutionärer Mechanismen, auf die ich mich hier beschränken muß, kann nicht in Anspruch nehmen, die Durchführbarkeit der vorgeschlagenen Konzepte plausibel zu machen. Hinter ihnen stehen jeweils sehr komplexe Forschungsprogramme, die zunächst theoretisch weiter artikuliert werden müßten, bevor sie in bezug auf historische Fakten diskriminieren. In unserem Zusammenhang kommt es nur darauf an, die Art des Theoriewandels zu verdeutlichen, der damit angebahnt ist, und sein Verhältnis zum Leitthema Geschichte als Prozeß zu klären.

Rechtzeitiges Erkennen von Obsoleszenzen ist ein wesentliches Begleit- und Entlastungserfordernis aller Innovationen, auch im Wissenschaftsbereich. Die Herauslösung der Prozeß-Prämisse aus den Voraussetzungen der Evolutionstheorie, ja aus dem Evolutionsbegriff selbst, ermöglicht es, einigen Ballast abzuwerfen. Das gilt für die zuvor genannten Kontroversen Evolution versus Geschichte, Evolution versus Strukturanalyse, Evolution versus Diffusion. Das gilt ferner für all die irreführenden Vorurteile und Meinungen, die auf die berüchtigte Analogie von

Organismus und Gesellschaft fixiert und durch sie gebunden waren. Das auf organische und auf soziokulturelle Evolution anwendbare Modell der drei Mechanismen ist auf die Organismusanalogie nicht angewiesen; es wird nicht damit begründet, daß Gesellschaften letztlich Organismen (wenn auch, wie man seit Aristoteles sagte, unzusammenhängende Organismen) sind. In das Modell gehen zwar sehr abstrakte Annahmen über System/Umwelt-Beziehungen, Zeitverhältnisse in diesen Beziehungen und Komplexitätsprobleme ein; aber diese Annahmen müßten für eine Theorie des Organismus und für eine Theorie sozialer Systeme getrennt spezifiziert werden.

Es kommt nun aber darauf an, nicht zu viel über Bord zu werfen und die vorgeschlagene Konzeptionsänderung richtig zu verbuchen. Sie richtet sich nicht gegen den Prozeßbegriff als solchen, sondern unterläuft nur die Gleichung »Einheit des Systems = Einheit des Prozesses« bzw. den Schluß von der Einheit des Systems auf die Einheit des Prozesses mitsamt den darauf bezogenen Perspektiven und Kontroversen. Ein von Reflexionsbedürfnissen entlasteter Prozeßbegriff läßt sich lockerer formulieren und besser spezifizieren.

Letztlich besteht die Besonderheit von Prozessen darin, daß Ereignisse in einer Weise aufeinander verweisen, die nicht in der Form eines Bestandes strukturell generalisiert werden kann, sondern vergeht. Prozesse »bestehen« aus Ereignissen in der Weise, daß die Ereignisse in ihrem Sinn durch ein Vorher und ein Nachher konstituiert werden[20]. Dennoch lassen Prozesse sich nicht durch einen bloßen Vergleich des Vorher mit dem Nachher (Sukzessivvergleich, diachronische Komparatistik) erfassen[21]. Schon vergleichstechnisch müßte dabei eine Vergleichshinsicht und das heißt auch: die Gleichheit des Vergleichsgesichtspunktes mit dem Verglichenen, vorausgesetzt werden. Vor allem aber ließe sich ohne Bezug auf Nebeneindrücke, die das im Prozeß sich nicht Verändernde festhalten, die Selektionsrichtung und damit die Einheit des Prozesses gar nicht ausmachen[22]. Ein Pro-

[20] Das schließt es nicht aus, auch Strukturen in entsprechenden Globalperspektiven in bezug auf ihre Veränderung als Ereignisse anzusehen. Strukturen und Ereignisse bedingen sich wechselseitig, unterscheiden sich aber durch ihren Selektionsbereich. Vgl. dazu die differenzierte Analyse von Reinhart Koselleck, *Darstellung, Ereignis und Struktur*. In: *Geschichte heute. Positionen, Tendenzen, Probleme*. Hrsg. von G. Schulz, Göttingen 1973.

[21] Zur Phänomenologie des Sukzessivvergleichs vgl. Alfred Brunswig, *Das Vergleichen und die Relationserkenntnis*. Leipzig-Berlin 1910, S. 31 ff.

[22] Die absolut gesetzte Prozessualität der Geschichte muß solche »Nebenein-

zeß hat nämlich seine Einheit darin, daß er die *Selektivität* von Ereignissen durch *sequentielle* Interdependenz *verstärkt.* Dafür gibt es Mindestanforderungen, die für verschiedene Prozeßarten (z.B. Photosynthese, Stoffwechsel, Kommunikation) verschieden charakterisiert werden müssen. Sie betreffen die Identifizierbarkeit der Ereignisse, die Konsistenz der Verweisungsketten, die eine Übertragung von Selektivität ermöglichen, und die Nebeneindrücke, gegen die der Prozeß sich profiliert. Zu den Mindestanforderungen zählen *nicht:* Kontinuierlichkeit und Wiederholbarkeit des Prozesses. *Kontinuierlichkeit* ist eine Zusatzforderung, die *Reflexionsbedürfnisse* befriedigt; sie sichert Identität durch ununterbrochenen Zusammenhang der Vergangenheit mit der Gegenwart. *Wiederholbarkeit* ist eine Zusatzforderung, die *technische Bedürfnisse* der gesicherten Herstellbarkeit und des »Lernens aus der Geschichte« befriedigt. Von *beiden* Zusatzforderungen – ihre Trennbarkeit scheint ein neuzeitliches Phänomen zu sein – kann die historische Forschung *zunächst* absehen[23].

Übertragung und Verstärkung von Selektivität erfordert ein simultanes Präsenthalten von Geschehendem und Nichtgeschehendem. Ein Prozeß verbindet also nicht einfach Fakten, sondern bestimmtes Geschehen/Nichtgeschehen mit anderem Geschehen/Nichtgeschehen. *Diese Verbindung ist nur als eine zeitliche möglich.* Zeitlichkeit ist prozeßwesentlich nicht nur deshalb, weil Prozesse Reihenfolgen von Ereignissen sind, sondern weil ohne Anhaltspunkt in der *Selektivität* des Vorher die *Selektivität* des Nachher sich gar nicht bestimmen könnte[24]; dasjenige, was jeweils *nicht* geschieht, bliebe unbestimmt. Prozesse haben aus diesem Grunde eine *immanente* Historizität. Diese liegt nicht nur, ja nicht einmal in erster Linie in der Aufeinanderfolge von Zuständen oder Handlungen, sondern primär in der

drücke« ebenfalls voraussetzen, und sei es in der temporalisierten Form einer Gleichzeitigkeit des Ungleichzeitigen. Die Totalität des Prozesses findet ihren Gegenhalt dann in einer Paradoxie.

[23] Dies »zunächst« bezieht sich auf die begrifflichen, theoretischen und methodologischen Standards wahrer Aussagen und damit auf die besondere *Funktion* historischer Forschung im Kontext des Wissenschaftssystems. Damit soll nicht ausgeschlossen werden, daß der historischen Forschung auch *Leistungsbeiträge* für Prozesse der gesellschaftlichen Planung oder des Lernens abverlangt werden können, die in anderen Teilsystemen der Gesellschaft ablaufen. Aber das belastet die Begriffsbildung erkennbar mit Zusatzforderungen.

[24] Vgl. hierzu den Begriff der Kontingenzkausalität in Niklas Luhmann, *Evolution und Geschichte.* In: ders., *Soziologische Aufklärung*, Bd. 2, S. 155ff.

Bestimmung dessen, was als ausscheidende Möglichkeit dem Geschehen seine Konturen gibt. Sofern Prozesse eine Einheit sind, haben daher auch ihre späteren Phasen eine Art Verantwortung mitzutragen für das, was durch Geschichte vorgegeben ist. Aber es gibt zwei Formen dieser Verantwortung: Kontinuität und Diskontinuität. Man kann das Entstandene oder Erreichte bejahen oder zu ändern versuchen. Dadurch erhalten spätere Phasen ihre eigene Selektivität. Ihre Zugehörigkeit zu einem Prozeß bedeutet nicht notwendig (kann aber bedeuten), daß ihr Auswahlbereich zunehmend schrumpft.

Dieser Prozeßbegriff gibt Raum für Zeitdistanzen zwischen Ereignissen und schreibt begrifflich auch nicht vor, wie groß die Distanz werden kann, ohne die Identität des Prozesses zu gefährden. Man kann die Alphabetisierung der Schrift oder die Demokratisierung eines politischen Regimes, die Geschichte einer Dynastie oder die Schlachtenfolge eines Krieges als Prozeß beschreiben, ohne annehmen oder nachweisen zu müssen, daß in einem solchen Prozeß unaufhörlich etwas geschieht. Prozesse pausieren, die Akteure haben zwischendurch etwas anderes zu tun[25]. Unmittelbarkeit des Anschlusses (Kontiguität) ist sozusagen die primitivste Identitätsgarantie, kann als solche aber ersetzt werden durch besondere Vorkehrungen für die Spezifikation des Prozesses und die Identifikation der ihm zugehörigen Ereignisse. Der natürliche Schwund des Direktionswertes der Ereignisse im Laufe der Zeit muß aufgefangen werden. Differenziertere Systeme verfügen über bessere Spezifikationsmöglichkeiten und können sich daher auch größere Zeitdistanzen in ihren Prozessen leisten. Genealogien zum Beispiel hängen von der Prägnanz ausdifferenzierter Verwandtschaftsvorstellungen ab, die Überlieferung des Erscheinens Christi in der Welt durch eine Zeugenkette hängt ab von einem ausdifferenzierten Religionssystem. Mit Verzicht auf Kontiguität wird auch erreicht, daß nicht nur das unmittelbar Vorhergehende, sondern auch frühere Ereignisse noch selektive Relevanz besitzen, obwohl inzwischen andere auf sie gefolgt waren. All das erhöht in Abhängigkeit von systemstrukturellen Bedingungen die temporale Komplexität und damit das kombinatorische Potential eines Prozesses – die Verschiedenartigkeit der Ereignisse und der selektiven Beziehungen zwischen Ereignissen, die in einem Nacheinander möglich sind.

[25] Auch von hier aus sieht man, daß die Systemeinheit eines Akteurs (Person oder Kollektiv) nicht als Einheit eines Prozesses begriffen werden kann.

Die damit gegebenen Chancen lassen sich nur durch Bewußtsein ausnutzen. Von »historischen Prozessen« kann man sprechen, wenn die immanente Historizität eines Prozesses bewußt genutzt wird, um Fernverbindungen unter den selektiven Ereignissen herzustellen – sei es zu ihrer Entscheidung, sei es zu ihrer Interpretation. Das heißt aber nicht, daß die Einheit eines Prozesses bewußt gemacht werden müßte, damit überhaupt ein Prozeß zustandekommt, und auch nicht, daß alle zwischen Ereignissen eines Prozesses möglichen selektiven Beziehungen zum Entscheidungsfaktor gemacht werden. Eben deshalb hat der Historiker die Chance, mehr Prozesse und in den Prozessen mehr Komplexität zu sehen als diejenigen, die zum Prozeß selbst beitragen. Die Reichweite des im Prozeß wirksamen Selektionsbewußtseins ist für sein Bewußtsein ein Aspekt des Prozesses unter anderen.

7.

Die Entlastung von Erfordernissen gesamtgesellschaftlicher Reflexion und die begrifflichen Umdispositionen (das heißt: die wissenschaftssystemspezifischen Reflexionen), die den Evolutionsbegriff und den Prozeßbegriff trennen und den letzteren reformulieren, bedingen sich wechselseitig. Sie sollen als ein Komplex abgestimmter Maßnahmen Möglichkeiten einer reicheren theoretischen Instrumentierung der historischen Forschung erschließen. Wir wollen nunmehr diese Erwartung an einem Spezialproblem von erheblicher theoretischer Tragweite illustrieren: am Problem der geschichtlichen Epochen oder Perioden.

Geht man vom Konzept des universalhistorischen Prozesses oder der evolutionären Entwicklung aus, ist die Einteilung dieses Prozesses in Epochen notwendigerweise der nächste Schritt der Konkretisierung. Das Problem der Periodisierung, das als unlösbar oder bestenfalls als nur subjektiv lösbar gilt, stellt sich zwangsläufig. Schon beim zweiten Schritt läßt die Theorie uns im Stich, ohne auf diesen Schritt verzichten oder eine Alternative anraten zu können. Gibt man dagegen die auf der Ebene des gesamtgesellschaftlichen Systems universell angesetzte Prozeßvorstellung auf, entfällt das Substrat, das nach Einteilung verlangt; damit enfällt der *Zwang* zur Periodisierung in dem Sinne, daß *jeder* Zustand *jedes* Gesellschaftssystems zu *jedem* Zeitpunkt *einer und nur einer* Entwicklungsepoche zugeordnet werden müßte. Natürlich bleibt aber die Tatsache des (zuweilen abrupten, oft aber auch unmerklichen) historischen Wandels bestehen. Ihre Bearbeitung erfordert ein komplexes wissenschaftliches Instrumentarium.

Eines der unverzichtbaren Bestandstücke ist eine Systemtypologie auf der Ebene des Gesellschaftssystems. In sehr grober Einteilung kann man zum Beispiel nach dem Modus ihrer primären Innendifferenzierung segmentäre (archaische), stratifizierte (hochkulturelle) und funktional differenzierte (moderne) Gesellschaften unterscheiden. Diese Unterscheidung hat, wie hier nicht im einzelnen dargelegt werden kann, sehr weittragende Bedeutung für die Analyse systeminterner Möglichkeitsspielräume, sekundärer Systemdifferenzierungen, Temporalstrukturen, Umweltkonzeptionen, Kommunikationsmittel usw.[26]. Sie ist jedoch als solche keine Epocheneinteilung, geschweige denn eine Theorie, die den Übergang von einer Epoche zu einer anderen erklärte.

Dieses Konzept läßt sich, und das wäre der nächste Schritt, mit der oben skizzierten Theorie evolutionärer Mechanismen verbinden, da Systemdifferenzierung einer dieser Mechanismen ist und als solcher Bedingungen der Möglichkeit für die anderen mitfestlegt. Die Möglichkeiten und Häufigkeiten weiterer Strukturänderungen hängen davon ab, durch welche Form der Systemdifferenzierung vorangegangene Entwicklungen stabilisiert werden. Auch damit sind wir jedoch von jeder konkreten historischen Analyse gesellschaftlicher Veränderungen noch weit entfernt.

Für weitergreifende Analysen stehen Begriffe zur Verfügung, die als Hilfskonzepte der Evolutionstheorie angesehen werden müssen und ein Zusammenspiel evolutionstheoretischer und systemtheoretischer Ansätze voraussetzen. Hierzu zählen vor allem der Begriff der Äquifinalität, der Begriff der preadaptive advances, der Begriff der evolutionären Überleitungen und der Begriff der Typenprägnanz.

Äquifinalität besagt, daß unter der Bedingung von Evolution strukturell gleichartige Problemlösungen aus verschiedenartigen Ausgangslagen entwickelt werden können, weil in komplexen System/Umwelt-Beziehungen der Bereich möglicher Problem-

[26] Vgl. Niklas Luhmann, *Differentiation of society.* Canadian Journal of Sociology 2 (1977), S. 29–53.

lösungen sehr begrenzt ist[27]. Beispiele wären die unabhängige Entwicklung von Hochgott-Vorstellungen, von Stadtbildungen, von Schrift, von Eigentum in verschiedenen Gesellschaftssystemen.

Preadaptive advances[28] sind Errungenschaften, die im Rahmen eines älteren Ordnungstypus entwickelt und stabilisiert werden können, die aber erst nach weiteren strukturellen Änderungen des Systems in ihre endgültige Funktion eintreten. Preadaptive advances sind sozusagen Lösungen für Probleme, die noch gar nicht existieren. Sie entlasten den Strukturwandel trotz bestehender Interdependenzen vom Erfordernis der Simultaneität. Sie können strukturelle Veränderungen vorbereiten, ohne sie schon voraussetzen zu müssen. In diesem Sinne hat zum Beispiel das christlich geprägte, theologisch präzisierte Religionssystem des Mittelalters zahlreiche preadaptive advances für Politik, Wirtschaft und Wissenschaft der Neuzeit geliefert, als deren Grundlage zunächst eine theologisch motivierte Diskussion genügte[29]. Häufig wird man preadaptive advances entweder im Bereich von Technologien oder im Bereich symbolischer Strukturen suchen müssen. Vorentwicklungen in diesen Bereichen machen es möglich, riskantere, unwahrscheinlichere Formen der Rollen- und Systemdifferenzierung nachzuziehen[30].

In einem etwas engeren Sinne wollen wir von *evolutionären Überleitungen* sprechen, wenn Formen oder Institutionen eigens im Hinblick auf Umbruchsituationen entwickelt werden. Dies war bei zahlreichen Einrichtungen der sogenannten bürgerlichen Gesellschaft des 18. bis 20. Jahrhunderts vermutlich der Fall, galt wahrscheinlich für ihr ausgeprägtes Zukunftsbewußtsein[31], für

[27] Vgl. Ludwig von Bertalanffy, *Zu einer allgemeinen Systemlehre.* Biologia Generalis 19 (1949), S. 123 ff.

[28] Die Formulierung, deren englische Fassung wir übernehmen, findet sich bei Robert McC. Adams, *The evolution of urban society. Early Mesopotamia and prehispanic Mexico.* London 1966, S. 41 am Beispiel der technologischen Voraussetzungen der beginnenden regulären Landwirtschaft.

[29] Als Beispiel siehe Benjamin Nelsons These, daß der Zusammenhang von conscience, casuistry und universalities im mittelalterlichen Europa die Weiche für den Übergang zur neuzeitlichen Gesellschaft stellte. Siehe z. B.: *Scholastic rationales of »conscience«, early modern crises of credibility, and the scientific-technocultural revolutions of the 17th and 20th centuries.* Journal for the scientific study of religion 7 (1968).

[30] Diese Überlegung soll zugleich dazu beitragen, die fruchtlosen Kontroversen über die relative Bedeutung materieller oder geistiger, ökonomischer oder kultureller, energetischer oder informationeller Faktoren für die gesellschaftlichen Veränderungen durch Temporalisierung zu entschärfen.

[31] Vgl. Niklas Luhmann, *The future cannot begin. Temporal structures in modern society.* Social Research 43 (1976).

die Temporalisierung institutioneller Problemlösungen in Recht, Politik, Wirtschaft und Wissenschaft und für das Ausmaß, in dem Entscheidungen ohne Rücksicht auf sich aggregierende soziale Folgen privatisiert worden sind[32]. Wie preadaptive advances sind auch Überleitungsformen an Problemen orientiert, die nicht als Entwicklungsziele oder gar als Betriebsvorrichtungen des evolutionären Prozesses formuliert sind. Sie entstehen als Reaktionen auf Strukturprobleme des je gegenwärtigen Gesellschaftssystems und sind in ihrer Funktion für evolutionäre Veränderungen Zufallsprodukte. Auf konkreteren, formenspezifischen Ebenen der Analyse müßte die soziologische Theorie deshalb zu erklären versuchen, unter welchen weiteren Bedingungen solche Zufälle hinreichend wahrscheinlich sind und wie die verschiedenen preadaptive advances und Überleitungsformen über eine ausreichende Vorhaltezeit stabil gehalten werden können.

In ähnlicher Weise müssen *typenprägnante Problemlösungen* evolutionstheoretisch als Zufallserscheinungen behandelt werden, die jedoch, wenn sie auftreten, weitere Entwicklungen sozusagen faszinieren, wenn nicht binden. Als typenprägnant wollen wir Problemlösungen bezeichnen, die ihr Bezugsproblem ausdifferenzieren und sich darauf spezialisieren unter Überwindung von Risiken und unter Eliminierung von Alternativen. Bestands- und erhaltungsfunktional sind solche Formen nicht zu erklären, denn an sich genügen funktional diffuse, multivalent strukturierte Einrichtungen zur Erhaltung sozialer Systeme – in älteren Gesellschaften etwa auf der Basis von Familiensystemen oder Wohn- und Siedlungsgemeinschaften, sodann auf der Basis von Schichtung. Es bedarf daher besonderer Erklärungen für das Entstehen typenprägnanter Problemlösungen. Wichtige Beispiele sind funktional spezialisierte binäre Schematismen, etwa der Logik oder des Rechts, mitsamt ihren Subroutinen; ferner einige Fälle der Identifikation des gesamten Gesellschaftssystems aus der Perspektive nur eines funktionsspezifischen Teilsystems – so die griechische Formel der politischen Gesellschaft oder die he-

[32] Eines der zentralen ungelösten Probleme gegenwärtiger Soziologie ist in der Tat die Frage, ob die angedeuteten Strukturen notwendige Aspekte funktional differenzierter Gesellschaften sind, so daß sie nur unter Verzicht auf funktionale Differenzierung geändert werden können, oder ob es sich um evolutionäre Überleitungen handelt, die nur den Bruch mit traditionalen, stratifizierten Gesellschaftsformen und den Übergang zur modernen Gesellschaft durch provisorische Institutionalisierungen ertragen halfen.

bräische Formel der religiösen Gesellschaft[33]. Die Kombination dieser Errungenschaften in der Gedankenwelt und den Institutionen des europäischen Mittelalters hat dann endgültig den Gesellschaftstypus des haushaltsförmig verwalteten politisch-ökonomischen Großreiches überwunden[34] und damit den Weg gebahnt für eine Gesellschaftsformation mit stärkerer funktionaler Differenzierung und stärkerer Abstraktion und Spezifikation der Interdependenzen.

Ich breche die Erörterung analytischer Hilfsmittel einer Theorie sozio-kultureller Evolution hier ab. Die Andeutungen dürften genügen, um zu zeigen, in welchem Sinne soziologische Theorie ein Angebot vorlegen könnte, um die Vorstellung eines historischen Prozesses als Erklärung von Veränderungen (die der Prozeß selbst bewirkt) sowie das Phasen- oder Epochenkonzept als Konkretisierungsmittel abzulösen. Der Ersatz muß beschafft werden durch Verknüpfung einer *abstrakteren* Systemtypologie mit Begriffen und Hypothesen, die *spezifischer* auf Probleme des evolutionären Strukturwandels komplex strukturierter Gesellschaftssysteme bezogen sind.

8.

Abschließend müssen wir zu Fragen der gesamtgesellschaftlichen Reflexion zurückkehren. Diese Reflexionsebene erfordert die Vereinheitlichung der Zeitexistenz des Gesellschaftssystems unter der Vorstellung eines Prozesses. Gesellschaftlich wird vom Fachhistoriker Teilnahme an dieser Reflexion und Einbringen seiner Spezialkenntnis erwartet; er soll nicht nur von Geschichten, sondern von der Geschichte berichten. Dieser Forderung genügt die Geschichtswissenschaft derzeit durch unanalysierte Abstraktionen und durch Relevanzbehauptungen in bezug auf

[33] Es ist kein Wunder, daß im Phasen-Konzept der Evolutionstheorie von Talcott Parsons gerade diese beiden Fälle besonderer Typenprägnanz nicht eingeordnet werden können, sondern unter der ad-hoc-Bezeichnung »seed-bed societies« gesondert behandelt werden. Vgl. *Societies. Evolutionary and comparative perspectives.* Englewood Cliffs, N.J. 1966, S. 95ff. Deutsch: *Gesellschaften.* Frankfurt a.M. 1975, S. 149ff.

[34] Zu den weittragenden Konsequenzen der daran anschließenden Nichtidentität der Grenzen der politischen und ökonomischen Systeme der Gesellschaft siehe Immanuel Wallerstein, *The modern world-system. Capitalist agriculture and the origins of the European world-economy in the sixteenth century.* New York 1974.

konkrete Kausalitäten des Wechsels der Dynastien, der wichtigen Schlachten, des Getreidehandels, der Bevölkerungsvermehrung usw. Von hier aus ist die Frage, ob Geschichte ein Prozeß sei, ebenso provokativ wie unbeantwortbar gestellt. Die Evolutionstheorie zersetzt, wie gezeigt, die Vorstellung eines einheitlichen Entwicklungsprozesses, sie bietet aber in dem begrifflichen Apparat, den sie dafür substituiert, zugleich die Ausgangspunkte für eine Rekonstruktion. Die Auflösung des Gesellschaftswandels in die Effekte des Zusammenspiels der evolutionären Mechanismen bleibt nicht die letzterreichbare analytische Ebene. Sie führt vor die Frage, wie die Differenzierung dieser Mechanismen selbst entsteht und sich verändert.

Geschichtlich und durchaus empirisch ist aufweisbar, daß die Differenzierung der Mechanismen selbst ein Produkt der Evolution ist; daß also die Evolution die Bedingungen ihrer eigenen Möglichkeit selbst schafft. Das gilt für die organische Evolution, indem sie für die genetische Reproduktion den Umweg über den Organismus und für die Erhaltung komplexerer Organismen den Umweg über die Population ausbildet. Für die sozio-kulturelle Evolution läßt sich zeigen, daß auf der Anfangsbasis eines Sprachgebrauchs, der alle evolutionären Funktionen, nämlich Variation, Selektion und Stabilisierung, abdeckt, sich von Sprache funktional unterscheidbare Kommunikationsmedien und im Anschluß daran medienspezifische Funktionssysteme ausbilden – ein Vorgang, der die evolutionären Mechanismen auseinanderzieht, die Übergänge von archaischen zu hochkulturellen und von hochkulturellen zu modernen Gesellschaften evolutionär irreversibel (das heißt: nur noch destruktiv reversibel) macht und zugleich die Evolution beschleunigt. Man kann demnach davon ausgehen, daß Evolution selbst als ein Ergebnis von Evolution zu begreifen ist. Sofern sie selbst von Strukturen abhängt, die ihre Mechanismen differenzieren, ist sie auch jenem Verfahren der Strukturänderung ausgesetzt, das wir als Evolution bezeichnen.

Annahmen über Evolution der Evolution erleichtern manches. In der Theorie der organischen Evolution kann man mit ihrer Hilfe begründen, daß alle Strukturmerkmale, die der Evolution eine »Richtung« geben, nur epigenetisch und ihrerseits wiederum zufällig entstehen. So ist es Zufall und sehr seltene Ausnahme, wenn die Evolution zu Systemen von höherer struktureller Komplexität führt, die dann ihrerseits infolge ihrer Erhaltungsüberlegenheit die Ausgangslage weiterer Evolution verändern[35]. Ebenso ist es ein in den Mechanismen für Variation, Selektion und Stabilisierung nicht implizierter Zufall, wenn ihre Effekte kongruieren[36]. Das heißt: Im normalen Verlauf führt Evolution zu fortwährenden Entscheidungen über Erhaltung oder Ausmerzung von Varianten bestehender Strukturmuster; sie erzeugt dabei zugleich sich selbst als Ausnahmefall ihrer eigenen Ordnung, als Veränderung ihrer eigenen Bedingungen. In der Theorie sozio-kultureller Evolution gelten die gleichen Regeln – allerdings mit erheblich verringerter quantitativer Spannweite und entsprechend verringerter Nichtabgestimmtheit der Mechanismen. Das Entstehen komplexerer Systeme ist hier ein weniger seltener Ausnahmefall, und entsprechend ist die Richtung der Evolution deutlicher ausgeprägt, ohne daß ein prinzipiell anderer Typus der Strukturänderung (etwa einer, der Voraussicht implizierte) zum Zuge käme. Aber auch hier ist Evolution nicht einfach als »Bewegung vom Einfachen zum Komplexen« zu verstehen, diese Richtung der Evolution hat keine Formverwandtschaft zu ihren Mechanismen und kein Prinzip heimlicher Rationalität, so wie umgekehrt die Mechanismen der Evolution nicht einfach als Ursachen für Komplexitätssteigerungen zu begreifen sind. Auch hier liegt die Einheit des Prozesses nicht in einer richtunggebenden Entwicklung, sondern im Selbstaufbau der Bedingungen seiner Dynamik. Eben deshalb fehlt dem Prozeß auch die Garantie der Kontrollfähigkeit.

Es stecken natürlich zahllose ungelöste Probleme in der Detailerklärung dieses Vorgangs. Auch wird die Frage des Anfangs der Möglichkeit von Evolution überhaupt offengelassen, nämlich für jede Ebene der Evolution auf die nächstniedrigere Ebene zurückgeschoben – für die sozio-kulturelle Evolution also der organischen Evolution, für die organische Evolution der biochemischen Evolution überantwortet[37]. Solche Ungewißheiten be-

[35] Vgl. G. Ledyard Stebbins, *Adaptive shifts and evolutionary novelty. A compositionist approach.* In: *Studies in the philosophy of biology* (Anm. 11), S. 300ff.; ferner ders., *The basis of progressive evolution.* Chapel Hill, N.C. 1969.

[36] So explizit für einen Bereich sozio-kultureller Evolution Donald T. Campbell, *Unjustified variation and selective retention in scientific discovery.* In: *Studies in the philosophy of biology,* S. 143.

[37] Umgekehrt hatte die Entwicklungstheorie Probleme des Selbstbezugs in die Begriffe Anfang und Ende auslagern und als Merkmale des Anfangens und Endens paradoxieren müssen. Trotz aller Bemühungen de incipit et desinit, die vom Buch IV der *Physik* des Aristoteles angeregt wurden, haben sich auf dieser Basis keine theoretisch befriedigenden Antworten finden lassen. Dazu unter anderem

treffen aber, erforderliche Präzisierungen vorausgesetzt, nicht das Problem der temporalen Prämissen gesellschaftlicher Reflexion. Diese erfordert, heute jedenfalls, keine Festlegung auf begründende Anfänge und ist gegenüber Details anerkanntermaßen auf Selektion verwiesen.

Die genauere Analyse des Evolutionskonzepts zerstört, wie gezeigt, zunächst die dafür erforderliche Reflexionsbasis: die Einheit der Gesellschaft in der Zeit als Prozeß. Stellt man jedoch die Frage nach der Evolution der Evolution, gewinnt man diese Einheit in veränderter Form zurück. Denn Reflexivbildungen dieser Art setzen Identifikationen voraus, die das »Selbst« im Selbstbezug bestimmen. Das kann in diesem Fall nur durch die Prozeßvorstellung, nicht durch systemtheoretische Annahmen geleistet werden, da es in der Geschichte offensichtlich eine Mehrheit von Gesellschaftssystemen gibt. Zur These der Evolution der Evolution genötigt, kehrt die Evolutionstheorie zur Vorstellung der Einheit des historischen Prozesses zurück. Die gesuchte Einheit der temporalen Reflexion ergibt sich erst auf der Ebene eines reflexiven Prozesses.

Analysiert man nämlich die Struktur der Selbstreferenz im Falle von Prozessen genauer, dann erhellt ihr *nicht-teleologischer Charakter*. Reflexive Prozesse – zum Beispiel ein Zeichnen, das das Zeichnen des Zeichnenden einschließt, oder ein Wachsen, das auch den Wachstumsfaktor einbezieht, sich also beschleunigt – haben die Eigenart, *daß sie ihr Ende nicht selbst bestimmen können;* sie müssen von außen gestoppt werden. Im Unterschied dazu operieren teleologische Prozesse unter einer Sinnbestimmung, mit der sie sich selbst anhalten können. Sie hören auf, wenn sie ihr Ziel erreichen oder wenn feststeht, daß sie ihr Ziel nicht erreichen können. Es kann sich in beiden Fällen, wenn man Wertungen voraussetzt, um gute oder um schlechte Ziele handeln. Das begriffsbestimmende Moment der Teleologie liegt demnach nicht in der Wertung, es liegt in der Endungslogik, in der Sinnstruktur, die eine Entscheidung über das Ende im Prozeßvollzug selbst ermöglicht. Es ist denn auch nicht eine Umwertung von Werten, die parallel zur bürgerlichen Revolution dazu geführt hat, teleologische durch selbstreferentielle Naturbegriffe zu ersetzen; es ist der Bedarf für einen neuen Prozeßtypus, dessen Eigenlogik Anfang und Ende öffnet und der Bestimmung durch den Prozeß selbst entzieht.

Blickwinkel auch Luhmann, *The future cannot begin;* vgl. auch Anton Antweiler, *Die Anfanglosigkeit der Welt nach Thomas von Aquin und Kant.* Trier 1961.

Der Begriff der Entwicklung wird zunächst fortgeführt und adaptiert, vor allem historisiert im Hinblick auf das neuartige Zeitbewußtsein, das der Reflexivität schon Rechnung trägt. Er läßt sich jedoch im Grunde nicht weiterverwenden, nicht ins Anfang- und Endlose erstrecken. Entwicklung ist und bleibt eine Naturmetapher, sie kann nicht reflexiv werden. Das Konzept kann nicht so ausgearbeitet werden, daß man sich vorstellen könnte, wie der Prozeß natürlich-unilinearer Entfaltung von Anlagen oder der Prozeß einer naturgesetzlichen Ursachen/Wirkungskette sich durch Anwendung auf sich selbst steuern könnte, er bewirkt sich allenfalls selbst durch laufende Benutzung von Wirkungen als Ursachen für die weitere Entwicklung. Die Evolution dagegen hat ihre prozessuale Einheit nicht in der fortlaufenden Transformation von Wirkungen bisheriger Evolution in Ursachen weiterer Evolution, sie ist in diesem Sinne kein naturgesetzlich notwendiger, unaufhörlich laufender Prozeß der »natural causation«. Daher ist Evolutionstheorie auch kein ausreichendes Instrument, um konkrete Gesellschaftszustände historisch und zwingend zu erklären oder gar vorauszusagen. Sie gewinnt ihre Einheit erst durch eine Metaebene der Reflexivität. Ihr Einheitsmoment ist nicht der natürlich-anschauliche »Fluß« des Prozesses, sondern der Umstand, daß evolutionär erzeugte Strukturänderungen die Möglichkeiten weiterer Evolution mitverändern. Eine Ersetzung von Evolution durch Planung müßte das mitberücksichtigen.

Erst wenn man diesen Gegensatz von teleologischen und selbstreferentiellen, von entwicklungsmäßigen und evolutionären Prozessen begreift (und wenn man Wertungsfragen aus der Definition des Unterschiedes ausschaltet), erkennt man schließlich den Einsatzpunkt der Systemreflexion. Er liegt in der Disposition über das Ende. Selbstreferentielle Prozesse laufen nicht auf ihr selbstbestimmtes Ende zu, sie können kein Ende wollen, sie können das Ende nur negieren, weil sie nur von außen, das heißt durch die Umwelt, beendet werden können. Damit wird für Systeme, die sich auf solche Prozesse einstellen (zum Beispiel: ihr Wachstum oder ihre Evolution beschleunigen), die Erhaltung ihres Bestandes und ihrer Identität zum Problem. Die dafür in Betracht kommenden Mittel können nur solche der Umweltbeherrschung sein, die dafür geltenden Kriterien können keinem Telos entnommen, sondern müssen in wiederum selbstreferentiellen Prozessen bestimmt werden.

Wer die Einheit der Selbstreferenz in Prozeß und System

behauptet, macht die Reflexion selbst zum Ende. Das hat Hegel vorgeführt. Aber Prozeßreflexivität ist nicht schon Systemreflexion, ist nicht schon Einsatz von Systemidentität zur Steuerung von Selektionen. Die Einheit der Gesellschaft ist als momentaner »Stand der Evolution« nicht zureichend zu begreifen. Das ausgearbeitete Evolutionskonzept vermag jedoch die Zeitdimension gesellschaftlicher Existenz in einer Weise zu strukturieren, die mit einer Steigerung fachspezifischen Analysevermögens einen Beitrag zum Prozeß gesamtgesellschaftlicher Reflexion verbindet.

Shmuel Noah Eisenstadt

Soziologische Betrachtungen zum historischen Prozeß

Im folgenden möchte ich einige Bemerkungen zum Wesen des historischen Prozesses vorbringen, die sich auf die neuere Entwicklung der soziologischen Theorie im allgemeinen und auf die Studien zur Modernisierung im besonderen gründen[1].

A. Die Auffassung des historischen Prozesses in der soziologischen Theorie und in den Studien zur Modernisierung

1.

Die Frage nach dem Wesen des historischen Prozesses hat lange im Mittelpunkt der soziologischen Analyse gestanden, insbesondere bei den allgemeinen makrosoziologischen Untersuchungen und dem vergleichenden Studium von Gesellschaften und Kulturen. So war es schon seit den Anfängen der modernen Soziologie im frühen 19. Jahrhundert. Das vergleichende Interesse erwuchs aus derselben Wurzel wie die ganze moderne Soziologie: aus dem Bestreben, das Wesen der entstehenden modernen Gesellschaftsordnung und deren Unterschiede gegenüber anderen Typen von Gesellschaftsordnungen und Kulturen zu erfassen.

Die makrosoziologischen Untersuchungen konzentrierten sich auf drei Hauptprobleme: erstens die allgemeinen Merkmale einer »Gesellschaft« oder Gesellschaftsordnung; zweitens das vergleichende Studium verschiedener Typen von Gesellschaften und institutionellen Komplexen mit besonderer Berücksichtigung der Einzigartigkeit der modernen Gesellschaftsordnung; drittens die Erklärung der Unterschiede gesellschaftlicher Entwicklung mit Hilfe irgendwelcher »natürlicher« Kräfte oder Mechanismen, woraus man eine allgemeine Lehre von der Entwicklung der einzelnen Gesellschaften und der menschlichen Gesellschaft überhaupt abzuleiten versuchte.

[1] Die Darstellung stützt sich auf die zwei letzten Werke des Verfassers: *Tradition, change and modernity*. New York 1973, und *The form of sociology* (mit M. Curelaru), New York 1976.

Ihren ersten Höhepunkt erreichten diese Untersuchungen mit den Theorien gesellschaftlicher Evolution und den darum sich entfesselnden Kontroversen. Die großen Verfechter des Evolutionsgedankens, wie Auguste Comte, Herbert Spencer und Karl Marx, versuchten mit Hilfe einer vergleichenden Untersuchung von Gesellschaften, Bräuchen und Institutionen sowohl das Wesen der modernen Gesellschaft als auch das, was sie für den allgemeinen Trend ihrer stufenweisen Entwicklung hielten, herauszuarbeiten. Diese Etappen sollten zu einem Endstadium führen, in welchem eine höhere Stufe der Technik wie der sozialen Entwicklung mit einer Ausweitung der Freiheit, der Rationalität und des Fortschritts verbunden sein sollte.

Auch nach dem Zusammenbruch dieser großen Synthesen, ob positivistisch oder marxistisch, blieb die makrosoziologische Untersuchung evolutionärer Orientierung mindestens bis in die frühen zwanziger Jahre dieses Jahrhunderts eine zentrale Angelegenheit der theoretischen und kritischen Soziologie. Emile Durkheim, der zu den schärfsten Kritikern der positivistischen Evolutions-Soziologie gehörte, bewahrte doch in seiner Unterscheidung von »mechanischer« und »organischer« Arbeitsteilung deren vergleichend-evolutionäres Grundinteresse. Die Kombination einer Orientierung auf Evolution mit einer stark betonten vergleichenden Methode läßt sich auch noch in dem gründlichsten nachevolutionären Ansatz der Soziologie feststellen: dem Werk Max Webers. Dieser benutzte die vergleichende Methode nicht zur Illustrierung einer allgemeinen Entwicklungstendenz aller Gesellschaften. Er verwendete sie vielmehr zur Verdeutlichung einer bestimmten, in einer gegebenen Gesellschaft oder Gruppe von Gesellschaften vorherrschenden Tendenz, wobei zugleich auch ähnliche oder entgegengesetzte Tendenzen in anderen Gesellschaften beleuchtet werden sollten. Seine bekannteste Untersuchung betraf die wirtschaftlichen Orientierungen der großen Weltreligionen. Sie bildete für ihn die Grundlage einer Untersuchung der konfessionellen Entwicklung in Europa, namentlich des Aufkommens der protestantischen Ethik, die nach seiner Ansicht den modernen Kapitalismus entstehen ließ.

Allein, diese Arbeiten zeigen, daß Weber mit zwei Problemen vergleichender Analyse befaßt war, in denen die evolutionäre Perspektive in gewissem Maße weiterwirkte. Das eine war, daß er das Wesen moderner Gesellschaften im Gegensatz zu den prämodernen erfassen und das Ausmaß erkennen wollte, in dem die ganze Welt sich in der gleichen Richtung fortentwickeln könnte. Das zweite war eine Frage, die in gewissem Sinne auch schon Marx, Comte und Spencer beschäftigt hatte: daß er nämlich nicht nur Unterschiede zwischen modernen abendländischen Industriegesellschaften und »traditionalen« Gesellschaften verstehen, sondern auch erklären wollte, warum die moderne Gesellschaft mit ihrem Kapitalismus, ihrer rationalen Bürokratie und anderen typischen Eigenschaften nur in Europa entstand. Er fragte sich, ob die Tendenz zur Rationalisierung, Bürokratisierung und Entzauberung der Welt als eine Universaltendenz aller Gesellschaften und insbesondere aller modernen Gesellschaften angesehen werden kann.

2.

Dieses Interesse an vergleichenden makrosoziologischen Untersuchungen und an der Dynamik verschiedener Kulturen, unter besonderer Berücksichtigung der Beziehungen und Gegensätze zwischen modernen und prämodernen Gesellschaften im Abendland und in anderen Weltteilen, machte sich nach dem Zweiten Weltkrieg erneut geltend. In Soziologie, Politologie, Volkswirtschaftslehre und Anthropologie konzentrierte sich die Forschung auf Fragen der Entwicklung und der Modernisierung.

Die erneuerte makrosoziologische und vergleichende Forschung konzentrierte sich auf die Frage, wie man die »unterentwickelten« Gesellschaften »entwickeln« könnte. Das Ergebnis war eine Flut von Untersuchungen aus allen Sozialwissenschaften, mit neuen Ansätzen und einem neuen methodologischen Instrumentarium: nachkeynesianische und ökonometrische Studien auf wirtschaftlichem Gebiet, Untersuchungen von Einstellungen, Umfrageforschungen, demographische und ökologische, schließlich soziologische und politische Arbeiten. Sie verbanden sich mit neuen theoretischen Richtungen in Soziologie und politischer Wissenschaft, namentlich mit den systemtheoretischen Methoden der Analyse des gesellschaftlichen und politischen Lebens. Den größten Einfluß unter diesen hatte die in der Soziologie von Talcott Parsons entwickelte strukturell-funktionale Methode, die Gabriel Almond, David Easton und andere in die politische Wissenschaft übernommen und weiter ausgebaut haben. Diese Methoden behandeln Gesellschaften und politische Einheiten als Systeme, das heißt als Gebilde mit eigenen Grenzen, die sie von der Umwelt unterscheiden, und mit Mechanismen, die diese Grenzen aufrecht erhalten und ihre Kontinuität sichern.

Diese Kombination neuer Entwicklungen in der theoretischen Soziologie mit Forschungen in der »Dritten Welt« warf von neuem die klassischen Probleme der Gesellschaftstheorie auf. Dazu gehörten: Merkmale und innere Dynamik verschiedener Gesellschaftstypen, die Prozesse des Wandels und die Bedingungen der Stabilität solcher Gesellschaften, der Übergang von einem Typ zum anderen und die Frage, wieweit solche Übergänge eine erkennbare allgemeine Tendenz der Entwicklung vom Einfachen zum Komplexen aufweisen. Die Untersuchung des geschichtlichen Prozesses rückte wieder in die vorderste Linie der Soziologie.

Diese Forschungsrichtung beherrschte die vergleichenden Untersuchungen der Sozialwissenschaften in den fünfziger und sechziger Jahren. Vor allem suchte sie die Unterschiede zwischen traditionalen und modernen Gesellschaften zu definieren. Die Methoden waren vielfältig; insbesondere verwendete man soziodemographische Indices wie Verstädterung, berufliche Struktur, Verbreitung von Kommunikationsmedien u. dgl. Man definierte ferner nach strukturellen Unterschieden: traditionale Gesellschaften waren, um in Parsons' Terminologie zu sprechen, durch partikularistische und askriptive Kriterien der Rollenzuweisung charakterisiert, moderne dagegen nach universalistischen und Leistungskriterien. Die Unterschiede zwischen traditionalen und modernen Gesellschaften wurden meist nach den System-Problemen gruppiert, mit denen sie fertigwerden, oder nach den Umwelten, sowohl inneren (sozialen, kulturellen) als auch äußeren (technischen, wirtschaftlichen), die sie meistern konnten.

In dieser Perspektive erschienen die traditionalen Gesellschaften im Grunde als sehr restriktiv und beschränkt, die modernen dagegen als weit expansiver und viel besser befähigt, sich einem wachsenden Bereich innerer wie äußerer Umwelten und Probleme anzupassen. Man betonte besonders die Fähigkeit, Wandel im allgemeinen und wirtschaftliche Entwicklung und Industrialisierung im besonderen zu bewältigen. Die von den Klassikern der Soziologie hervorgehobenen Seiten des modernen Lebens, wie Rationalität, Freiheit oder Fortschritt, wurden hier unter den expansiven »System-Qualitäten« der Gesellschaften subsumiert. Ohne sie ganz zu vernachlässigen, nahm man an, daß die anderen Eigenschaften der modernen Ordnung sozusagen selbsttätig aus der Fähigkeit folgen, zu wachsen und Veränderung zu ertragen.

3.

Angesichts der zentralen Rolle der Entwicklung genügte es freilich nicht, die Unterschiede zwischen modernen und traditionalen Gesellschaften herauszuarbeiten. Nicht minder wichtig war die Frage, wie der Übergang von diesen zu jenen bewerkstelligt werden konnte. Die Modellvorstellung dieser Forschungsrichtung war von dem Gedanken geleitet, daß die fast völlige Zerstörung aller traditionalen Elemente notwendig wäre, um die Bedingungen für eine funktionsfähige, wachsende, moderne Gesellschaft zu schaffen. Zu diesen Bedingungen gehörte die kontinuierliche Zunahme hinsichtlich der Merkmale, die die oben aufgeführten sozio-demographischen und/oder strukturellen Indices erfassen. Die nach diesem Paradigma arbeitenden Forscher gingen von zwei grundlegenden Annahmen für den Übergang vom traditionalen zum modernen System aus. Zunächst nahmen sie an, daß der Modernisierungsprozeß in der wirtschaftlichen, politischen und anderen institutionellen Sphären überall so ziemlich nach dem gleichen Schema verliefe. Zweitens setzten sie voraus, daß es, sobald einmal die institutionellen Kerne eines modernen Systems auf einem dieser Gebiete geschaffen waren, von selbst zu einer analogen, irreversiblen Entwicklung in Struktur und Organisation aller anderen gesellschaftlichen Bereiche und zu einem ständigen Wachstum in der gemeinsamen evolutionären Richtung käme.

Dies waren die Leitgedanken für die ersten Untersuchungen der »Übergangsgesellschaften« und ihrer Fähigkeit zur Wandlung. Gerade die auf dieser Grundlage versuchten Erklärungen der »Wandelbarkeit« führten aber zur allmählichen Aushöhlung des ursprünglichen Modernisierungsmodells. Dies wird am ehesten deutlich an der Weise, in der mit dem Begriff der Stufen beim Studium des Übergangs von traditionalen zu modernen Gesellschaften gearbeitet wurde. Es zeigt sich aber auch darin, daß man die Verschiedenheit und Wandelbarkeit traditionaler Gesellschaften aus ihrer Fähigkeit, den Übergang zu bewirken, erklärte.

Typologisch waren die Übergangsgesellschaften als eine bestimmte Stufe der Entwicklung menschlicher Gesellschaften aufzufassen. Sie standen nach den »Modernisierungs«-Indices zwischen den traditionalen und modernen Gesellschaften. Aber dieser Begriff wurde auch dynamisch ausgelegt. Man betonte den Übergangscharakter und die inhärenten Tendenzen, die jene

Gesellschaften in die Richtung der Modernität drängten. Das führte dazu, daß gegenüber der vermuteten, auf das Endstadium der Modernität gerichteten Dynamik in den ersten Studien zur Modernisierungsfrage die System-Eigenschaften und die statischen, auf Selbsterhaltung gerichteten Tendenzen der Übergangsgesellschaften vernachlässigt wurden. Freilich räumte man ein, daß manche Gesellschaften an einem Zwischenstadium »haltmachen« könnten.

Dementsprechend untersuchte man nichtmoderne Gesellschaften auf ihren relativen Widerstand gegen innere oder äußere Modernisierungskräfte. Obwohl man zunehmend erkannte, daß die Übergangsgesellschaften sehr verschieden sein konnten, hielt man an der Annahme fest, daß diese Verschiedenheiten im Endstadium der Modernität verschwinden würden. Die Theorie der Konvergenz der Industriegesellschaften, die Clark Kerr am beredtesten vertrat, behauptete, daß zum Schluß alle modernen industriellen Systeme im Grunde gleichartige institutionelle Züge entwickeln würden. Dahinter stand die Überzeugung von der Unvermeidlichkeit des Fortschritts zur Modernität, ob politisch oder industriell.

4.

Seit Beginn und noch mehr seit der Mitte der sechziger Jahre gaben die Weltentwicklung wie der Forschungstrend Anstoß zu weitreichender Kritik der erwähnten Annahmen. Diese ging von mehreren Punkten aus und berührte nicht nur die Fragen der Entwicklung und Modernisierung, sondern auch Grundfragen der soziologischen Analyse. Hinter der Debatte konnte man oft auch politische und ideologische Differenzen erkennen, die mitunter recht heftigen Ausdruck fanden. Im Brennpunkt der Kritik stand die angebliche Geschichtslosigkeit und »Europazentrik« jenes ersten Modernisierungsmodells und die damit eng verbundene Dichotomie zwischen Tradition und Modernität.

Die Kritik an der »Ungeschichtlichkeit« und »westlichen Orientierung« des Modells wurde in zwei konkreten Richtungen entwickelt, die direkt das Problem der kulturellen Dynamik berühren. Die eine Richtung führte zu einer Neubewertung der Rolle, die die historische Kontinuität bei der Gestaltung der gesellschaftlichen Entwicklung spielt. Zunehmend mußte man erkennen, daß manche Unterschiede in den strukturellen und symbolischen Konturen moderner Gesellschaften und ihrer Dynamik mit ihren je besonderen geschichtlichen Traditionen zusammenhängen können.

Besonders wichtig war in diesem Zusammenhang die Entwicklung des Begriffs »Patrimonialismus«, mit dem man das politische Regime mancher neuer Staaten erfaßte. Der Ausdruck »patrimonial« deutete auf die Mängel der zentralen Begriffe und Annahmen in den bisherigen Studien zur Modernisierung hin. Zunächst zeigte sich, daß viele dieser Gesellschaften und Staaten sich nicht in Richtung auf moderne europäische Nationen entwickelten. Zweitens erkannte man, daß diese Gesellschaften nicht notwendigerweise eine Übergangsphase auf einem unvermeidlichen Weg zum europäischen Typ der Modernität waren. Drittens stellte man trotzdem das Vorhandensein einer gewissen inneren »Logik« in ihrer Entwicklung fest. Schließlich verwies man darauf, daß zumindest ein Teil dieser Logik bzw. des Entwicklungsmusters aus den Traditionen der betreffenden Gesellschaften stammte. Die Kritiker des bisherigen Modernisierungsmodells wollten die Entwicklung der Gesellschaften mehr im Sinne einer »Entfaltung« ihrer inhärenten Traditionen deuten als im Sinne einer angeblichen Bewegung auf ein feststehendes Endstadium zu.

Die andere und in gewissem Sinne entgegengesetzte Richtung der Kritik betonte den einmaligen geschichtlichen Charakter der Modernität. Diese Einstellung ist in den Arbeiten zahlreicher moderner Marxisten und Halbmarxisten besonders deutlich zu erkennen. Sie betonen, daß der Modernisierungsprozeß nicht universal ist und durchaus nicht zur Natur jeder Gesellschaft gehört. Vielmehr, so wird hervorgehoben, gehört er in eine einmalige geschichtliche Situation, die mit verschiedenen Aspekten der europäischen Expansion zusammenhängt, namentlich mit der Expansion des Kapitalismus und der anschließenden Errichtung eines neuen internationalen Systems herrschender und abhängiger Gesellschaften.

B. Die Bedeutung der gegenwärtigen soziologischen Diskussion für die Beurteilung des historischen Prozesses

5.

Die Kritik des frühen Modernisierungsmodells traf sich vielfach mit der allgemeinen Diskussion der Grundfragen der soziologischen Theorie, namentlich hinsichtlich der strukturell-funktionalen Theorie und der Grenzen ihrer Anwendbarkeit auf die Untersuchung sozialen und historischen Wandels.

Die soziologische Diskussion ließ die verschiedensten neuen Modelle und Methoden entstehen. Dazu gehören: das Konfliktmodell von Ralf Dahrendorf und John Rex; das Austauschmodell von George C. Homans und in gewissem Grade auch Peter Blau; das symbolisch-strukturalistische Modell von Claude Lévi-Strauss; auch die Wiederaufnahme und Weiterentwicklung älterer Modelle, so des symbolisch-interaktionistischen Modells, aus dem die Ethnomethodologie entstand, und des marxistischen Modells. Die Diskussionen um diese Modelle, speziell um deren Gegensatz zum strukturell-funktionalen, bildeten den Brennpunkt der theoretischen Auseinandersetzungen in der Soziologie, besonders bei den makrosoziologischen Analysen.

Die Verfechter aller dieser Modelle behaupteten, daß das strukturell-funktionale Modell dazu neige, die Autonomie der Individuen und Untergruppen stark zu unterschätzen, ihre Interessen und Konflikte, überhaupt die kulturellen oder symbolischen Dimensionen menschlichen Handelns zu vernachlässigen. Alles werde den organisatorischen Bedürfnissen des gesellschaftlichen Systems untergeordnet.

In jedem dieser Modelle wurde eine Seite des gesellschaftlichen Lebens betont, die von der strukturell-funktionalen Schule vernachlässigt worden sei. Die Austausch- und Konfliktmodelle hoben die Motive, Interessen und Konflikte hervor, die in der Gesellschaft zwischen den verschiedenen gesellschaftlich Handelnden, den Individuen oder Gruppen entstehen. Die symbolisch-interaktionistische Schule legte das Gewicht darauf, daß die normative Definition von Situationen, in denen die Menschen aufeinander einwirken, nicht einfach durch die gesellschaftlichen Werte gegeben ist, sondern ständig von denen, die in diesen Situationen miteinander agieren, neu konstruiert wird. Die Strukturalisten und in gewissem Sinne auch die Marxisten betonten einige »tiefere« symbolische oder symbolisch-strukturelle Dimensionen des menschlichen Lebens oder der Gesellschaftsordnung als Schlüssel zum Verständnis der Strukturierung und Dynamik der Gesellschaft.

Ungeachtet der Unterschiede zwischen diesen Modellen behaupteten alle ihre Verfechter, daß das strukturellfunktionale Modell nicht in der Lage sei, Konflikt und Wandel zu erklären. Das wurde auf dessen Grundannahmen zurückgeführt, namentlich auf die Betonung der engen gegenseitigen Beziehungen der einzelnen Teile der Gesellschaft; auf die Annahme grenzstabilisierender Mechanismen der gesellschaftlichen Kontrolle; auf die Annahme eines gesellschaftlichen Konsensus über gemeinsame Werte und Ziele; schließlich auf die stillschweigende Unterschätzung von Macht und Zwang als Mittel der gesellschaftlichen Integration. Die meisten Anwälte der neuen Modelle behaupteten, daß aus diesen Gründen das strukturell-funktionale Modell unhistorisch sei und auf die Erklärung einer konkreten geschichtlichen Situation oder eines konkreten Phänomens unter Heranziehung früherer Prozesse oder Einflüsse verzichte zugunsten einer »statischen« oder »zirkulären« Theorie mit stark konservativer Neigung.

Entsprechend dieser Einstellung waren die Vertreter der neuen Ansätze meist nicht geneigt, die »natürliche« Gegebenheit irgendwelcher Institutionen auf Grund der organisatorischen oder systemspezifischen Notwendigkeiten der betreffenden Gesellschaften zu akzeptieren. Ob es sich um die formale Struktur einer Fabrik oder eines Krankenhauses handelte, um die Arbeitsteilung in der Familie, um die anerkannte Definition abweichenden Verhaltens, um die Rolle des Rituals unter gegebenen gesellschaftlichen Verhältnissen oder die Verhaltensweisen, die sich unter diesen Verhältnissen entwickelten: es genügte nicht mehr, diese Institutionen ausschließlich oder hauptsächlich auf ihren Beitrag zur Erhaltung dieser oder jener Gruppe bzw. Gesellschaft zu prüfen. Vielmehr wurde ihre Entstehung von einer Gegebenheit zu einem Problem gemacht, das nach Erklärung verlangte. Im Zuge dieser Problematisierung wurde gefragt, welche Kräfte jenseits der organisatorischen Bedürfnisse einer Gesellschaft die wichtigsten Einrichtungen erklären könnten.

Die Verfechter der neuen Modelle unterschieden sich hinsichtlich der Lösung des Problems und der Erklärung konkreter institutioneller Ordnungen. Ein namentlich bei den individualistischen und Konfliktschulen, aber auch bei der symbolisch-interaktionistischen zu findender Ansatz betonte, daß alle institutionellen Ordnungen durch Prozesse ständiger Wechselwirkung, ständigen Verhandelns und ständigen Kampfes der Beteiligten entstehen, aufrecht erhalten und verändert werden. Sie seien zu erklären auf Grund der Beziehungen, Kämpfe, Konflikte und Verhandlungen der beteiligten Mächte sowie der Koalitionen, die sich während dieser Vorgänge bilden. Zugleich betonte man, wie wichtig für die Analyse »ganzer« Gesellschaften makrosoziologischer Ordnung einerseits die Autonomie von Untergruppen und Subsystemen sei (welche Ziele aufstellen können, die von denen der Gesamtheit abweichen), andererseits die »Umwelten«, in denen die Gesellschaften operieren – vor allem das internationale System.

Der zweite, scheinbar entgegengesetzte Ansatz fand sich namentlich bei den Strukturalisten und Marxisten. Wie schon erwähnt, wollte man hier das Wesen jeder gegebenen institutionellen Ordnung, im besonderen ihre Dynamik, aus irgendwelchen Prinzipien einer »tieferen« oder »verborgenen« Struktur erklären. Diese Prinzipien ähnelten denen, die nach Linguisten wie Noam Chomsky für die Tiefenstruktur einer Sprache maßgebend sind. Bei der Identifizierung dieser Strukturprinzipien hoben die Strukturalisten die Bedeutung der symbolischen Dimensionen menschlichen Handelns, gewisser inhärenter Regeln des menschlichen Geistes hervor. Im Gegensatz hierzu betrachteten die Marxisten eine Kombination struktureller und symbolischer Dimensionen – so die Beziehungen zwischen Produktivkräften oder zwischen Produktion, Entfremdung und Klassenbewußtsein – als ausschlaggebend für die Tiefenstrukturen der Gesellschaften, von denen her deren institutionelle Züge und Dynamik zu erklären seien.

C. Neueinschätzung des historischen Prozesses der Modernisierung

6.

Die Vielfalt der Ansätze zur Behandlung der zentralen Frage läßt eine differenziertere, systematische Untersuchung einiger Grundprobleme der soziologischen Theorie als notwendig erscheinen. Zu untersuchen wäre insbesondere, wie kulturelle Einstellungen und Traditionen mit den Einrichtungen einer Gesellschaft verwoben sind; wieweit die institutionelle Ordnung von solchen Grundeinstellungen beeinflußt und geformt wird (daraus ließen sich vielleicht die Prinzipien der gesellschaftlichen Tiefenstruktur ableiten); wer die wesentlichen gesellschaftlich Handelnden sind, die als Träger solcher Orientierungen dienen; welches die gesellschaftlichen Mechanismen sind, das heißt die Prozesse der gesellschaftlichen Wechselwirkung und die Kämpfe, durch die die Träger der kulturellen Orientierung die

Bildung der institutionellen Struktur der Gesellschaften beeinflussen; schließlich, welche Wandlungsprozesse sich hier entwickeln.

Ein solcher Ansatz ist naturgemäß wichtig für die Erfassung der historischen Prozesse und für deren Betrachtung in den Kategorien der vergleichenden Soziologie. Um die Möglichkeit eines solchen Ansatzes zu illustrieren, soll hier weitergegangen werden in der Richtung jener Studien zur Modernisierung, die eine mögliche Kontinuität institutioneller Ordnungen in vielen Gesellschaften in den Vordergrund gestellt haben.

Zahlreiche Arbeiten haben gezeigt, daß es oft Kontinuität in der institutionellen Bewältigung von Problemen gibt: etwa in der Sphäre der Beziehung zwischen Zentrum und Peripherie, in der Machtstruktur oder in der Beziehung, die zwischen den Grundsätzen gesellschaftlicher Hierarchisierung und den Modernisierungsproblemen besteht. In solchen Gesellschaften entwickeln sich ähnliche Reaktionen auf andere Probleme, die sich hier »traditionell« oder »historisch« entwickelt haben. Diese Kontinuität ist eng mit derjenigen bestimmter gesellschaftlicher und kultureller Grundhaltungen verknüpft; noch in der nachtraditionalen Periode wird die Traditionsbildung davon beeinflußt.

Die enge Verknüpfung der kulturellen Einstellungen mit den verschiedenen Aspekten gesellschaftlicher Organisation deutet darauf hin, daß es sich hier nicht nur um allgemeine Wertorientierungen handelt. Vielmehr entsprechen sie eher dem, was Max Weber unter dem Begriff »Wirtschaftsethik« gefaßt hat: es sind allgemeine religiöse, ethische oder symbolische Einstellungen zu einer speziellen institutionellen Sphäre und ihren Problemen. Wenn eine solche Sphäre nach den gegebenen Prämissen bewertet wird, welche eine Tradition hinsichtlich der kosmischen Ordnung und des Ortes menschlicher Beziehungen und gesellschaftlicher Existenz in ihr aufstellt, so hat dies bestimmte strukturelle und verhaltensmäßige Folgen. Es entstehen Codes und Einstellungen, aus denen Richtlinien für die Behandlung der ewigen Probleme abgeleitet werden, die dem menschlichen Leben immanent sind. Vor allem bestimmen sie die Weise, in der man die Grundfragen der gesellschaftlichen und kulturellen Ordnung sieht, und die zugehörigen Fragestellungen. Die Codes unterscheiden sich auch von den immanenten »inhaltsbestimmten« Strukturen der verschiedenen Symbolbereiche oder geistigen Schöpfungen ebenso wie von den mehr oder weniger artikulierten Symbolmodellen der Gesellschaft.

Diese Codes kommen natürlich in symbolischen Formen zum Ausdruck. Oft sind sie am deutlichsten in organisierten, artikulierten kulturellen Systemen oder Artefakten ausgeprägt, ob Philosophie, Theologie oder Architektur. Aber die innere Struktur einer solchen Konstellation von Codes, wie sie in einer Bevölkerung herrschen, ist mit solchen geistigen Schöpfungen hinsichtlich ihrer eigenen logischen Dynamik und ihrer Voraussetzungen selten identisch. Was immer die System- oder Strukturmerkmale dieser Codes und ihrer Konstellationen bedeuten, artikuliert sich nicht in rein geistigen Modellen, sondern in ihrem Nebeneinander mit verschiedenen Problemebenen – denen, die den Systemproblemen der gesellschaftlichen Organisation, und denen, die den Problemen des soziokulturellen Lebens und der soziokulturellen Existenz inhärent sind. Daher können verschiedene Codes oder Konstellationen zwischen ihnen »unterhalb« ähnlich aussehender kultureller Schöpfungen oder symbolischer Idealausdrücke der eigentlichen gesellschaftlichen oder kulturellen Ordnung wirksam sein, ob sie in den Orthodoxien oder Heterodoxien einer bestimmten Kultur ausgedrückt sind oder nicht.

So dürfen wir vermuten, daß in den Konstellationen solcher in jeder Gesellschaft wirkender Codes eine wichtige, vielleicht die wichtigste Seite der verborgenen Struktur zu sehen ist: es sind die Regeln, nach denen sich die Mitglieder einer Gesellschaft hinsichtlich einiger der wesentlichsten Aspekte ihrer sozialen und politischen Systeme verhalten.

Diese Vermutung findet eine Stütze in der Tatsache, daß ein hoher Grad von Korrelation zwischen solchen Codes und den verschiedenen organisatorischen Aspekten der Gesellschaften besteht. Beispielsweise manifestieren die Strukturen des politischen Prozesses und mehrere Aspekte der hierarchischen Organisation, die vorhin betrachtet worden sind, zugrunde liegende Codes. Dasselbe gilt von den »fundamentaleren« Aspekten verschiedener sozialer Systeme. Zu diesen Aspekten gehören vor allem die Modelle der Partizipation, die Natur ihrer inneren und äußeren Krisen, die Art, wie sie mit ihnen fertig werden. Unsere Vermutung kann sich aber auch darauf gründen, daß diese Codes nachweislich die sozialen und politischen Systeme in »traditionalen« und »modernen« Gesellschaften in gleicher Weise beeinflussen.

7.

Die Wirkungsweise solcher Codes können wir kursorisch an einigen modernen oder in Modernisierung befindlichen Gesellschaften illustrieren. Beispielsweise ist die moderne sozio-politische Ordnung, die sich in Westeuropa entwickelt hat, durch folgende Merkmale charakterisiert:

a. ein hoher Grad der Kongruenz zwischen der kulturellen und der politischen Identität der Gebietsbevölkerung;

b. ein hohes Niveau der symbolischen und affektiven Verpflichtung gegenüber den politischen und kulturellen Zentren, ferner eine enge Beziehung zwischen diesen Zentren und den ursprünglicheren Dimensionen der menschlichen Existenz;

c. eine starke Betonung politisch definierter kollektiver Ziele für alle Angehörigen der nationalen Gemeinschaft;

d. ein relativ autonomer Zugang breiter Schichten zu Symbolen und Zentren.

Einige der für Europa spezifischen Muster der Partizipation und des Protests haben sich in enger Beziehung zu diesen Charakteristika entwickelt. Das wichtigste war, daß sowohl die politischen Gruppen als auch die autonomeren gesellschaftlichen Kräfte und Eliten dazu tendierten, sich zu den relativ autonomen, aber komplementären Einheiten oder Mächten von Staat und Gesellschaft zu kristallisieren. Diese Mächte haben ständig um ihre relative Bedeutung bei der Bildung der kulturellen und politischen Zentren der Nation und um die Regelung des Zugangs hierzu gekämpft. Die verschiedenen Prozesse des strukturellen Wandels und der Verschiebung, die mit der Modernisierung an der Peripherie einhergingen, ließen nicht nur verschiedene konkrete Probleme und Forderungen entstehen, sondern auch ein wachsendes Verlangen nach Beteiligung der Peripherie an den sozialen, politischen und kulturellen Ordnungen, das sich in dem Streben nach Zugang zu den Zentren dieser Ordnungen und Gesellschaften manifestierte.

Die Konvergenz zwischen konkreten sozio-ökonomischen Problemen und dem Streben nach Partizipation fand insbesondere in dem Begriff der »Klassengesellschaft« ihren Ausdruck, einer Gesellschaft, die aus potentiell oder aktuell antagonistischen Klassen besteht, deren jede viele verschiedene Berufsgruppen mit einem gewissen Grad von Autonomie umfaßt. Sie streben danach, den Umfang und den Inhalt der Zentren ihrer Gesellschaften durch politische Organisation zu beeinflussen und zu verändern.

Viele dieser Merkmale der europäischen, zum Staat organisierten Nationen ähneln denen, die auch in ihren prämodernen sozio-politischen Traditionen vorhanden waren. Die wichtigsten dieser Orientierungen waren: ein starker Aktivismus, der weitgehend aus den Traditionen des Stadtstaates stammte; die umfassende und aktive Verknüpfung der politischen Ordnung mit der kosmischen oder kulturellen, die aus vielen imperialen Traditionen und den großen Religionen erwuchs; schließlich die Tradition des autonomen Zugangs verschiedener Gruppen zu den Zentren der sozialen und kulturellen Ordnung, die sich zumindest teilweise von der pluralistisch-feudalen Struktur herleitete. Diese prämoderne europäische Struktur erwies sich als fruchtbarer Boden für die Fortsetzung und weitere Ausdehnung dieser Orientierungen in den genannten Richtungen. Die Ausdehnung wurde von den revolutionären Veränderungen in Handel und Produktion, der Entwicklung des Absolutismus, ferner von den transformierenden Effekten des Systems der Wertorientierungen des Protestantismus stark erleichtert.

Die anderen Gesellschaften kannten verschiedene der Orientierungen der westeuropäischen traditionalen Ordnung, die auf den Stadtstaat und den imperialen Hintergrund zurückgingen, nicht. So waren in Rußland, Japan und China die pluralistischen Elemente weit schwächer als in den feudalen oder Stadtstaaten. Ihre politischen Traditionen enthielten selten den gleichen Typ der Spaltung oder Dichotomie zwischen Staat und Gesellschaft, wie er sich in der europäischen Tradition bildete. Vielmehr betonten sie die kongruenten, aber oft passiven Beziehungen zwischen der kosmischen und der sozio-politischen Ordnung. Im Gegensatz zur westeuropäischen Tradition sah man die Beziehung zwischen politischer und gesellschaftlicher Ordnung nicht antithetisch. Eher dachte man in den Begriffen einer Verknüpfung dieser verschiedenen Funktionen innerhalb derselben Gruppe oder Organisation, gruppiert um einen gemeinsamen Mittelpunkt in der kosmischen Ordnung. Deshalb entwickelte sich – in Rußland zum Beispiel – im ganzen weder der Begriff eines relativ autonomen Zugangs der hauptsächlichen Schichten zu den politischen und kulturellen Zentren noch derjenige der Autonomie der sozialen und kulturellen Ordnung gegenüber der politischen.

Dementsprechend richteten sich die Forderungen breiterer Gruppen nach Zugang zum Zentrum im allgemeinen auf eine mögliche Teilnahme an der gesellschaftlichen und kulturellen

Ordnung (die das Zentrum bestimmte), oder sie führten zu Versuchen, das bestehende Zentrum zu stürzen und ein neues, ihm in den wesentlichen Eigenschaften ähnliches an seine Stelle zu setzen. Die Forderungen bezogen sich, aufs Ganze gesehen, selten auf den autonomen Zugang zum Zentrum, und es resultierte aus ihnen kaum eine ständige Auseinandersetzung mit ihm um den Einfluß bei der Gestaltung der Ordnung. Deshalb entwickelte sich in diesen Gesellschaften nicht derselbe Typ der autonomen Klassengesellschaft, des Klassenbewußtseins und des Klassenkampfes wie in Europa.

Selbstredend bedeutet das nicht, daß die großen Gruppen in diesen Gesellschaften keine Forderungen an das Zentrum gestellt hätten. Im Gegenteil, es wurden vielfach Forderungen erhoben, namentlich auf Verteilung von Mitteln durch das Zentrum. Diese Forderungen unterscheiden sich wenig von denjenigen, wie sie an traditionale patrimoniale Herrscher gestellt werden. Aber sie sind nicht notwendigerweise mit dem Verlangen nach Teilnahme an der politisch-kulturellen Ordnung verbunden, stellen nicht die Möglichkeit einer solchen Teilnahme und den Zugang hierzu in den Mittelpunkt.

Eine ähnliche Kontinuität findet sich in den traditionellen und modernen patrimonialen Regimen. Beide werden erstens durch die relativ schwache Verpflichtung gekennzeichnet, die man allgemein gegenüber einer umfassenderen gesellschaftlichen oder kulturellen Ordnung empfindet. Diese Ordnung ist meist etwas, das entweder beherrscht werden muß oder dem man sich anzupassen hat, aber nicht etwas, das eine bewußte Hingabe seitens derer verlangt, die daran teilnehmen oder davon umfaßt werden.

Zweitens tendieren diese Gesellschaften dazu, die Gegebenheit der kulturellen und sozialen Ordnung zu betonen. Oft scheint man die Möglichkeit einer aktiven autonomen Teilnahme irgendeiner sozialen Gruppe an der Gestaltung der Ordnung gar nicht zu bemerken, nicht einmal innerhalb der Grenzen, in denen dies in einem traditionalen System möglich wäre.

Drittens fehlt – das hängt mit den genannten Punkten eng zusammen – der Begriff einer Spannung zwischen einer »höheren« transzendentalen Ordnung und der Gesellschaftsordnung. Auch wenn diese Spannung in der religiösen Sphäre als wichtiges Element erkannt wird, wird die Notwendigkeit, sie durch »diesseitige« Betätigung (politisch, wirtschaftlich, wissenschaftlich) zu überwinden, nicht anerkannt.

Viertens spielt der autonome Zugang von Gruppen und

Schichten zur Macht relativ keine große Rolle. Diesen Zugang vermitteln meistens askriptive Einzelgruppen oder rituelle Experten, welche die gegebene Ordnung repräsentieren und meist vom Zentrum oder von Subzentren ernannt werden.

Fünftens wird nur eine schwache Verknüpfung zwischen breiteren universalistischen Begriffen und Orientierungen, ob religiös oder ideologisch, und der gegebenen Gesellschaftsordnung entwickelt. Die Teilnahme ist meist ritualistisch.

Sechstens ist eine relativ passive Haltung hinsichtlich des Akzeptierens der Grundvoraussetzungen der kulturellen Ordnung festzustellen, eine starke Betonung ihres Gegebenseins, selbst wenn die Grundvoraussetzungen der Modernität vorhanden sind.

Diese Auffassung der sozialen und politischen Ordnung führt zu einer weit schwächeren Orientierung auf aktive Teilnahme an den Zentren. Zugleich macht sich, besonders bei den breiteren modernen Gruppen, eine starke Abhängigkeit vom Zentrum hinsichtlich der Beschaffung von Mitteln und der Regelung ihrer eigenen inneren Angelegenheiten geltend. Nur sehr schwach entwickeln sich autonome Mechanismen der Selbstregulierung, wie aus dem Wesen der politischen Forderungen zu ersehen ist, die in diesen Gesellschaften auftreten.

Freilich hören Forderungen an das Zentrum in diesen Gesellschaften nicht auf. Vielmehr treten sie mit der Ausbreitung der fundamentalen Annahmen der Modernität ständig auf und artikulieren sich zunehmend in einer Weise, die den Mangel an Gruppenautonomie und die maßgebende Stellung des Zentrums in diesem Prozeß stark hervorhebt. Meist wird mehr Zugang zum Zentrum und mehr Mittelzuweisung durch das Zentrum verlangt. Man sucht aber nicht dessen Beherrschung, sondern verlangt Änderungen seines Inhalts und seiner Symbole oder auch die Schaffung neuer Typen gesellschaftlicher und kultureller Ordnung.

8.

Die Merkmale der verschiedenen Gesellschaftsordnungen verknüpfen sich in traditionalen wie in modernen Verhältnissen zu breiteren Modellen sozio-politischer Ordnungen. Man könnte zum Beispiel diejenigen zitieren, die in Westeuropa als »absolutistisch«, »ständisch« oder »nationalstaatlich« bezeichnet werden; die aristokratisch-imperialen und revolutionär-klassenmäßigen

Modelle Rußlands oder Chinas; die patrimonialen und neopatrimonialen Modelle, die bereits erwähnt wurden; ferner die japanischen, indischen, türkischen Modelle und andere. Wie wir gesehen haben, ist jedes Modell durch die Dominanz bestimmter Konstellationen von Codes charakterisiert.

Die Codes können in gleicher Weise in traditionalen wie modernen Gesellschaften existieren und fortdauern. Soweit dies der Fall ist, können sie Ähnlichkeiten bei der Lösung spezifischer Probleme aufweisen, obwohl die Probleme je nach den Umständen sehr verschieden sein mögen. Soweit eine solche Ähnlichkeit in »derselben« Gesellschaft in verschiedenen Perioden ihrer Entwicklung existiert oder fortdauert – quer durch soziale Differenzierung, Regimewechsel, Grenzen, Kollektive, Symbole kollektiver Identität –, können diese Konstellationen von Codes als wesentlicher Aspekt von Tradition und Kontinuität in diesen Gesellschaften gelten.

Man braucht aber nicht anzunehmen, daß jede Gesellschaft immer im Rahmen desselben »Modells« bleiben muß und daß sie das Modell, nach welchem ihre Struktur kristallisiert ist, nicht wechseln kann. Rußland, Mexiko, die Türkei und Kuba gehören zu den wichtigsten Beispielen eines solchen Modellwechsels. Solche Veränderungen können auch in anderen Ländern eintreten. Das Studium der Bedingungen, unter denen sie das tun, gehört natürlich zur vergleichenden Untersuchung der nachtraditionalen sozio-politischen Ordnungen. Was immer dabei herauskommen mag, es wird sich zweifellos zeigen, daß die verschiedenen nachtraditionalen Modelle nicht aus einer Art »Entfaltung« der Traditionen dieser Gesellschaften entstehen. Bei allen diesen Prozessen ist sehr viel offen. In jeder entsprechenden Situation stehen die Gesellschaft, ihre Eliten und Gruppen vor Problemen, zu deren Lösung sie eine Entscheidung zwischen verschiedenen Forderungen, verschiedenen Wegen der Politik treffen müssen. Weder die strukturelle Entwicklung noch die Tradition einer Gesellschaft bestimmt von vornherein das Ergebnis. In strukturell ähnlichen Situationen besteht immer ein Spielraum für Alternativen, unter denen – über das Wechselspiel der verschiedenen wirkenden Kräfte – eine Wahl getroffen wird.

Die Kristallisation solcher Entscheidungen aus mehreren möglichen Alternativen läßt sich leicht beobachten, wenn sie sich durch das Handeln einer revolutionären Elite vollzieht. Die Wahl zwischen Alternativen findet sich aber auch in weniger dramatischen Situationen. Sie manifestiert sich, nicht so konzentriert, in der Häufung von Druckwirkungen, die von verschiedenen Seiten kommen, und der anschließenden Reaktion von Eliten. Das war verschiedentlich der Fall in der ersten Phase der Modernisierung europäischer Länder. Die Wahl zwischen Alternativen ist auch hinsichtlich der Typen des politischen Regimes, die durch verschiedene Konstellationen der Codes geformt werden, erkennbar: in der Entwicklung autokratischer oder revolutionärer Regime im modernen Rußland oder in China, von plebiszitären oder Präsidialregimen im Westen, von konstitutionellen oder autokratischen Systemen in vielen neopatrimonialen Ländern.

Auf etwas weniger voll institutionalisiertem und formalem Niveau kristallisieren sich solche Entscheidungen in Hinsicht auf verschiedene Modelle der Rekonstruktion von Traditionen in nachtraditionalen Gesellschaften. Besonders bemerkenswert ist die Art, in der die verschiedenen Symbole der gesellschaftlichen Identität, die sich in Reaktion auf den Aufprall des kulturellen und politischen Drucks der Modernität entwickeln, geformt werden. Versteht man die Situationen als kulturelle Kontinuität oder Diskontinuität? Wie werden die verschiedenen »existierenden« Traditionen und Symbole der gesellschaftlichen Identität in den neuen symbolischen Rahmen eingebaut?

Jede nachtraditionale Gesellschaft oder politische Einheit steht unter dem Einfluß der Kombination der früher aufgezählten Bedingungen und Kräfte: des Niveaus der für Mobilisierung und Institutionenbildung verfügbaren Mittel; der Art, in der die Kräfte der Modernität auf die betreffende Gesellschaft aufprallen; der Struktur der Situation des Wandels, in der sie eingefangen werden; der unterschiedlichen Traditionen dieser Gesellschaften oder Kulturen, die in ihrer prämodernen sozio-ökonomischen Struktur verkörpert sind. Kombinationen dieser verschiedenen Elemente oder Kräfte beeinflussen verschiedene Aspekte der Konturen und der Dynamik nachtraditionaler sozio-politischer Ordnung. Dabei beeinflußt jede dieser Kräfte bestimmte Seiten der Entwicklung mehr als andere.

9.

Wir hoffen, daß die vorstehende Analyse, so vorläufig und kursorisch sie sein mag, nicht nur an sich Interesse findet, sondern auch deshalb, weil sie einige Möglichkeiten einer neuen Entwicklung soziologischer Forschung aufweist. Sowohl die kulturelle und die symbolische Dimension als auch die sozio-historische sind betont worden. Eine weitere Analyse, die hier aus Raumgründen unmöglich war, hätte noch ökologische Faktoren in Betracht ziehen müssen. Unsere Untersuchung hat aber keinem dieser Faktoren einen letztlich fundamentalen Charakter zugeschrieben und in keinem von ihnen die letzte »Ursache« der Dynamik von Gesellschaften und Kulturen erblickt. Vielmehr ist die Notwendigkeit hervorgehoben worden, die gesellschaftlichen Akteure und institutionellen Mechanismen zu identifizieren, über welche diese fundamentalen Dimensionen der menschlichen Betätigung in Gesellschaft und Kultur in einem Verhältnis dialektischer Spannung verknüpft sind, die den dauernden Mittelpunkt gesellschaftlicher und kultureller Dynamik bildet. Unsere Untersuchung hat die Vielfalt der kulturellen Einstellungen und der Typen gesellschaftlicher Organisation angedeutet, die Arten, in denen kulturelle Einstellung und gesellschaftliche Organisation sich kombinieren können, und die Mechanismen, die dabei ins Spiel kommen. Betont wurde, daß – obwohl diese Elemente gesellschaftlicher Aktion in allen Gesellschaften vorhanden sind – keine spezifische Kombination davon die natürliche ist. Dasselbe gilt von jedem spezifischen Modell des Wandels oder der Entwicklung. Damit wurde die relative Offenheit der Situationen des Wandels und des geschichtlichen Prozesses unterstrichen.

(Übersetzt von Walter Theimer)

Bruno Fritsch

Der Prozeßbegriff in der Sozialwissenschaft

In erster Annäherung können wir das Phänomen »Prozeß« als Veränderung von Zustandsweisen der einem System zugehörenden Elemente definieren. Da in dem hier behandelten Kontext die Veränderung der Zustandsweisen identifizierbarer Systemelemente die Dimension Zeit hat, wird im folgenden als »Prozeß« das von der Struktur des jeweiligen Systems und von den auf dieses System von außen einwirkenden Kräften abhängige *Zeitverhalten von Systemelementen* bezeichnet.

Als »System« sei im folgenden eine endliche Anzahl von Elementen verstanden, deren Zustandsweisen von einer Zufallsverteilung (random distribution) signifikant abweichen. Für Zwecke der empirischen Sozialforschung, insbesondere der Ökonometrie, müssen die Abweichungen von der Zufallsverteilung innerhalb der durch die mathematische Statistik definierten Konfidenzintervalle liegen, um auf der Grundlage eines Systems im oben definierten Sinne ein validierbares Modell erstellen zu können.

Die ein System konstituierenden Elemente werden als *Variable* bezeichnet. Sie können nach verschiedenen Kriterien klassifiziert werden. In bezug auf die in einem System ablaufenden Prozesse unterscheidet man endogene und exogene Variable. Endogene Variable sind – wie das Wort andeutet – durch die Vorgänge im System selbst bestimmt; exogene Variable stehen »außerhalb des Systems« und beeinflussen dessen Verhalten. Sie werden ihrerseits in keiner Weise durch das System bestimmt und sind voneinander unabhängig. In diesem Sinne sind solche Variable für das System ein Datum. So ist zum Beispiel das Auftreten von Sonnenflecken für die Landwirtschaft ein Datum: sie beeinflussen die Erträge der Landwirtschaft und damit die Volkswirtschaft als Ganzes, werden jedoch ihrerseits von den Zustandsweisen der Volkswirtschaft in keiner Weise beeinflußt.

In bezug auf die Steuerung eines Systems unterscheidet man z.B. in der Theorie der Wirtschaftspolitik zwischen Instrumental- und Zielvariablen. Im Bereich der quantitativen Wirtschaftspolitik sind die Zielvariablen – z.B. Beschäftigungsniveau, Preise, Einkommen etc. – vorgegeben. Gesucht werden unter

Berücksichtigung der Struktur der Volkswirtschaft (des Systems) die mit den Werten der Zielvariablen konsistenten Instrumentalvariablen wie z. B. der Zinssatz, der Steuersatz, der Wechselkurs usw. In diesem Falle sind die Werte der Instrumentalvariablen die Unbekannten des Systems, die sich aus den Gleichungen des Systems errechnen lassen, sofern das System nicht unterdeterminiert ist.

Es gibt darüber hinaus andere Einteilungen von Variablen. Langsame Variable sind Parameter. Sie bestimmen das Zeitverhalten der »schnellen« Variablen (state variables) und sind für das Prozeßverhalten des Systems – z. B. für dessen Stabilitätseigenschaften – verantwortlich[1].

Die Analyse von Prozessen legt die Unterscheidung von folgenden Systemtypen nahe:

Technisch-mechanische Systeme weisen in der Regel eine feste Verknüpfung von Variablen auf, sie sind zeitinvariant, d. h. der Prozeßcharakter ändert sich nicht, und die in ihnen ablaufenden Prozesse sind in der Regel reversibel (z. B. ein Tonband oder ein Auto kann in beiden Richtungen laufen). Technisch-mechanische Systeme sind darüber hinaus deterministisch, einschließlich ihrer Subsysteme, die untereinander fest verknüpft sind. Sie sind nicht redundant, morphostatisch, nur in Ausnahmefällen adaptiv und in den meisten Fällen linear.

Physikalisch-chemische Systeme sind in der Regel stochastisch; die Prozesse in solchen Systemen sind gerichtet, d. h. nicht ohne Systemerweiterung reversibel zu gestalten (z. B. kann eine chemische Verbindung nicht innerhalb der gleichen Systembedingungen »rückgängig« gemacht werden). Als besonders wichtiges Beispiel für die Irreversibilität eines Prozesses sei hier auf die Entropieentwicklung innerhalb eines geschlossenen Systems hingewiesen.

Biologische Systeme weisen gegenüber technisch-mechanischen Systemen einen hohen Grad an Komplexität auf. Sie sind nicht linear, zeitvariant (d. h. sie altern), adaptiv, morphogen, d. h. sie verändern ihre Struktur in der Wechselwirkung von Eigendynamik und Außeneinfluß; sie sind redundant und »zielsuchend« in bezug auf ihre evolutive Veränderung.

Soziale Systeme setzen sich aus technisch-mechanischen und biologischen Subsystemen zusammen. Insofern weisen sie einen sehr hohen Grad an Komplexität auf. Die in ihnen auftretenden

[1] Näheres dazu vgl. Jan Tinbergen, *On the theory of economic policy*. 2. Aufl. Amsterdam 1963.

Prozesse sind nichtlinear, stochastisch, irreversibel und diskontinuierlich.

Ökologische Systeme setzen sich aus technisch-physikalisch-chemischen und biologischen Subsystemen zusammen. Außer den oben genannten Eigenschaften weisen ökologische Prozesse Bimodalität sowie wegen der extremen Nichtlinearitäten Diskontinuitäten und das bekannte Verzögerungsverhalten (Hysterese) auf: ein See kann z. B. trotz kontinuierlicher Zufuhr von Fremdstoffen für längere Zeit im ursprünglichen dynamischen Gleichgewicht verbleiben, bis – ganz plötzlich – das »Umkippen«, z. B. durch Eutrophierung, eintritt. Man konnte erst vor kurzem mit Hilfe der sogenannten Katastrophentheorie, einem Spezialgebiet aus dem Bereich der Differenzialtopologie, die wichtigsten Strukturen dieser Prozesse aufdecken[2].

Sozio-ökologische Systeme sind die weitaus komplexesten, vereinigen sie doch alle oben genannten Systemeigenschaften in sich: die in ihnen auftretenden Prozesse sind nichtlinear, irreversibel, diskontinuierlich und zeitvariant. Die Systeme sind morphogen, teilweise adaptiv, nur in Grenzen zielsuchend, in der Regel hierarchisch gegliedert und innerhalb bestimmter Grenzwerte multistabil.

Faßt man die Volkswirtschaft als Regelkreis auf, dann lassen sich die prozeßrelevanten Elemente wie folgt darstellen[3]:

»Regeleinrichtung«: die wirtschaftspolitischen Institutionen

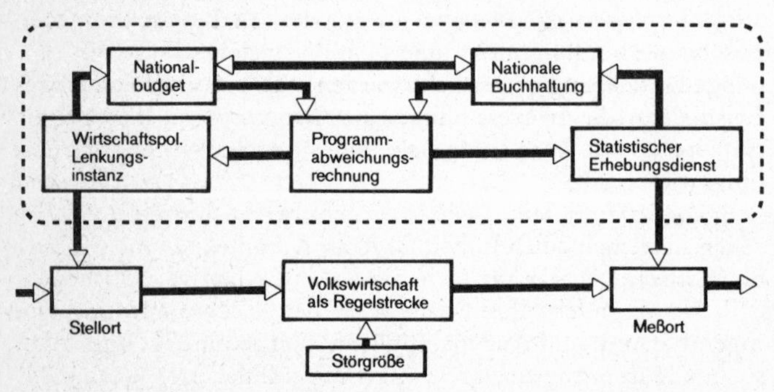

[2] Vgl. dazu z. B. C. S. Holling, *Resilience and stability of ecological systems.* International Institute for Applied Systems Analysis, Laxenburg, Austria, RR-73-3, 1973; D. D. Jones, *The Application of catastrophe theory to ecological systems.* Ebd., RR-75-15, 1975.

[3] Vgl. A. Adam, E. Helten und F. Scholl, *Kybernetische Modelle und Methoden.* Köln-Opladen 1970, S. 121.

In einem solchen System treten mit einer an Sicherheit grenzenden Wahrscheinlichkeit *Nichtlinearitäten* auf. Die Schwingungen der Ausgangsgrößen sind von der Amplitude abhängig (analog einer Feder). Die Überlagerung von Eigenschwingung des Systems und exogenen Störungen ist nicht mehr in allen Fällen mathematisch abbildbar. Es treten Diskontinuitäten, Verzögerungsverhalten (Hysterese) sowie Bimodalität auf. Solche Nichtlinearitäten, bedingt durch Multiplikation und/oder Division der Eingangsimpulse, werfen mathematisch schwierig zu behandelnde Stabilitätsprobleme auf[4]. Besonders erwähnenswert sind in diesem Zusammenhang die neueren Untersuchungen der IIASA, insbesondere die Arbeiten von H. R. Grümm[5].

Versucht man darüber hinaus technische, ökonomische, ökologische und politische Systemelemente integrativ abzubilden, nimmt der Komplexitätsgrad dermaßen zu, daß mathematisch exakte Prozeßanalysen sowohl wegen der schwierigen Parametrisierung der Modelle als auch wegen ihrer strukturellen Komplexität unmöglich werden. Man ist deshalb auf Simulationsmethoden angewiesen, wie sie z. B. in den verschiedenen Weltmodellen von Forrester/Meadows, Pestel/Mesarovich und der Bariloche-Gruppe zur Anwendung gelangt sind. Von diesen drei Modelltypen, die inzwischen in verschiedenen Versionen vorliegen, ist einzig das Bariloche – Weltmodell von Herrera/Scolnik in dem Sinne streng mathematisch, als es für die Erreichung der festgelegten Ziele eine eigens dafür entwickelte Methode der nichtlinearen Optimierung verwendet[6].

Der Prozeßbegriff in der Sozialwissenschaft ist – dies dürften die wenigen und nur skizzenhaften Anmerkungen gezeigt haben

[4] Vgl. dazu u. a. Bruno Fritsch, *Stabilität als systemares Problem.* In: *Stabilisierungspolitik in der Marktwirtschaft.* Erster Halbband, Berlin 1975, S. 61f. sowie die darin angeführte Literatur.

[5] Hans Richard Grümm, *Economy phase portraits.* International Institute for Applied Systems Analysis, Laxenburg, RM-76-61, Juli 1976.

[6] W. Clark und S. Cole, *Global simulation models.* New York 1976. K. W. Deutsch, *Toward an interdisciplinary model of world stability and change. Some intellectual preconditions.* Journal of Peace Science, Feb. 1976. J. W. Forrester, *World dynamics.* Cambridge, Mass. 1971. W. Häfele, *Energy systems. Global options and strategies.* IIASA, May 1976. A. O. Herrera und H. D. Scolnik, *Catastrophe or new society? A Latin American world model.* International Development Research Center Ottawa, 1976. E. Jantsch und C.H. Waddington, *Evolution and consciousness.* Reading, Mass. 1976. D. L. Meadows et al., *Die Grenzen des Wachstums.* Stuttgart 1973. M. Mesarovich und E. Pestel, *Mankind at the turning point.* New York 1974.

– alles andere als einfach oder trivial. Lineare Prozesse bei Strukturkonstanz lassen sich mathematisch weitgehend behandeln, obwohl auch in diesem »einfachen« Fall, wie z.B. bei der dynamischen Input/Output-Analyse, durchaus knifflige Probleme auftreten können. Besonders schwierig wird die Prozeßanalyse, wenn das Prozeßverhalten in Abhängigkeit von der Veränderung der Systemparameter und der Systemstruktur untersucht werden soll. Dies ist immer dann der Fall, wenn wir es mit *lernenden* und/oder *adaptiven Systemen* zu tun haben. Prozesse in solchen Systemen sind immer nichtlinear und weisen trotz stetiger Funktionen Diskontinuitäten auf, deren Auftreten von der topologischen Struktur des Systems abhängt. Gerade diese Systeme sind jedoch für die politische Praxis in der Sozialwissenschaft von größtem Interesse. Wird – was leider oft zutrifft – die Steuerung des ökologisch-sozio-ökonomischen Systems, in dem wir leben, auf Grundlage linearisierter Modelle mit den Mitteln der Theorie linearer Regelkreise versucht, wird das System nicht nur nicht beherrscht, sondern nur noch um einen Grad komplexer und vermutlich auch instabiler[7].

Vom Ausmaß der Komplexität dieser Phänomene erhält man eine gewisse Vorstellung, wenn man die ökologisch-sozio-ökonomischen Prozesse evolutionstheoretisch in *einem* Kontext, beginnend mit der chemischen, der präbiotischen zur biologischen und sozio-biologischen bis hin zur sozio-kulturellen Evolution analysiert. Dies hat kürzlich in einem vielbeachteten Beitrag Erich Jantsch auf einer Konferenz über »Wahrnehmung und Kommunikation« versucht[8]. Jantsch sieht die Evolutionsstadien universell im Sinne einer »Meta-Evolution evolutionärer Prozesse«, wobei er die in der modernen Evolutionstheorie zentralen Begriffe – Selbstorganisation, kohärentes Verhalten, Morphogenese, Kommunikation, Symbiose und Zeitverschränkung – auf dieses Gesamtkonzept anwendet. Dabei erweist sich als fundamentaler, das Verhältnis von Struktur und Prozeß in *allen* Systemen beeinflussender Tatbestand die jeweilige *Organisation des*

[7] Beim heutigen Stand unseres Wissens bleiben wir deshalb bis auf weiteres auf Methoden der heuristischen Komplexitätsreduktion angewiesen. Vgl. dazu Bruno Fritsch, *Ein projektorientiertes, heuristisches Verfahren zur Modellierung von politisch, ökonomisch und ökologisch relevanten globalen Zusammenhängen.* Wissenschaftszentrum Berlin und Institut für Wirtschaftsforschung ETH Zürich, September 1976.

[8] Vgl. Erich Jantsch, *Erkenntnistheoretische Aspekte der Selbstorganisation natürlicher Systeme.* Konferenz über »Wahrnehmung und Kommunikation«, Universität Bremen, 30. März bis 2. April 1977, Manuskript.

Energiedurchflusses (bioenergetischer Prozeß), d. h. des Verhältnisses von Negentropieverwertung und Entropieerzeugung. Es ist nicht zufällig, daß gerade dieses Verhältnis in Gestalt des Energieproblems, das unsere moderne Gesellschaft erst noch lösen muß, wieder auftaucht[9]. Die nähere Erörterung dieses Problembereichs würde den Rahmen eines solchen Beitrags sprengen. Es sei hier lediglich darauf hingewiesen, daß Prozesse auch in sozialen Systemen nicht ohne die Analyse der *Struktur* und *Genese* dieser Systeme verstanden werden können und daß gerade dies die Einbeziehung evolutionstheoretischer Konzepte erfordert. Wenn nicht alle Zeichen trügen, stehen wir heute am Anfang einer universellen Evolutionstheorie – also auch Prozeßtheorie –, deren Ziel die Überwindung des Gegensatzes von Geist und Materie ist[10].

[9] Vgl. dazu Bruno Fritsch, *Future capital requirements of alternative energy strategies, global perspectives.* Invited paper, Fifth World Congress of the International Economic Association on economic growth & resources. Tokyo, 29. August–3. September 1977, S. 10f.

[10] Weitere Literatur zum Thema: L. von Hámos, *Nichtlineare Regelungsvorgänge in der Technik und in der Biologie.* In: *Neuere Ergebnisse der Kybernetik.* Hrsg. von K. Steinbuch und S. Wagner, München-Wien 1964. F. Harary et al., *Structural models.* New York 1965. S. v. Känel, *Einführung in die Kybernetik für Ökonomen.* 2. Aufl. Berlin 1972. Oskar Lange, *Ganzheit und Entwicklung in kybernetischer Sicht.* Berlin 1966. Ders., *Introduction to economic cybernetics.* Warsaw-London 1970. T. H. Naylor, *System research in organization and management. A systems analysis approach to population control.* In: S. Karger, *Global systems dynamics.* New York-Toronto 1970. J. S. Zypkin, *Adaption und Lernen in automatischen Systemen.* In: Beihefte zur Zeitschrift für Regelungstechnik, München-Wien 1966.

Personenregister

Aufgenommen wurden nur die Namen von Personen, die Gegenstand von Abhandlungen oder längeren Bemerkungen sind.

Adler, Alfred 337ff.; 348
Adorno, Theodor W. 106
Alberti, Leon Battista 109
Almond, Gabriel 443
Anselm von Canterbury 346
Arendt, Hannah 65; 97
Aristoteles 95; 291; 294; 296; 311; 357; 428
Aron, Raymond 17
Augustus 41; 294
Azaïs, Pierre-Hyacinthe 340ff.

Babeuf, Gracchus 270
Bacon, Francis 139; 245
Barnave, Antoine 268
Bellay, Joachim du 129
Bentley, Arthur F. 13
Bernini, Lorenzo 118
Beyme, Klaus von 288
Bismarck, Otto von 14; 255; 265
Blanqui, Louis Auguste 270
Blau, Peter 448
Bocaccino 107
Bodin, Jean 129f.
Braudel, Fernand 248f.
Brunelleschi, Filippo 109
Bucharin, Nikolaj 180
Büchner, Georg 19
Bulgarus 365
Burckhardt, Jacob 156; 186–217; 250; 315ff.; 318f.; 339f.; 353; 356; 359; 361
Busch, Wilhelm 353

Caesar, Gaius Julius 34; 39; 52; 59
Cato, Marcus Porcius Uticensis 39; 52; 59
Cicero, Marcus Tullius 38, A. 64; 52; 104; 342, A. 41; 354, A. 66
Condorcet, Antoine de 139f.; 268
Cournot, Antoine Augustin 341
Chomsky, Noam 450
Clauberg, Johannes 347
Comte, Auguste 343; 442f.
Croce, Benedetto 98

Dacier, Anne 132
Dahrendorf, Ralf 448
David 73
Debray, Régis 268
Desmoulins, Camille 19
Droysen, Johann Gustav 49, A. 77; 191; 210; 245
Dürer, Albrecht 113
Dunn, John 275
Durkheim, Emile 442

Easton, David 443
Eduard III. (engl. König) 366
Elias, Norbert 7; 15, A. 13; 21f.; 24; 40; 144; 234
Engels, Friedrich 161; 167ff.; 174f.; 184; 269f.

Ferguson, Adam 21, A. 27; 91f.
Fichte, Johann Gottlieb 352
Ficino, Marsilio 112
Fontenelle, Bernard le Bovier de 127; 131; 133ff.; 141
Forster, Georg 19
Forsthoff, Ernst 53
Franz I. (frz. König) 129
Freud, Sigmund 338
Friedrich der Große 294
Friedrich II. (Kaiser) 294

Gehlen, Arnold 13; 30f.; 109; 355
Geiger, Theodor 285f.
Gellius, Aulus 134
Ghiberti, Lorenzo 108
Giotto 104; 109f.; 122
Gladstone, William Ewart 254; 265
Gobineau, Arthur de 150ff.
Goethe, Johann Wolfgang von 312; 314; 351
Gregor IX. (Papst) 366

Habermas, Jürgen 32; 318; 320; 332, A. 6; 335
Hansen, Alvin H. 335
Hegel, Georg Wilhelm Friedrich 102; 147; 199f.; 203f.; 207; 266; 292f.; 333, A. 9; 353; 359; 373; 440
Herodot 47, A. 74; 69f.; 72; 74; 78ff.; 84ff.; 94f.
Herder, Johann Gottfried 100; 355, A. 67
Hesiod 77
Hippokrates 314
Hobbes, Thomas 139
Hölderlin, Friedrich 353

Homans, George C. 448
Honorius IV. (Papst) 366

Jänicke, Martin 288
Jantsch, Erich 464
Jauß, Hans-Robert 128; 132; 341
Juilliard, Jacques 58
Jung, Carl Gustav 338; 352

Kant, Immanuel 20; 139; 157; 162; 267; 342, A 42; 347; 376f.; 380, A. 6
Kerr, Clark 446
Keynes, John Maynard 335
Koselleck, Reinhart 15, A. 14; 17; 276, A. 38; 277, A. 39; 330; 358; 390, A. 14
Kissinger, Henry 16
Kleisthenes 227
Kreisky, Bruno 17f.; 42; 46
Kubler, George 126
Kuhn, Thomas S. 279; 318f.; 333, A. 11

Leibniz, Gottfried Wilhelm 342, A. 42; 344f.; 347; 371; 373
Leonardo da Vinci 104; 108; 115
Le Roy, Louis 129f.
Lévi-Strauss, Claude 448
Ludwig XIV. 130f.; 294
Lübbe, Hermann 32; 336, A. 19

Marx, Karl 20; 147; 157–185; 268; 270f.; 291; 318f.; 331, A. 5; 352; 442f.
Masaccio 104; 124
Mead, George H. 416
Meinecke, Friedrich 266
Meng, Anton Raphael 119
Meyer, Eduard 73
Meyer-Abich, Adolf 351
Michelangelo 103f.; 107; 115; 118
Michels, Robert 31
Mill, John Stuart 146; 149, A. 17
Montaigne, Michel de 49

Napoleon III. 151
Newton, Isaac 342, A. 42; 380, A. 6; 390

Oertel, Robert 110
Oncken, Hermann 266

Pareto, Vilfredo 267
Parsons, Talcott 31; 222, A. 4; 251; 435, A. 33; 443f.
Passavant, Johann David 120ff.
Patzig, Günther 350
Perikles 87ff.
Perrault, Charles 131; 133
Peter der Große 294
Philipp IV. (frz. König) 294
Philostrat 103
Platon 95f.
Plessner, Helmuth 358
Plutarch 103
Pompeius, Gnaeus 39; 52; 59
Pomponius 365
Popper, Karl R. 248
Pufendorf, Samuel 139

Quenstedt, Johannes Andreas 347

Rad, Gerhard von 74f.
Raffael 112; 115; 119; 124
Ranke, Leopold von 50; 341
Rex, John 448
Ritter, Joachim 336; 358ff.
Robespierre, Maximilien de 19

Saint-Sorlin, Desmaret de 130f.
Salomon 73; 75
Sartre, Jean-Paul 355f.
Schiller, Friedrich 121, A. 75; 291
Schopenhauer, Arthur 353
Schumpeter, Joseph A. 254
Seeley, John 256
Simone, Franco 128
Solon 94; 226; 237f.; 241f.; 244
Sorel, Charles 130f.
Specht, Rainer 357
Spencer, Herbert 421; 442f.
Spengler, Oswald 291
Spinoza, Benedict de 351
Stone, Lawrence 274; 325
Sulla, Lucius Cornelius 38
Szilasi, Wilhelm 352

Tacitus, Publius Cornelius 36
Tefik 265
Tenbruck, Friedrich H. 33f.; 281ff.
Tertullian 346; 348
Thukydides 47, A. 74; 70; 74; 85ff.; 92; 94; 314
Tocqueville, Alexis de 20; 143–156; 267; 268, A. 6; 332, A. 7
Turgot, Anne Robert 139ff.
Trajan 294

Uccello 108

Vasari, Giorgio 98–126
Vico, Giovanni Battista 20; 23; 91; 291; 352
Vitruvius Pollio 103
Voltaire 127

Weber, Max 14, A. 10; 31; 45; 215; 248f.; 254; 442f.; 451
Wellek, René 125
Winckelmann, Johann Joachim 99f.; 102; 117ff.
Wölfflin, Heinrich 102
Wundt, Wilhelm 357

Zagorin, Perez 284

Sachregister

Das Sachregister beschränkt sich auf die Begriffe und Kategorien, die unmittelbar im Zusammenhang der Prozeßtheorie von Bedeutung sind.

Der Prozeßbegriff in anderen Bereichen
- juristischer: 365 ff. – und Historie: 16; 290 ff.; 330 ff.; 370 ff.
- naturwissenschaftlicher: 374 ff.; vgl. 15 – und Historie: 16; 386 f.; 390 f.; 412
- sozialwissenschaftlicher: 421; 428 ff.; 460 ff.
- stochastischer: 403 ff.; 461 f.

Herkömmliche Apperzeptionsweisen historischer Prozesse
- Kulturentstehungslehren: 69; 90 ff.; 94; 96
- Zyklus-Modelle: 84; 102; 104 ff.; 114 f.; 121; 127 ff.; 213; 291; vgl. 272, A. 25
- moderner Geschichtsbegriff: 17; 61 f.; 95; 330 f.
- Fortschrittsgedanke, moderner: 32 f.; 61 f.; 127 ff.; 144; 192; 277 f.; 330; 352 f.; 420; 444. Antikes Äquivalent: 60; 87 f.; 91 ff.; F.-Konzeptionen in der Kunst-Theorie der Renaissance: 104; 106 f.; 109 ff.; 122; 124
- Geschichtsphilosophie: 16; 97; 142; 171 f.; 175; 200; 207; 248; 267 f.; 276 f.; 292; 331; 333 f.; 352 ff.; 356; 361; 373
- Schottische Sozialphilosophie: 20; 23; 53; 69; 91
- Evolutionstheorien: 144; 210 ff.; 413 ff.; 442 f.; 464 f.
- Modernisierungstheorien: 33; 314; 416; 441 ff.

Typen historischer Prozesse
- Revolution: 143 f.; 148; 150; 177 ff.; 183 ff.; 191 f.; 266 ff.; 296; 301 f.; 304 f.; 307 f.; 314; 321; 324 f.; 352 f.
- Restauration: 290 ff.; 322
- Krise: 288; 313 ff.; vgl. 34 ff.

Kategorien einer Theorie historischer Prozesse
- »autonomer«, »autogenerativer« Prozeß: 23, 27 ff.; 92; 107; 223; 227; 230; 232, A. 13; 238; 245 ff.; 249; 253
- Ausgangskonstellationen: 28; 32; 34 f.; 38; 40 ff.; 224; 227 f.; 230; 245 ff.
- Randbedingungen: 29; 32; 42; 45; 231 f.; 245; 261 f.
- Figurationen: 16; 21 f.; 39 f.
- Impulse: 11 ff.; 23; 25; 28; 30; 32; 42 f.; 48; 61; 65; 70; 90; 107 f.; 112
- Nebenwirkungen: 11; 20; 25; 34; 37; 41; 43 f.; 52; 91; vgl. 23; 267; 357
- Eigengesetzlichkeit, Eigendynamik: 17 ff.; 21; 24 ff.; 30 ff.; 34; 39 f.; 51; 191; 228; 232; 262; 274 f.; 322; 437
- Zwangsläufigkeit: 22; 24; 28 f.; 36; 38; 42; 45; 51 f.; 57; 65; 150; 231; 233; 243; 251; 265; 332
- Naturwüchsigkeit: 20; 51; 148; 158; 160; 169 f.; 175; 250; 261; 269, A. 11; 316
- Determiniertheit: 144 ff.; 150; 152; 154; 159 f.; 162 f.; 250; 266; 268
- Gerichtetheit: 12 f.; 18 f.; 33; 36; 42 ff.; 49; 144; 147; 152; 155; 248; 251; 277; 322; 333; 356; vgl. 106 f.
- Irreversibilität: 13; 29; 249 ff.; 258; 260 ff.; 265; 277; 421; 436; 445; 461 f.
- Unaufhaltsamkeit: 137; 144 ff.; 150 ff.; 154 f.; 264; 267
- Beschleunigung: 250; 260; 276; 321; vgl. 349 f.; 436. – als Kategorie J. Burckhardts: 208, 250; 315
- Unmöglichkeit der Steuerung: 248 f.; 252; 287; 315; 319; 329. Fatalismus als Folge: 63; 66; 146 f.; 152 ff.; 332
- Spielräume politischen Handelns: 51 ff.; 61 ff.; 83; 87 f.; 91 ff.; 144 ff.; 152; 156; 201 f.; 252; 264 f.; 266 ff.; 287; 324; 332. Politische Kapazität: 41; 53; 63; vgl. 17; 23; 30; 34; 328 f. Politische Identität: 62; 82 f.; 85 ff.; 92 f.; 96; 223; 227; 434 f. Akteure als Exponenten eines Prozesses: 59; 64 f.; 268; vgl. 19; 169
- Prozeß und Ereignis: 17; 27 f.; 33 f.; 40 f.; 47 ff.; 58 f.; 61; 69 f.; 83; 90; 205 ff.; 248 ff.; 281 ff.; 390; 428 ff.; vgl. 25 f.; 94 f.
- Prozeß und Struktur: 56; 58 f.; 207 f.; 232, A. 13; 250 ff.; 420
- Prozeß und System: 20 f.; 178; 287; 315; 319 f.; 323; 328 f.; 414 f.; 420; 428 ff.; 439 f.; 460 ff.
- Interaktion von Prozessen: 32 f.; 46; 55; 57; 180 ff.; 261; 263; 285 f.; 333; 356; vgl. 326; 354. Traditionszusammenhang von Prozessen: 274 ff.; 278; 289

Analysen singulärer historischer Prozesse
- Krise der späten römischen Republik: 34ff.; 54; 59
- Vorgeschichte der griechischen Demokratie: 94; 221ff.
- Hochimperialismus: 248ff.

Weltgeschichte als Prozeß?: 11; 46; 50; 65; 134ff.; 143f.; 147; 154ff.; 157ff.; 171ff.; 175f.; 186ff.; 194; 197; 203f.; 209ff.; 215ff.; 248; 330ff.; 356; 413ff.; 418f.; 421; 423; 431; 435f.; 438f.